哲思讲演录

文明史与思想史之大观

上册

作者及作品简介

王东岳，旧日笔名“子非鱼”，自由学者，独立于任何党派和学术机构之外。曾为医学硕士，但研究生毕业后即脱离医界；也曾做过西北大学哲学系客座教授以及西安交大管理学院的东方文化客座教授，聊以谋生。迄有著作三卷两册：三卷《物演通论》合为一部；一册随笔集《知鱼之乐》；一册汇编本《人类的没落》。

本书是2018年作者在混沌大学举办系列讲座的录音文稿。分段方式大体依循该校制作全程视频的节奏，虽稍经润色，以适应阅读之需，然粗疏浮浅之视听观感在所难免，还望读者切莫以此作为研习与品评的根据，再读上列著作才是修养学问之正道。

哲思讲演录

文明史与思想史之大观

上 册

王东岳 著

《哲思讲演录》上册

简体中文第一版（美国）

Simplified Chinese First Printing Edition (USA)

ISBN: 978-1-955779-21-0（精装彩页 / Hardcover）
ISBN: 978-1-955779-22-7（ 平装 / Paperback）
ISBN: 978-1-955779-23-4（电子书 / eBook）

心通知易协助出版
www.Bridge-Minds.com

美国印刷
Printed in the United States of America

序言

那些年，我们缺了的那间课堂

对错且无论，当头一棒喝。

这是我近年学习东岳先生思想的切实感受。

从专业的角度，我是丝毫没有资格为先生的讲课稿作序的，不是自谦，是真的没有！只能作为一名普通学员，谈谈自己与这门课程，与一种思想，以及与先生片断相处的体悟。

走进先生的课堂与学问，于我而言颇有些意趣。

最早是2015年，通过“罗辑思维”购得《知鱼之乐》和《物演通论》两本书籍。一读之下，疑为天书。当时根本不知道作者王东岳先生仍然健在，更不知有公开课程一说。不久之后，受一兄弟公司之邀，去福州讲课。讲课之余，闲逛三坊七巷，在一间“无用书屋”里居然看见先生讲学的海报，大喜，顿时留下电话，并叮嘱朋友多多关注，来年开讲一定要通知我云云……

随后参加混沌地产营，一次早餐时间和同学闲聊，得知她在参加混沌大学另一个学习班。随口问了句，

“谁讲课？”

“王东岳！”

惊得我差点刀叉落地，

“他在讲课？”

“在啊，我帮你拉进去？”

不到半小时，我成了“混沌东岳学习坊”的学员。从此，真正走进了“递弱代偿”的思想……

我们这一代人中的大部分，论起知识结构框架，可能都是以高中为基点逐次建立起来的吧。我的高中母校是省重点，现在回想起来，也算是在高考大军中“不纯以高考而授”的了。除了课堂内语数英理化政史的应试教育和题海遨游外，春夏有歌咏赛，秋冬有运动会，课余各类竞赛此起彼伏……真是光鲜灿烂，青春壮壮，似乎所学所知还颇为丰满。

大学毕业后被经济洪流裹挟向前，精力基本交付给了买卖与货币，“学问”一事日趋淡出平常。闲来也看各类书籍，所学颇杂。至于什么是知识？知识如何炼聚成思想？思想又如何指导我们认知这个世界？认知又如何制约我们的行为？这些貌似无用，实则根本的问题，却仅仅是在读到某些相关文章语句时，偶尔凝神一想，随即便放诸星野，再也无暇细究。直到遇见了东岳先生这12天大课……

有不少听过先生课程的朋友，都被这个课程庞大的知识量所震撼，的确如此！

自科学运动以来，现代科学以“分科治学，逻辑实证”为展开方式，并以此构成国民教育的基本范式，导致我们几代人在知识的通道上，多为“科目闭塞”而非“融会贯通”。“专业之内深钻，专业之外茫然”确实大有人在。人类知识突飞猛进，信息增量之大令人咂舌，似乎不唯此法，无可为学。殊不知，20世纪60年代贝塔朗菲在《一般系统论》序言里就提及要由“分科知识”转为“横断知识”。而近些年以“美国圣塔菲研究所”为首的一些尖端科学机构，特别在“复杂性科学”的研究方面，更是以多学科打通为基本手法。可见，统贯性、整合性知识学习，具备更高的认知辨识力道。正如先生所说，“当你要真正地了解一个东西，你不能只站在它的内部，而是要远离它，亦即超拔于其上，你才可能看清全貌……”。我想这个说法，对于“知识”的整体来说，一样适用。相比之下，我们在学校教育阶段，都是“求知”为绝对主导，而缺失了最起码的“得识”。

这门课程，先生以自身广博的知识结构，把138亿年大时空尺度作为整体背景，对人类认知和知识为什么发生，进行了统合贯穿。讲述“知识背后的知识”，站在“科学之外”探究科学的成因、成果及其影响。12天内容，虽举诸多具体实例，但绝不纠缠具体知识细节，而是带领我们探寻人类文明产生之动因，比照东西方思想差异，涉及神学、哲学、科学、东西方文化源流，相互参照贯通，令人叹为观止。

这是课程给予每个人在知识架构上的重大收益。

然而，仅是知识面的扩充本身，是不能体现这课堂的魅力的。深远的哲学思境才是这堂思想之课最为坚实的枝干，撑起了茂盛的知识之果。或者，更确切地说，此为一次以哲学思维对“知识”及“知识走向”的拷问。

关于这一点，课程里还透露着另一层意义：

人类思想的进程，在近代隐约形成科学一路高歌，哲学式微下流的格局，特别是维也纳学派逻辑实证主义之后为甚，霍金在遗作《大设计》开篇即言“哲学已死”。而在这12天课堂上，你能够深刻感受到哲思探究的魅力。这不是对某一哲学家或是思想流派的研讨或是正名，而是对整个哲学思想体系的研讨和正名——哲学乃科学的前瞻！

都说哲学是少数人的游戏，是的！但哲学所讨论的问题却在很深很深的底层，铺垫着所有人的日常。用先生的一句话来说，叫“人类的文明路径与总体作为，都是行进在思想家的思想通道之中的……”。曾有人问我，什么是哲学？我开玩笑似的回答，你的这个问题就是哲学。看上去是言语的机锋，却也揭示了一定本质：追求答案，是人类精神思维的本能，但是“问题从何产生”，这才是哲学追寻的起点。遗憾的是，在我们受教育的整个过程中，无论形式还是内容，答案的现实价值都远高于问题。哲学教育的缺失，让我们大多数人失却了总览人类思想的视角，更失却了与自我思想相处的机会。这门课程由文化及文明现象为入口，实则体察“以‘思想’反过来思想‘思想’”的思维魅力，从“寻找答案”的思维惯性，逐步焕化为“追寻问题”的思维能力。

此为课程给予每个人在思维深度上的重大收益。

在课堂上，时不时的，会听见先生讲这样一句话，“……如果你听懂了这层意思，这堂课你才算听出了点儿韵味”。

哪一层意思？“递弱代偿”原理！

和其他讲述哲学的课程不同的是，以往的哲学课程，大都以“哲学史”或者“某一哲学大家的哲学思想”为根本课基。而这12天的课程大堤，却是构筑在先生倾心20余年所建构的一套哲学世界观逻辑模型之上的。

这个筑底思想的存在，导致了此课程好比是智能转译机与庖丁解牛之刃的差别，不可同日而语。讲至精彩处，对既往思想“动刀甚微，謋然已解”，人类万象繁华“如土委地”，讲者“提刀而立，为之四顾”……，听者宛如身临如斯景象，心驰神往。

这个思想的核心就是“递弱代偿原理”。关于这个原理的深邃内涵，大家如果有兴趣，可以耐着性子，翻开先生所著《物演通论》一寻其幽。

可是，学习哲学之难，首难在于对哲学语言的理解。

哲学思境幽长深远兼具放达广博，逻辑反思中还要普解一切现象，现实三洽（自洽、他洽、续洽）。这自非一般语言的精确度可以到达，也无法像科学一样，在某一特定领域产生出专门的符号体系进行换算推导。有时，就连哲思者本人亦为之苦恼。以至于莱布尼兹感叹，哲学要有自己的语言符号；海德格尔则干脆创造了“Dasein(此在)”来表达自己的哲学思想；到了维特根斯坦，居然有一个阶段（他的哲学思维中期阶段）认为哲学就是对语言的误用，从而彻底否定传统意义上的哲学，并宣告哲学活动的终结……

自古说到学习都知道“开卷有益”，但对哲学而言却真的是“开卷无力”。也因此很多人学习哲学最后都会有同样的心声——学习哲学就是在学习语言。

先生的《物演通论》既然构筑了一个全新的哲学世界观逻辑体系，当然有很多自己的术语，书中还对哲学史上重大思想做了很多引用与批判，一定会给初学者带来不少困扰。那么，这个课程就是打开这本似乎苦涩难懂的“哲学大部头”的第一级认知台阶。

我为先生进行这次课堂录音成文的初次校订整理，过程中不禁称奇。授课过程几乎没有口水话、反复语，语句一气呵成，基本上我仅是在标点符号、录入错别字、专用术语等方面花功夫，几乎不用涉及语义整理。这种高超的讲述技术，辅以“东西方文化比较”为骨架，多以我们熟悉的诸子百家、佛教、易经、中医等东方思想为切口，加以对西方哲学、科学思想和重要大家学说的相互批评、相互发展为线索，佐以“递弱代偿”原理而剖析，上、下、前、后进行映照。如果稍加用功，无疑是给自己打开《物演通论》，以及打开所有哲学宗卷搭建了一支攀爬的楼梯。

此为课程在思想探索上给予每个人的重大收益。

除了这些直接作用于大脑的收益之外，课程背后所带来的观念重塑和人本关怀，也许才是这个课堂被绝大多数听者追随的根本原因。

首先，是“知识观”重塑。对于“知识”，我们早已不陌生。千百年以来，哲学上的“物质、精神、不可知论、语义混淆”的争吵不休与反复纠缠，反而致哲学本身境况日渐缥缈；科学上对于“运动、时空、社会构型、方法论”等重大课题的精细分科与实证下拓而日趋玄幻。如今连“定义”之“定义”都摇摇晃晃，何论“正确与谬误”。先生的这个课程既谈知识的“实证性”，也谈知识的“证伪法”，更谈“为什么需要证明和证伪”。将“逻辑三洽原则”投射于“精神感知属性的耦合原理”之中，将“是非观”消弭，令“求真论”无形。

此为“知识观”的重大转向。

其二，是“历史观”重塑。“谁创造了历史”？对这个命题的回答，某种意义上决定了人类关于“推动力量”的认识。长期以来，我们通常是流于“人民创造历史”或是“英雄创造历史”的辩证之中。这里面正如梁启超先生所说，“历史即为人类活动之总和”，“人”构成了历史的绝对主体甚至全部。因此，“创造”一词与“历史”相依相随，成为一股显性而当然的傲慢。然而，先生的学说和课堂上所讲解的“生存结构决定论”（按：有别于达尔文的“演化论”，详解见《物演通论》），将这一面纱轻轻摘下，露出了“万物衍动”的潜在而必然面目，把人类及人类行为统摄于自然万物之内，所谓“人性是物性的绽放，人道是天道的赓续”。

此为“历史观”的重大转向。

其三，是“世界观”重塑。“世界观”的建立是人类思想发展的一个根本目的。这个目的，既直接牵引人类社会文明的步步高歌，又直接扰动人类自然地位的层层塌陷。“哲学”本身都处濒危态势，而科学更多地是自顾着钻入某一狭小细分领域，更是无暇再去处理这样的宏大命题。在这个课堂上，先生自“东西方文化溯源”开始，一路铺垫，最后两天讲述“存在度”“代偿度”“存在阈”的新生存标量，提供了“递弱代偿”原理这个全新处理“世界”的坐标。其中“生存效力与生存能力成反比”、“任何存在者只能求存不能求真”、“属性耦合理论”等重大结论，直接冲击我们认知逻辑的最底层，甚至与既往我们熟知的，包括达尔文“进化论”在内的大部分学说分庭抗礼。

此为“世界观”的重大转向。

其四，是“社会观”重塑。自文明开化以来，除却少数如老子等人，人类大部分的学说底层情绪取向，一律以“积极进取”、“弘扬文明”为基色，尤以“文艺复兴”运动之后为盛。“存在度单向弱化下倾”的逻辑体系的提出，揭示了与之截然相反的通调。尽管，以“进步论”为表征的“代偿度递增”无可逃避，但是对于未来人类生存危机的提示，由此照射到每一个体及至每一民族应该引起的警觉，从而重新定位“人与社会之意义”。

此为“社会观”的重大转向。

通过“知识观”“历史观”“世界观”“社会观”四个基本观念的冲击及重塑，让我们走出飘飘然的“人本”优越，意识到文明蓬勃背后的深彻生存危机，从而超越个体、民族、国度，站立于人类视角建立“人类天下观”，此为先生课程以及学术给予每个人的生命视野贡献。

学问有高下，学术无对错。

在网络上有些人许是没有完全理解先生的学说意图，抓住某一断语，加以批驳。须知，真正的学术批判，从来都是开放的。

但于这些言论，先生的态度从来都是九个字：不争论，不说服，不苟同。他说，“如果你有新的见地，麻烦写成书籍，证明它，兴许也是一段佳话……”，“我的学说绝不是绝对正确的，并且随着信息量的增加，我的学说一定会破溃……只是，新的学说可能会比我的学说更令人类感到不堪……”。

我想，这里展示了一名治学之人，取西方之爱智，处东方之重德，懒做口舌之劳的超拔。也反映了正如《知鱼之乐》第四篇小文“平庸者伟岸”所述，虽寓喻的是新物种的产生之理，却也可以用来映射新学术的遭遇。一个新的学说，在问世之初，自然免不了遭受这样的待遇。用今天流行的话来说，就叫“遭‘黑’是必然”。

因为替先生撰写了《物演通论》英译本的募资文之故，有幸得以间隙与先生相处。所以，我倒有两个关于先生在生活中“互黑”的故事，与大家分享。

八期课程结束聚餐与先生同桌。为了让气氛热闹些，主办者煞费苦心地安排了几个“黑色奖项”，其中一个是“睡神奖”（先生的课程知识量大，观念独特，颇为烧脑，一天六、七个小时，先生讲得辛苦，坊友也不轻松，经常有人瞌睡），配合大屏幕上一位坊友伏桌而睡的照片，我们都哈哈而笑。过了几分钟后，热闹的宴席间，先生手持一盏酒，突然起身走向另一桌去敬酒。我很是惊讶，要知道，先生从不会轮桌敬酒的，我小声地问了师娘一句后才知道，原来先生觉得在他的课上睡觉很正常，把这位坊友的形象拿出来供大家取笑，怕这位坊友有心理压力,觉得过意不去,前去敬个酒以致劝慰。“互黑”于我们而言，是再正常不过的事情，但是，对别人保持基本尊重，不给别人添麻烦，在先生眼里，也是一件再正常不过的事情。

如果你因此以为先生就是一位呆板的老头，那就又不对了。我们也经常拿一些先生讲课的趣事“黑”一下，先生也颇以为乐。九期结束后，又是几个坊友和先生一起吃饭，席间讲起“无用之学”，先生多次在课中和课间表达过，“哲学只关心如何认知世界，绝不关心如何改造世界”。一位坊友开玩笑说，“先生您就是拿个手术刀，把社会和人类的肚肠拉开，然后指指点点，你看，这里什么问题，那里什么毛病，这些是个什么原理，然后缝也不缝上，双手一背，走了！”先生听了，笑得接连咳嗽，差点岔了气，还不断说，“比喻得太好了，笑死我了……”，惊得师娘和我们忙加劝阻说，您慢点，您慢点……。

治学者，通过“为学而为人”，我相信，又能通过“为人去反哺为学”。

有坊友在课中问及如何才能学识渊博？先生回答，放弃诸多诱惑，老老实实地做只书虫。在整个课程中，我感受到的先生，是长者，是学者，是书虫，更是一位远远站立于世事之外，关切着人类命运运动轨迹的普通人和智者。

“哲学终究是要回到人身上来的”，这是《物演通论》附录二里的一句话。尽管，先生在课堂提问环节，曾经从他的学术角度回答一位学员说，人生毫无意义。然而，这个学术的起点，却是大一统的人本关怀。

这12天课程中的学识、观念和思维，固然是为我们架设起了那些年缺失的一种视角和一种思想，但是，课程背后的那股对智慧的安静地追求和对人类命运的终极关怀余绪，才是支起这门课程的脊梁。

校订此书过程中，先生每次收到邮寄稿件，回信总是感谢、问候及勉励之言，于我拖拖拉拉的交稿时间一节，从未催促，从无不悦之色。令人惭愧之余，温暖备至。

时至今日，距离先生封闭讲坛已一年有余。世俗生活中或有不决之事，或需辩驳之理，或感乏力之时，先生那中速、平稳、低沉而有魅力的声音就会在耳边响起，教人穿过那些表象，教人穿过那些纠缠……。我想，这些点滴涌起，很多坊友会和我一样，会想念那个声音，想念那个课堂……

作为学生，还要感谢混沌大学李善友教授和曾兴晔女士，安排精心编辑录像，使得此课可广播天下；感谢班主任昕然在课程组织中的尽心。

感谢师娘赵梅女士，体贴入微照顾先生，不仅为中国传统家庭美德之典范，也是先生磅礴思想之歌中的一和清音。

再次感激王东岳先生！

孙丹麟

2020年1月30日（庚子年正月初六）

纪要

开学典礼致辞纪要

这是我最后一次出来讲课。

首先有必要说明，这是一个纯粹的文化课和思想课，所以大家千万不要追求实用。一个哲学家活着的时候一定是很寂寞的，所以你们追随我不免有些枉然，等我作古不知多久以后，可能我的学说会被人们接受，但那个时候你们也已经老去，恐怕终究看不到它的余晖了，所以各位来上我的课是一件徒劳无功的事情,而且还特别辛苦。这个课程我们会讲得稍微偏深一点，不管是讲中国文化还是讲西方哲学，以及在最后一天课诠释我的哲学系统，我都不按一般教学方式介绍，尽可能给大家谈出一点新意，所以这个课听起来是比较吃力的，或者说趣味性是很差的。听这个课我希望大家不抱着功利目的，这样你才能把这个课听出滋味来。

我举个例子，量子力学的开山人物之一薛定谔，他在一次题为《科学与人文主义》的演讲中说，一般人都认为科学是有效用的，人们尊重科学、追求科学，就是因为科学能够带来巨大的生产力，能使人们的生活变得更舒适、力量变得更强大等等。他说，这是对科学最大的诬蔑。真正的科学首先是人文精神的表达，它跟考古学、语言学、美学等这些看起来没有任何用处的学问完全等同，它是人类精神的升华，而不是实用的东西。如果你把科学视为一个实用的东西，你确实是把科学贬低了，或者说你根本没有理解科学作为一种文化现象究竟是怎么回事。大家想，科学尚且如此，何况我们讲的这些东西跟科学还不直接相关，完全是在讲人类文明史的渊源，讲思想史与文明史的关系，进而讲什么东西驱动着它，它最终的走向是什么，它如何塑造我们的人格状态和社会形态。我们是讨论这些问题，它当然跟实用没有任何关系。

一般而言，在学习过程中，你越是不追求实用性，你才越能夯实自己精神底层的那个基础。如果你追求实用，你就难免会一直把自己飘浮在最浅层。所以，我建议大家，即使我讲的某些东西似乎有一点实用性，或者在你的联想中有实用性，你都应该把主要精力沉淀在非实用的精神奠基层面上来，由此或可稍许赢得某种透视远方的目力，此乃本课程的唯一价值所在。

再者，我希望大家循序渐进，就是按照这个课程的安排，最好中间不要有断层，因为这个系统讲座是有某种逻辑联系的。

第一节课讲“东西方文化溯源”，实际上是讲人类文明的起源是被哪些因素促发的，它是所有后面课程的一个基础。

然后讲“老子”，它是东方思想的最高端。我们之所以把“老子”放在第二天开讲，是因为我们下一次课就涉入“西方哲学基础综述”，也就是把西方哲学的思想高端拿出来，这样我们就会有一个明确的东西方高端思想的对照这种感觉。

接下来，我们会慢慢地依序铺陈像“孔子”“法家”“易经”“佛教”等课题。

除了国学以外，我们会专门讲一节课“人体哲理”，我们还会讲到“中国文化的衰落”，它实际上是预演或预示着西方文化行将衰落。

最后，我们探讨“人类文明的趋势与危机”，这个话题很严峻，也很紧迫。其思想依据是《物演通论》一书所提出的基本哲学原理，尽管在课堂上只能给以概要诠释。

我在这里得做一个声明，即使我讲这个课总想尽可能挖深一点，大家也一定要明白，我的讲课是非常浮面的东西。这话什么意思呢？我写书的时候，比如写《物演通论》这本哲学书的时候，我是绝不迁就读者的，我只追求思想严谨表达。

但我讲课这样做是绝对行不通的，我讲课虽然力求具有一定的深刻性、连贯性、逻辑性，还要让大家能听出兴味来。既然我得照顾听众，那么我就必须把一些相当深在的东西拿到直观层面上来做表层解读。它会带来一个很大的问题，就是使一个深刻的思想肤浅化和庸俗化。因此我必须强调一点，就是你读我的书不会见到我讲课的内容，讲课的内容是人类共有的知识，而不是我独创的知识，我只是用我的思想把它串联贯通起来另作阐发而已。我写书是只写我自己的见地，凡不属于我的发现我绝不会落笔。因此写书是独到之见的落实，讲课是人类文化的总结。而且讲课要迁就听众，就不免在浮浅的、直观的层面运行，因此大家要想深入地理解一些东西，我还是强调要读原著。即便如此，各位听起来也有相当难度。所以我希望大家事先稍微读一点相关资料，比如我们讲老子，我希望你来听课以前最好把《道德经》读一下；比如我们讲“西方哲学基础综述”，那节课是比较艰深的，即使我只讲最浅层的部分，它也是非常烧脑的，那么大家如果能稍微翻阅一些西方哲学史的书，做一点预习，可能你听课会更有味。

再则，我们这个课程，连续讲下来总共大约是80个学时。大家知道在大学里一门选修课通常只给40个学时，就是每周两个学时，一个学期一门选修课结束，那么我们这是80个学时，相当于一个分量很重的选修课，也就是相当于一门系统课程。我希望大家听课，不把重点放在听“知识”上，尽管我的讲课内容可能会有知识量偏大的这么一个特点，而应放在听“思想”上，就是谛听我们人类在他的整个文明史上是怎样运行以及展开其思想模型和思想序列的。

我在过去的讲课中不断重复一句话，我说人类文明是铺垫在思想家的思想通道之上的，而不是铺垫在客观世界之中的。所有动物都生活在客观世界之中，它们为什么不创造文明呢？所以人类的一切力量来自于思想，而具有思想创造能力的人却是非常之少的。我们讲课主要就是讲人类历史上东西方最著名思想家的思想展开过程。听这个课程是听什么？就是听人类文明的基本驱动力在人类思想层面上是怎样运行的，把这个韵味听出来才是最关键的内涵。

实际上，我们小学、中学和大学所有上学都是带功利目的的，都是为了应付考试、为了升学或为了求职等等。也就是说，我们在受教育期间很少有过纯粹的、无功利的、不带任何目的的思想训练和探求。

那么这一次课，我就希望大家跟着我走一次思想训练和思想探索之旅，而这个东西才是最有强大力量的，它居然塑造了整个人类的生存模型。用这样的方式细听一次另类课程也许是别有一番风味的。大家随着我的思想序列，随着此前建构人类整个文明基础的思想家的思想序列，展开自己的思维训练和精神重塑，如果你能达成这个结果，你收获极大。

最后就是这个课相对来说还是比较沉闷的，因为思想绝不华彩，它绝不哗众取宠，它也绝不有意识让自己闪光。我将用尽可能平朴的讲解方式如实地反映思想的运行方式。我们追求的是逻辑严谨、思绪深刻，我们追求这些东西，所以我们的课程确实不会有华美感，也不会给你带来多少愉悦感。这个课最终的结论可能是让你大为失落的，因为它会告诉你人类未来的命运竟然是一个特别麻烦的格局，人类未来文明的趋势，大抵是一个前途非常有限、而且前途充满黑暗的摸索进程。

我希望大家带着沉思的、反省的那么一种态度，带着追求深知灼见的别样意趣来听课，这里丝毫没有励志的、煽情的、鼓舞人心的激昂成分，我们倒很可能陷入某种悲观的思绪之中。这就是为什么当年亚里士多德讲一句话，他说人类最伟大的艺术一定是悲剧艺术。那么悲剧为什么是艺术的最高表现形式呢？是因为它在最深刻处反映着人类本身的命运。也就是人类的宿命含有巨大的悲剧性，这就是悲剧艺术的感染力所在。那么当一个思想不是张扬的、不是兴奋的，而是很悲凉、很深沉的默然求索，它显然不符合我们日常生活的向往，但它却可能表达着某种你断不可失之于探察与考究的潜在决定要素，因为它可能影响着你的命运乃至你的同类的命运。

2018 年 3 月 9 日（开课前一天下午）摄录

目录

序言 x1

开学典礼致辞纪要 k1

上 册

一、东西方文化与文明溯源 001

m1

开题序语 003

智人迁徙—人类文明的发生轨迹与梯次 008

文明发生的自然规定进程 017

社会结构的文明初态 027

人类原始文明的形成机制 040

文明分化的内在求存规定 051

中国商代的文字源起及社会构型 056

象形文字与东亚甲金文 064

甲金文的字义如何形成 074

东西方思维方式的差异与成因 082

拼音文字与哲科文化 091

课后答疑 100

二、老子思想主旨钩沉 111
开题序语 113
老子其人 119
老子的著述及其与孔子的关系 127
老子论“道” 133
上善若水 141
弱者道之用 145
老子论“德” 149
无为而无不为 158
老子的反动与保守 162
递弱代偿法则 171
不笑不足以为道 180
课后答疑 190

三、西方哲学基础综述（上） 201
开题序语 203
何谓之“哲学” 209
哲学的起源 214
再谈古希腊 223
古希腊哲学概述 227
本体论的初始追问 238
科学的萌芽 247
狭义哲学的三大特征 253
狭义哲学的三大特征（续） 263
附谈：依赖模型的实在论 270

辩证法：理性逻辑的初始形态 …………………… 279
“理想逻辑”简述 …………………… 288
课后答疑 …………………… 294

四、西方哲学基础综述（下） …………………… 307

千古玄难：“知”与“在”的关系问题 …………………… 309
“知”与“在”双双迷失 …………………… 316
古典哲学的高峰及其遗留问题 …………………… 322
“唯物、唯心、不可知论”各自的局限 …………………… 330
“知”的动态发生学意义 …………………… 335
精神渊源：感应属性增益 …………………… 340
“逻辑”的定义及其形成路径 …………………… 345
逻辑变革的成因 …………………… 353
“真理”的动势 …………………… 362
“科学”的内质 …………………… 369
知识创新的逻辑路径 …………………… 378
课后答疑 …………………… 386

五、孔儒的文化渊源 …………………… 393

开题序语 …………………… 395
孔子生活的时代背景 …………………… 397
孔子时代的社会转型 …………………… 404
文明历史的演进方式 …………………… 409
幼稚文明的老成现象 …………………… 416

“大一统”与“僵老化”之成因 420
原始文化的三大要素 429
孔子身世简介 437
孔子生平特征 445
孔子学说的实质与体系 452
孔子思想的历史合理性 465
“重德”文化的参考意义 475
课后答疑 486

六、法家专论与国学的社会落实 499
开题序语 501
法家的起源与史迹 503
商鞅身世简介 510
商鞅变法述略(一) 514
商鞅变法述略(二) 519
商鞅变法评议 525
改革的悖论与困境 529
法家学说的理论框架 536
韩非法论的基本取向 542
法家思想总纲:尊上弱民 550
东西方政治智慧的比较与探究 555
韩非学术影响评议 562
课后答疑 571

一

东西方文化与文明溯源

开题序语

我们今天讲东西方文化与文明溯源，这是所有12天课程最基础的一门课。我建议各位同学和听众循序渐进，中间不要跳课，不要断堂，因为前后全部课程有一个内在逻辑连贯关系。直到临末一天课，我们再给出哲学性的最后陈述和总结。

对这个课程，我先做一个基本说明：

我们这个系列讲座，旨在阐述整个人类文明发生和演进的动因与走向。这个课程相当大的内容是国学部分，但大家千万不要把它理解为国学是重点。我们之所以国学部分比较重，是因为：

其一，在讨论整个人类文明发展序列和趋势上以国学为基线，我们较具有亲切感。

其二，我们确实在这个方面需要补课。

其三，我们顺着这个线索，最容易展开对整个人类文明总体发展的讨论。

我再次强调，我们这节课没有任何实用性可言，我们这节课只讨论“道”这个部分。大家知道中国传统文化自古以来就有

"道"与"术"的分别，我在这里换一个表述方式来讲明这两者的区别：所谓"术"者，它是指你可以驱动和支配什么；所谓"道"者，它探究什么东西驱动和支配着你，也就是探究什么东西驱动和支配着人类。这才是我们本次系统课程的课题宗旨。

中华文明是世界上唯一的一支一脉延续到今天的文明。大家都很熟悉，像古埃及、古巴比伦、古印度、古波斯、古希腊、古玛雅、古阿兹特克，世界上所有这些古文明，要么中断了，要么灭绝了。像古埃及、古印度、古希腊、古波斯，连人种都被置换了。只有中华文明及其传统文化一脉延续到今天。因此，它价值无量。

我们下面就来看看，中华文明这条线索为什么能够成为整顿人类文明总视野的一条基线？它是由下面五点因素构成的：

第一，中华文明最好地保留了人类文明原始时期的基层思想内涵。

这段话什么意思呢？你现在到埃及，到两河地区叙利亚、伊拉克，到印度，到希腊、罗马，你还可以看到大量的古代文物。但是，人类上古时代文明开端之时，它的思想序列、文献序列能够完好保留的只有中国。而且，由于中国一直使用人类最原始的象形文字，它就像一个保险箱，把人类最原始、最底层的思绪锁定在其中，从而留下了一份宝贵遗产。

而且，中国文化传统文化有一个重大特点，就是它比西方古代文化还要古远。因为我们现在看到的西方文化历经了三个阶段：神学阶段、哲学阶段和近代以来的科学阶段。但是中国文化却完好地保留了神学阶段以前的那个部分的思想和文化，我们把它叫作前神学文化。所以我们可以说，整个人类的文化历程不是走了三个阶段，而是走了四个阶段。而最初的那个阶段我们唯一可以找见的张本就是中国传统文化。（这话是什么意思？我们在后面的课程中逐步展开。）

第二，中国传统文化及其中华文明是人类最典型、最精致的农业文明，它因此成为我们考察人类文明史的一个最重要的标本。

由于东亚地区处于封闭地貌，它因此在中古时代以前避免了民族扰攘和文化冲突，从而使得中国人把原始农业文明及其思想脉络精雕细琢数千年而不辍，从而形成世界上最精致、最典型的农耕文明文化标本序列。

第三，由于这个农业文明体系过度精致，因此使得近代以来它向工商业文明转型变得极为困难，这就导致近代中国代表农业文明的这个文明类型和西方代表工商业文明的这个文明类型发生剧烈冲突。

这个冲突过程严重到这样的程度，以至于我们近代有过一段屈辱的百年史，以至于在上个世纪初叶——1916年，当时中国的文人志士主张把中国文化全面抛弃，提出的口号是“打倒孔家店”。我们今天不能责备那些人，因为当时是救亡运动，但它的结果是国人从此以后把自己的传统文化几乎丢弃尽净。

这就使我们今天有对这个内容进行补课的要求，这也是我们这次课程里国学成分较重的原因之一。而且大家要知道这场冲突曾让我们沦落到如此地步，一个远古时代世界上最文明的国家到了近代，它居然被西方文明视为野蛮之区域。我们自己自卑到这样的程度，在民国时代，一个西方式的拐杖居然都叫“文明棍”，它的含义是我们的一切都不够文明，我们的文化完全衰落了，我们的文化沦落到被我们自己轻视的程度。

这个过程激发了下面第四项特点，那就是我们开始进行学习转型，这个历程中国人做得比较深刻。

大家知道1840年鸦片战争标志着中国文化彻底衰落，其后中国人就开始学习西方，最初叫“洋务运动”。所谓“洋务运动”用一句话总结，叫“师夷之长技以制夷”，就是学习西方人优长的技术以达到制服西方人的目的。由于这个原因，我们最初的学习是表浅的，是敷衍了事的。

到1894年，中日甲午海战中国惨败这件事情有力地给国人敲响了警钟。要知道日本明治维新1868年才发生，到1894年仅仅26年时间。一个以中国为师的蕞尔小国，居然打败中华帝国，它的老师之国；随后在20世纪初叶，又打败强大的俄罗斯，这才使中国人惊醒。我们学习西方，仅学习西方的科学技术层面是不够的。而日本明治维新之所以成功，是因为他们提出“脱亚入欧”的口号，全面抛弃中学，老老实实地学习西方。在甲午海战之后，引发中国著名的“戊戌变法”运动，它实际上是要求中国全面学习西方，包括对社会政治体制进行相应改造。中国人由此开始步入系统学习西方的进程，以至于我们说的民国时期的学者或杰出文化人，他们其实都是在各个学科方面把西方文化以最精深的方式引入中国的大师，而不是真有文化建树者。他们居然成为中国民国时期的文化巨擘，原因在于中国饥渴地需要学习西方，这也在某种程度上表明我们文化衰落到何等程度，衰落到我们不得不全盘西化，我们今天已经被西方文化同化了。

自古以来，只有我们同化别人，何曾有过别人同化我们？可我们今天在文化体系上基本被别人同化了。大家想想，我们从小学、中学、大学，你学的所有课程，除了中文以外，几乎全都是西学。我们今天头上戴的、脚上穿的，也全是西方的东西。我们今天使用的文字虽然还是象形文字，但已完全符号化。我们今天写的文章都是欧式文章，要知道真正的中国古文即文言文，它是没有语法逻辑结构的，它甚至连标点符号这样的逻辑符号都绝不使用。我们今天写的文章，有主语、谓语、宾语，这是典型的西方语言逻辑体系。

由于这个原因，我们把自己的传统文化丢弃尽净。

但是，我们也获得了一项好处，那就是我们从此最谦卑地学习西方，谦卑到崇洋媚外的程度。如果我们今天能够把自己的传统文化这一课补回来，请大家想想我们是不是具备了一个重大优势：我们以开放心态学习全人类的文化，这使得我们具有了未来的一种强大的弹跳力。

今天的西方人十分自傲，因为近1000年来的文化贡献几乎都是他们的，这使得他们不屑于学习其他民族的文化与文明。可大家要知道，在中世纪后期乃至近代，西方曾经热诚地学习东方，至少是仰望过东方，这使得他们快速超越我们。因此，我们近代学习西方一定会给我们带来一个未来的重要优势。这是第四条。

第五条，我们当前是世界上发展速度最快、行为方式最激进的国度。我们在某种程度上比西方还西方，于是我们拯救了自己，于是我们行将走在人类文明的前列，它使得我们可以直接面向人类未来。要知道近代以降，我们的面向始终是西方文化的背影，而我们从今往后将面临一个前途未卜的未来。

由于上述五项原因，我们拉着中国文化这条线索，可以非常有效地梳理整个人类文明的进程。而且，我在讲课中会不断地把东西方文化做对照。之所以以东西方文化为重点，是因为在世界上数百种远古文明中，东西方文化和文明最具有极性。

这句话什么意思呢？就是它们最具有文明的极端表达性格。但这里也带来一个问题，就是东西方文化兼容性极差。

大家知道，在中国文明史上仅有过两次外族文化侵入中国：

第一次是东汉中期，印度佛教传入中国。它悄无声息就和中国文化融会贯通，以至于我们今天说起国学——儒、释、道，它居然占据三足鼎立之一足。

第二次外族文化侵入就是1840年鸦片战争。迄今170多年过去了，可是我们仍然找不到这两种文化的对接点。

它说明什么？说明这两种文明兼容性极差。尽管工商业文明是从农业文明中增长出来的，但当一个精致的、纯粹的农业文明面对一个更横暴的外来工商业文明的时候，它要找到相互之间的对接点、兼容点、思想融汇点，却十分困难。

这就导致近代上百年来，中国的政治家、经济家、社会活动家乃至文人学者，全都处于自觉或不自觉的文化分裂、行为分裂、思想分裂甚至人格分裂的困局之中。

那么，我们这次从深层梳理东西方文化乃至整个人类文明的总体走势，其目的就是用更广阔的视野和更前瞻的冲动，处理人类未来文明的前途何在之问题。

此乃这个系列课程的重点。

我再把它做如下阐发：

我们需要重整出一个怎样的新文化？它的潜台词是，假如我们业已走在人类文明发展的前列，即已无旧例可循且陷入重重迷雾，那么我们将准备走向何方？我们将面临什么风险？我们将得到什么收益？甚至我们还有没有前途和收益？

全部的问题可以归结为这样一句话：我们必须构建一个怎样的未来文明形态，才可能让人类继续生存下去？

请大家注意，只有紧紧围绕这些问题作为中轴，这个课你才能听出趣味，你才能听懂深意。

智人迁徙——人类文明的发生轨迹与梯次

为了说明人类文明的起源,我们必须首先从“人类学”讲起。

大家都很熟悉，我们人类是由1600万年前的南方古猿逐步进化而来的。过去学界认为，地球上不同区域的现代人类是由分布在地球上不同区域的，已经存在了300万年到500万年的直立人逐步进化而来的。比如，欧洲人认为他们是当地尼安德特人的后裔，我们中国人认为我们是北京周口店猿人、陕西蓝田猿人、云南元谋猿人的后裔。

可是，在上个世纪末叶，生物学家和人类学家研究发现，地球上现存的人类，我们给它取一个专门的名词——现代智人，它只是由14万年前，某一个女性或者某一族女性繁衍进化而来的，这就是著名的“线粒体夏娃学说”。

我来解释一下这个术语。基督教认为人类的始祖是上帝创造的亚当和夏娃，夏娃是人类女性始祖的名称。由于这里探讨现代智人最早的发生，因此借用夏娃这个名号。

什么是线粒体呢？真核细胞的细胞质里有一个细胞器叫线粒体。过去认为，线粒体只不过是细胞能量代谢的一个结构。可是上个世纪后半叶，生物学家研究发现，线粒体里也含有一组基因（DNA，脱氧核糖核酸）。这一组基因只由母亲传给女儿，女儿传给孙女。也就是说，这一组基因表达得十分纯净。这句话什么意思呢？要知道我们细胞核里面的基因，在每一代遗传中，会受到两性基因的干扰，也就是父本下传50%，母本下传50%。那么每一代基因重组至少有50%的遗传干扰率。但线粒体基因表达得十分纯净，只在女性一系下传。因此，研究这一组基因，（以及）研究这一组基因的变形或变异，就可以清楚地测算地球上现代智人发生的时间和来源。

我们怎么知道这一点呢？生物学上有一个名词叫“基因突变频率”，也就是一组基因发生突变，它是有一定的常量关系的。比如说每十万个基因每年发生N个基因的突变，它是一个定数。如果我们知道了基因突变频率，同时又能找见这一组基因的原始参考系，那么我们就可以判断这一组基因在地球上发生的时间。

根据这样一项技术对全人类的线粒体基因进行追究，发现全人类只是14万年前某一个或者某一族女性的后裔，这叫线粒体夏娃学说。这个学说有力地颠覆了我们过去认为现代人类已经有300万年以上生存史的说法，它因此遭致人文学界的普遍反对。上海复旦大学有一位著名的生物学教授名叫金力，他最初对这个学说也持高度怀疑态度。于是，他开始研究Y染色体上的基因。

我解释一下这组Y基因：我们人类细胞核里面的基因，分布在46条染色体上，其中有2条染色体叫性染色体——女性性染色体XX，男性性染色体XY。请大家注意这个Y染色体上的基因，Y基因同样只由父亲传给儿子，儿子传给孙子。也就是说，Y基因的遗传同样不受母系基因的干扰。

大家先看懂Y染色体是什么，它是X染色体断了一条腿。什么意思呢？在38亿年的生物史上，早期仅有雌性，没有雄性。雄性大约发生在古地质学上的寒武纪时代，也就是5亿7千万年以前雄性才发生。在远古时代，生物繁殖叫孤雌繁殖，包括细胞分裂都属于单纯的雌性繁殖。所谓Y染色体，就是X染色体断了一条腿，这也就是为什么女性的生命力迄今远比男性为高的原因，也就是在恶劣环境下，女性的生存耐受力高于男性，而且女性的平均寿命一直高于男性的原因。

金力教授追踪Y基因，由于Y基因同样表达单纯，于是他在全世界各人种中间大量抽取Y基因标本进行检测。在所有人种中间进行普查，结果同样发现Y基因只能追踪到7.9万年到3.1万年之间。这再度证明，地球上的现代智人只有不到20万年的发生期。这一学说现在已经得到学界的普遍关注和承认，因为它的证据力极高。

也就是说，我们中国人不是北京周口店猿人的后裔，他们作为直立人早在7万或3万年前全部灭绝了。其他地区包括亚洲地区，这项研究没有深入进行。只有欧洲学者对欧洲直立人，也就是尼安德特人跟现代智人之间的分子生物学研究略有纵深。欧洲今天现代智人血统中仅保留了不到3%，大致略多于1%左右的直立人基因遗存。研究结果表明，直立人基本上完全被消灭，大约在3万年到2.5万年前。

造成灭绝的原因非常复杂，我们今天这节课上无法展开。我们只稍微提一下目前能够考察的比较重大的要素，它可能跟7.5万年前印度尼西亚这个地方一个叫多巴火山的喷发有关。今天那个地方形成多巴湖，也就是从一座山变成一个洼地。

大家知道历史上曾经发生过5次生物大灭绝，其中2次都跟火山大规模喷发，然后火山灰遮蔽大气圈，太阳光辐射被阻断，导致“火山冬天”，植物、动物随之大规模死灭有关。因此7.5万年前，多巴火山的喷发可能是促成直立人灭绝的重要因素。当然这只是因素之一，不排除智人对直立人的冲突与杀戮，更多的因素现在尚未探讨清楚。

人类文明的起源从哪里开始发生？我们看下面这张图，这叫“现代智人迁徙路线图”。请大家注意这张图，它是借助于分子生物学，也就是基因学说、基因测序以及古人类学、考古学等一系列学科综合研究而绘制的一张上古先民迁徙图。

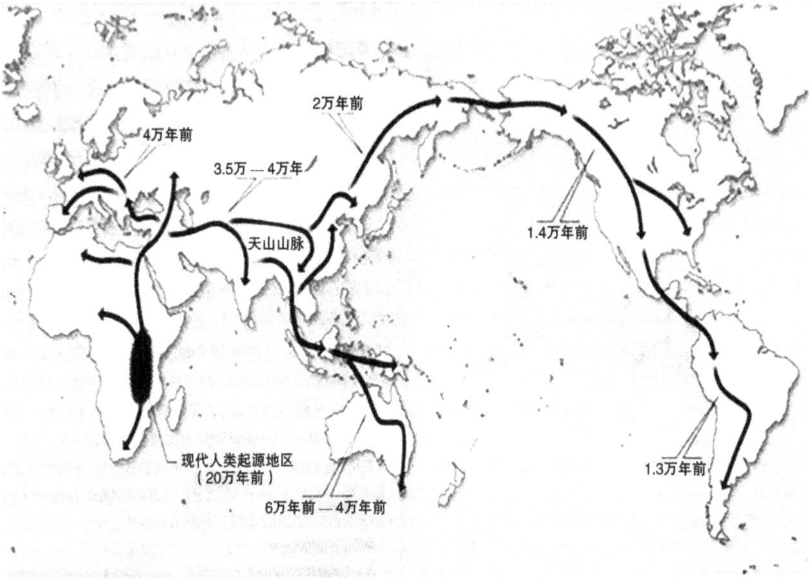

现代智人迁徙路线图

迁徙从东非大裂谷开始，时间大约发生在9万年前。

我们把“迁徙”的概念先界定一下，所谓迁徙，是指一族人在一个地方生存繁衍，随着人口的增加，当地的生活资料不足以供养当地人，于是其中一小部分人向前挪动数十公里又定居下来，然后这个地方新定居的人群人口继续增长，当地的生活资料又不足以供养当地人，于是，其中一小部分人再向前挪动数十公里，我们把这个缓慢的过程叫作迁徙。

现代智人的迁徙从东非出发，他早期完全是盲目的。9万年前，他向南发展进入南非，走入死角。又有一族北上，大约在6万年前抵达北非尼罗河流域。由于现代智人迁徙、定居到北非的时间偏早，因此，古埃及文明是人类历史上最原始、最早发生的第一茬文明。

我举个例子，古埃及的象形文字5500年前就发生了，而中国的甲骨文3300年前才成型，相差2000多年。我想说明什么？地球上人类文明发生的梯次和现代智人迁徙定居的时间相关。

所以大家要记住我下面所讲的迁徙、定居的时间和地点关系。

当然，这里发生一个问题，非洲中北部地区现在分布着地球上最大的一片沙漠，那就是撒哈拉大沙漠。现代人要通过它都十分困难，古人怎么穿越？要知道从古地质学上讲，撒哈拉大沙漠产生自15000年前，直到10500年前才完全成型。也就是说，6万年前现代智人迁徙的时候，非洲还没有撒哈拉大沙漠。

现代智人继续迁徙，再从北非尼罗河流域出发，穿过地中海和红海之间那个细狭的通道，也就是今天苏伊士运河所在地，大约在5万年前，到达中东两河流域，由此开创苏美尔文明、古巴比伦文明和亚述文明。到达两河地区的现代智人随后通过高加索山脉这条通道以及黑海和地中海之间的通道，大约在4万年前到达欧洲；另有一族人从中东地区东向迁徙，翻过天山山脉北麓和阿尔泰山脉南麓的那个细狭的通道，也就是我们今天所说的欧亚大陆桥进入东亚，这个时间大约是3.5万年前。

东向迁徙的另一族人南下进入印度次大陆，然后通过中国东南沿海进入东亚，这一族人在金力教授的男性基因标号上是M122；从天山山脉进入中国的一族人，他的男性基因标号是M175；这两路人构成了中华民族的血统基础。

接着，东亚人沿着太平洋西海岸继续迁徙，一路北上，最终通过北极浅海区，也就是今天的白令海峡，大约在1.4万年前抵达美洲。由于现代智人迁徙到美洲的时间相当之迟，因此，美洲文明的发生也就相对比较薄弱，它只在美洲中部和南美洲安第斯山脉区域以及印加山脉区域发生小范围的文明。

当然这里也有一个问题，即白令海峡，我们今天的人要通过它都非常困难，古人怎么穿越？要知道地球上最后一纪冰期叫第四纪冰期，它直到1.2万年以前才消退。在第四纪冰期期间，地球平均气温比现在低得多，两极冰盖的厚度比现在高上千米以上，整个地球大陆的三分之二以上被冰雪覆盖，因此，当年的海平面比今天低60到130米。而北极地区是一个浅海区，海水平均深度只有40–50米，也就是在第四纪冰期期间，北极周边完全是陆地，裸露在海平面以上。因此，这个地方那时不叫白令海峡，而叫白令陆桥。这是当年现代智人能够顺利通过白令海峡的原因。

大家再看，东向南下的这一族上古先民。他们竟然在4万年前抵达新几内亚和澳洲。请注意这个时间，居然比抵达东亚还早，是因为抵达东亚、抵达中国要翻越帕米尔高原，难度极大，而到这个地方一路顺畅。我们今天看东南亚全是海区，可是在第四纪冰期期间，东南亚这一片全是大陆，它和澳洲中间只隔两条海沟。因此上古先民较早地来到澳洲。

直到十七、十八世纪西方人侵入澳洲，澳洲的文明还没有发生，当地土著还处在未开化状态。于是这里就发生一个问题，我在前面讲，地球上人类文明发生的梯次和现代智人迁徙定居的时间相关。那么，现代智人迁徙到南非是9万年前，现代智人迁徙到澳洲、新几内亚是4万年前，他们迁徙、定居的时间极早，文明为什么不能顺畅发生？

可见还有一个重大因素在影响人类文明的生成和发展，那就是交流条件。

第四纪冰期结束以后，人类农耕文明才开始发育。但在文明发生的欧亚非主大陆上，第四纪冰期结束前后，却出现了撒哈拉大沙漠，这导致南非地区跟北向文明主要生发区域的交流通道被阻断。再者，由于第四纪冰期结束以后，海平面上升，于是东南亚陷入一片汪洋，这也使得澳洲和新几内亚当地的居民和亚欧文明主大陆的发生区隔断。这是造成这些定居极早区域的文明不能及时生成的重要原因。

我们为什么要讲现代智人迁徙这个话题？是因为我们必须探讨文明发生的人种学原因。

大家注意，我们一般人提起文明，鉴于文明的素质和类型分化差异极大，很难想象同一人类会产生原始文化和文明的如此重大分野。这就导致人们很容易对文明和文化素质的根源与成因之探讨，倾向于在不同人种的智力差异上加以关注，从而造成严重误导。

上个世纪，西方有一位著名学者叫马克斯·韦伯，他曾经专门探讨资本主义制度为什么只发生在欧美国家白色人种之中，其他任何地方的文明区域都不会自发产生这种文明制度。韦伯先生研究认为，它和基督教新教伦理有关。但是他在书中做了一个表述，他说，我作为文化学者，只能追究到这个深度，严格地讲，它的更深层涉及人种上的差别，即由于人种智力的差别，因此缔造不同的文化和文明形态。他说这个课题的纵深部分得交给人种学家和神经生理学家去研究。

大家要知道，持有这种看法的人不仅是韦伯。我们中国人其实不自觉地也都持有这种看法，我们在哲学上认为任何事情的发展需要有内因和外因。我们认为内因是发生的根据，外因是发生的条件。如果你持有这个看法，那么你当然也就认为人类文明的差异是人种学上智力状态的差异造成的。

可是我们看完这张迁徙图，就会对这个问题产生全新的考虑。我在这里首先对人种做一个界定，我们通常所说的人种叫文化学人种，比如说中国有56个不同民族或许多少数民族，这种说法是在文化上对人种加以分类。

我下面所讲的人种是生物学人种。从生物学上讲，人类只有一个种，这就是“智人”这个物种。它下面只分三大亚种，这三大亚种就是：非洲黑人，也叫尼格罗人种；欧洲白人，也叫高加索人种；以及介乎于高加索人种和尼格罗人种之间，肤色适中的其他人种，包括我们中国人在内，总称蒙古利亚人种。

我说明一下，之所以把我们叫蒙古利亚人种，是因为13世纪成吉思汗带领蒙古军队突进到欧洲边缘，曾经对欧洲文明造成重大冲击和威胁，以至于欧洲人认为“黄祸”全都是蒙古人，这是“蒙古利亚人种”这个名词的来源。

那么我们下面就看看，这三大人类亚种是怎样形成的。

4万年前，非洲黑色尼格罗人种迁徙到欧洲。请大家注意这张地图，欧洲这个区域和中国东北地区纬度相当，中欧和北欧甚至比中国东北的纬度还高。纬度偏高的地区，光照量就会大大降低。那么，非洲黑人迁徙到欧洲，他们的孩子会因为一种疾病大规模死亡，这种疾病的名字叫佝偻病，也就是我们通常所说的软骨病。

为什么会这样呢？是因为我们人类皮下分布着一层胆固醇，它在太阳紫外线照射作用下会转化成7-脱氢胆固醇，而7-脱氢胆固醇是维生素D的前身。维生素D是钙质代谢的必需物质，因此迁徙到欧洲的黑人，他们的孩子会因为维生素D生成障碍而发生软骨病，从而造成大规模死亡（古代无法补充人工合成维生素）。只有极个别由于基因突变而导致其皮肤白化的孩子被自然选择存留。

在这里我提请大家注意理解“自然选择”这个概念，你要想贯通达尔文学说，最重要的就是理解这四个字。

我们再看，非洲黑色尼格罗人种迁徙到光照量偏低的高寒地区——欧洲，他的成年人又会因为一种疾病大规模被自然选择淘汰，这个疾病的名字叫肺源性心脏病。大家都熟悉，在东北地区，过去人们很容易得一种疾病叫慢性支气管炎，因为寒冷和干燥的空气对支气管内膜和肺泡细胞会造成严重损伤，因此病人不停地咳嗽，咳嗽会导致胸压增高，胸压增高会导致肺泡爆裂，那么分布在肺泡上的毛细血管就会断裂。从右心室排出的血液经过肺脏氧化进入左心室，从左心室排出的血液营养全身所有组织细胞，我们把后者叫大循环。可是大家要知道，大循环的循环血量和从右心室经过肺脏进入左心室的小循环，其循环血量完全相等。如果肺泡破裂，肺泡上的毛细血管断裂，小循环通道就被阻断，右心室的搏出压力就会增高，最终导致右心室功能衰减，从而造成心肺两器官功能衰竭。这叫肺源性心脏病，死亡率极高。

远古文明初诞时期，第四季冰期刚刚结束，气温比今天寒冷得多，再加上那个时候人们不在室内停留，主要在室外进行采猎活动，因此迁徙到欧洲的黑色尼格罗人种，成年人发生肺源性心脏病的比率颇高。这就使得他们又大规模地陷于死亡，只有极个别由于基因突变而导致其鼻子变高的人被自然选择存留。

为什么鼻子变高会在高寒地区形成某种生存优势？是因为鼻子变高，鼻管变长，起到了暖化和湿化空气的作用。这就是欧洲高加索人种终于变成白皮肤、高鼻梁的原因。

请大家听懂我在讲什么，我在讲，在短短4万年时间里，人类要想发生生物性状和智力状态的重大变化或重大变异，这是根本不可能的。因为生物学家早就研究清楚，任何一个生物性状或者任何生物的智力状态要发生明显变化，必须经过基因突变积累上百万年乃至上千万年才能够实现。短短4万年时间，人类仅仅只能发生表皮上的些许变化，根本不足以形成人种上的巨大差异，更不可能形成智力上的高下之别。

我们再看看，非洲黑人为什么会保持尼格罗人种的基本体貌和肤色，是因为非洲这个地方处于赤道周边，太阳紫外线照度过强，于是他们皮下分布厚厚的黑色素以阻挡紫外线对皮下组织的损伤。由于那个地方空气湿热，因此非洲人全都是塌鼻子。

蒙古利亚人种，包括我们中国人在内，由于其生存区域4万年来一直分布在中纬度地区，而中纬度地区光照量适中，湿热程度适中，于是我们的肤色和鼻子高度就介乎于尼格罗人种和高加索人种之间。

总结一下，地球上仅有生物学上的人类三大亚种之分别，他们的生理性状以及智力状态，在短短4万年辗转迁徙的时间里几乎不可能发生任何重要差别。因此，我们用人种学智力上的状态或区别，想借以寻找文明的起源，寻找文明差异的原因，显然不能成立。于是我们必须另找原因。

文明发生的自然规定进程

在探讨人类文明起源的主要影响因素之前，我们下面先稍微讨论一些一般性话题，或者说澄清一些基本史实上的误解。

大家知道，人类的问世，如果过去都是从直立人算起，那么既往史学界把它分为旧石器时代和新石器时代。所谓旧石器时代，就是人类使用和制作石器的那个时代，它持续上百万年甚至二三百万年，这被视为是人类文明的前夜。

可是，这里实际上有一个重大误区，就是既往学界认为只有人类才具备使用和制作工具的能力。这个看法被当代生物学研究所颠覆。

我们今天知道，大量的远古中低等生物就已经会使用工具了。比如水生生物海獭，它就会掀起石头去砸开蚌壳。比如一种鸟叫渡鸦，它居然能够折下树枝、掰掉杈枝，修成一个粗细长短合适的木条，然后用来从树洞里掏虫，并且这个工具被它长期携带从不离身，这显然是制作和使用工具的非凡技能，而它只不过是一只鸟。到灵长目动物猿类、猴类，现代生物学家发现它们也具有高超的制作工具的能力，包括使用特定形状的石器敲开坚果，甚至使用搭制木梯的方式探取高处的果实。可见以使用和制造工具作为人类文明的独具特征是不成立的。

我讲这段话的意思是什么？我想告诉大家一点，自然界里没有飞跃。我们人类的文明实际上是在生物进化过程的延展序列中逐步发生的。我们找不见文明起源之界点，我们只能人为地，甚至是毫无道理地划一条界线，使它成为傲慢人类自以为是的文明之起点。

一般来说，通常人类所谓的文明纪元是从新石器时代开始的，它大约发生在1.2万年前。新石器时代的这个时间，恰好与第四期冰期的结束相重叠，它说明自然因素对人类文明的发生产生何等重大的影响。第四季冰期结束以后，地球大陆上才再度恢复大河现象，也就是地球大陆上才开始重现250万年里大多处于封冻状态的河流。

大河现象构成农业文明得以发生的自然基础条件。我在强调什么？我在强调人类文明的发生始终被自然进程所规定。新石器时代有三大特征，表明人类文明的曙光展现，这就是动物的驯化、植物的栽培和陶器的制作。

我们下面就这三个方面做简单说明。

首先大家要知道，我们中国人的远古时代，它的文明主要发生在黄河流域。因此我们中国远古先民所开创的农业文明，它主要培育的作物只有谷粟，也就是北方种植的黄米和小米。它是由狗尾巴草，也就是草头上有一个大穗，在中国中北部区域遍地都能见到的这种野草培育而来的。

诸如小麦、大麦这些东西，不是中国的原生农业产物，它是从西部两河地区随着上古先民的迁徙路线逐步带入中国的。像玉米、土豆、花生、烟草这些东西，尤其是玉米和土豆这种产量极高的作物，它是美洲土著人培育的，由哥伦布等殖民者在公元1500年前后带入欧亚大陆。这就是为什么在中国明代中期以前，中国人口历来不超过9000万人，而在明代中期以后暴涨为数亿人的主要原因。

我在这里想说的是什么？我是想说人类农业文明的发生并非齐同进展，它是受当地各种自然资源条件的限制且与之努力对接和彼此交流才得以成长的。

我们下面讨论一个小问题：人类为什么会发生农业文明？

一般人很容易产生一个误解，认为农业文明是我们人类智慧伸展的选择性产物。请记住，这个说法不完全成立。大家听懂我的课，我在强调一个重要的东西：人类文明不是人类自主选择和凭空设计的结果，人类文明完全是一个自然自发进程。

我举例子，农业文明为什么会发生，是由于人类甚至猿类出现了大脑新皮层，人类比猿类多了一点东西，这就是前额叶皮层。大脑皮层上面的神经元细胞由于分化度过高、功能过高，于是它不得不把某些基础功能丢失一部分，否则这类细胞的生物能量就不足以维系该细胞组织的正常生存。

这就导致大脑细胞出现两个严重的缺陷：

第一，它居然缺失了再生能力。大家知道，我们的任何体细胞如果受到损伤，比如你的表皮被划伤，它是有再生能力的，上皮细胞增殖会将伤口覆盖，原样长合。可是我们的脑细胞却完全丧失了再生能力，它一旦死灭，不能再生，只有瘢痕组织长入。这就是为什么脑溢血、脑血栓造成脑组织损伤，造成偏瘫之类的损害，其可恢复程度很低，即便略有恢复也不是由于神经元再生，而是必须依赖周边脑组织功能来补偿的原因。

人类大脑皮层细胞功能过强，还带来第二个更严重的问题，它居然只能使用葡萄糖或者叫碳水化合物作为能量代谢的来源。

所有细胞包括38亿年前单细胞一直到我们今天的人体细胞，它们都可以借助三种能量来源进行物能代谢，这就是蛋白质、脂肪和葡萄糖类碳水化合物。

我解释一下，为什么把葡萄糖叫碳水化合物。因为一个葡萄糖分子是由6个碳 、12个氢、6个氧构成的，而水是由2个氢和1个氧构成的。12个氢加6个氧相当于6个水分子，再加上6个碳原子，这叫碳水化合物。

所有细胞可以借助于脂肪、蛋白质、碳水化合物三大物质实现能量代谢，可脑细胞只能使用葡萄糖，它居然丧失了对脂肪和蛋白质代谢获取能量的功能。

大家知道猿类，包括类人猿大猩猩、黑猩猩，它们是杂食性动物，据生物学家研究，它们要吃300多种水果和浆果。为什么猿类特别喜欢水果？是因为水果中含有较多的碳水化合物。可水果有一个严重问题，它随季节而生发，而且根本无法储存，会很快腐烂掉，这是猿类特别喜欢富含碳水化合物的食料，却又不得不建立杂食性的捕食范围的原因。

人类的大脑皮层更发达，它几乎片刻不能缺离碳水化合物，那怎么办？只有一个办法，从草籽中获得碳水化合物。

麻烦在于，草籽太过细小，世上没有任何大型动物可以在草籽中获得能量，只有鸟类、野鸡等才能在草籽里获得能量。那么，人类要把细微的草籽培养成主食，这个难度何其之大。

大家想想，草籽颗粒一般比小米还小，它为什么会含有碳水化合物？它的基因传递只需要一个细胞核，细胞核在显微镜下放大1000倍你才能看清。而草籽之所以用肉眼就可以看到，是因为它外围包裹着一层碳水化合物。它为什么要包裹一层碳水化合物？是因为任何植物生长，它的能量是靠叶子张开以后的光合作用获得的，在它没有发芽以前，它拿什么能量来发芽 ?这就是草籽包裹一层能量物质的原因。人类要把草籽周边包含的碳水化合物即淀粉提取出来作为主食，实际上是一个高难度的自然强迫或者生理逼迫。也就是说，如果找不见这种食料，我们的生存就会受到巨大威胁，大脑发育就会迟滞。因此，农业文明的发生不是我们选择和设计的结果。

古人根本不知道，草籽被培育成粮食，这个东西里面究竟包含的是什么成分。它完全是一个由莫名的内需所促成的缓慢自发过程，是人类在狩猎过程中获得肉源即蛋白质和脂肪，在采集过程中获得碳水化合物的不自觉的行为延伸。

在这个过程中，采集的颗粒较大的草籽，人们专门给它起个名字叫“禾本科植物”，把它收集回来，最初直接食用，以后偶然发现洒落在部落周边的种子能够成片生长，再往后又发现它居然可以通过人工选择和人工培植的方式使之逐步扩大产量，这才是农业文明在没有事先规划的漫长时段中逐步达成的自发展开进程。

我再度强调，人类文明不是人类选择和设计的结果，它完全是一个自然进程，甚至是一个生理强迫。

请大家再想想，我们为什么会从农业文明进入工商业文明，而绝没有第二条途径？这说明工商业文明也不是我们的主动选择，也不是我们的事先规划，它仍然是一个自然进程。所谓农业文明是什么？就是“限局域获得资源”，亦即被不可再生的土地拴死的资源获得方式。工商业文明是什么？它是“跨地域获得资源”，也就是它获取生存资源的时空范围和交易总量更大了。这就是它必然取代农业文明的原因，这就是它自发延展的路径。还是那句话：这不是我们选择和设计的结果。

人类文明是一个自然进程，就像人本身是一个自然产物一样，这是最重要的概念，请大家牢牢记住。因为我们此前所学习的人类历史和文明史，全都把人类文明及其发展进程表达为人类独有的智慧选择和人类自创的主观生存模式。这种看法是一个重大误区。

返回来看，人类农业文明实际上是把草本科植物中颗粒较大的草籽，给它取另外一个名字，请注意这完全是人为的命名，叫“禾本科植物”。人类把这些植物最后栽培扩种成粮食。

禾本科植物的分布极不均衡。比如在两河流域的北边，有一个地区被史学家称为“新月沃地”，就是像月牙形状一样的一片肥沃的土地，仅在这一个地方就出现了56种天然禾本科植物中的33种左右。这使得两河地区，也就是美索不达米亚，成为人类农业文明早期表现最丰富也最成熟的物种栽培基地的原因。

很多学者想借此证明人类文明纯粹是偶然演成的。可是我想说明，这恰恰表明人类文明被自然进程严格限定。

我给大家举几个例子。人类之所以最早在两河流域栽培的豆科植物乃鹰嘴豆，是因为所有的豆科植物，当它的种子一旦长熟的时候，它的豆荚一定立即开裂，从而把包裹在其中的种子及时撒播出去，否则这个物种难免会灭绝。只有极少数鹰嘴豆在内豆成熟的时候豆荚不开裂，唯因如此，豆粒才不会撒遍地面以致无从寻觅，人类才能集中采摘。就因为这么一小点的差异，豆科作物的起源，人类培育豆科粮食的开端由此起步。

我再举个例子，杏仁。所有的水果核都是不能吃的，你试着咬一下苹果籽。那么为什么人类会吃杏仁？要知道果核大多是有毒的。果子之所以长得十分香甜是为了吸引动物吃它，果核在动物胃肠中不易消化，随粪便排出，从而帮它播散种子。如果动物把它的种子也嚼碎破坏了，那么这个果类物种就灭绝了。因此所有水果中的果核都是有毒的，都是吃不得的，你吃在嘴里都是苦涩的。只有杏仁会发生极少量的变异，它的部分果核居然是甜的。于是人类早年就会种植这个甜味果核的野杏，那个杏子太小吃不成，种它只是为了收集它的果核来作为一个培育对象。

我讲这些都是想说明，人类栽培某个物种的过程，你看起来像是一个人为的选择，实际上选择不成立，它其实是对自然物产或自然过程的强制性对接。

这种情况比比皆是。例如巴布亚新几内亚，我前面讲过，那个地方虽然人类定居时间很早，可是由于远隔重洋，阻断交流，文明迟迟未能发生。近代欧洲人来到那个地方，发现他们处在野蛮生存状态，基本上没有开化，但是他们却具有一种惊人的能力，居然能够捕捉夜晚在空中高速飞行的蝙蝠，而且是细密编网、铺张以待的高精度大规模捕捉。这是当年的欧亚文明人做不到的，为什么？是因为新几内亚这些太平洋岛屿，没有高含蛋白质的其他食料，也没有富含蛋白质的自然物种可以培育。那个地方主要栽培的作物叫芋艿，它的蛋白含量太低，这逼迫着当地人必须找见肉食中的蛋白质来源。于是他们虽然整体上没有开化，却自发地练就出一套获取蝙蝠肉源的极高技能。

还有一例，颇为蹊跷。大家知道，稻米这个东西是中国长江流域的南方人，也就是我前面提到的男性基因标号M122这一族人开发的。考古学上最早发现的稻米是出自浙江余姚河姆渡遗址的碳化米，距今约7000年前被中国江南人由野生稻草培育而成。我们过去认为，这是稻米最早的发源地。可是前些年在河南南部漯河地区一个叫贾湖村的地方，发现了一片原始考古遗址，居然找见8000年前的碳化米。这说明什么？说明大米这个作物最早仍然是黄河流域中原文明人培植的。可为什么它没有成为中原先民的主食，而最终只在南方变成基本食源？是因为大米中的蛋白质含量太低。

大家要知道，我们培育的一般粮食，其中的蛋白质含量大约在11%以上，比如小麦的蛋白质含量占11%至14%。而人类要想在自己的食物中获得最低限度的蛋白质供应不能少于8%的含量，而大米的蛋白质含量仅有4%左右。这就导致如果单纯以大米作为食物来源会产生蛋白质匮乏问题，从而造成严重的肝损害和身体发育障碍，于是黄河流域的人只好把最早开发的大米断然舍弃。

那么，为什么在江南大米能够作为主食？其实道理很简单，因为那里河湖交叉，是鱼米之乡，人们在吃大米的同时能够一直不断地捕捉到鱼虾肉食，从而补充了蛋白质的缺失，于是大米就在南方兴盛不衰。

我在这里讲什么？我是在讲，一切文明进程都表达着我们跟自然的衔接关系，以及我们自身的生物性生存之内在要求如何构成文明起源的节点。

请注意我用一个词汇，我把这种外在自然结构和自然关联与我们内在生理进化结构和智能自发调动进度的总体匹配关系，叫作“生存结构”。

我提请大家记住这个专用词的含义，它绝不是一般意义上的生产力或生产关系等人文学词语的含义，而是一个纯粹的自然学名词。建立这个概念是我们理解文明起源的关键。

美国著名学者贾雷德·戴蒙德在一本名为《枪炮、病菌与钢铁:人类社会的命运》的书中提到，世界上总共有148种大型植食性动物可以供人类作为人工驯化的候选物种。

首先注意，植食性动物也就是我们通常所说的草食性动物。我们人类为什么总是驯养大型草食性动物作为自己的肉源？答案是因为草食性动物的饲养成本最低。

大家想想，假定草食性动物吃10斤草获得1斤肉源，肉食性动物又得吃草食性动物的10斤肉才能增加1斤肉的体重。那么，人类若以肉食动物作为自己的食料，等于成本要扩大10倍以上。这就是人类培育牛、羊、猪等大多都是草食性或者杂食性动物的原因。

人类所驯化的主要的大型植食性动物，在148种野生品系里只拣选出了14种，而且其分布区域是不均衡的。比如野牛主要发生在西南亚、北非和印度；山羊、绵羊主要出自两河；野马主要出自中亚、乌克兰；驴出自埃及；野猪、水牛以及小型动物鸡是东亚的产物，可能是中国人最早驯养的；牦牛产自西藏；美洲迄今只剩下大型草食动物羊驼；可见它们在全球的自然分布状态是有差异的。

那么，人类为什么在不同区域培育不同的草食动物？是由于人类文明的发生过程完全是一个自然自发衔接过程。我始终强调这一点，是因为许多学者讨论这个问题的时候，他们会认为人类文明是偶发的，是各个不同地区的自然物候条件带来的偶然机遇促成了文明的发生。他们得出跟我完全相反的结论，他们认为人类文明是一个偶然现象或者是偶然现象的综合。

请注意我在强调什么，如果我们的文明总是必须和自然对接，如果我们的文明与自然对接的过程是一个不由自主的自发进程，那么，它不但不表明我们的文明是偶发的，反而更有力地证明人类的文明是一个非选择性的自然衔接进程。

我举个例子给大家看。美洲这个地方1.4万年前现代智人才迁徙过去，但那时候人类的行为能力或者智能发展状态已经比较高强。这些人虽然刚到美洲，却已经掌握了使用投枪、弓箭等超距射杀的捕猎能力，于是他们在很短时间内就把美洲大陆上的所有大型植食性动物打光了，最终只剩下南美洲深山里的羊驼。

由此带来一个严重后果。1532年11月16日，一个名叫弗兰西斯科·皮萨罗的西班牙人仅带领168人的骑兵部队，他们跨着战马、拿着火枪，面对印加帝国8万军团，居然将其打得落花流水。为什么会发生如此悬殊的战力？是因为美洲人从来没有见过奔马，他们觉得这批人骑着神兽，拿着霹雳火器，简直就是天兵降临。8万军队被轰然惊散，国王阿塔瓦尔帕被俘，诺大的印加帝国就此灭亡，史称“卡哈马卡冲突”。

这说明什么？一个自然进程如果在中间发生某种不正常的断层，则会造成文明演进的衔接不良和隐性裂痕，这说明文明初始阶段跟自然对接程度的要求是何其之紧密。

我们再看，人类早年驯化狗作为协助捕猎的家养动物。我们今天回望，觉得这应该是个非常愚蠢的选择。因为面对大型肉食动物，狗的战斗力极差，比如碰见狼、碰见老虎、碰见狮子、碰见熊，这些动物只要吼叫一声，狗就吓得直往后退，它怎么能够成为人类最得力的捕猎助手呢？

人类本该驯养猎豹，因为猎豹秉性凶猛，又跑得最快，拿它作为捕猎助手才是最合理的，可是人们为什么不肯驯养猎豹呢？其实原因说起来很可笑，是因为猎豹这个物种，它的求偶过程过于复杂。雄性猎豹向雌性猎豹求偶，通常要奔跑上百公里乃至二百公里，历时3个月才能完成求爱过程。因此在人工饲养条件下，猎豹没有办法繁育。于是人类只好用那个糟糕的狗作为捕猎助手。这说明什么？说明你只要跟某个自然属性衔接不住，文明在此处就不能成为一个萌芽生长之点。

我再举一个例子，人类驯养了马，可我们从来没有见过任何一个民族骑在斑马上。其实，早年在欧亚大陆上到处都有的斑马之所以从来不能被人类所驯化，又是因为一个极小的原因，那就是斑马虽然和马一样十分温顺，可是在人工饲养的过程中，斑马如果一旦发怒咬住你，它就死不松口。因此导致所有饲养斑马的人最终不得不把驯化斑马的苦差放弃。这么细小的障碍竟然足以造成斑马驯养流于失败。

诸如此类的例子不胜枚举，比如人类为什么培育了绵羊、山羊，却从来不能驯化羚羊？是因为羚羊感觉敏度太高、太脆弱，在人工饲养情况下，稍有震动它就会惊群。大家知道，人工豢养动物难免有所搅扰，如果动辄引起惊群，就会导致怀孕的雌性母体发生大规模流产。仅出于这么微小的一个因素，羚羊从来没有能够被人类驯养。

我在讲什么？我在强调，人类文明表面上看仿佛是一个人为选择过程，实际上选择不成立，它只不过是对自然质素和自然进程的续接。我不避啰嗦，再说一遍，请记住一条基本“道”理：人类文明不是人类任意选择和自主设计的结果，恰恰相反，人类文明完全是一个自然的或自发的物演进程。

社会结构的文明初态

人类文明的展开过程完全是一个自然进程或自发进程，这个自发进程包括自然环境演化条件与人类自身进化序列的总和。我们把这种同质的、内在统一的综合性自然物演进程所塑成的文明现象或曰人文现象，特称之为智人种系的生存结构。（注：它与其他生物种类的生存结构或自然生态结构在本质上是相同的，甚至与无机物质的存在态势或存在演动趋势也是一致的，而且相互之间紧密衔接，绝无断裂，各个物类和物种仅在自然演化的运行位阶上有所差异。）

那么这个自然进程或者这些自然条件对我们限制到何种程度？

下面再看一个实例。有文化学者研究发现，人类文明在早期发生的时候，最初只能在纬向上传播。大家看，人类原始文明的主发生带在欧亚非大陆，它大致分布在中纬度地区，包括亚热带和亚寒带地区，即在一个纬向横轴上传播。而在地球其他地域，凡是地球大陆板块形成经向排布者，均不能成为原始文明的茂盛发展区。

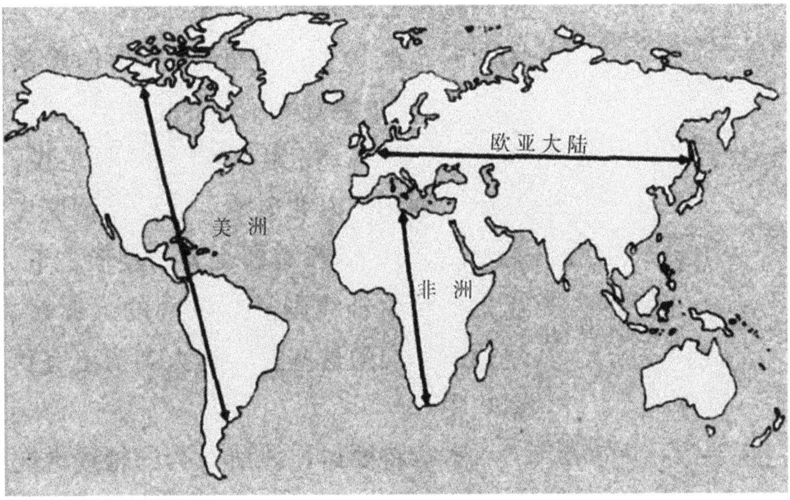

为什么会这样？是因为纬向分布的自然气候和物候条件相

对均一，因此人类原始农牧业文明在靠天吃饭的这个阶段，它在纬向上条件齐同，传播起来比较便利，没有障碍。大家想想，像非洲大陆、美洲大陆，由于它是南北经向分布的长条走势，经向上的运行随着纬度的变化，气候和降雨条件会发生剧烈变化。因此，在农牧业文明阶段，它的传播过程就会受到严重阻障。

这样一个微小的自然因素，居然成为早期人类文明生发流布被局限化的一个天然规定要素。我们由此可以看出，自然境况对人类文明起到何等重大的决定性影响。

我们下面讨论另一个问题，人类社会组织和社会结构是如何发生的。我们一旦说到社会，不由自主就会认为“社会”仅指“人类社会”，而且人类社会是人类高度智化所构建和发明的一个产物。但这是完全错误的。

首先，我要强调，人类社会不是人类缔造的，人类社会是从动物社会中增长出来的。当社会进入类智性动物的发育阶段的时候，它是怎样形成一个复杂的社会结构体系的？一般人会认为，这是人类智能设计和人类自主规划的产物，可实际上它仍然是一个自然的自发进程。

大家要知道，人类原始社会叫亲缘社会，它和动物血缘社会完全没有区别。那个时候，一个社会族群平均只有30到80人左右，是一个非常低的群量。而在农牧业文明发生以后，人口才大规模增长。为什么会发生这种局面？是因为我们在每一亩土地上所生产出来的庄稼，换算成人体可以利用的能量，大概相当于让这一亩地长草，然后动物吃草，你再去狩猎动物所获能量的260倍。请注意这个数量差别，那也就是说农业文明一旦发生，人口随之成百倍以上暴涨，这完全是一个自发过程。

人类事先根本没有想到会是这样一个结果，要知道所有生物存量以及群落状态都是被其资源供应量所限定的。那么农业文明一旦发生，人口呈百倍增长，它会带来什么结果？人们只好不断地开垦荒地，破坏周边的自然植被，使得耕地面积不断扩大以适应人口之增加。而耕地面积扩大后人口又进一步增加，于是又更进一步造成开垦荒地的紧迫感。于是农业文明就会出现快速的地理拓展格局，这就使得先前的林木茂盛环境和采猎生存条件被逐步蚕食乃至完全毁坏，致使人类最终不得不堕入糟糕的农业文明状态之中。

我说它“糟糕”，是因为农业文明一旦发生，人类的一系列重大灾难开始降临。人类早年像所有动物一样直接在自然界获取生存资料，它是从来不发生大规模饥馑的，也就是说，饥荒现象是不会出现的。因为那时候人口很少，人们夏天和秋天可以采集植物，冬天可以狩猎。而农业文明一旦发生，人类的劳作条件立即恶化。人类是直立动物，而农业文明逼迫农夫弯腰耕作。以色列青年历史学家赫拉利，《人类简史》的作者，他很独到地提出“农业文明是人类灾难的开端”，这确实眼光深沉，它使得人类从此以反生理的方式进入极端辛劳的求生状态。不仅如此，由于他们不得不越来越扩大自己的农耕范围，于是依靠采猎方式获得食源的可能性完全丧失。那么，一旦进入荒年，农作物急剧减产，立即出现大规模饥荒，结果成批量的人口不免陷于饿殍之惨境。这种大饥荒现象，在任何动物中绝难见到。

不仅如此，随着农业产量的提高，按理说人们可以在丰年之时给自己家中储备一些粮食。可是偏偏社会层级结构随之形成，强权政府体系出现，丰年你所贮存的余粮又被社会组织中残酷的税收所征光，于是人祸添加其上，饥馑照常发生。它表达着人类文明社会一开始呈现，就崭露出来的狰狞面目。

人类看似复杂的社会组织为什么会发生？我前面讲它绝不是人类设计规划的结果，而完全是一个自发过程。我举一个例子，铀元素，也就是造原子弹的那个东西，它是天然元素最末一位——92号元素。一般而言，越后衍越末位的存在，稳定性越差。因此，你如果把纯铀积聚成一个堆量，只要达到某种质量阈界，它就会自动发生中子轰击裂变反应。因为，当堆量较小的时候，自发射出的中子会打到堆外；如果堆量较大，那么打出来的中子在碰到其他原子核的时候会弹射回来，于是在群内不断引发链式倍增的中子轰击效应。因此，纯净的铀元素，只要堆成一个数量级，它的中子轰击裂变反应就会自动发生，这是一个纯粹的自然过程。

人类社会也是如此。当人口在人类不能控制的情况下不断暴涨的时候，社会结构和社会组织便会油然而生。它跟人类的智慧和人为的事前主观设计没有任何关系。

至少有四条因素导致这个结果必然发生：

第一，当人口数量暴涨的时候，人际之间两两发生冲突的概率就会大大提高。有学者计算，如果一个群落，比如氏族部落只有20个人，那么它两两发生冲突的排列组合最多不过190次，可是当人口增加到2000人的时候，人群中两两发生冲突的概率居然就会升高到199万次之多。也就是说，人口只增加了100倍，而冲突的可能却增加了1万倍。这说明什么？说明人口繁衍数量一旦增加到一定程度，内在的调节机构即被逼迫性产生，这就是社会组织的萌芽。

第二，随着人口增加，共同决策的难度大大提高。《左传》上记录一句话，说“先王议事以治”。什么意思？就是氏族社会中的族长解决社会问题的方式，是把族群中的所有成年人，比如三五十个人召集在一起，大家共同讨论解决问题。可是，当人口达到几千、几万甚至几十万、几百万的时候，人们还能够为了大小不同的所有问题坐在一起集体协商吗？这个不可控的人口暴涨过程，必然要求一个组织结构和集权管理系统随之发生。

第三，人口数量增大，分工必然出现。因为人们的均一劳作，不能满足人类的文明生存方式。分工在人口暴涨的同时，出现继发性分化。分工一旦出现，社会紊乱度增加，由此倒逼契约规则和后续法制自动产生。

第四，稠密人群社会随着农业文明的发展，原来各个分立的族群领地不得不膨胀扩延而致形成邻接关系，于是部族冲突几率大大增加。而且，随着社会群内的人口数量不断上升，对外冲突问题的处理无法及时交给全民来讨论，于是军队和指挥系统相应发生。人类社会的组织结构体系就此逐步形成，它全然是人口暴涨到某个自发群量以后自然而然的演动过程。

此与前述的纯铀元素堆量所引发的物理变化如出一辙。

我们下面再看一个问题，就是对政府组织系统善恶评判的中西方之分歧。要知道人类在远古时代是没有政府的，人类原始氏族社会都是血缘亲缘社会，血缘内部家族管理何曾有过政府？何曾需要暴力？人类只有在文明发展到一定程度，或者说是人口增长到一定程度，政府组织才会相应出现。

西方人把政府组织叫“盗贼统治系统”，请注意他们的话是什么意思：政府一定是由最坏的人组成的，因为如果不是坏人，就没有办法用强暴的方式管理人类。西方自其原始文化阶段，它的基本观念就是“人性恶”。所以它追问：谁能把人性恶展现出来？普通老百姓一盘散沙，想恶也恶不到哪里去；真正能把人性恶表达到极致的，一定是有组织的人群。

谁有组织？政府、政党和军队。因此西方最高权力机构是议会，是立法机构。它首先立的法叫宪法。所谓宪法就是专门管控政府、政党和军队这些有组织人群的法才叫宪法。为什么它的整个立法过程首先要管控政府？是因为政府可以把人性恶表达到极致。因此西方历来认为政府就是盗贼，全民最重大的事情就是监督政府。这就是西方文化跟中国文化的重大区别。

这个区别的起源点在哪里？早在中国的远古时代就与之相反，它认为人类社会中的政府起初是由最善良的人、德高望重的人构成的。请注意东西方文化兼容性极差，我在前面讲过其中一个表现，就是这两种文化总是相反的。你要想理解东方文化，你就得在西方文化推导的那个结论的相反处寻求答案，反之亦然。

东方中国的传统文化，为什么认为人类最早的组织系统、政府系统、强权系统一定是由最善良、最有道德的人构成的，以至于被孔子称其为“圣人”，它也是有道理的。因为倘若你往前追，在最原始的阶段，人类社会的管理者是谁？是血缘族群的长者，他一定是对其血缘后代富有最强烈呵护心的人，他才能成为族长。因此他当然是良善之心最深厚的人，他们最终发展成人类的政府组织机构。

尽管一旦发展成政府组织机构，它就有了自己独特的集团利益，它就会恶化，它就会变质，但它的发源处却是从善良和高德这个起点上生发的。我讲这一点是想告诉大家，东西方文化在最基本点上的看法之所以不同，是由于东西方文化的视野有差距。东方文化是人类最原始文化的完好保留，因此它的眼光伸展得更远。这就是为什么孔子、孟子都主张人性善，而到韩非子，就跟西方人的看法趋于一致，主张人性恶的原因。请大家理解这段话的含义：中国文化的重大价值就在于，它赋有更深远的文明基层探求的眼光。

政府一旦发生，它一定要具备如下四项条件或举措，这个管控机构才能够有效运作：第一，它必须解除平民的武装，而且只去武装上层管理集团,此乃作用于人身的“暴力垄断”;第二，它必须在财富上巧取豪夺，比如用税收方式把经济资源集中在自己手里，这叫“经济垄断”，只有这样它才会具有管控能力和组织系统的物质基础；第三，如果它具有了这样的威权，它就能够对各种社会纠纷发动调节或压制作用，这叫“权力垄断”，这就是“政治”这个东西的来源；第四，任何统治阶级，它一定要把哪怕是发生在民间底层的思想文化都曲解为有利于政府统治的主流意识形态，也就是人类的任何文化，它的显性和主流表达方式一定被统治阶级所扭曲、所利用，这叫“思想垄断”。

大家听听，一个强权管理机构一旦出现，它做了四件事，所有四件事都像是恶劣之举。可它没有这个能力，不是这种操作，社会管控系统就无法建成，这就是西方人把政府视为盗贼体系的原因。它在政府形成以后予以反观，就必然得出这样的结论。而中国人在政府形成以前，就开始追溯圣人管理体系的源头，因此形成背反观念。

我想强调一点，我们今天已经被西方文化同化了，可我们为什么以前历来同化别人？是因为在鸦片战争西方侵入中国以前，中华农耕文明只面对过游牧业文明。而游牧业文明的人口数量偏低。我讲过一亩地种粮食产生的人体可利用能量，是让土地上长草然后去狩猎动物所得能量的260倍，这就使得游牧业文明的人口一定是非常稀疏的。因此它的社会结构，一定是非常简单的。

由于社会结构是人口密度的自然产物，那么游牧文明一旦侵入中华，则要面对一个更复杂的社会结构，它只剩一个办法，那就是被农业文明高密度人口所促成的自然社会结构同化，这就是我们以前历来同化别人的原因。我们同化的别人都只不过是游牧文明者而已。但由于工商业文明是农业限局域获得资源的跨越与扩张，是人类历史发展的必由之路，故而工商业文明一旦来临，我们立即失去同化他人的能力，反倒被别人所同化，此与社会构型受限于生存结构之强制条件有关。这是大家理解“文化同化”这个概念的关键。

我们讲人类文明是随着现代智人迁徙过程而逐步发生的，以至于迁徙定居的时间对人类文明发生的梯次都造成影响。我们今天说农牧业文明发生在一万年前，但实际上，我们今天不得不探查的因素可能还需要伸展到更遥远的数万年以前。

这样说有什么依据呢？要知道语言学家很早就发现，地球上所有人种的语言居然有内在发音上的同构成分。比如说印欧语系中“羊”这个字“owis”,在立陶宛语和印度梵语的发音是“avis”，拉丁语是“ovis”，西班牙语是“oveja”，俄语是“ovtas”，希腊语是“ows”，爱尔兰语是“oi”，英语是“owis”，居然发音基本一致。此外还另有2000多个词语的发音具备这种同源同构的特征，比如“马”、“轮子”、“兄弟”、“眼睛”等等。反之，但凡到近代使用的语汇，比如“枪炮”（gun），即使在欧洲国家之间也大相径庭，如法语是“fusil”、俄语是“ruzhyo”（Ружьё）等。这说明什么？说明人类早年的语言不是在各个地方分别发生的，而是在人类原始迁徙的数万年过程中逐步推展，然后才各自分立成型的。

大家再看，有学者研究，台湾、菲律宾、印度尼西亚一直到太平洋中南部的波利尼西亚群岛，他们的词语发音也非常接近，叫“原始南岛语系”。是因为当年南迁的先民是随着东亚和东南亚沿海的水路或者陆路漂移过去的，因此他们最原始的用语，比如像“鸟”、“猪”、“狗”、“米”、“耳朵”、“头发”以及“带舷外浮材的独木舟”（船两侧加装多条横木以求在波涛中能够减缓摇荡或倾翻的扁舟）、“船帆”、“鱼栅”、“海龟”、“章鱼”、“大蛤”等的发音都非常接近。这说明整个东中南太平洋区域在亚文明发育期也是同源流布而成的。

我再举个例子，中国的黄帝叫“轩辕氏”，这是一个非常奇怪的现象。因为“轩辕”这个词是形容车辆局部构件的，黄帝大约生活于4600多年以前，那个时候中国人尚未缔造车辆，怎么会有“轩辕”这个词？这是不可能的。所以把黄帝叫轩辕氏，一定是车辆传到中国以后才出现的一个名词，被后人赋予黄帝。它的来源可疑，为什么把他叫轩辕氏？他跟古希腊战神阿瑞斯的形象完全一致，古希腊战神阿瑞斯是驾着战车天马行空的，于是中国的黄帝，他的名号也叫轩辕氏，是不是出于神话时代的远方流传？看来还需要另行考证。

大家再看，西方广为熟知的“诺亚方舟”，故事来自西亚地区的《旧约》，“诺亚”这个名字跟中国人所说的祖先“女娲”发音非常接近。也就是说，中国神化传说中的女娲，与诺亚很可能是同一个语音的流变。

这些方面是语言学者研究的结果，我们并不能确定，但如果稍有一点道理的话，就证明人类早年的文明传布过程是在现代智人迁徙的通道上不断扩展的，它是人类文明的全球化原始进程的表达。

前面我们对农牧业起源做了一个简单的说明，下面稍微讲一下陶器，因为陶器是人类缔造的第一个非自然人工材料。在陶器以前，包括农业、牧业、木器、石器，人类利用的都是自然物，陶器是通过“黏土+水+火”的混合与烧制方能实现，由于是人类缔造的第一个人工材料，因此它在人类文明的早期开拓中就显得极为醒目。

你到古遗址去看，主要看什么？看彩陶！陶器对人类文明后来造成重大影响，是因为烧陶是人类用火技巧的显著提升。我们前面讲工具的发生，大约不能成为人类文明的确定性指标，因为很多中低等动物都在使用工具。但是用火，确实是人类独具的能力。人类早年用火只能堆成篝火，而篝火这个方式是不可能烧陶的，因为堆出来的火温一般只有四五百摄氏度左右，而烧陶需要的火温要在700到800度以上才行。请注意，烧制瓷器的火温要在摄氏1200度以上。那么人类当年制造陶器他怎么做呢？他必须把火拢在火窑里去烧，这样火温才能提高到800度以上。烧陶过程训练了人类把握火候的能力，从而为人类后来的青铜时代和铁器时代奠定了基础。大家知道铜的熔点是1083.4摄氏度，铁的熔点是1535摄氏度。人类早年在窑火中烧陶，使得人类用火的技巧提高，从而为后期的文明发展做了铺垫。有学者研究发现，有一个从地中海周边，也就是人类最早的定居文明发生点，向东亚地区传布的将近1万公里的彩陶文化带。

什么意思？也就是陶器的发明和制作很可能不是分布在地球不同地点的现代智人分别达成的，而是在文明迁徙通道上流布而来的。因为人们发现在这个1万公里彩陶带上，所有陶器上面凡是画水纹，全都画成锯齿形的纹路；凡是画动物躯体部分，都是打成斜线画作格子，然后在中间蹲点。这些统一的图形表明人类彩陶的发生是一个流动分化过程，而不是一个多源孳生过程。

马家窑彩陶

半坡遗址彩陶

龙山文化遗址彩陶

因此我们就可以看到，出土于青海的马家窑彩陶，它的制型和色彩就相当古朴；而到了陕西半坡和河南仰韶遗址，你又会看见色彩更鲜艳、制型更复杂，陶器上的画作甚至出现了某种生死追问的哲学意趣；再到山东龙山文化遗址，陶器的制型就更复杂了，还出现了纯粹的黑陶，这个制作难度是很高的.总之从西向东，彩陶的发展过程呈现出逐步复杂化、鲜艳化、技艺水准渐次升华的过程，其间暗示着它的流布路线。当然现在学界也有很多反对的声音和证据，比如说在甘肃大地湾遗址，曾经发现了8000年前的精美彩陶，甚至有学者认为青海马家窑彩陶是从中原地区返流回去的。当然这些东西我们今天暂时还不能得出确定性结论，但是关于1万公里彩陶带这个说法，在某种程度上成立，成立在它跟现代智人的迁徙路线和人类文明的流布过程相一致。

至此我们顺便讨论一个问题：今天所有人都持以“进步论”。什么意思呢？我们认为但凡是进步的就是好的，但凡是原始的、落后的,就是不好的,以至于今天“进步”“先进”都成为褒义词，“原始”“落后”都变成贬义词。可是大家一定要知道，进步论这个观念，是近代从西方传入中国的舶来品，中国传统文化的基调恰恰相反，不是“进步论”，而是“保守论”。

我给大家举个例子，孔子自述，说他“述而不作，信而好古，窃比于我老彭”。什么意思呢？什么叫“述而不作”？——我只叙述前人的东西，绝不创新和创作，这叫述而不作。什么叫“信而好古”？——我只相信和爱好古人的东西，但凡是当代人的创新和发明，我一律反感，这叫信而好古。他甚至自比于商代守旧的彭祖，似乎颇感与有荣焉。

我举一个实例，请大家看一下这张图，这是出自河南安阳殷墟的一辆两轮马车遗址图。这个两轮马车一旦出现就十分完善，我们在国内考古学上没有发现它的过渡进步型先例。我前面讲过，最早驯化马匹的，很可能是中亚南部包括乌克兰一带的先民；据历史学家考察，最早发明轮子和车辆的，很可能是古巴比伦人。那么这个车辆一到中国就显得十分完善，它说明什么？说明这个车辆不是中国人发明的，而是从西部传入中国的，这是它唯一可以得到的解释。

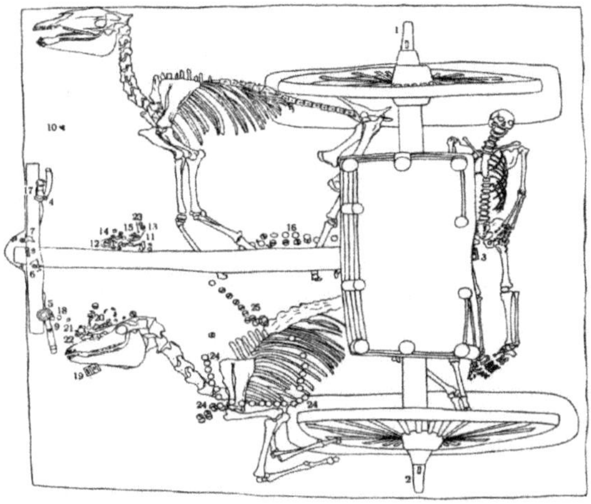

甲骨文字“车”图形

仔细看这辆车，它用一根轴穿两个轮子。一根轴穿两个轮子的车辆，一定存在一个问题，就是两侧轮子的转速始终一致（古代尚未发明轴承），那么车辆在拐弯的时候外轮的转速一定大于内轮，因此这种车辆就只能快速直行或者慢速拐弯，它没法快速拐弯。于是中国人竟把这种两轮马车一直使用到辛亥革命前后。四轮马车是中世纪后期西方人发明的。发明四轮马车有一个极大的难度，它不能用两根轴穿着四个轮子，因为四轮马车的两侧轮子假如始终转速一致，它连慢速拐弯都拐不成。因此发明四轮马车有一个前提，必须把车轴从中间打断，用齿轮重新咬合，使两侧的轮子转速不一致，这就是今天汽车下面的那个被叫作差速器的大鼓包。四轮马车的发明，缔造了现代汽车底盘的前身。

讲到这儿，大家一定会觉得我在诬蔑中国文化，因为中国文化不讲创新，连老旧马车都一用到底。我在这里做一个声明，我讲课，不讲好与坏，只讲所以然。因为讲好与坏是你站在不同立场带着情感色彩所给出的一个偏颇评价。你只有明白一种文化得以发生、得以运行的所以然，你才能理解这个文化的实质和内涵。中国人不创新是因为他的文化基调始终是保守论。我们今天听起来，觉得保守论一定是很有问题的，可实际上我们得重新思考这个问题。如果我们要从人类的古文明探求起，如果我们要以跟我们比较亲近的中国传统文化作为主线索，那你在听我课的时候，首先就得把进步论打掉，或者至少暂时把进步论从自己脑子里腾空，唯有如此你才能听懂这门课程后续的思想线索，你才能理解中国传统文化的基本素质。

而且还有一个更重要的问题：你凭什么说先进的东西就是好的，落后的东西就是不好的？你怎么知道先进的东西不是最坏的东西呢？没有任何人真正精深考察过这个问题，所有的人都只不过是凭直感随大流，人云亦云而已，由此造成如今弥漫东西方的全球主流意识形态。这个话题涉及进步论和保守论各自的内质到底是什么？我们放到明天老子课上再谈。我再说一遍，听人类古文明史，听中国传统文化，请首先摒弃进步论观念。

人类原始文明的形成机制

我们前面都只算是对一些基本问题做了点滴探查和零碎阐释。

下面我们将进入主题讨论：智人迁徙不能造成人种差别，不能造成智力差异，那么人类文明的分化和分演是怎样形成的呢？也就是“人类原始文明的形成机制”这个话题，需要加以深究。

为了说明这个问题，我们首先谈一点题外话。大家知道，生物竟然有亿万种之多。我们今天一旦说“万物”，主要说的就是生物。因为无机物不到1000万种，而生物，如果把灭绝部分也包括在内，大约有百亿种以上。如此之多的生物分化，居然是由38亿年前的单细胞生物这一个物种演化分化而来的。

那么，新物种是怎样形成的呢？生物学家研究发现，它至少需要两个条件：第一叫地理隔离，第二叫生殖隔离。

我先解释一下什么是地理隔离。地球早年的原始大陆叫盘古大陆，也叫中央大陆，如果在动物种群或者生物种群里，其中一个个员发生基因突变，而又没有地理隔离，它的这个突变基因就会通过群交方式即生殖遗传方式，使之在整个种群中播散和稀释。这样一来，新物种就永远不可能形成。因此，新物种的形成必须得有地理隔离作为前提。也就是，当年生存在中央大陆的同一个物种，随着两亿年前大陆板块漂移进入地球不同纬度，于是进入不同的自然物候条件之下，也就是进入不同的自然选择方向。它们各自在不同的地域环境中所进行的基因突变之积累，才能造成新物种的形成。这是第一条件，叫地理隔离。

第二条件是生殖隔离。什么意思呢？就是原本属于同一个物种，之后随着大陆板块漂移而进入不同地域环境，终于进化为不同的物种，如果此时把它们重新调集在一起，相互之间却不能发生正常性行为，不能正常交配，或者不能生出具有正常生殖能力的后代，我们把这种现象叫作生殖隔离。

我举个例子，比如驴和马是两个物种。它们虽然都是马科动物，但是按照科、属、种继续划分，到“种”的层面，它就是两个物种。为什么？因为驴和马虽然可以正常交配，可生出来的后代骡子，不具有正常生殖能力，也就是它们之间发生了生殖隔离，因此在生物学上就被界定为两个物种。

我讲这一段是想说明什么？是想告诉大家：人类的文明既然是一个自然进程，既然是一个自发过程，那么它也同样具有两个自然制约要素，亦即人类的文明分化也需要两大条件：第一叫地理隔离；第二叫交流隔离。

我们下面以东西方文明作为实例。

学界一般把西方文明叫两希文明。所谓两希文明，即古希腊和希伯来。大家都很熟悉，古希腊是西方文明的火种。至于为什么提到希伯来？是因为公元纪年以后的西方文明，也叫基督教文明。而基督教只不过是犹太教的一个变种，今天的

《圣经》分两部分：旧约和新约。所谓旧约，就是犹太教教本；所谓新约，才是基督教教本。当年信仰犹太教的一族非犹太人，由于他们不反对罗马帝国欺压以色列犹太人，于是被犹太教驱赶出去，尔后在非犹太人中传播新的变形了的犹太教，这就是基督教。所以，过去有人把西方文明也叫作两希文明。

那么，把中国文明叫什么呢？叫两黄文明，哪两黄？即黄土与黄河。我们先来看中国东方文明。所谓黄土，我们得先看一个现象，在中国黄河中上游陕北和山西一带，分布着一片土层厚度高达数百米乃至上千米的黄土高原。这是一个令地质学家百思不得其解的怪现象，因为地球平均土壤厚度只有0.5米，也就是只有半米厚，可为什么会在中国的黄河中上游出现一片土壤厚度如此之离奇的黄土高原呢？

要想弄清这个问题，我们必须首先回溯到原始地球的发生初态。45亿到46亿年前，原始地球是太阳系地球轨道上若干大小不同的行星相互撞击融合而形成的；再加上地球表壳也就是"地壳"，在远古时代极不稳定，地幔物质通过火山喷发不断溢上地表；因此，原始地球几乎完全是一个熔岩软质球。由于它是一个流质半固态的天体，因此它在自转的过程中才会把自己摇荡成圆形。如果它一开始就是一个硬质岩石的天体，它就会像小行星一样呈不规则形状。

而且大家还要知道一点，地球中的水分氢二氧这个东西，不完全是在地球上发生的。因为氢是化学元素周期表上的第一号元素，极其稳定，它不可能在地球条件下被大规模氧化。地球上的水分最初来自天外的撞击型行星，它们岩石中携带的水分构成地球水分来源的一部分。有学者研究发现，对原始岩层或外来陨石进行粉碎蒸馏，可以从岩体中得到跟地表水分比例大致接近的水量；再加上随后长时期里不断有小行星尤其是带着冰核的彗星砸向地球，这是地球水分的第二个来源。

地球表面温度在原始时代高达1000摄氏度以上，水根本无法以液态方式存留在地球上。它以气态方式溶解于大气圈中，持续上百万年。这些水分子为什么没有飘逸到太空中去？是因为地球的质量和引力足够大。要知道月亮和火星上曾经也是有水分的，但由于它们质量太小，引力不足，这些水分子遗失到太空中去了，这是今天月亮和火星上没有液态水的原因。

随着地壳和地球表面气温的逐步下降，以气态方式分布于大气圈中的水分开始在高空凝结，就会形成我们今天无法想象的滂沱大雨降至地面。然后，又被地面极高的温度再度蒸腾成气态升上天空。如此反复降下瓢泼大雨6万年到60万年以上，才把地球表壳浇凉。我们可以想象，这个时候的原始地球是什么样子？它根本没有陆地，完全被海洋所包裹，完全是一个水球。直到古地质学上的志留纪年代，也就是4亿3千万年前，地壳隆起的最高点才升腾到海平面以上——中央大陆出现。请大家再想象一下，这个时候的中央大陆是什么样子？它上面不但没有土壤、没有沙子，甚至没有石块，它是一个完整的地壳岩层。太阳直射使之加热，突然降雨又把它激冷，热胀冷缩之下，它先裂化成岩块，再碎化成石砾，最后才风化出沙子和土壤。

土壤的风化有两个通道：第一，物理通道，就是我刚才讲的热胀冷缩效应。第二，化学通道。什么意思呢？要知道原始地球的大气层，叫还原性大气层。我们今天的大气层，叫氧化性大气层。现今大气含氧量约为21%，可在原始时代，地球大气层的含氧量居然不到0.1%，也就是不到现在的1/210。而其中的二氧化碳含量却是现在的上万倍乃至数万倍以上。一旦降雨，水和二氧化碳结合，立即形成弱碳酸。因此，远古时代的降雨过程全是酸雨。酸雨作用于岩层表面，使之腐蚀风化，此乃土壤得以发生的第二项成因。

这就是为什么地球平均土壤厚度只有半米厚的原因。因为半米厚土壤以下的岩层已经不能被太阳加热，热胀冷缩的物理风化效应消失；同样，半米厚土壤以下的岩层，已经不能被酸雨浸透，因此化学风化效应也消失。

那么，为什么在黄河中上游会出现一片土壤厚度高达数百米的黄土高原呢？这就必须提到两件事情：

第一，3000万年前的南亚次大陆，就是印度大陆板块，开始和欧亚主大陆对撞，至250万年前，逐步升高到六七千米以上。它有效阻断了来自印度洋的暖湿气流，使得从北部吹来的干燥高压气流肆虐大地，从而把中国西北部地区的表浅土层一路卷裹到黄河中上游地区，这就是为什么你今天到河西走廊、到新疆、到内蒙古的西部，会看到大戈壁滩的原因。所谓戈壁滩，就是没有土层覆盖的碎石裸露区。这是黄河中游黄土厚积的主要成因。

第二，信风。所谓信风，气象学上是指有诚信的风，就是这种风一年四季按照某个固定的风道刮动。信风的形成有两个来源：第一，赤道地区太阳直射，空气被加热而向上升腾，最终又在地球两极垂落，由此形成地球上第一个固定风道；第二，地球自西向东转动，地球实体的自转，不免对大气层流产生某种程度的扰动，再加上地面温差等多重作用，从而形成地球上第二个固定风道；这两个固定风道的合力构成了地球上的信风。信风裹挟着地球表面0.5米厚土壤中最细微的尘埃，把它卷裹在大气中。任何流体最终都会形成湍流，而湍流的中心会形成静止气旋，就像台风中间有一个静止台风眼一样。信风的静止气旋恰好悬挂在中国的黄河中上游，它使得裹挟在其中的那些最细微的土壤颗粒持续在此沉降，这是黄土高原得以形成的第二个原因。

由此可知，黄土高原一定是由最细密的土层构成的。它必然带来一个问题，就是一旦降雨便会造成水土流失。所以黄土高原的水土流失绝不是今天才发生的，而是在它刚刚形成的时候就已成为常态。一旦降雨，雨水裹挟着泥沙，汇集成无数条小溪，这些小溪流最终汇入一条大河，这就是黄河。

黄河裹挟着大量细密的泥沙，一路向东到中原地区，至此河流突然变缓，泥沙开始沉降。为什么？请先看懂中国地势图，中国的所有江河都是向东奔流的。你到欧洲去看看，它的河流走向紊乱，八方流淌。为什么？因为中国的地势西高东低，它有多个标志性台阶，但若以黄河为视角，则中原河南可算得一个重要节点，即中原以西地势陡峭度极高，中原以东地平倾斜度明显降低。于是，黄河行至中原，水流突然变缓，河道大大拓宽，泥沙开始沉降。在东亚文明化以前，也就是人类没有在黄河两岸筑堤以前，据古地质学家考察，黄河至少发生过6次以上大改道。在第四季冰期结束以后短短2000年时间里，就给中国冲积出一小片中原平原；随后的8000余年才把这个中原平原扩展成今天的华北平原。这个冲积沉淀过程所带来的泥沙总量有多大？我给大家说一项数据，远古时代，中国的山东省完全是浅海海床，泰山只不过是中国近海的一座孤岛，也就是1万年左右的时间，黄河居然给中国冲积出整整一个山东省，外加河北省的东部。我前面讲过，黄河的滚滚浊流是由最细密的土壤颗粒构成的，它最初冲刷出来的那个中原平原，构成人类在地球上可以展开原始农耕的三大基地之一。

我先解释什么叫原始农耕？人类农业文明最早可能发生在1万年前左右，那时还处于新石器时代，也就是人们手里仅有的工具不过是一块带尖带刃的石头而已，顶多在后面捆绑一根木棍，全凭人力来开荒。要知道牛耕技术直到3000年前才开始普及，8000到10000年前，人类尚没有任何畜力可以借用。

凭借一块石头要想开垦荒地，在一般的土壤上根本无法进行。地球上只有三块松软肥沃的土地适合于原始农耕：第一，尼罗河三角洲，即古埃及文明发生地。由于尼罗河流淌在非洲北部的沙漠之中，那个地方只分雨季和旱季，到雨季，两岸土地全被淹没，农夫们不得不逃入沙漠以避水害。到旱季，河床变窄，两岸裸露，它把从非洲中部带出来的火山灰和腐殖质，铺垫于尼罗河河床，成为极肥沃而松软的天然良田。就这样，古埃及农夫每年旱季再度返回尼罗河两岸，另行垦殖。由于每年必须重新测量土地，于是他们就把绳子按单位长度打成结，用绳子拐着弯丈量分土，由此缔造了人类最早的几何学和数学。这种情形被古希腊史学家希罗多德记载于他的《历史》一书之中。

地球上第二块原始农耕基地，发生在中东两河流域。所谓两河，是指幼发拉底河和底格里斯河。这两条河形成环抱态势，最终流入海湾。这里在雨季形成浅沼泽，到旱季就成为最松软、腐殖质最多的肥沃土地。由此缔造了苏美尔文明、古巴比伦文明以及古亚述文明等。

地球上第三块原始农耕基地就是中原平原。说到这儿大家应该理解，华夏农业文明是地球上真正的原发性农业文明之一。真正的原发性农业文明只有上述三块。印度的农业文明，都很可能是从西部流传过来的，因为植物学家在印度找不见56种大禾本植物的相关物种。包括古希腊文明也是次生性文明。中国农业文明原生早发，植根极深。

这里发生一个问题。中古时代以后，中国农业产出最高的地方不在黄河流域，而在长江流域。我们今天在长江流域江苏地带还能见到两个县的名字，一个叫太仓，一个叫常熟。所谓太仓就是大粮仓的意思；所谓常熟，就是这个地方种的粮食经常处在成熟状态，所以叫常熟。

可是为什么发生在江南鱼米之乡的农业文明，我们不视其为中国农业文明的原发地？这就必须提到英国著名历史学家汤因比。汤因比在20世纪前半叶研究世界文明史的时候发现，人类远古时代至少有600种以上文明聚落，而且人类文明一定发生在自然条件既不是太好也不是太差的地方。自然条件太差，人类都无法居住，文明当然不能发生，这很容易理解。可为什么自然条件太好的地方也不能成为农业文明的发祥地呢？

我们就看一下江南。大家首先要知道，在人类农业文明发生以前，人类的生存方式和所有动物没有区别，叫采猎生存方式。我前面提到过，采，采集植物；猎，猎取动物；即享自然之天成。这就是基督教教本旧约上所讲的“伊甸乐园”，它说人类和所有动物都生活在伊甸园中，受上帝之供养。后来由于人类受蛇魔之引诱，吃了上帝不让他吃的智慧之禁果，于是变得有知有识，知羞知耻，被上帝逐出伊甸园，从此终生劳瘁，方得温饱，这叫“失乐园”。什么意思？就是人类在文明化以前，他享受的全是自然界的现成生活资料。所谓人类文明是什么？就是自然界不再给人类直接提供生存资料，人类的一切生活资料都必须由人类自己制备，因此叫失乐园。大家知道我们今天吃的、穿的、用的，全都是人造物。粮食是人类培育的，就连水果如苹果、梨等，在原始野生状态下，可能都没有今天一个枣大，它们都是人工培育的产物。

那么请大家想想，江南流域是一个什么状态？气候温热，降雨充沛，植被繁茂。它的植被长三层，第一层是草本植物，第二层是从根部分枝就只长几米高的灌木，第三层竟然长成数十米高的大乔木大密林。由于天然生活资料丰沛，因此人们根本用不着辛辛苦苦地开发农业文明。

请记住，文明一开始就是一场违背人性的灾难，或者说是违背人体直立生理的辛劳和折磨。能够逃避文明者算是当时的幸运儿。更重要的是，古人手里只有一把石斧。今天给你一把钢斧，让你砍倒一棵两抱粗的大树，你十天半个月砍不倒。就算你把这棵大树砍倒，你总得把树根刨出来，底下的土壤才能利用吧。可你用石头工具要刨出一个树根，可能一两个月不能完成。一亩地长三五棵大树，你半年时间都开垦不完。就算你开垦了几亩地，它仍然种不成庄稼，因为周边的乔木太高，挡住了阳光，它依旧只能长草。这就是自然条件太好的地方不能成为农业文明发祥地的原因。

我们现在回望欧洲。我前面讲，高加索人迁徙到欧洲是4万年前，东向登上帕米尔高原进入东亚的现代智人耽误了5000年，大约3.5万年前才来到中原定居，那么按理说，中国的农业文明应该比西方落后才对。可在中古时代以前，中国的农业文明一直远比欧洲先进得多，成为人类文明史上唯一的反例，为什么？有西方生物学家研究发现，3000年前欧洲这个地方长满大密林，主要树种是云杉，遍布整个中西欧。

我前面讲，欧洲的纬度几近于中国东北，北欧比中国东北的纬度还高得多，它为什么会出现类似于中国江南的自然物候条件呢？这就必须提到墨西哥湾暖流。

1.2万年前第四季冰期结束，大地上出现河流，海洋中出现洋流。地球上最大的海洋洋流就是墨西哥湾洋流。它从墨西哥湾出发，经过大西洋赤道区域，被太阳直射加热，温度升高8摄氏度以上。这个洋流量有多大？居然是地球上所有河流径流量之和的40倍。如此之大的水流量被太阳直射加温到摄氏20度以上，然后在北大西洋释放热量，最终流入冰岛，在北极消失，这叫墨西哥湾暖流。

由于这个缘故，在第四季冰期结束之后，西欧乃至欧洲中部地区气温降雨条件接近于中国长江流域，这使得该地区植被极为丰茂，使得迁居到欧洲的高加索人种开发农业文明变得极为困难。这就是为什么欧洲古文明全都发生在荒凉的南欧，古希腊文明、古罗马文明都处在南欧临近地中海区域，原因就在这里。

再回到中原看。中原是典型的原始农耕基地之一。请大家想想，农业文明是一个怎样的劳作方式？我前面讲，它一旦发生人口暴涨，只好继续垦荒，农田面积不断增大，这使得它逐步完全丧失了采猎生存的林地资源。土地是不可再生的，人口却是倍增的，由此带来的后果一定是生活资料与自然资源的进行性紧缺。人们只好集约化的在每一亩地上集体协作、辛勤劳作、精耕细作才方得温饱。这个自然结构、这个生存结构导致中国文化刚一发生的时候，它就不讲个人权利，不讲个人自由，而讲和谐、讲协作、讲内部协调、讲伦理社会关系，甚至形成紧密的血缘纽带而不散，这就是中国文化的生发渊源。这个文化的发生，不是任何人事先设计的，也不是任何人主观发明的。

我们前面说西方文明是两希文明，这个讲法不好，不确切。我们最好是把它叫作环地中海文明。

要想理解这个文明，你首先得看懂地中海。地中海是夹在欧亚非大陆中间一个细狭的海道，风平浪静。它使得环地中海周边的居民，在五六千年以前的远古时代居然可以运用一叶扁舟而横渡地中海。什么叫扁舟？可不是我们现在所说的船，船是中古时代以后人类才发明的，它要把木板刨得极细，把接缝合得极严，才能做成船，这是远古先民根本办不到的。古人只能把一棵大数砍倒，截掉两端，再把余留最粗的部分从中间刨开，然后将其中一半挖空，这叫扁舟，也叫独木舟。这种小舟在任何有风浪的水流中不免易于倾覆，唯独在地中海，俨然一个内湖，成就了便利的水路交通。为什么地中海文明的发源集萃点在希腊？因为希腊半岛南面就是爱琴海，而爱琴海分布了上千座小岛，星罗棋布似的。你到那个地方旅游一下，坐在渡船上始终眼睛能够看见不远处的地平线，这就使得航海过程的恐惧感大为降低。

于是环地中海周边的人，远在五六千年以前就可以横渡地中海进行广泛交流。整个地中海边缘地区由此成为地球上唯一一个得以孕育原始多元文明的开放地带。海运或者水运自古以来就是人类最重要的运输通道，迄今仍然是价最低、量最大的运输方式。我举一个例子，扬州。扬州为什么是中国近千年来的经济重镇？它相当于让仅有百年史的大上海持续了千年之久。起因在于当年隋炀帝开发大运河，把东亚大地上最大的两个水系——长江与黄河沟通起来。而扬州是大运河的枢纽，于是这个地方就成为中国古代的经济繁荣之地。十九世纪中后叶，由于太平天国阻断了漕运，也就是运河运输不得不改为海运，再加上近代铁路的兴起，扬州才逐渐衰落。

我在讲什么？我在讲水运条件对于人类文明起到的推动作用何其之大。地中海提供了人类远古时代欧亚非三大陆之间的文明交流通道，拥有得天独厚的开放地貌，因此它才会别具一格。

我们再看，希腊这个地方地貌多山石，土壤贫瘠。在公元前600年以前，希腊人口很少，当地生产的粮食还可以勉强供养当地人。至公元前600年以后，随着人口暴涨，当地生产的粮食根本养活不了当地人，而可开发的农地资源已经穷竭，这逼迫着古希腊人极早地进入工商业谋生状态。他们把当地独产的橄榄榨成橄榄油，把当地丰产的葡萄做成葡萄酒，接着又大量发展其他手工业生产。然后渡过地中海，到北非古埃及和近东古巴比伦换取粮食。这是人类规模化、系统化开创工商业文明的肇始与萌芽。

以工商业方式谋生，你必须做出奇巧的商品。如果你生产的商品是古埃及、古巴比伦人都能做出的，你凭什么换取他们最紧要的生存资源——粮食。这逼迫着古希腊人建立相应的创新精神和创新文化。

经商活动跋山涉水，要越过一个个其他城邦甚或原始部落，是个极为冒险的过程。因此商人绝不可能带着家眷长途跋涉，他一定把家眷放在古希腊，比如安顿在雅典，独自一人或者找几个合作伙伴冒险经商，由此缔造了他们原始文化中的冒险精神和自由诉求。

商业经营依靠等价交换。即使我到了北非、到了近东，我特别瞧不起对方，但当我跟他发生物质交换的那一刻，我必须把他视为平等的交易伙伴。由此缔造了与之适配的平等观念和契约精神。

这些潜移默化的素质不就是西方文化的根基层面吗？

有必要再强调一遍，西方文化和东方文化一样，它不是任何少数人或者少数智者设计规划的产物，它完全是自然地理地貌和自然物候条件的促成产物。

文明分化的内在求存规定

至此，我们得对“文化”这个概念加以修正。因为一般学者、一般人众，他们提起文化总把它讲成花里胡哨的东西，例如棋琴书画、诗词歌赋之类。这就好比你指着海洋的浪花，说那个东西就是大海。可你一定搞错了，浪花只在大海表层几米高的地方呈现，而海洋的最深处达1万米以上，那个没有任何浪花的深层，才是海洋的主体。

那么人类的“文化”究竟是什么？显然它绝不是这些花里胡哨的东西。因为人类文明发生在1万年前左右，那时候人类根本还没有文字，怎么会是“棋琴书画、诗词歌赋”呢？

所以，我在这里给文化另外一个定义：什么叫“文化”？“智性动物如人类者，面对其生存环境和生存条件所产生的谋生行为及意识体系之总和”就是文化。我换句通俗的话说，就是人类这个有了一定程度大脑发育的物种，他的谋生行为反应体系就叫文化，这才是文化的本源和根脉所在。

因此，请大家记住，人类的一切生存都叫文化生存。因此文化绝不是高于生存的东西，而是生存的基层，或者就是人类的生存本身，这才是文化的要义。这样你才能理解文化的力量所在。

我们中国自古以来重农抑商，重视农业、压抑工商业。早在春秋之时，一直到清代中期，数千年来，中国人的阶层划分叫“士、农、工、商”，商人的社会地位最低。低到什么程度？到明清两代，商人最有钱，他们的后代受教育最好、读书最多，但居然不准参加科举考试，也就是不准转换其末流地位和贱民身份。

为什么中国商人的传统社会位阶如此之低？

我讲一个典故。《战国策》上记载，吕不韦精明干练，青年时就接手了家族商事，财运亨通，竟把吕氏商社的生意做遍于东亚世界各国。中年发了大财后，有一次回家与他老爹商议转行之想，对话中这样讲：务农有十倍利，珠玉有百倍利，从政则利益无数。珠指珍珠、玉指玉石，也就是指代经商。我们不说这么夸张，就假定经商有几十倍利吧。这里暂且把从政这个话题撇开，看前两句话是什么意思。古代黄河流域一年只种一季庄稼。开垦荒地，撒十斤种子，产百斤粮食，当年算高产田，这叫务农有十倍利。所谓经商有几十倍利，不是指一次经商利润就比农业高得多，而是指以一年为周期，资本的周转次数很多，一年结算下来，经商的利益远大于务农。

请大家想想，如果中国自古不采取重农抑商的国策，会出现什么格局？要知道，中国是一个全封闭地貌。先把东亚地图看懂，中国的北面是荒漠、草原乃至高寒冻土地带西伯利亚；中国的西面是帕米尔高原；西南面是青藏高原——世界屋脊；南面是云贵高原加横断山脉，古人根本无法翻越。这就是为什么中国古代和中古时代到地处南边的印度去取经，却叫西天取经，是因为当时根本无法直接南行，只能反向面朝西北，走河西走廊到今天的阿富汗一带，才开始南下转往印度；而中国的东面又是浩瀚的太平洋，一线天涯海角，古来无可逾越。

请注意，这个全封闭地貌，其中唯一能产粮食的地方就是中原。设身处地想想，如果中国古代不压抑工商业，会是什么局面？经商的利润远高于农业，可在古代的中国，经商换不回粮食。你不但换不回粮食，你还得拿粮食做成本去换取其他非必需奢侈品，而且其收益诱人。它跟古希腊完全相反，古希腊的经商，恰恰是通过环地中海换回最基本的生活资料——粮食；而中国的经商，反倒是丧失粮食的过程。所以中国不得不采取压抑工商业的国策，因为工商业不仅利润丰厚，而且造成精壮劳力从土地上流失，如果放任不管，则没有人安心种地。要知道农业劳作始终觉得劳动力不足，这就是中国自古讲“多子多福”的原因。

在这样一个生存格局之下，干扰农业文明的工商业行为如果不被压抑，恐怕中华民族早在数千年前就已经饿毙了！请大家听懂我在讲什么，即使是作为一个局部文化现象的政治国策，竟然都会被地理地缘条件和自然物候条件所限定。这就是管仲在做齐国宰相期间，提出“利出一孔”的原因，意思是应该压抑工商业，只鼓励农业，因为利益只出自这一个孔道。后人做各种解释，说是因为统治者只有卡住人们的获利方式和生存资源，才能有效进行独裁管控，等等。这是对中国的生存境遇和文化起源之深层缺乏了解的表现。

我们中国人一说“个人主义”，通常立刻就把它理解为自私。其实完全搞错了，个人主义不是自私，个人主义是一种社会观，它的对立面叫社会主义社会观。它最早是2600年前古希腊智者所争论的两种社会观，当年叫自由论者和共和论者。

所谓“个人主义社会观”，是指要想建立一个最好的社会结构，必须首先保障每一个人的权利和自由，由此才能建立一个最好的社会结构，这叫个人主义社会观；所谓“社会主义社会观”，是指要想建立一个最好的社会结构，每个人得甘愿放弃自己的一部分权利和自由，由此建立的社会结构才能保障每一个人安宁生存，这叫社会主义社会观。

但凡是工商业文明，它的基本文化形态一定是个人主义社会观；但凡是农业文明，它的基本文化形态一定是社会主义社会观。而且越纯粹的农业文明，一定越讲究集体协作与社会统筹，一定越需要“看得见的手”来加以操控。也就是说，我们今天实行的社会主义跟马克思主义传入中国关系不大，我们很容易倾向于它，我们与之有天然的亲切感，因为我们早在三五千年前就已经是某种天然初开的社会主义社会形态了。

我是在讲“社会主义”和“个人主义”这两个词源字面上的原本含义，这里并不否认近现代社会学的任何新注解或新命意。关键在于，任何文化现象与文明构态，实际上不外乎都是自然进程的接续产物，也就是自然因素和人身自发因素的合成关系，这叫生存结构。不同之处在于，其中自然因素的变化较慢，而人身自发因素的变化较快。我的意思是说，人身自发因素即一般所谓的人为因素其实也是自然因素之一种，只不过越后衍越迟发的存在物或生存体越不稳定，衰变速度越快而已，可谓之生存形势日趋恶化。因此，从宏观上讲，它仍未脱离我在前面反复使用的“生存结构”一词的总体概念。

由于上述缘故，人类文明越原始的时代，自然因素对人类生存和人类社会形成的影响越大，人类自身的主观因素就显得越微弱；反之，人类文明越晚近的时代，自然因素对人类生存和人类社会发展的影响越小，人类自身的主观变量就显得越突出。于是，人类文明的进展过程相应呈现为“人祸取代天灾”的过程，人类生产力水平不断提高的过程也就相应呈现为人类社会动荡度不断提高的同一过程。这就是为什么我们今天会感到自然因素对人类社会运动的影响已经削弱和淡化到可以忽略的程度的原因，这也是我们今天很难理解远古文化与文明的发生渊源的原因。

大家还要知道，今天的西方文明成为强势文明普及全球，以至于我们今天都被它同化了，可西方文明实际上是古希腊文明的再现与张扬。

这句话什么意思？我给大家举例子。今天西方的民主制度叫两院民主制，上院叫参议院，下院叫众议院。实际上早在2600年前，古希腊就是两院民主制。上院叫贵族院也叫元老院，下院叫公民大会。西方今天厉行的自由市场经济制度，早在2600年前的古希腊就以不成文法通行天下，以至于普及到这样的程度，古希腊人口的60% 到80%因为通商行为而逐步转移到整个环地中海周边，也就是说，民族群团结构竟然完全星散。

就连今天西方的司法制度，在古希腊时代也已经基本成型。古希腊人不信任法官，认为法官也是人，他凭什么像上帝一样决定被告的生死。因此古希腊人要找一群不懂法律的普通老百姓组成陪审团。请注意，法官没有定罪权。公诉人和律师都面对陪审团辩论，陪审团的普通老百姓，不是用法律知识而是用生活常识，判定被告是否有罪。如果陪审团确定被告有罪，法官才能行使其仅有的量刑权，根据当时成文或者非成文法，确定被告被判若干年监禁或者被驱逐流放。可见把赋有判决权的群体翻译成“陪审团”，完全搞错了，法官才是陪审。连这样的司法制度，2600年前在古希腊都已基本成型。所以我说今天的西方文明没有任何重大建树，它只不过是古希腊文明的再现与张扬。而古希腊文明居然不是任何人设计的，它全然是一个自发进程，是一个地貌地理条件和自然物候条件所促成的人类生存结构。

任何结构一旦形成，它的内在规定就会逼迫它朝某个既定方向运行。我这句话是对今天使用的“路径依赖”这个词组的另一种表述。

我给大家举个例子。生物学上有一种鹿叫角鹿，它的雄性鹿角长得极为宽大，居然比鹿的体长还大。要知道鹿把自己的鹿角长得太大对其生存是非常不利的，不利于它穿越密林逃避天敌。可是为什么角鹿会把自己的鹿角越长越大呢？是因为在角鹿这个物种最初形成的时候，雌性角鹿只选那个鹿角长得最大的雄性才肯嫁给它，也就是说，性选择参与到自然选择之中，结果逼迫着角鹿只好把自己的鹿角越长越大，直至灭绝。

我再举一个例子。世界上所有鸟的尾巴也就是尾羽，都长得十分短小。它只起到一个作用，在鸟高速飞行的时候保持体位平衡。可是有一种鸟叫孔雀，它把自己的尾巴长得极大。要知道尾羽长得太大对鸟是非常不利的，会严重限制鸟的飞行高度和飞行速度，不利于它逃避天敌。可是孔雀为什么会把自己的尾羽越长越大呢？是因为在孔雀这个物种最初形成的时候，雌性孔雀只找那个尾羽长得最大最华丽的雄性孔雀才肯与之交尾，换句话说，性选择参与到自然选择之中，从而逼迫孔雀只好把自己的尾巴越长越大，直至濒于灭绝。

一种结构一旦形成，它的内在规定性就会逼迫着它朝某一个既定方向运行。东西方文明当年发生的时候，它们的差距其实并不大。所谓东方文明，就是纯粹的农业文明；所谓西方文明，它的火种——古希腊文明——其实是半农业半工商业文明，两者差距极小。但中国古代有一个成语叫作“失之毫厘，差之千里”，这就好像你在一个原点上射出两支箭，本来夹角很小，可当这两支箭射到远方，其距离会拉得极大。东西方文化，就是从这样一个细小的差异，最终延展成两种完全不同、极性判然，以至于兼容性极差、形态总是相反的文明背离分化格局。

我在讲什么？我在讲文明发生的第一基础要素——生存结构。

接下来我们讨论人类文明分化或东西方文明分演的第二大差异化要素——思维方式。

中国商代的文字源起及社会构型

我们下午开课，我先对上午的讲课做一个小结。上午讲了人类文明的得以发生的渊源，它完全是自然生存结构的产物。

我们讲，原始农业文明，它的生存素质就是非个人的、群体的、和谐的，随着集团和国家的产生，终于演化为集体主义和国家主义的文化社会构型。

工商业文明，它的个人主义社会构型和观念构型，同样是自然生存结构的产物。这就是为什么近现代发生在欧洲核心地区德国和英国的马克思主义，在西方工商业各国得不到发展，却跑到东方各农业大国大行其道的原因。因为我们早在三千年前，就已经是社会主义社会字面含义上的社会构型了。

它表达的是人类文明结构的内在惯性力度，它也使得生产力和生产关系、经济基础与上层建筑之间的匹配关系，在实际人类文明史上并不能真正对应起来的原因得以呈现。

大家理解这些东西，才能理解文明起源和文明动因的表观原则和表观原因。我说它是表观原因，是因为实际上还有一些更深在的决定因素，这个话题我们将在以后，甚至是最后一天课程中，再一一展开。

我们下午重点部分是讲东西方文化的思维方式之差别。在讲这个话题以前，我们首先讲一下中国上古时代社会文明构型的状态。(它有助于加深理解后面各讲座如老子思想的某些内容)

大家看这张图。东方文明，或者说中华文明——早年叫“中原文明”，它仅限于以河南为中心，包括山西、河北的南部、山东西部、安徽北部等以河南为中心这一小片地区，也就是这个图上圈黑了的中间这一小块地区，这叫中原文明，也是原始“中国”这个词的来源。

所谓“中国”，起初不是指大国体系，而是指中原文明与周边未开化区域的关系。中国古代把中原周边未开化人统称为“夷狄”，粗略概括下来，可以分别称之为北狄、西戎、南蛮、东夷，他们所包围的中间这一小块文明区域叫中国。

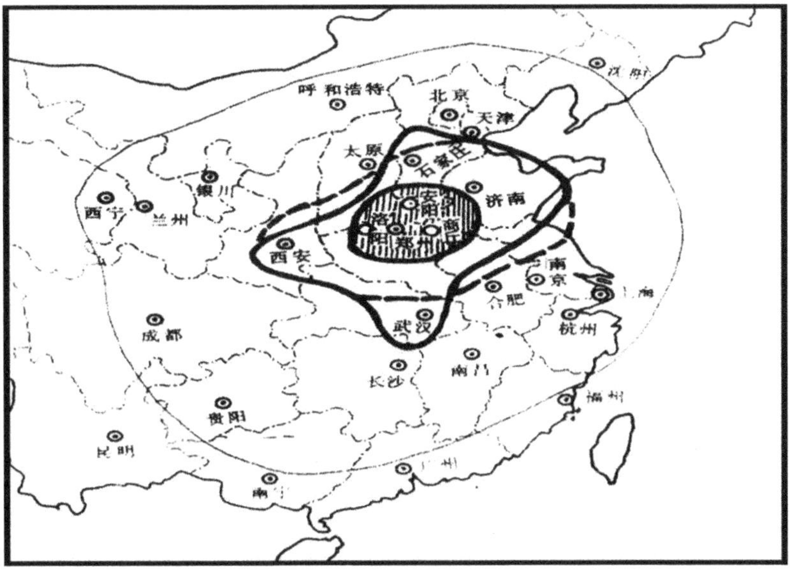

中原文明，随着农耕范围及其社会文化的不断开拓，逐步扩展为华夏文明，所谓“华夏文明”，就是上图用粗笔勾画的实线和虚线部分。

“华夏”是什么意思？华，是指从中原向陕西关中地区的文明蔓延，陕西关中有一座山叫华山，“华”和“花”是通假字，也就是该山有五座峰峦，像一朵花似的分瓣张开，因此古时也叫花山，后称华山。夏，指黄河下游，也就是中原文明向东扩展到黄河下游。夏、下同音，内涵相近，古为通假，大约与滨海地区气候偏暖有关。这种中原文明向东西两端的延伸叫华夏文明。再往后，看更外面那个细线勾勒的大圈，才是所谓“中华文明”，它已接近中古时代。我们从这里可以看出，“黄河是中华文明的母亲河”这个说法的来源。

我们下面粗略讲一下商代的社会构型。

中国古代有三皇五帝尧、舜、禹等诸多传说。但实际上，东亚人创建甲骨文字也不过发生在3300年前的商代中期，因而我们此前的历史全是传说，甲骨文的出现才缔造了信史时代。它很容易让我们在不了解这种东西的情况下，产生一种错觉，以为中国的大国体制早已成型。要知道，人类文明是从原始氏族社会逐步发展而来的,国家的出现是相当晚近的事情。关于尧、舜、禹，其实我们说不清他们到底是谁，尽管孔子对这几位传说中的圣王大加表彰。

民国时候，有一个著名的历史学家叫顾颉刚，他曾经说, 禹不过是一条虫。这句话是什么意思呢? 我们看一下尧、舜、禹这三个古文字符号的形态。上面画一个土坷垃，底下画一条地平线，（

）这个字就是“土”字的甲金文来源；在两个土字下面添加一个人，（

）这个字就是“尧”字的初形，也就是“堯”这个繁体字的来源；再看“舜”字，（）上面画一个手爪，下面画一个穿通符号，然后在底下画两个脚印的半抽象图。它是什么意思呢？“尧”表达的是一个人被埋在土里的局面；“舜”这个字表达的是一个

人埋在土下，被其他人用手把他从土坑里拉出来，他的两只脚不断地蹬着，从那个活埋状态挣脱出来的过程。最后看“禹”这个字，它就干脆画了一个长虫（蛇），然后在它把头探出土层的地方打一个指示符号，（

）这个字符就是“禹”。大家知道，中国古时把人也叫虫，所有动物都叫虫，老虎叫大虫，蛇叫长虫，人叫人虫。那么画一个人从土里埋着，到手拉脚蹬挣出土面，最终探头出土的全过程，就是“尧舜禹”三个字的来源。

我讲这一点想说明什么？就是我们在古史上的传说确实有非常可疑的地方，我们从文字符号上会发现，这种传说跟通常理解的三皇五帝之类的说法、圣王的说法有很大区别。

学界在信史阶段所能追究到的最古老、最明确的历史记载是商代，商以前的历史概属于非信史传说。商代不是一个国家构型，它是十大部落联盟轮流执政的一个部落酋邦邦联体。所以大家一定要明白，在远古时代没有天下共主，没有国家体制。正如《尧典》所记，说尧“协和万国”、说舜“班瑞于群后”，直到战国时期的荀子，在其《富国篇》中还讲“古有万国”。因此商代是一个氏族部落邦联制的社会形态。讲清这一点，对于后面理解东亚社会构型的发展是一个基础。

商王王系全都是用天干十个字来标注的，就是“甲乙丙丁戊己庚辛壬癸”这十个字。1899年，王懿荣最初发现甲骨文，后来王国维又发现甲骨文中的“天干十字”竟然和《史记》中商王世系表所用的称号对应，这使得甲骨文成为史学研究的重要资料。

这十大部族，为什么用天干十字作为象征？是因为在文明早期，这十大部族能够制作独到的工具且相互交换或交易，于是引此以为骄傲，进而用作自己部族的图腾徽号，终于形成各部族的特有标志。

比如“甲”这个字，在甲骨文中早期就是画一个十字。它是什么意思呢？人类文明之初，部族之间开始偶然发生冲突，斗殴或打仗的时候，一手挥舞木棒作为武器，一手持有用两条树枝捆绑而成的十字架作为盾牌，（

）这就是“甲”这个字的早期构型，以后在上面覆盖一块兽皮，是为“甲”字的符号来源，它表明甲部族特别善于制作盾牌。

乙部族的徽号是这个样子，（

）这个字是“乙”。它实际上画的是什么？画了一条绳索。大家可能认为制作绳子有什么可骄傲的？但你不知道，古人要揉搓一条绳子，难度实在太高。因为那个时候没有化学纤维，植物纤维又都非常之短，早期的植物纤维只能从野生麻类中提取，比如亚麻等。首先得把亚麻放在水中浸泡，把它的肉质部分沤烂，然后把它短短的纤维素提取出来，再将之集聚成束，弥合连贯而成长绳，中间还不能打结。这个难度相当于今天发射火箭上天的高技术，因此当年有能力制作绳子的部族便以此作为其图腾徽号，这就是乙部族和“乙”字的来源。

再看“丙”这个字，（

）它实际上是什么？是钻木取火的工具。我前面讲过，用火才是人类独具的能力，可以算作人类初始开化的最明确指标。中国古人最早认定的先祖不是女娲、伏羲，而是燧人氏。什么是“燧人氏”？就是传说中最早运用击打燧石取火的人。要知道古人取火是非常困难的，在自然状态下，只有当雷鸣电闪引发森林起火的时候，才有火源可得。那时候人们把火种带回穴居的山洞里，族群必须派人轮守，每时每刻都得指定一个不长毛的猴子不断地为火堆添柴，绝不敢稍有懈怠，如果它一旦熄灭，族群立即陷入饥寒交迫的生存危亡之中，饮食、取暖全成了问题。因此早年用人工方式随时随地取火是一个高难度动作。大家想想，击石取火只能打出火星，古代又没有汽油，仅靠打出的火星点燃底物，我到现在都想不通这怎么可能实现。实际上人类真正开始常备人造火种是从钻木取火开始的。先找一个凿出凹槽的硬木做底盘，再找一个软木棒压在上面手搓旋转，使之摩擦生热起火，然后用点着的脱落木屑吹气引燃预备的干草，这样才能取得人造火源。丙部族可能就以发明这样一个重要工具而自豪，于是他们就以“丙”字画符作为自己的图腾标志。故此“丙”这个字一直都有“火”的含义，比如后来加一个火字旁变成转注字“炳”，叫彪炳历史，就是被点亮在历史中的意思。

“丁”字实际上画的是一个铜锭的截面，以后才逐步转化为“丁”这个字形。（

）它实际上是这个部族最早采矿、冶炼、制作了铜器，于是以此为骄傲形成丁部族徽。

“戊”是画了一个古代的兵器。（

）先画一只“戈”,在手持的地方打一个指示符号,这就是“戊”字的来源，它标志着这个部族特别善于制造兵器。

“己”这个字符表示该部族特别会用绳子捆扎东西。（

）用绳子打成结捆绑东西，这是一个比较复杂的高难度动作。比如水手固定帆位、码头泊船等，如果绳结没有打牢是一件很危险的事情，结绳方式颇多，不同场合需要不同的绕结方法。该部落长于此项技巧,故而借以作为自家的徽号。

我们再看“庚”,“庚”这个字实际上画的是一个钻具。（）大家知道，早在文字产生以前上千年，中国就已经有了玉文化。玉石是硬度极高的石料，我们今天人类要想切割或者打磨一个东西，一定要找硬度更高的材料作为打磨工器。玉石的硬度已经接近天然岩石的最高级别，那么古人要给玉石穿孔或制型，用什么方式进行呢？那时没有金刚砂，人们只能用比玉石软得多的普通沙子做持续研磨，比如用一个木棍压住砂砾不断地旋转，沙子很快变成粉末，然后换沙再研。据考，远古时代要在玉石上打一个洞，可能需要几年甚至几十年的时光，为此曾经把一些奴隶拘在枯井之下，强迫他们天天不断地打磨，甚至需要几代人轮替才能琢磨出一个玉器。后来某部族发明了专用的钻具，这就是“庚”这个字的来源。

大家再看“辛”，它实际上就是画了一个木凿子，()是人类早年制作木器包括用木头盖房子等所用的一个木工工具。该部族发明了这个工具，以此作为技艺夸耀的标志。

“壬”这个字实际上画的是一枚骨针或者是一杆标枪。(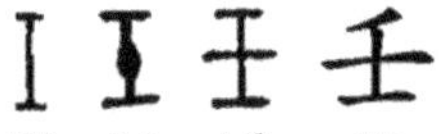

)人类古代即使只围一条兽皮裙子，他也要有剪裁和缝制的工具。打磨一枚骨针是有很高难度的，于是这个部族以此为徽号。

“癸”这个字很明显可以看出，它是人类古代纺砖的象形描摹，(

)也就是早年编织麻线麻布的那个纺锤，把它的旋转状态画出来便是。

这十个部族两两通婚，由此形成五大两合部族轮流执政，或者刚开始不过是轮流主持整个邦联体的祭祀活动，而后逐步转化为政权结构，这就是商代的社会基本构型。

成汤以还，五族共政；自盘庚迁殷后，商朝趋稳，然而酋邦王国主要已由庚辛部族、甲乙部族、丙丁部族作为核心联盟体，形成了庚辛——丁——甲乙部族之间的王世轮流执政，武丁为最盛期。故在甲骨卜辞中多见“武丁”（妻母妇好）、“帝辛”（即殷纣王）、“帝乙”（所谓的纣王父）等王称。再者，由于“母以子贵”的“儿王母祀制度”，妇好可能不是武丁的妻，而是武乙的母亲，或者是尊为母后的女性之总称；帝乙也不是纣王的父，而是甲乙部族的先王，纣王帝辛与盘庚同族。

据考，商王朝的覆灭，实因部族矛盾、轮替不谐而产生内讧所致，后被岐周联合内奸灭之，败德之说多为胜者诬。即庚辛部族与乙、丁两大部族失和，在经历了康丁、武乙、文丁、帝乙的两组乙丁替换后，庚辛部族推举纣王上台，随即竟将王权中心迁往自己部族的驻地（朝歌，即今淇县），乙丁部族的微子、比干、箕子纷纷反叛，至武王伐纣、牧野之战前夕，商酋邦联盟早已分崩离析。

以上引述表明，商代社会是部落联盟时代之后的部族邦联制社会构型。（可参阅唐汉先生借助甲金文所作的古史研究著述）

这种轮流执政的状态有可能一直延续到周代早期，并同样因此而在周幽王时崩溃，导致平王东迁，春秋之乱遂不可止。

历史上有一个很荒诞的故事，说周文王有一次出游，看见一个姓姜的疯老头拿一个直钩在渭河里钓鱼，言谈一番，就请回去让他做了自己的国师和军师。试问如果你是国王，你会如此随意地找一个疯老头做你的军师吗？

实际情况根本不是那回事。《诗经》记载，周族最初可能是从西部天水一带逐步迁徙到今天陕西北部彬县附近，然后再移民定居于岐周之地。原文这样讲："古公亶父，来朝走马，率西水浒，至于岐下，爰及姜女，聿来胥宇。"古公亶父就是周文王的祖父，"水浒"是水边的意思，说古公亶父带领周族来到渭水之滨的岐山周原，并与当地的原住民姜部族发生两合部族婚配关系，至此才有了可以建房筑屋的立脚之地。

所谓周姜两姓，姜尚和姬姓的周王朝，他们实际上是一个两合部族关系。姜子牙很可能是姜部族的首领，两者形成共同的权力架构，甚至形成某种轮替执政关系。这也就是为什么到西周早年各封国中，我们会发现姬姓国和姜姓国占据了中原最好地区的原因，而其他跟姬姜两姓没有关系的部族，除少数原有服国而外，大多被分封在中原外围的贫瘠之地。

而且直到初周，我们会发现形成了一种奇怪的昭穆制度。所谓"昭穆"是指周文王、周武王、周成王、周康王、周昭王、周穆王，第五、六两代昭穆两王的名号。我们今天一提起“昭穆制度”，首先想到的是古代帝王的丧葬制度。也就是第一任国君（包括后来的皇帝）埋在中间，他的儿子埋在左侧，他的孙子埋在右侧，依此类推，始终不变，形成两系隔代分置埋葬的墓地形态（直至明清亦然）。这个制度怎么来的？过去一直说不清楚，只有看懂背后的政权交接关系，你才能明白，它其实就是源于商周各部族轮流执政，君王死后，必须埋回本部族公坟的历史遗绪。由此不难看出，它名叫昭穆制度，很可能表达着西周早年姬姜两姓仍然保持着某种变态形式的权位轮替关系。

这个问题在史学上还不能得到非常明确的考证，作为一个合理的推论，它暗示人类从部族联盟逐步向国家形态或封建社会的体制转进很可能是一个连续渐变过程。

象形文字与东亚甲金文

我们下面进入另一主题，讲思维方式对文明分化的影响。

要讲思维方式，就必须谈一下古文字学。为什么？因为文字对于人类的思维，或者说文字符号对于人类的思想形态，造成重大影响。

这就是为什么在西汉早年的古书《淮南子》上记载，原话这样表述：“仓颉作书，天雨粟，鬼夜哭。”这段话什么意思？它说自从仓颉创造了文字，天上降的雨都是谷子，鬼在晚上都要群哭群嚎。它为什么用如此惊人的笔调来描绘人类创造文字符号？是因为文字符号的发生对人类其后的思想和思维方式起到某种程度的奠基性作用。

在文字符号发生以前，人类的思维和意识呈漫流状态，也就是我们心理学上所说的意识流；文字发生以后，外在文字符号构成的示意系统，成为人类思想得以展现和推导的基本框架，由此缔造人类的显意识思想结构。

当然这只是思维方式得以形成的主要因素之一。我下面讲的部分，并不是说人类思维方式的形成仅仅由于文字符号的影响，但文字符号显然是一个重要影响因素。我们通过讲这个主要影响因素，有便于大家理解思维方式的塑形和分化是一个怎样的自发过程。

我们就从中国古汉字谈起。大家知道，我们使用的文字叫象形文字。今天世界上221个国家和组织，使用象形文字的仅剩中国。其他各族各国，全都使用的是拼音文字。这很容易给我们造成一个重大误解，以为拼音文字才是文字的主要源流。别搞错，请记住，人类原始各部族，要么没有文字，但凡最初发明文字符号者，全都是象形文字。拼音文字是一个相当晚近的次生型文字符号。比如古埃及象形文字；比如古巴比伦楔形文字，其实是象形文字的一个变种；比如中国古代文字也是象形文字。

从1899年王懿荣发现甲骨文迄今，我国考古界在河南殷虚等地出土带有甲骨文的甲骨残片，数量竟达10万之众。总结下来，发现古代甲骨文共有4500字左右，而我们今天使用的上万中国字，只是其中1500个甲骨文字于后期逐渐演化的结果。为什么另外3000字废用？是因为最初文字和语言是两个系统。

过去的语言学家包括亚里士多德都说，语言是思想的符号，文字是语言的符号，因此文字是符号的符号。也就是人们普遍认为，文字符号是语言的直系产物，这个东西很可能搞错了。实际上人类会说话大约已经有10万年左右，而人类有文字不过新近三五千年的事情，文字最初和语言没有关系。语言是从口到耳的传递，文字是从手到眼的传递。文字符号即象形文字起初不过是生活场景中的一幅画，因此一开始和语言并非完全衔接。随着文字的发展，它必须和语言结合才能有效使用，于是那些可以用单音节表意，也就是用一个发声表达心意的那些符号，才能够被保留下来。凡是早期图形过度复杂，要理解它必须用一长串语言才能把它表白清楚的那些个文字符号不免被抛弃。这就是4500字中只有1500字最终演化为中国文字系统的原因。

中国古文字被称为“甲金文”。所谓“甲”指龟甲片，“骨”指牛的肩胛骨，这是最早刻画字符的书写材料。随后数百年进入青铜时代，在青铜器上铸造或雕刻的文字，被称为金文，也叫铭文。于是我们把中国古象形文字总称为“甲金文”，它大约发生在3300年前。

大家要注意，所谓象形文字就是生活场景中的一幅画。中国的象形文字和古埃及的象形文字有明显的差别，中国的象形文字半抽象化，而古埃及的象形文字画得非常具象。

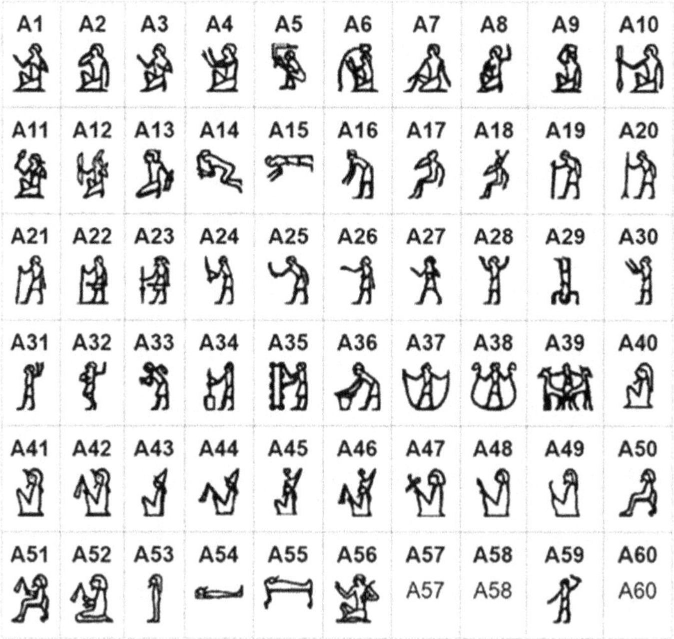

古埃及象形文字部分“人”字列表

我给大家举例子，比如古埃及要画“人”这个字，就画一个非常逼真的人，头、躯干、胳膊、腿脚一样不缺（板书画图)，这是古埃及象形文字中的人。可是在甲骨文中，我们看到的人是这样一个符号()，它实际上画的是人侧面走路的样子。古埃及文字中画一个“牛”，也会画得非常具象（板书画图)，这是古埃及象形文字中的牛，把一头牛囫囵的、完整的构型全部画出来。可中国甲骨文中的牛，只把公牛的牛角画出来，(

)这个字就是中文“牛”字的来源。古时候发音是“哞”，模仿牛叫的声音，是一个拟声字。那么画羊，它就把一只公羊的羊角画出来，(

)这个字就是“羊”。

古埃及象形文字“牛”字图符

那么为什么古埃及的象形文字十分具象？是因为古埃及这个地方出产一种草叫“纸莎草”，古人把这个草剥开就可以形成类似于纸张的书写材料。然后他们在尼罗河边拔下芦苇杆，把芦苇杆劈开蘸上草木灰的黑水，就可以在纸莎草上流畅地画画，因此他们的象形文字十分具象。中国所在的东亚这一带地方没有这种草，纸张是在汉代以后才发明，因此中国古人的书写材料，只能是质地坚硬的龟甲或者牛骨，然后用石刀或者青铜刀在上面刻写，这就是古代把笔叫刀笔的原因。由于书写材料的限制，中国古代的象形文字不得不简略化或半抽象化。这就是造成中国象形文字和古埃及象形文字发生形态区别的原因。

我们下面再讨论一个问题。

中国古文字，每一个字是一个意思，每一个字发一个音节，叫单音节文字。它跟拼音文字是完全不同的，拼音文字是多音节文字。而人的喉和舌只能发声400个左右的不同单音节，因此按道理讲，中国应该只有400个字。实际上中国文字量极大，在这个生理发声限制之下，就必然会出现大量的同音字。

那么同音字在古代是怎样缔造的？它有一个基本原则，就是发同音的字，一般含有某种程度的相同含义。

我给大家举例子。比如(

)这是一个甲骨文。它是什么字呢？而且的“而”。今天“而”这个字已经是虚词和介词。但是大家一定要明白，中国古代文字没有虚词和介词，因为不需要。因为古代文章没有语法逻辑结构，它就是象形文字的连环画体系。因此早期文字，每一个字都是实词，没有虚词，而且每一个字都有它独自的含义，复合词不成立。

比如“池塘”，“池”是指方形的水池子，“塘”是指圆形的水池子。请问有谁见过既方又圆的水池子？所以“池塘”这个词不成立。再比如“朋友”，“朋”这个字是画了两串贝币，(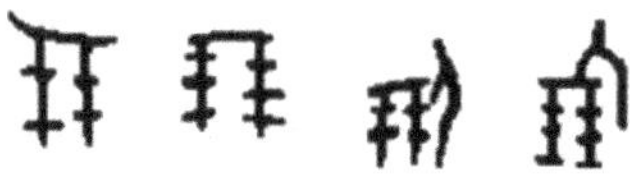)“友”这个字是画了两只手，(

)是两手半握的形象。“朋”是什么含义？共同挣钱、共同干活的人叫“朋”；“友”是什么含义？共同分钱、共同分享的人叫“友”；每一个字是一种含义。我们知道，人这种东西，历来可以共苦而不能同甘，因此“朋友”这个复合词不成立。再比如“荣华富贵”，先秦时代有一本最早的百科全书式大辞典，名叫《尔雅》，它上面讲“草谓之荣，树谓之华”，就是草长得很茂盛叫“荣”，树长得很茂盛叫“华”；中国古代商人“富”而不“贵”；可见荣、华、富、贵，每一个字是一个含义。复合词的大量涌现，是在东汉中期佛教传入中土之后的事情。

那么回头看“而”这个字，它是什么含义呢？看我的胡子，上面有一髾胡子，下面有一捋胡子，由于有两捋胡子，因此它发“二”（er）的音。大家想想还有哪个字发音是“er”？耳朵的“耳”，它为什么发“er”音？因为你左边长一个耳朵，右边长一个耳朵。还有一个字发“er”音，这个字就是“日”，在甲金文发生地河南陕西一带，“日”不念“ri”，念“二”（er），把太阳叫“日头”（er tou），为什么？因为早上有一轮红太阳从东边升起，黄昏有一轮红太阳从西边落下。所以但凡发“二”（er）的字音，都一定具有“两个东西”的含义。因此，古代的同音字，或者基本构型相似的字，被视为通假字，经常可以互相替换使用。也因此，你读古书，真正的古书，你会发现古人大量写错别字，这不叫错别字叫通假字。要知道你今天不写错别字了，其实你没有多少文化了。

我们下面讲讲象形文字的构造三原则。

人类早年各部族，要么没有文字，但凡有文字者都是象形文字。象形文字的构建，它的第一要素叫“以形表意”原则，就是生活场景中的一副图画。《易经》上对人类早年缔造符号有八个字的表述“近取诸身，远取诸物”。就是近在身体上找符号，远在物象上找符号，这就是象形文字最主要的形意来源。（古文字有多种解读，均属猜测，难以定论，故本课所讲，仅供参考。）

我举例子，比如我们在甲骨文中，看见过这个字，（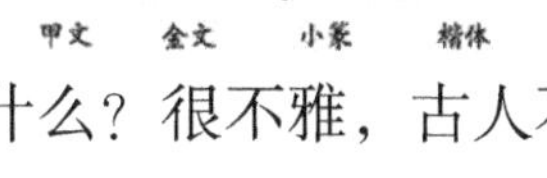

）这是什么字呢？平凡的“凡”。它画的是什么？很不雅，古人不穿裤子撅起屁股，你从正面看到的肛门。凡人皆有那个脏兮兮的肛门，因此这个字是平凡的“凡”，发音跟粪便的“粪”很接近。那么如果在中间画一杠，请注意这个符号，我们在古代青铜器的边缘上大量见到，（

）它就是使用的“用”。它为什么会是“用”呢？古人没有卫生纸，大便完了总不能夹着屎满世界乱跑，于是顺手从地上捡一个木棍在屁股上抹一抹，这个木棍很有用，因此它是“用”字。这叫“近取诸身”。

我再画一个符号（），这是什么字呢？整齐的“齐”。它画的是什么？画的是夏天麦穗长熟了，麦穗很整齐，麦浪很整齐，这就是它的甲骨文（繁体字“齊”的中上部分即来自这个构型（

）。这叫“远取诸物”。

我们再看一个字（），这是什么字呢？帝，黄帝、炎帝的“帝”。你要想看懂这个字，首先得看懂这幅画。它上面画一个倒三角，下面画一个穿通符号，横向再画一个穿通符号。它是什么含义呢？首先你要知道，但凡你在古汉字里见到倒三角，它都是指女性。女性的性器官是长在腹内的，不像男性的性器官吊儿郎当地挂在外面。那么女性性器官的最重要的标志就是阴阜和阴毛呈倒三角分布，于是画一个倒三角就代表女性，换成正三角就代表男性。

这两个符号全世界通用，不仅中国人在用。比如古犹太人和现代以色列人通用的徽号，叫“大卫之星”。今天以色列国国旗上的图案依旧如此。它是在倒三角上叠合一个正三角（）。请看这是不是犹太人的六角星？它是人类在生殖崇拜时代所画出的男女交合符号、阴阳交合符号。

那么我们现在回看“帝”这个字，它是什么含义？下面这个穿通符号代表子子孙孙，横向穿通符号代表七大姑八大姨的表亲系列，它的原意是指氏族群团中可以找见的那个最远古的女性，她才被称之为“帝”。大家一定要知道，人类远古时代，氏族社会早期是母系社会，一个氏族社会就是一个血缘群团。它的内部是不能通婚，是不能有性关系的，否则会发生乱伦。因此人类早年，其群婚制多呈现为两合部族，我在前面提过这个词，当然并不严格，多族之间也时有交往，否则长时段看仍然不能避免乱伦。就是一到晚上，这个部族的男性都到那个部族去，那个部族的男性都到这个部族来，天一亮，男人各回各家，孩子留在女性部族中生养。由于是跨族群婚，人们永远不知道孩子的父亲是谁，孩子的父亲可能是另外某氏族的任何一个男人。因此，人们只能找见自己的女性先祖，于是就把当时各部族中能够找得见的那位最远古的女性祖先称作“帝”。

到了商末周初，社会普遍男权化，人们已经不知道这个字的原始含义了，于是才把男性祖先或君王尊称为“帝”，比如黄帝、炎帝、始皇帝等等，这显然是用错了古字。

那么古代称呼男性祖先用哪个字呢？用这个字（），这是什么字？而且的“且”，画的是什么？直接就画了一个男阳，男性生殖器官。这个字当年不念且（qiě），也不是虚词，它就念祖（zǔ）。它怎么转化成了祖先的“祖”？是由于人类从生殖崇拜时代逐步过渡到祭祀文明时代，于是面对祭祀天地和先祖的活动场景，就先在旁边画一个T形祭祀台，（）再给祭祀台摆上牺牲，（

）所谓“牺牲”，就是祭祀天地和祖先时所宰杀的牛、猪、羊等动物，这些牺牲在滴血。（

）请看，这个字是不是今天祖宗的“祖”这个字的来源？（

）它表达的是象形文字随着人类社会文化结构的流变，字形发生相应流变的分步进程和演变状态，我们把这叫“以形表意原则”，这是建立古象形文字的第一原则。

大家注意，我现在讲甲骨文或讲甲金文，目的不是为了给各位上识字课，而是为了讨论后面的一个重大问题，甚至是一个哲学基础问题——思维方式问题。当然，我们今天在很大程度上确实已经不识字了，所以也有补习识字课的用意。

人类构造象形文字的第二方式叫“共性经验原则”。也就是起初刻画一个符号，至少本族群的上层人众得有共同经验，大致都知道这个符号的含义，该符号才可能被接受。

我举一个例子，比如有一个字叫“闯”。(

)门字里面画一匹马，它为什么不在门字里面画一头牛、画一头羊呢？要知道古人跟我们今天的人完全一样聪明。我前面讲过，短短4万年时间，人类的智力不可能发生重大改变，何况造字才三五千年。所以那个时候，人们的聪明程度跟今天完全相等，只不过他们所关心的问题却是生存基础问题——衣、食、住、行等基层问题，其中信息量极小。他们以极高的智慧处理如此之低的信息量，请想想古人可以把这些问题琢磨到何等精透的程度？这就是古文化的价值所在。

古人豢养动物观察得极细，发现所有动物出圈门都是很缓慢的，因为动物挤着出圈，如果它们奔跑速度太快，互相冲撞，很容易造成外伤。任何动物，包括野生动物，一旦受伤必死无疑。因此所有动物在出圈门的时候，动作都是放慢了的，只有马例外。古人观察的极细，发现马出马厩是跳跃着出的，于是门字里面画一匹马代表“闯”。

我再画一幅图符(

)，这个字就是“白”。这画的是什么？画了一个指甲盖，把底下皮肤遮盖的半月膜都给画出来了。为什么画一个指甲代表“白”？是因为古人干的都是粗活，手总是黑的，手上唯一能保留白颜色的就是指甲，因此画一个指甲代表白。这些东西都是古人在其共通的生活场景中缔造的符号，所以那些图符所表征的含义大家就会一望而知。

我再画一个符号，我前面画过，(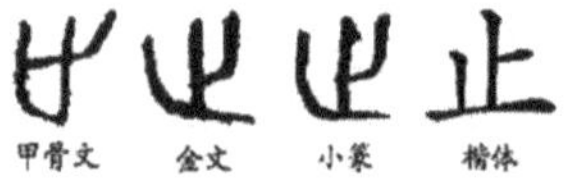

)这是个什么字呢？是古人不穿鞋袜，赤脚踩在土壤上，所留下的脚印的半抽象图，右边拉出去的一撇就是大拇趾头，这个字就是“止”。但是大家注意这个字的意思，它在远古时代不是“停止”的含义，而是脚指头的“趾”的含义，以后成转注字，加足字旁，才把这个字的原始含义标示出来。如果画前后两个脚印（

），这个字是什么字呢？步，走步子的“步”。它是从甲金文直观描摹，到小篆大篆曲线成图，然后隶变，再到楷书，才从曲笔走形变成直笔字形。

我们从这个字里还可以看出什么呢？我们可以发现，所谓“文明进步”，就是把任何事情都越解决越多，也越解决越糟的过程。

古人没有车马，赤脚徒步在自己十几平方公里的氏族领地上生存，就足以解决所有基本生存需要。你今天开汽车、坐飞机跑得老远，你想干什么？你总不至于变成神仙吧？你仍然不过是混饱肚子而已。可你把“行”这一件事情解决了吗？没有解决，你只不过是把这件事越解决越多，也越解决越糟罢了。以汽车为例，你要造一辆汽车，总得先开矿吧？开完矿，你得冶炼，冶炼完你得制造成千上万个零件，才能组装一辆汽车。然后你还跑不成！你得铺设公路、架红绿灯……然后警察不断在那儿指挥着，你还动不动把自己撞在电线杆子上撞残废了。请问你见过哪个古人走路让自己撞在树上，把鼻子撞塌了的？

所以大家一定要明白，人类文明进步没有解决任何问题，它只是把任何问题都越解决越多，而且越解决越糟。我们仍以汽车为例。联合国统计，现在全世界仅因为汽车交通事故，每年死伤300万人左右，死亡25万到30人万左右，相当于年年打一场大规模的局部战争。就这样，我还没有计算它所造成的空气污染的大麻烦哩。

从这些古文字里，我们可以看出，古人秉持保守论，也就是对人类社会的文明发展不加表彰，反而持以怀疑态度，是有他们的深切体认的。所以才说，古文字以及古文化中包含的原始思绪具有极其深远的意涵。

造字的第三原则叫“人本主义原则”，也就是以人为中心，或者说是以人的观念形态和依存需求为基础，画出所有的图像符号。

比如在你的视觉中，山呈现为峰峦起伏的样态，于是画出这幅画，()这就是“山”字的来源。水，画一条河流的半抽象图，(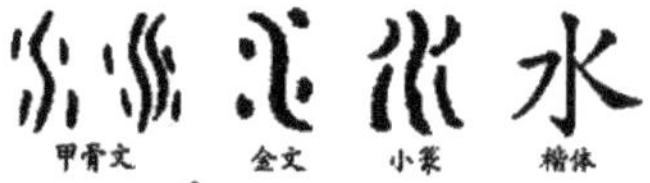

)这个字就是“水”。大家再看这个画幅，()这是什么字呢？女。它画的是什么？古代没有桌子、椅子，甚至不是席地而坐，席地而坐发生在商代中晚期之后。远古时代的人是先取跪姿，然后坐在自己的脚后跟上，这叫跽坐。一个女性跽坐在自己的脚后跟上，把两手放在腹前干一些轻微的家务劳动，呈现出安静的坐姿。这个女性静态坐姿的图像，就是“女”这个字的来源。所以大家看，所有造字都是以人为中心，表达出人的符号观感。这就是象形文字造字的三大基本原则。

我再重复一遍，我讲古文字，主要借助于唐汉先生的研究，辅之以其他甲骨文学者的观点，形成这部分课程内容。有兴趣的同学，可以更纵深地去读一些相关书籍。

甲金文的字义如何形成

我们下面稍微讨论一下象形文字字义的形成方式。

先看“人”这个字，()画出人侧面行走的画像。不过，在甲骨文的早期，我们还看到这个字，()我们今天把这个

字念“大”，其实不对。在甲骨文早期，这个字实际上的含义是画了一个正面立相的人。

我们怎么知道呢？有大量的字，是在这个符号上建立的。比如，在下面加画一条地平线，（

）这个字就是站立的“立”。比如，我们再画一个人，然后在他的手边画一个拐杖，（）后来添加了一个口，表示拐杖敲打地面发出的声音，这个字就是“奇”。什么意思呢？就是指谓一个腿脚残废的人，所以，“奇”这个字的本意是畸形的“畸”，由于跛脚人看起来怪怪的，以后才慢慢衍生出奇怪的“奇”之转义。

另看一个字，仍然画一个正面立相的人，给下面画两只手（

）（顺便说一下，在繁体字中你只要看见“又”，都是画了一只手，而在简体字中不作数，因为简体字里“又”这个符号被滥用），两手中间再画一条水流，（）这是个什么字呢？泰，“泰”这个字是什么意思？第一，高大的意思，第二，舒服的意思。所以组词叫康泰、安泰、通泰。

它为什么会有这两重含义呢？你先得看懂这幅画。究竟画的是什么？一个男人用两只手捉住他那个宝贝在撒尿。为什么画出一个男人撒尿就会有高大的含义？是因为男性和女性的身高差别很小，男人只有在撒尿的时候才显得特别高大。古人不穿分两叉的裤子，只围一条兽皮裙，即使如此女人也不能站着撒尿，否则她会斜撒在腿脚上，很不雅观。因此女人自古以来，撒尿都是蹲下去的，而男人是站着撒尿的。在撒尿的这一瞬间，男人显得特别高大，于是这个字就有了高大的含义，于是当时的中原文明人就把中原周边最高的那座山叫作泰山。那么为什么这个字会有舒服的含义？是因为你憋着尿很难受，叫内急。你必须赶紧找一个地方把尿撒掉，你才会安宁。于是出现了通泰、康泰、安泰的含义。

我在讲什么？我在讲任何一个象形文字，尤其是半具象半抽象的甲金文符号，它的字义之来源，不是从逻辑推导上得来的，而是在具象类比中给出的。

请注意逻辑推导和具象类比的差别。我再写一个字，(

)先画一头公羊的羊角，这个字就是羊。如果给下面再画一个大，这个字是什么字呢？美，美丽的“美”。这个字是什么意思？过去很多研究甲骨文的学者把它解释为“羊大为美”，这个说法很成问题。凭什么说羊大为美？小羊羔才美呢!解释错了。这个字的实际含义是，一个男人雄壮或健美得像公羊一样叫作“美”。请注意古人说“美”，是形容男人的。我如果今天指着一个男人说你很美丽，你一定浑身起鸡皮疙瘩。今天美这个字，美丽这个词，已经用给女性了。那么究竟是古人搞错了，还是今人搞错了呢？

让我们看一下生物史。所有动物都是雄性美，你在动物界中是见不到雌性美的。比如野鸡，凡是雄鸡都长着花哨的大尾巴，体貌俊美，而雌鸡一个个灰头土脸。你再看狮子，雄狮鬃毛宏阔，一副雄伟之态，而母狮全都是一派萎缩之相。那么为什么所有的动物都是雄性美呢？是因为雌性社会地位极高，它用不着美。大家知道，所有动物只在一种情况下发生内斗，那就是在发情期争夺雌性生殖资源。这个时候是一个什么场景呢？所有雌性动物蹲在旁边，然后观赏雄性动物在它们面前显示美，显示强壮或者竞技打斗。

雌性动物为什么具有如此之高的社会地位，以至于她们用不着美呢？是因为雌性生殖资源十分稀缺。这句话什么意思？要知道所有动物一年只发一两次情，即使我们人类天天发情，一个男人一次射精中精子含量就达2∽4亿之多，而一个女人一年只排13∽14粒卵子，表明雌性生殖资源十分稀缺。因此，在整个动物界，雌性的社会地位极高。而今女人把自己打扮得花枝招展去勾引男人，标志着女性的社会地位大大沦落了。

要知道，在所有动物乃至人类文明早期，它们的婚配关系都是群婚制。对偶婚制是人类文明化以后，社会逐步男权化，私有制随之发生，这个时候，如果男性要让自己的私有财产能够得到继承，他就必须知道哪个孩子是自己的后代。由于这个因素，对偶婚制才相应发生，男权社会才使得女性转化为男性的生殖附庸。

可见，文明过程是什么？它把人性都给扭曲了！这个过程叫作文明进步。

古文字义中包含着诸多的人类早期文明思绪，以及人类原本对社会乃至自然问题的深切理解。而且我们会发现，古文字与楷书方块字之间存在着字形演变的巨大差别。

我给大家举三个字为例。先看“盗”（

）这个字，它今天是强盗的意思，暴力夺取他人财物。可是在甲骨文中，它画的是什么？画的是一个人在别人的釜或者锅里偷肉吃，嘴角流着涎水，这叫“盗”。它是我们今天所说的典型的小偷，是今天“贼”这个字的含义。再看“贼”字的金文与小篆，（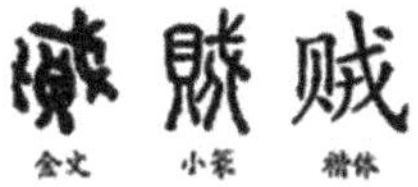

）它先画了一个贝壳，大家知道东亚人在先秦时代以贝壳作为货币，叫贝币，因此画一个贝壳代表财富，然后在左边或中间画一个人，右边画一个古代兵器——戈，于手握的地方打一个指示符号。这个字就是我们今天“贼”这个字的来源。请看清这幅画，它画的是什么？一个人手执兵器强行抢夺他人财物叫“贼”，它恰恰是今天“强盗”这个词的含义。

只有“寇”字形意未变，（

）上面画一个房子，下面画一个人，头被遮盖，旁边画一只手，手里拿着一个兵器，这个字就是“寇”，入室抢劫的意思。

我们从这三个字里可以看出什么呢？古文字在历史演化的过程中早已发生了字意词义的流变甚至翻转。

我讲这一点是想说明，翻阅古典文献，你用今天的中文汉字去理解，一定会发生严重误读，这就是我们今天经常见到很多学者讲古文化、古经典大量出错的原因。只有对古文字学有一定了解，我们才能解读古文献。而中国文字一脉相传，这个文字系统从来没有中断，因此，唯有中国的古代文化才能够完好保留系统性原始初级文明的思绪。

所有古文字，都具有极高的具象性，你要想理解它，你必须有一种能力，那就是返回到原始生活状态的场景之中，这是有相当难度的。我举例子，看这幅字，（

）它先画一个房子，然后在里面画一个跽坐着的女人。这是什么字呢？安，“安”这个字是什么意思？它可不是今天的含义。你到仰韶遗址、半坡遗址去看一看，它是指在人类原始氏族社会的群婚制时代，氏族中其他人大多住在一起打通铺睡觉，只给处于生育旺盛期的年轻女性单独盖一所房子，晚上让她住在里面，干什么？接待其他氏族的野汉子。这种群婚关系所特有的场景，就是“安”这个字得以形成的原委。

我再画一个字，（

）还是画一个房子，里面画一头猪。请注意这头猪一定是公猪，所以它要把雄性猪的生殖器官画出来。这就是为什么你看古书中写“家”这个字，在左边三撇之处还加画一个笔点的原因，这一点就是公猪的生殖器。什么叫“家”？要知道，古人养猪，他是不养公猪的。因为养猪需要花大量的精力，还需要相当的草料，甚至需要一部分粮食。因此，古人只养母猪，因为只有母猪才具有生育能力，才能够扩大种群。那么只有母猪生不了猪仔怎么办？古人给已经豢养成熟、没有奔跑跳跃的野生能力的母猪，搭盖围墙很低的猪圈。每到晚上，雄性野猪就会跳入母猪圈里来跟母猪配种，天一亮公猪又跑掉了，这个公猪潜入母猪圈里的局面叫“家”。所以我前些年听见南方人把丈夫叫作“老公”，觉得非常形象，颇有点公猪踏巢的意趣。

我再举个例子，（

）比如画一个人，旁边画一只口，就是一张嘴，这个字是什么字呢？信，大家知道信是什么含义吗？可不仅仅是今天所谓的信任、诚信之含义，它本意是指古人让别人给自己在远方的朋友或者亲属捎去一句话，这个捎话的人，把话原样地、绝不添油加醋地转达过去，叫作“信”。

再看一字“恒”（

），恒心的恒，永恒的恒。它实际上在甲骨文中是画了一个月牙，然后在上下各加一横，这个字就是亘古的“亘”这个字的来源，以后转注成恒心的“恒”字。它指的是月亮从傍晚时分一直到第二天天亮持续存在的状态。这就是“恒”或者“亘”这个字的来源。

那么夜晚的“夜”是什么样？

（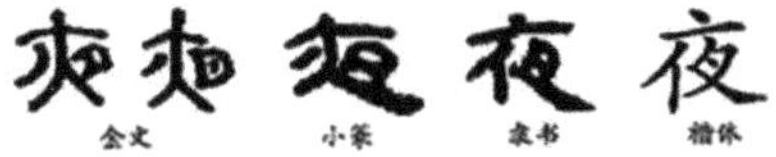

）仍然是画一个正面立相的人，在他旁边画一个月牙，晚上月光把他的身影投向另一边，于是对应处加画一撇，这就是夜晚的“夜”这个字的来源。你看，全都是具象描摹。还有“瓜”字，我上小学的时候，就怎么都看不懂这个字为什么是瓜。因为瓜都是圆不溜球的东西，怎么会画成这样难看的形状？可是，我如果把它的金文画出来，你马上就知道它为什么是瓜。（

）金文中，先画一个瓜架子，然后在下面吊一个瓜，请问有谁看见这个符号会怀疑它是“瓜”呢？

中国文字既然是具象符号，那么它怎么表达抽象的含义呢？

比如数字一、二、三、四，横向伸出手指就行，古人的“四”也是画四杠。（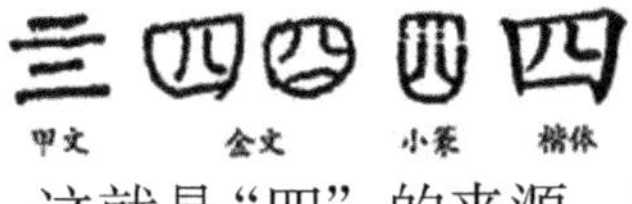

）到了后来才变成了握拳手势的直出面，这就是“四”的来源。那么“五”怎么办？把整个手掌伸出来，因为手掌上有五个指头，因此“五”早期画成这个形状，（

）以后曲折渐变，才有“五”字。“六”，把手上的食指、中指、无名指缩入掌心，将大拇指和小拇指倒放下去，（

）这个手势就是“六”这个字的来源。“七”上“八”下，“七”和“八”是让拇指与食指张开，把这个手势上下翻转，上为“七”，下为“八”，故谓之“七上下（

）（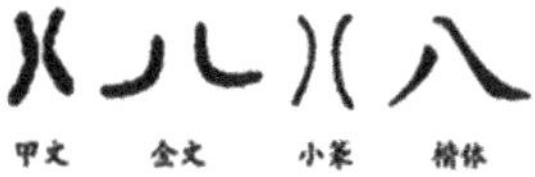

）我们今天把“七上八下”说成用十五只桶在井里打水，请问有谁见过哪个井能丢下十五只桶的？它实际上是古代“七”和“八”手势的翻转。“九”，（

）在古代画一只手，仅将食指弯曲伸出，这个字就是“九”的来源。“十”怎么办？、把整个手臂伸出来代表“十”，（

）所以在甲金文中，画一竖中间置一点，这个字就是“十”。

那么“百、千、万”这些抽象含义怎么表达呢？总不至于画一百个、一千个东西吧？这个问题难不倒古人。大家看看古人所画的“百”，（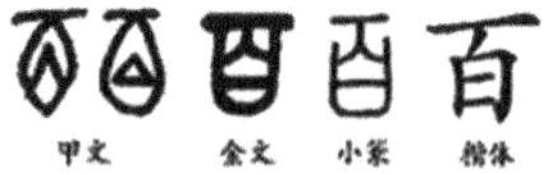

）这个字就是“百”。上面添一横就是一百，添两横就是两百，添三横就是三百。我们在甲金文中见过这种指示“三百”的图符。“百”字的下面画两个圈，或在圈内画一条弯线，它是什么含义呢？内圈或内线代表嘴唇，外圈代表胡子，用男人胡子之多代表“百”。

再看“千”，（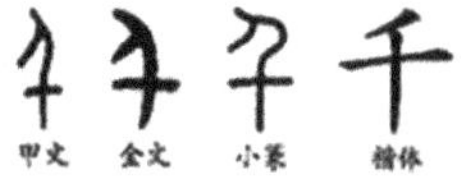

）画一个人，然后在他的下肢打一个指示符号，这个字就是“千”，它用男人小腿上胫毛很多来形容“千”。

最后看“万”这个字，（

）它居然就是十分

具象地画了一只蝎子，把蝎子头上的大钳子以及尾部的毒针都清晰画出，金文里在毒针能蛰人的地方打一个指示符号，这个字就是繁体字的“萬”。为什么画一只蝎子代表“萬”？是因为蝎子蛰人剧痛，我们今天很少有人被蝎子蛰过，要知道不慎被蝎子蛰一下，会疼得你想满地打滚儿。古人盖房子的方式是朝下挖地窝子，在挖房子的过程中有时揭开一个石片，偶然会看见一窝蝎子，就是一只母蝎子周边围绕着成百上千只小蝎子。母蝎子一次排卵400到1000粒以上，如果它把这些卵都孵化出来，你会看见成百上千只蝎子在那里蠕动。由于蝎子蜇人剧痛，因此给古人以强烈的视觉冲击，于是古人便画一只蝎子代表万，代表数量之多。

我们从这里可以看出什么？一言以蔽之，所谓“文明进步”就是人祸取代天灾的过程。

我举一个例子。古人住房子最初都是地窝子，那时候发生地震，根本不形成灾害，因此我们在远古时代的记录中几乎见不到有关地震的描述，反倒不断见到日食、月食的描述，因为古人认为日食、月食是一个不祥的天象。为什么地震这个我们今天认为是严重自然灾害的事情，在古人看来不构成威胁？是因为那时的房子重心极低，它是朝下挖的地窝子，上面搭一个茅草棚。即使再大的地震摇晃，也只会把那个草棚子晃荡下来，顶多造成一点表皮伤，绝不至于伤筋动骨。直到中古时代以后，古书上才开始逐步见到地震记载。为什么？因为人类开始向上盖房子，甚至加层盖楼房，把房子的重心移得越来越高，大地稍有晃动，房子立马就塌下来，可见地震这个灾害，与其说是“天灾”，不如说是“人祸”。

人类的文明进步过程，就是这样点点滴滴、日积月累地铸成并叠加种种灾难的过程，自古一直如此，而今变本加厉。

前面之所讲，都算是我们对古汉字学、古象形文字的粗略解说，大家也可以将其视为识字课的一个别样补习。因为，我们今天对中国古文字的出处及其原字意的形成均已相当陌生，人们把象形文字也早就混用成纯粹的抽象符号了。但，本课的主要目的不在于此，而是为了说明象形文字和不同文字符号系统对思维方式的影响。因此，我后面所讲的内容，才是各位应该特别予以关注的部分。

东西方思维方式的差异与成因

我们下面进入人类原始文明分化的第二主题部分——东西方思维方式的差异与成因。

我前面提到，汉初《淮南子》书中之所以用“天雨粟、鬼夜哭”这样惊人的笔触来形容人类创造文字符号这件事情，是因为古人虽然不能详细论证它跟人类思维方式的关系，却能深切地感受到文字符号的发生对人类文明的巨大影响。它不仅使得我们增加了一个记录工具，使得人类的文化和思想得以累积和传承，更重要的是，它对思维方式产生重大影响。我们下面就来看一看文字符号的内在逻辑，以及它与人类思维逻辑的交互响应关系。

我把它分为三组来加以讨论：

第一、字形逻辑推演。

其实我前面讲甲金文字，都已经涉及这层含义。我下面只再举一个例子，大家看，我画一个图符：先画一张口，上面画一个直出符号，旁边画一个肉月，（
）请注意，这不是月亮，这是割下来的一吊肉。这个字是什么字呢？胡。（）“胡”这个字是什么意思？古人形容中原文明以外的

未开化人，把他们通称为胡人。今天让你去讲解未开化人和文明人之间的区别，你可能说了一大堆废话，都未必能说清楚他们之间的差别在哪里。而古人只画这个图符就足够了，他画的是什么？画出未开化人的直观特征：茹毛饮血，吃着生肉，嘴里散发出腥膻气者，谓之“胡人”。

所以“胡”这个字全都跟气味有关。比如到楷书转注化以后，人们在胡的旁边加一个米字旁，这是烤糊的“糊”，某物烤糊了你怎样察觉，首先就是闻到它的气味。再比如，在胡的旁边加一个三点水——“湖”，称作湖水。所谓湖水是什么含义？水流向低洼，积成平潭，不再流动，不流动的水就会腐败，你走在这样的水边会闻见水的腐败气息，我们把这种水叫湖水。可见，“胡”的转义字都跟气味有关。从这个字形里导出来的其他字意全是具象思维的类比关联关系。

“胡”这个字在中国很重要，比如我们今天讲胡萝卜，就是指从胡人那儿传过来的萝卜；我们今天讲胡琴，就是从胡人那儿传过来的琴；我们今天讲二胡，就是从胡人那儿传过来的第二把二弦琴。我们还常骂别人“胡说八道”，什么叫“胡说”？胡人说话像鸟叫一样，文明人听不懂叫胡说。这么多的字意，居然全是从这一个字符中所引申出来的具象延伸，它跟纯逻辑推导没有任何关系。所以，我们把它叫具象符号或具象思维，它的对应词是抽象符号以及抽象思维。请记住，具象符号引出具象思维的思维方式训练，这叫字形逻辑推演。

第二、字序逻辑推演。

我仍然以举例子的方式来讲。我们前面讲这是人，（）那么如果我们连续画两个人，（）这个字就是“从”。“从”是什么意思？一个人跟着一个人走，谓之“跟从”。如果我们朝着相反方向画两个人，（）这个字却突然变成了“比”。

为什么相反方向画两个人就含有比赛的含义？古人早上出去干活，一个个懒洋洋地往前走，晚上收工则归心似箭，一个跑得比一个快，于是比赛的含义就潜藏于其中，这就是“比”这个字的来源。

我再画一个类似的字符，背靠背画两个人，（）这个字竟然指一个方向，北边的“北”。为什么这个图符会指示北方？是因为我们东亚处在北半球，太阳总是在南边运行，正午时分，你面向太阳，你的身后一定洒下一个人影，跟你形成背对背的格局，而且它一定指向北方，于是这个字又突然转化为“北”，一个方向的含义。大家注意这个字还有一个含义——失败，叫“败北”。为什么它会有失败的含义？是因为打仗你如果打赢了，你只有一个方向，向前冲锋，打败了，你才会回身逃跑，有两个面向，因此它又出现了失败的意蕴。古人记载任何事情都是画一副连环画，所以文字简洁。因此我们在古文献中曾经见到描述一个大战争的局面，居然只用四个字符，“王出师，北。”（古文没有标点符号）意思是国王带着我们打仗，打败了。

如果我正向画一个人，然后反向画一个人。（）这个字是什么字？变化的“化”。今天即使是让一个哲学家讲明什么叫“变化”，他可能写厚厚一本书都未必能说清，可古人只画这个字符就足够了。它是什么意思？一个人从站着到躺下，从活着到死了，叫作“化”。

上列这四个字所形成的字序，都是以人字构建的图符，然而它们之间居然没有任何逻辑联系。它们各自表达着完全不同的独立字义，其间只有不同场景下具象类比的引申含义。这种在直观具象中获取字义的长期训练，最终养成了特殊的具象思维固化模式。要知道，具象符号包含着较大的信息量。我给大家举个例子，我们今天电脑中1兆的存储量，可以容纳100万个字节，也就是可以容纳100万个拉丁字母，相当于65000个左右的汉字。可是它居然存不进去一幅图画或者一张照片，这说明什么？说明在图画和图符中具有更大的信息量。由于其中含有直观而丰富的信息量，因此，我们在具象图符中建立类比式的、隐喻式的概念延展，其思维方式就变得十分简捷且有效，用不着在逻辑系统上进行复杂的推演，这就是具象符号对思维方式的影响力度之所在。

我再画一组字序。先画一个太阳，底下画一条地平线，（

）这是什么字呢？旦。“旦”这个字是什么含义？夏季凌晨四、五点，太阳刚刚升到地平线以上叫“旦”，它是一天最早的时刻。我再画一个字符，（

）先画一棵树，请注意，这个字就是木头的“木”字的来源。我们在它的中间画一个太阳，旁边画一个月牙，这是什么字呢？朝朝暮暮的“朝”，它是指什么时间？早上六点钟左右，太阳已经升到半竿子高了，西边的月牙还没有落下去，这叫“朝”，它是早上的第二个时段。我如果画一个太阳，底下画一个直出符号，（

）这个字才是“早”。它相当于我们现在早上八点钟左右，太阳已经升起一竿子高了，它也相当于我们今天所说的“上午”，这是“早”的含义。如果我只画一个太阳，（）这个字是“日”，它的意思是如日中天，也就是指中午的太阳。如果我画一个太阳，旁边画四棵小草，（）请注意，这每一棵小草都是一个字，（）生生不息的“生”。这个合体字是什么字呢？暮，傍晚或黄昏的意思，太阳落到草窝里去了。我前面讲过，中原是平原，没有山，我们一般人讲太阳落山了，中原文明人说太阳落到草窝里去了。请大家看，我画了五颗太阳，它竟然把中国古人的宇宙观全部画出来了。

中国古人早期的宇宙观叫“盖天说”，就是认为大地是一个平板，天空像一个穹窿扣在大地上，也叫“天圆地方说”。我们今天把“地点”还叫“地方”，就跟这个宇宙观有关。随后进入“地心说”，我一提这个理论，你立即就会想到古希腊著名科学家托勒密所建立的地心说模型。他的著作早期被阿拉伯人翻译为《天文学大成》，而这本书的希腊原名、真名、全名叫《数学汇编十三卷》，它居然是用复杂的数学逻辑推演出来的一个巨大运动体系。托勒密建立的地心说是一个逻辑模型，而在同时代——汉代，中国也出现了一位历史上最伟大的天文学家张衡，就是说张衡跟托勒密完全同时代，同时代到什么程度？两个人的年龄只相差12岁。张衡给中国人也建立了一个地心说模型，却是一个漏水推动的浑天仪，是一个实物模型。它说明什么？说明东西方学者做学问的方式都大相径庭。西方人做的是逻辑思想模型，中国学者做的是具象实物模型。逻辑模型缜密而具有延展性。什么意思？逻辑模型极复杂，越复杂的结构，破绽就越多。后人发现它的逻辑破绽，就可以变革这个学说，重新建立一个新的思想模型。而具象模型坚固而稳定，你永远都没有变更它的可能。因此中国人把盖天说和地心说一直用到鸦片战争以后。那么这里呈现的是什么问题？就是东西方学者思维方式的差别，一个是逻辑抽象模型，或者叫抽象逻辑思维模式，一个是实物具象模型，或者叫具象比拟思维模式，由此导出完全不同的思维方式。而思维方式又成为整个文化内涵的编织器和承载者，这就造成东西方文化在其基础构型和思想素质上发生根本性的分歧。

第三、字组逻辑推演。我们在这里展示一个甲骨片。它画了5个字符，却讲了一个非常复杂的事件。()这5个图符讲

的是什么？第一个字画了一个孩子。第二个字画一张口，然后外面画出伸长的舌头，这个字就是“舌”字最早的形象。前两个字的意思是指一个总是把舌头吐得很长的孩子。古人给小孩起名字，经常会把他的某一生理特征表现出来，作为他的小名，所以这个孩子叫“子舌”。下面第三个图符有些复杂，右边画的是一位母亲，先画一个跽坐的女人，在她圈胳膊的上方点两个点，表示突出的乳房和乳头，这就是母亲的“母”的字源，你今天把这个字倒过来，这就是母亲的“母”；然后中间画了一个毒虫或者毒蜘蛛；左边再画一具尸体，两腿完全僵硬的样子，腿硬的地方打一个指示符号，(

)这个字就是“歹”。大家看整个字，一个做母亲的女人，被毒蜘蛛蜇死，死法不吉利。这么复杂的一个图画，其含义用一个单音节完全无法表述，因此在后来的文字发展过程中被淘汰。第四个字画的是“不”，()先画一个倒三角，底下画三条水流，这个字就是“不”。什么意思？倒三角代表女阴，下面的水流代表女性来月经、来例假，这个时候她会拒绝跟男性发生房事，这个拒绝符号就是“不”字的来源。最后画一个坟墓，里面躺一个人。这5个字的图符表达的是什么？一个舌头伸得很长的孩子，他的母亲被毒虫或毒蜘蛛蜇死，死法不祥，因此不得葬于氏族公墓。这么复杂的叙述，这么多意思的一个故事，居然只用5个字符就表述完毕。

大家看看，它跟文言文何其相似，文言文就是这样组成的。实际上它的表意过程相当于一幅连环画，这就是中国古代文字和文章的具象连贯关系，所以我前面讲，中国古代的文本结构没有语法逻辑关系，就是这个含义。既然它是如此具象的图画系统，既然图符系统中包含的信息量较大，它就用不着借助抽象复杂的逻辑思维来推展自己的思想概念构成，那么它的思维方式就倾向于具象化，倾向于类比化，而不倾向于线性推导关系。在这种思维方式的长久训练之下，形成中国人特有的文化状态，我把它叫作“技艺文化体系”。也就是中国文化偏重于产生技术和艺术，或者说它的主体文化最有利于产生技术和艺术。

我给大家举例子。宋代马致远写过一首词叫《秋思》，“枯藤老树昏鸦，小桥流水人家，古道西风瘦马，夕阳西下，断肠人在天涯。”这首词很有名。要注意，在古代诗词里是没有标点符号的。请看他的整个语词结构，其中没有任何虚词、副词或者介词，也就是没有任何语法逻辑联系。枯藤、老树、昏鸦，他用不着讲枯藤绕在老树上如何如何，结果写出了最好的词。大家再看，王维写过一首诗，其中有两行10个字，是我见到描绘西部宏阔景致最苍凉的一句诗，他是这样表述的："大漠孤烟直，长河落日圆。”大漠、孤烟，只用一个形容字“直”；长河、落日，只用一个形容字“圆”。他绝不用讲大漠上住着农家，晚上做饭炊烟袅袅升起之类的废话，结果它是最好的诗。它说明什么？说明具象思维独特的展开方式，说明具象符号必具的贯通序列。要知道，具象符号就是人类2万年前刻画在岩洞中的岩画的后延产物，它是非常简洁的图符。把这些具象图符直接按顺序摆放在那里，就构成了一幅非常美丽的画卷，一个动态连环画表意体系。也就是说，中国的象形文字是天然带有颜色的，不像西方的拼音字词全都是灰淡的概念规范。譬如我们把谈情说爱叫“花前月下”，把不受拘束叫“天马行空”，行房交媾谓之“云雨”，支付稿酬谓之“润笔”……凡此种种，无不流露出含蓄而优雅的风韵。因此，它特别有利于艺术文化的产生。

众所周知，做艺术的人最需要的是具象思维，而不是抽象理性思维。那么中国的具象思维倾向，就特别适合于缔造独特的艺术文化。所以，在中国古代的大文豪之中，除了先秦时代诸子百家中个别人发展经学，而且还是散点逻辑状态的经学，更多的历代文豪大抵都是艺术家，比如屈原、子渊，比如李白、杜甫；再比如汉赋、宋词等。甚至唐宋八大家，他们的文章多为散文，思想性并不复杂，并不深奥，文字美和文字意境美才是他们成为大家的原因。一句话，他们都是美学家。

因此，中国古代文化缔造艺术的能力极高。

我举一个例子。比如，隋唐以后中国出现半抽象画作，这就是写意国画。中国在上千年前，写意的半抽象画就已经达到极高水准。而西方的抽象画，直到近代一二百年前才发生，而且它的最大特征，我只能用一个词来形容，叫丑陋无比。不得不说，作为艺术品而丢失美感，应属不可原谅的本质性缺憾。跟中国的古画相比，跟中国的写意画相比，西方现代抽象画实在是差距太远。只不过由于西方文化今天成为主流文化，于是它的那些最难看的画都能卖出高价。我相信，如果中国逐步崛起，中国古画才会是价值更高的画作，建议各位有钱多买点中国古画，将具有极高的保值价值。

中国文化，首先特别有利于缔造艺术，其次有利于缔造技术。在这里我得纠正大家一个概念，我们今天把科学技术混为一谈。请注意，从原始状态来分析，科学和技术是两码事。所谓技术，是实践经验在前，事后找一个理论把它贯通起来，这叫技术。所谓科学，它的思维方式恰恰相反，它是逻辑建模在前，然后建一个实验室，用实践经验来检验，这叫科学。中国文化产生技术体系，而从来不产生哲科体系，也就是哲学和科学体系。什么叫哲学？我得做一个说明，我在这里只给一个最简单的概括：所谓哲学，是指古希腊一群大号儿童所玩弄的一种纯逻辑游戏。这个纯逻辑游戏的延展分化产物，叫科学。（后面的西哲课里再详谈）

我给大家举例子。比如哥白尼，他当年建立日心说，没有任何证据，他只是发现托勒密的地心说思想模型有严重的破绽。他设想，或者说他仅仅是猜想，如果把太阳放在中间，让地球和其他星辰都围绕着太阳运转，那么托勒密的逻辑模型会更简单、更严谨，而他当时没有任何证据。这就是为什么在哥白尼死后50年，布鲁诺因提倡哥白尼的学说被宗教裁判所烧死在太阳广场，万民一片欢呼；直到哥白尼死后七八十年，伽利略晚年支持哥白尼的日心说，还被西方宗教裁判所判为软禁，学界也没有任何抗议之声；原因就是哥白尼的学说没有任何证据。直到哥白尼死后将近100年，三大证据才逐步出现，这就是金星盈亏、光行差和恒星视差。

我在讲什么？我在讲科学与技术完全是相反的两个思维进程。技术是实践经验在前，事后找一个理论把它贯通起来；哲学和科学是逻辑模型在前，事后才去找证据，或者才去用经验观察的方式来实证，这个思维方式我们把它称之为“哲科思维方式”。我再举个例子，人类一直不知道基因是怎样形成的。近代以来，关于遗传因子到底是颗粒状还是液体状，一直说不清楚。说它是液体状，有证据，比如父母两个人个子都高，后代的个子都偏高；父母两个人一高一低，后代的个子就呈现高低不等的分布，平均身高则处于中等；从这一点上看，基因是液体混合状态。但是反过来又发现，某一个遗传性状或者生物性状，它会表达为单独的、突出的样貌，这又显得基因是颗粒状存在。因此，甚至在达尔文之后，直到孟德尔以降，一直找不见遗传因子的基本组态。到1953年，沃森和克里克根据生物遗传现象的表征，在纯逻辑上建构基因组形，这就是著名的双螺旋基因模型。那个时候，人类还是看不见基因的分子结构的，光学显微镜下看不到，再过十余年以后，隧道显微镜发明，X光衍射分形技术出现，才发现它们的碱基链构型居然与理论模型分毫不差。

它说明什么？逻辑建模在前，实践检验在后，这个东西叫科学。这就是为什么在西方哲学史上，在其主流哲学界，你是听不到“实践出真知”这句话的。这句话我们中国人叫得最响亮，因为我们的整个文化体系是一个技术体系，是一个具象的实践操作体系，是一个经验体系。可大家要注意，我们人类今天的知识，都与实践没有多少关系。请想想，我们今天说“物质”，什么是“物质”？我们说它是分子，说它是原子，说它是基本粒子，请问你拿眼睛能看见吗？我们今天说“生命”，说它是细胞构成，说它是基因构成，请问你用眼睛、用经验能获知吗？可见，我们的现代知识体系全都是逻辑推演的产物。

中国在中古时代以前，曾经是世界四大文明古国之一，甚至在唐宋时代达到世界最高水准。在技术时代，即科学时代以前，中华文明居然创建了世界技术体系的60%–70%以上，可到科学时代，中国文化骤然衰落，原因在于技术体系是硬态试错法，它是在实际操作中反复试错，因此它的范围狭隘，而且历时偏长、难度倍增。而科学体系是在逻辑模型上建构，它一旦证明确立，随即扫平所有相关领域，从而造成软性试错法的巨大效率。这就是科学时代以后中国文化骤然衰落的缘故及其在思维方式上的体现。

接下来就涉及一个问题，为什么西方会产生哲科文化体系？我讲到这里，大家一定觉得，我又在诬蔑中国文化，因为我说中国文化不产生科学。我再说一遍，我讲课只讲所以然，不谈好与坏。你要想理解东西方文化内涵上的重大差别，你必须理解这种内涵得以发生的原委，这叫所以然。搞清这个东西，你才能理解不同文化内在素质的根本支点。

拼音文字与哲科文化

为什么西方文化产生的是哲科体系？哲科体系的思想方式是怎样导出的？我们下面来讨论这个问题。

为此有必要简略地探究一下拼音文字的起源。

拼音文字发生于环地中海地区，它最早可能发生在地中海东侧。古代有一个小小的种族叫腓尼基，所谓腓尼基，它的含义是紫红色。也就是腓尼基人把海中的一种蚌砸碎，做出紫红色的染料，所印染的衣物鲜艳而不褪色，因此周边的人就把他们叫紫红色人。这就是腓尼基这个名称的来源。

由于它紧临地中海东侧，因此早在3000年前，腓尼基人就在环地中海地区广泛经商，竟然占据当时远洋贸易的50%以上。在公元前1000年左右，腓尼基这个地方及其周边地区逐渐产生了线形文字——即拼音文字的前身，并演化出26个罗马字母中的22个近似符号。那么拼音文字在什么情况下才会发生？我上面已经给出暗示：一定是在交流条件相对便利，使得处于半隔离状态的原始各部族之间可以不断来往、频繁贸易、多种语言互相碰撞，只有在这样一个特殊的开放地貌条件下，拼音文字才能够形成。

比如在环地中海地区，由于开放地貌，各种族、部族之间来往密切，或者经商，或者打仗，民族扰攘之下文化交流活动持续不断。一个人来到另一个部族，既看不懂对方的象形文字符号，也听不懂对方说的话是什么意思，他怎么办？他只剩一个办法，就是把对方语言的发音用音标标注下来。你来做一个音标，我来做一个音标，大家最终在相互交流中只使用这个音标体系，而把各自原来使用的不同象形符号丢掉，这就是拼音文字的来源。

请大家理解我这一段话的意思。就是拼音文字是迟发于象形文字的一个符号系统，它一定发生在半隔离、半开放的地理环境之中。它是继生存结构之后的又一个文化次生条件。所以在中国绝不可能产生拼音文字，因为它没有这种特定状态的地理分隔交流条件。

拼音文字一旦发生，它立即引出一个严重的问题——文字符号失去概念。比如我在这儿写一个英文“sun”，该词就是我们中文图符中的这个符号，()中国人一看这个符号就知道它是什么，“太阳”、“日”。可请问有谁看见“sun”这个词，直观上会知道它是太阳呢？我说我站在sun上，你会认为sun是

大地；我说我坐在sun上，你会认为sun是椅子。“sun”这个单词的概念来自于谓语系词后面的谓语注义，比如古人讲“sun是太阳神的居所”，比如我们现代人讲“sun是氢核聚变的天体”。请注意sun这个字符，它居然没有概念！它的一切概念来自于“是”后面的谓语部分，由谓语给它命义或定义，“sun”这个语音符号才具有概念。

我们人类的思想由三大部分构成，它最基础的要件和砖瓦就是“概念”。再下来是“命题”。大家要注意，命题绝不是一篇文章上挂一个题目叫命题。命题是指谓语系词后面的谓语给前面的主语词项进行命义或定义，我们把这种语法逻辑结构叫命题。这是思想组成的第二部分。思想组成的第三部分，就是“命题的复合与推导”。

请想想，我们把这三大部分的总和叫作“思想”，而它最基础的元件是概念。可是拼音文字一旦出现，概念居然在符号中消失，它必须在命题的抽象逻辑推导中才能建立各个词项的概念。这就导致他们每说一句话，每做一件事，甚至每想一个概念和问题，都得在强逻辑的规定下运行自己的思维，由此产生一个怪诞的思维病状，我把它叫“逻辑强迫症”。

请大家再想想，数千年来人们考虑任何问题，都无法在字词符号上直接呈现概念，而必须在语法逻辑序列的强迫之下运行自己的思想和思维，由此形成一种抽象思维的逻辑结构和思想体系，这个思想体系及其思维方式缔造了纯逻辑游戏。我一说到这儿，大家就应该明白什么是纯逻辑游戏，即特指哲学。所以哲学叫“爱智”，而不叫“实践”。它是纯智慧的演动，这个纯智慧的逻辑模型建构体系叫“哲学”，这个东西的后衍分化形态叫“科学”。因此我们讲“哲学乃科学之母”，因此我们把抽象思维方式所缔造的特有文化内涵叫“哲科文化体系”。它跟中国的“技艺文化体系”完全不同，由此酿成西方思维方式和东方思维方式的截然分化与隔阂。

我举个例子。西方哲学家讨论所有问题都把它归结为“存在”——即所谓“追问存在”，因为存在是万物最基本的属性。可是“存在”这个单词在西语中是怎样书写的呢？它居然是写一个“Be”,然后在后面加上“ing”，请大家注意“Be”是什么？“Be”就是“是”的非时态中轴词，也就是is、was、are这些词的中性词叫“Be”，把“Be”变成进行时态“Being”，这个单词就是“存在”。所以中国人最初翻译西方哲学的“存在”这个概念时觉得非常困难，即使我们今天将其翻译为“存在”都仍显不够准确。学界把存在论有时候叫“是论”，有时候叫“存在论”，有时候叫“本体论”，总之横竖搞不清楚该怎样释译它为妥。

为什么只把谓语系词抽出来就足以代表万物之存在？是因为万物都在“是”的后面。如此抽象的表述方式，确实是我们中国人很难理解的，它表达着东西方思维方式和语言结构的巨大差异。在这个强迫系统中，一切概念、一切思维、万物之存在，都必须运行在一个逻辑抽象链条的推导上，才能够成立。这个把逻辑形式抽取出来，借以形成对万物注解的思想结构叫“哲科思维模型”。听懂这一点非常重要，东西方文化内涵的分野由此发生且逐步隔膜化。

我再举一个例子，大家看一下中国人的“存在”概念是怎样表述的。在甲骨文中先画一个倒三角代表女性，中间画一竖代表女性来例假和生孩子的产道，（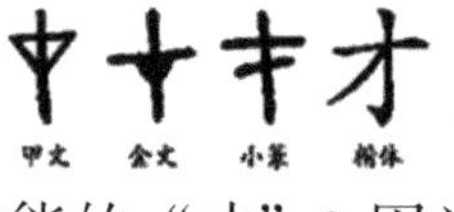

）这是什么字呢？才，才能的“才”，为什么是才能的“才”？因为古人认为只有能生孩子的女人才最有才，这个说法很有道理。男人本事很大，你至多不过造一辆牛车，你造个人试试？在“才”的旁边画一个孩子，（

）这个字就是存在的“存”。古人深知，仅有女人生不了孩子，必须有男人播种，于是再在“才”的旁边，画一个男阳，（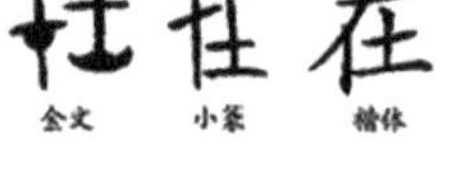

）这个字就是存在的“在”。

请看，中国人所说的“存在”是什么？是一个具象体系：男女交合，繁衍后代，子子孙孙，万世不竭。这就是中国人所谓的“存在”，而西方人的“存在”居然是一个谓语系词。我们从这里可以看出东西方思维方式的巨大差异。请想想，如果连思维方式都完全不同，那么它们的文化内涵最后将会背离到何等深远的程度？因此东西方文化在各自符号训练的长期引导之下，终于发生文化内涵的巨大分歧。

我讲到这里，大家一定会觉得我对西方文化高度赞美。别搞错了，我讲课全是中性语言，没有好坏之别。其实我一点都不想赞美谁，也一点都不想抨击谁，我只想说不同文明体系得以发生的所以然，这是大家要特别注意的。

我们讲中国文化不产生科学，在某种程度上，你也可以看作是我对中国文化的赞美——如果你一定要感情化地评价它。因为正是科学给人类带来了巨大灾难，我们今天的环境污染、生态破坏、气候异常、大规模毁灭性武器，已把人类推到行将灭绝的边缘，这些全都是科学的产物，如果站在这个角度看科学是什么？不过是造孽而已。

中国文化不产生科学，如果你一味地想表扬它，你可以说中国文化不参与造孽，可是这样讲有什么意义呢？你对东西方文化会有什么新的理解吗？不会。所以，请注意，我讲课绝没有赞美或者贬低任何一方的含义，我只是想如实给大家交代，文化和文明类型发生分化的原委，这是大家特别要注意听明白的部分。所以不像一般讲国学的学者，我并不一味地赞美中国传统文化，我也不承认中国文化能拯救世界、能拯救人类。因为中国文化早就衰落了，因为所谓中国文化就是典型的农业文明，所谓西方文化就是远古发生的一个非主流的工商业文明。因此我们与其把它们叫东西方文明或东西方文化，不如把它们叫农业文明和工商业文明来得更确切。因此我不承认，中国传统文化能拯救世界，因为我们没有退路，因为我们不可能倒退到农业文明中去。所以一味地吹捧中国文化，所流露的是其对中国文化的含义和中国文化的素质缺乏根本性理解。

但我也不承认西方文化代表未来，尽管它今天是整个人类世界的主流文化。因为任何文化一定是对其载体之生存构成维护效应的匹配体系，我们把这种对其载体构成生存维护的效应，视为文化的最主要特质。一种文化，如果它已经对其载体造成戕害，则预示着这个文化行将衰落了。

请大家想想，中国传统文化为什么会衰落？因为它是一个过度精致和僵化的农业文化体系，它在近代以来严重阻碍中华民族从农业文明向工商业文明转型，因此它给中华民族带来巨大戕害，因此它破溃了，因此它衰落了。那么西方文化今天正在给人类带来更巨大的危害,它标志着西方文化行将衰落。因此，我说我既不承认中国文化能够拯救世界，我也不承认西方文化代表未来。

那么东西方文化各自具有的价值是什么？中国传统文化，由于它保留了人类文明最底层的思绪，而越原始、越低级的东西，一定越具有奠基性、决定性和稳定性，因此，它构成人类未来文化和文明再造的重要参考系。而西方文化是工商业文明的精神体现与物化基础，因此，人类下一场文明在延续着工商业文明而发扬的时候，它就是传承铺展的直接端口和通道本身。这就是东西方文化在未来文化和文明再造中各自所具有的价值，也是我们理解文化（软态智质属性）、文明（硬态社会结构）、思维内涵或思想形态（人类智能核心）的最本质的诠注与方法。

我举一个例子。20世纪中叶，西方出现一个新哲学流派，叫“后现代哲学”，什么是后现代哲学？现在学界翻译了大量的相关文本，你读这些书，读得头昏眼花，还常常搞不清它究竟想说什么，可我们今天把课讲到这儿，后现代哲学的含义已然凸显。后现代哲学的中心概念是什么？——解构，消解的“解”，结构的“构”。它要消解什么结构？消解西方哲科文化结构。它认为正是西方的哲科文化思想体系造成了今天全人类的系统危机。西方哲人非常清楚，他们的哲科文化体系的根脉深植于拼音文字之中。因此他们提出两项反对：第一是反对语音中心主义，也就是反对拼音文字；第二是反对逻各斯中心主义。

大家看逻各斯（Logos），这是它的拉丁文写法，原意指“词语和秩序”。这个古希腊概念就是今天那个常用词Logic的前身，而“Logic”就是“逻辑”。请注意，后现代哲学家反对什么？反对语音中心主义和逻各斯中心主义。换句话说，他们深知西方哲科文化体系导源于拼音文字和逻辑抽象思维，因此他们提出这两项反对。我们由此可以看出，西方最具头脑的人今天已经意识到，西方文化不代表未来。你只有了解各自文明发生的渊源，你只有了解文化的基本素质，你只有了解文化的发展脉络，你才能理解文化和文明的实质及其被规定的趋势。显然，人类即将面临第三茬文化和文明的建构。你只有理解这样一个文明发生序列，你才能真正看清正在扑面而来的重大历史事件，也才能真正建立与之相呼应的思想文化工程。

我们下面对这节课做总结。

如果大家听懂我今天的全部课程，你应该明白我只讲了一个东西——什么是“文化”。我前面一再讲，所谓文化，只不过是人类这种智性生物所表达的谋生行为和意识体系的总和，也就是它和我们的生存本身没有任何区别。我们人类的一切生存活动都可以视为文化生存活动。因此你要想理解人是什么，你要想理解人类是什么，你要想理解人类文明是什么，你必须深刻地理解文化的底蕴。

文化这个东西具有三大基础特征：第一、生存结构。也就是你所面临的生存环境、生存条件以及你自身的生存需求之间的自然或自发组合关系，这个东西是文化得以发生的第一根基，我要把这个东西叫作“生存结构”。第二、思维方式。由于文字符号的不同，导出具象思维和抽象思维的分野，从而导致东西方文化内涵的巨大分裂，由此形成东西方文化各具的基本特色，这叫“思维方式”。第三、遮蔽效应。什么意思？一般人认为“文化天然具有拓展性”，这个说法是很成问题的。实际上，人类的任何文化、人类的任何思想模型都与真理无缘。这句话什么意思？我们将来在哲学课上再讨论。既然我们的任何文化和思想模型都不是真理，那么它为什么能够成为有效维护人类生存的保障体系？是因为它构成了一个自洽的封闭结构系统，我们在这个自洽的封闭结构系统的笼罩下获得安宁。因此文化天然不具有拓展性，反而具有遮蔽性。文化只有在对撞和交流的过程中才发生拓展效应，这是各位必须深切理解的。

我给大家举一个例子。比如古人，西方的古人，他们自古相信神学。直到近代，西方经过文艺复兴、启蒙运动，不断地想突破神学的外壳。大家读一读文艺复兴时代薄伽丘写的《十日谈》，全是对基督教及其教士的恶毒攻击。启蒙运动时代，当时的学者狄德罗、伏尔泰等一批人，对西方神学的压抑结构不断抨击，它是科学时代来临的接生过程。可即使如此，西方今天绝大多数人仍然信神，信科学的人不超过20%。这说明什么？说明遮蔽效应。

我再举一个例子，中国人的聪明程度跟西方人没有任何差别，可中国传统文化的核心居然只是“君君臣臣、父父子子”，居然只是一个血缘体系内的人伦社会结构。它的全部文化都集中在这儿，它对自然学完全偏废。以至于到了明清两代，你读一下明史和清史，一个皇帝，他的母亲不是皇后，也就是说他不是嫡出，而是皇帝其他妃子或相当于皇帝小老婆生出的孩子，是庶出，他做了皇帝以后，从孝道出发，他得把自己的生身母亲提升为正位皇后或者皇太后。比如明孝宗出身于一个来自广西的卑微小宫女，他的父亲宪宗偶然临幸这个宫女，意外生出他来。由于他父亲的正宫皇后就是著名的万贵妃，她不择手段地蓄意残害所有其他宫女生出的孩子，甚至包括母亲本身，以保证自己如果将来有了亲生皇子，能够承继大统，这导致孝宗自幼被秘密隐藏起来长大。他登上皇位以后，要把自己的母亲也就是纪淑妃立为正统皇太后，一时成为整个朝廷的头等大事。

中国的官僚，就是中国文人的顶尖精英，他们居然群体性的在关心用什么方式和什么名号给皇帝的生身母亲定名位，这竟然是国之大事，这竟然是主流文化的核心内涵。慈禧太后晚年要退休，光绪皇帝为什么动用几百万两白银给她修养老用的颐和园？而当时甲午海战在即！我们今天看，说慈禧太后太荒唐了，慈禧太后误国！可你要回到那个时代，你得知道这是光绪皇帝为了巩固国家正统意识形态和千年宗法体系的一个最正常的举动，他表达的是亲缘孝道文化的宗法基础。所以在当时看来，他一点都不荒唐，他太正常了。中国文化人几千年来把自己封闭在这样一个原始血缘文化之中，其实他们的智慧水平跟西方人没有任何区别，可他们对庞大的自然学体系竟然一无触碰，形成强烈的遮蔽状态。它表达什么？表达文化最深重的遮蔽效应。所以，请大家理解，文化不具有天然拓展性，文化首先具有遮蔽效应。

文化的这三大素质，让我们明白，大至一个国家、一个民族要建立自己的国家文化、民族文化，小至一个企业、一个集团，甚至一个个人要建立自己的集团文化和个人文化，你必须符合上述三原则。

也就是说，第一，你必须找见跟你当时生存结构相关的那些要素，成为引申自身文化的基本前提；第二，你必须找见跟这个生存结构相适应、相匹配的思维方式和行为方式；第三，你必须意识到任何文化早期都具有维护效应，而晚期一定发生戕害效应，因此你就得在上述两项要素构成的文化系统上打开一个破缺口，使异质文化或别种文化能跟你发生碰撞交流并与之融会贯通，从而产生对遮蔽效应的消解，亦即对未来生存道路的拓展。我再说一遍，任何一个国家、一个民族，乃至整个人类，如果要想寻求下一期文化，缔造下一期文明，找见自己未来的生存之路，就必须在此三原则上建构未来的新思想、新文化。

我讲到这里，可以顺便再谈一个话题，什么是“有效学习”？如果你的听课、你的读书、你的学习只是在原有通道中，在自己的原有思维模型下运行，我称它为“无效学习”，因为它表示你尚处在遮蔽状态。在今天人类生存形势高速变化的时代，你只有听到不同的声音，才叫有效学习。而我们今天的讲课，包括后面的系列讲座，都是以东西方文化和东西方文明的相互参照作为整个讲学的背景，它在西方主流文明业已覆盖全球的情况下展现出东方思路别致的不同的声音，它同时又从更深层告诉大家西方文化的渊源与特征，从而让我们在可能被遮蔽于东方思维方式的状态下找到一个突破口。因此如果你听我今天的课，你觉得我的讲法似乎有些反常，似乎有些出格，那算你听出滋味了，因为这才是有效学习。

好，我们今天的课程到此结束。

课后答疑

好，我们下面答疑。每人一次只提一个问题，尽量给别人留出提问时间。

同学提问：今天听了您一天的课，我有个非常深刻的印象是说，对于农业文明和工商文明，其实它并不是任何一个人，或者说哪个哲学家所设计的，而是在当时的环境和条件下，自然就形成了。那么如果照此推理下来，是不是说未来的这种新的文化也好，文明也好，其实任何超前的思考也都是无济于事的？或者说它没到那个条件，就没办法形成；到了那个条件的时候，它自然就会形成。如果是这样子的话，那么今天我们在这边的学习，是不是即便知道了所以然，其实也并不能改变任何事物或历史进程?

东岳先生：这个问题提得很好，我来回答一下。我前面讲，人类的原始文明和文明进程都不是人类选择的结果，也不是人类事先规划和设计的结果，这个话成立。但是大家要注意，我并没有否定另一个现象，只不过那个话题我没有展开，就是人类文明程度越高，随着文明的发展信息量越大，人类对自己的未来行为模式和社会建构就越必须通过思想模型来建构，使之作为先导。请注意，这两者并不矛盾。从柏拉图的《理想国》开始，从老子的《道德经》到孔子《论语》讨论的问题开始，人类其实已经着手设计自己未来的社会模型了。但是请你注意，他设计模型的前提或者底层被什么东西所规定?比如柏拉图理想国的模型和孔子的模型一定是不同的，他们的模型为什么不同?是因为在他们不能选择的基层受到了规定！那么尽管人类文明进程就是信息增量的过程，使得人类的未来发展不得不通过理性逻辑设计予以展现，但这个设计不是原始缔造的主因，而是文明进程的推动，或者我把它叫作自然意志的人格化表达，这才是它的准确内涵。因此你有一个说法，我认为你说得是很对的，就是如果人类还想寻求未来的出路，他在这个高度文明化和高度信息增量的时代，则不能不借助于新的思想模型和逻辑模型的设立来作为其先导，而这个逻辑模型本身的出现，正是某种不由自主的自然力量的推动产物，只不过它显化为一个前导要素。如果我们缔造新思想、新模型是一个自然进程的必然节点，那么它就标志着我们未来的生存可能要在这个节点的展开上才能实现。这也就是为什么人类绝大多数理论都只构成人类社会发展的灾难，也就是它不但不能实现，反而给人类带来麻烦，是因为它没有真正传递自然意志本身的内在要求。而少数学说，成为人类文明构建的基石，是因为作者不自觉地充当了自然意志的人格化喉舌，区别仅此而已。

同学提问：老师，我想问一下，因为您讲到说东方文化和西方文化都不能代表未来，那么它们两者的这个融通，我们经常说1+1大于2，谁会更占主导地位去吸收另外一方呢？第二个方面是说，古代也讲过楚王好细腰的故事，您刚才也谈到了自然意志的人格化喉舌，那么作为政治家或企业家，他有没有可能因为理解了递弱代偿原理，或者理解了这个文化产生的根源之后，从而去改变和扭转这样的趋势呢？

东岳先生：当然是有可能的，但不见得是扭转，而是适应和拓展。请大家记住，人类的任何个人力量都来源于新思想，所谓伟大的政治家，所谓伟大的社会活动家，所谓伟大的军事家，伟大在哪里？不伟大在他自身，而伟大在他是某一个新思想的承接者。我给大家举一个例子，比如华盛顿，他的力量来自于哪里？来自于欧洲近代那一批学者所建立的民主共和思想体系。我再举个例子，第二次世界大战为什么德国一开始居然打败整个欧洲，实现或近乎实现了欧洲历史上仅有的两次短暂统一，一次拿破仑，一次希特勒。要知道德国当年是战败国，它是非常衰弱的一个国家。1918年11月第一次大战才结束，短短21年之后，1939年9月它发动第二次世界大战，仅几个月就打败整个欧洲联军，它凭什么？是因为第一次世界大战行将结束的时候，出现了一些当时军事家都不能理解的怪诞武器，比如坦克，比如飞机。当时的坦克笨重得像个大水箱，每小时行速只有5公里；早期的飞机是木头飞机、螺旋桨飞机，前面架不了机枪，一架机枪就把螺旋桨打断，飞行员各自拿着手枪互相射击。就是这么糟糕的武器，当时的军事家根本不能理解它是什么含义，所以都把它视为步兵或者骑兵的辅助武器。第一次世界大战结束以后，英国有一位学者稍微探讨了一下这些武器的展望，并未深究，却被德国军事学界所关注，其中包括参与二战的德国著名战将古德里安。他们研究这些武器带来的新变化，然后建立了军事学上的新思想，也就是他们意识到，这种机械化、装甲化的武器将会形成主战力、主方阵，这就是后来的立体闪击战法得以展开的思想基础。由于德国军事界对这个新思想有过最系统的整理和发扬，这使得当时欧洲大国中，应该说是最孱弱的德国成为第二次世界大战一开端最雄强的势力。我想讲什么？新思想的力度！请大家记住，任何人如果要产生强大的行为效果，前提条件是，你对当代的新思想有所了解，并且融汇在自己的精神和行为系统之中。当然这个要求太高了，这个难度也太大了，如果你能做到，你将是伟人。

同学提问：您讲到文明是违反人性的灾难，人类问题会越解决越多，并且人类会将自己引向不可逆的畏途，搞不好把自己也给毁灭了。在这个前提下，我的问题是：当您看清所有的真相之后，您还依然爱这个世界吗？如果爱，您的信念是什么？如果不爱，您如何与这个世界相处？如何找到自己生活的目标并支撑自己生活下去？

东岳先生：这个问题提得有点太超前。我们这个课才刚刚展开，后面要讲的内容，你得顺着12天近80个学时的课程，逐步深解，层层推导，你才能见到它真正的全貌，甚至到此还不够，你还得去读书。我关注的问题，不是讨论有生必有死，不是讨论人类文明必然灭亡，我只是在讨论为什么人类文明程度越高反而危机越深重。讨论这个问题，属于基础理论问题。因为一般人会认为，文明发展程度越高，我们越具有生存优势，这可能是一个重大误判。我们只有把这个问题从根本上认知清楚，我们才能够为人类的未来生存找见出路。因此我强调，我的学说不是讨论死亡和毁灭问题，而是讨论发展和进步究竟是什么内涵，以及我们将对这个问题怎样进行下一期处理。如果我这样讨论问题带有悲观色彩，它对我的生活也没有任何影响。请大家想想，你出生以后，最终目标是什么？只有一个目标——坟墓，可它影响你生活的乐观了吗？一点都不影响，你照样糊里糊涂、高高兴兴地混完一生，最终钻到墓穴里去。因此即使我说我们的未来生存具有巨大风险，即使我说我们未来的生存面临死灭之威胁，人们今天照样可以浮嚣猖獗，可以乐观自得，可以没完没了地乱折腾。正是由于我们对终极问题缺乏展望，或者即使有所展望，我们照样糊里糊涂地行动，因此我们将来越发麻烦了。如果我们今天知道未来是一段可怕的路径，而我们当下就能有所克制，不要那么乐观，那我们可能还有点前途。所以包括我在内，即使我知道未来有麻烦，我照样有生活的快乐感和幸福感。可你一定要搞清也要提防你有这份快乐感和幸福感，它可能恰恰是将你引向远程灾难的迷魂汤或麻醉剂。

同学提问：1935年的时候，当时民国的国立大学里有个叫胡焕庸的教授，他画了一条线，是北起黑龙江的黑河，一路向西南到云南的腾冲，现在称之为“胡焕庸线”。在胡焕庸线的西北，64%的国土上只有4%的人口，在胡焕庸线的西南，有36%的国土，但是却聚集了96%的人口。中华文化和文明是从胡焕庸线的中段开始发起的，这条线对中国的经济和人口包括文化的发展都有巨大的限制。我想请教的一个问题就是：胡焕庸线对中国文化的发展，有一些什么样的作用？我想听听您的见解。再一个就是不知道未来有没有可能打破这个困局。

东岳先生：我注意过这项研究，理解它其实一点都不难。我在课堂上提到汤因比讨论过一个问题，叫作“适度挑战”学说，也就是自然条件太好或者自然条件太差的地方，都不能形成文明的发祥地。那么这条线以西是自然条件太差的地方，因此它既不能成为文明发祥地，也很难成为文明生存和文明发展的主基地，这一点很容易理解。将来这个地方可能会变成福地，因为今天人类乱折腾，气候异常、温室效应、海平面升高，今天人类80%生活在沿海地区，而在不远的将来这些地区将被淹没。所以我建议大家不要在沿海城市上海、广州、深圳买房子，买了也是白玩。反倒是那些今天的荒漠之地，将来可能是人类的重要生存区。不过，等走到那一天的时候，你逃到那个地方去，可能也并不会产生太好的结果，因为有更大的灾难跟在你屁股后面，即使你爬到喜马拉雅顶峰上，这个灾难你也消除不了。所以我们最好不要等待那片荒地变成福地，而是让我们的思境和存境都尽可能长时期地保留或延缓于现在的状态为佳。

同学提问：先生，刚才您讲到，任何的结构如果在它形成之后，它会按照既定的方向运行，就相当于路径依赖，是吧？其中您说到路径的依赖是由它内在的规定性所决定的，那这个内在的规定性又是由什么决定？或者是（谁）来左右的呢？

东岳先生：一种文明结构一旦形成，它一定有一个惯性运动的动势。我们一说惯性运动，大家立即想起牛顿的经典力学，其实人类的文明也深具这个特质。马克思把它称为“死者捉住活者”，也就是人类传统文化对人类后续文明会产生强有力的牵制作用。这个东西深在的原因在于我前面讲过的一句话：越原始、越低级的东西，越具有奠基性、决定性和稳定性。这句话听起来很简单，你要想真正理解它的含义，你还得去读懂我那本只有催眠效用的《物演通论》。我在这里想说明的是，为什么人类的古文明各国基本上全都衰落了，古埃及，古巴比伦，即今天的叙利亚、伊拉克，古印度……其中表现最好的就是中国。为什么中国在所有衰落的古文明中，同样没有逃掉文化和文明衰落的悲剧，在十九至二十世纪上百年中有一个屈辱的近代文明史，却在近期发展较好？就是因为我们对传统文化进行过非常彻底的清理！这就是为什么我对新文化运动，当年主张打倒孔家店，对国学造成巨大破坏的那一批民国时代的先哲们表示高度敬意的原因。请大家听明白我在讲什么，中国传统文化不代表未来，它早已衰落，它甚至不能拯救当世，我们要想拯救自己就必须借助于跟我们生存形势相匹配的文化体系，这就是中国当代转型激烈、发展迅猛的原因之一。因此我们现在呈现出一个矛盾状态，我们一方面得在某种程度上否定传统文化、清理传统文化，另一方面我刚才又讲，现代当代文化必定具有沿袭性的戕害效应，而我们要再造与未来生存相匹配的新文化，又必须借重于传统古老文化。这个矛盾和难题才是当今学者必须关心的重大课题，也就是找见这两种兼容性极差的文明和文化的聚焦点和融汇点，找见人类未来生存的思想导向和文化指引，这是中国乃至世界文化人面临的前沿课题。它的艰深程度，我们从它的文化悖反关系或者文化作用悖反关系上可见一斑。

同学提问：求存是任何生物的本能，那么我想问一下：我们的文化（和文明）发展到这个地步，结果形成戕害效应，是因为我们过度的索求，以至于牺牲了环境包括其他生物的生存利益，从这个角度来理解的话，怎么样的一个求存的尺度是适合的？从个体上来说，或者从群体上来说，从人类的角度来理解，我们应该抱着什么样的一种求存的态度，才能够使得我们的未来更好一些？

东岳先生：你这个问题提得很好，但是有一个问题我得说明一下，我讲存在度是自变量，代偿度是因变量。不是由于我们的贪婪导致我们的存在度降低，而是由于我们的存在度降低才导致我们的贪婪越来越严重。这个关系的深在决定要素、决定方式，你得读懂我的《物演通论》。但是你讨论的这个问题确实是一个重大问题，就是如果人类还要寻求自己的未来生存，他用当下不断扩大和调动人类贪欲的方式，用高速发展和追求进步的方式是决然没有出路的。因此他要求人类总体上形成一个全新的文化认知，这个文化认知本身要求对人类的代偿增量加以抑制。有关这个话题我们在这儿不展开，如果你有兴趣，找我一本现在买不到的书《人类的没落》读一读。

同学提问：东岳老师，因为您说到第三茬人类文明的构建，我在想，第一茬不就是轴心时代的那个人类文明的构建吗？那么第二茬是什么？还是您是说东方一茬，西方一茬，第三茬是融合？就问这么一个问题，谢谢。

东岳先生：首先理解什么是“轴心时代”，这是西方学者提出的一个概念。就是在公元前600年左右，全世界各地、各族群同时产生了一批重量级思想家。比如中国的老子、孔子；印度的释迦牟尼；古希腊的泰勒斯一直到苏格拉底、柏拉图；犹太人出现了缔造《旧约》原本的那些人物，搞不清是谁，有人说是以赛亚；等等。总之，我们会发现，在公元前6世纪前后，全世界各地同时纷纷出现一批伟大的思想家，被西方学者称为轴心时代。它其实表达的是人类这个物种的演化及其人类文明的发生都是一个自然进程，在这个自然进程的同一个节点上，由于人类是同一个物种，因此达成某种统一的智能发育高度，“轴心时代”实际上表征的就是这样一个现象。我所讲的人类前面只有过两茬文明，是指第一茬叫作农牧业文明，第二茬叫作工商业文明，我们人类迄今实际上只经历了这两茬文明。今天有很多说法，比如信息文明、生命科学文明、太空文明等等，但实际上，至少在今天我还不能判断它不是工商业文明的末尾展现形态。因此从大范围上看，我们仍然可以把它看作工商业文明的后期阶段，从这个意义上讲，人类既往只经历过两次文明。（不过）这个第二茬文明——工商业文明，迄今已经走向断崖，走向穷途末路。因此我说第三茬新文化和新文明行将发生，这是我说这个话的含义。那么它的逼近程度是什么？我们面临的严峻格局是什么？直到整个12天课程听完，你才会知道它有多么迫在眉睫。

同学提问：老师，您今天提到说中西方的文化差距非常大，而且好像没有办法融合，所以我在想说，那我们中国的企业或者产品将来在国际化战场上拼搏的时候，有没有什么文化可以指导？或者您怎么看待中国的企业或者文化有机会在国际上造成什么样的影响？谢谢老师。

东岳先生：看来昨天的开学典礼你是没有参加，我昨天下午就讲，我讨论的都是毫无用处的东西，因为哲学或者思想体系的深层探讨，所涉及的都是基础问题，就是我今天开课一开始讲的“道”的问题。所谓“道”不是你能支配什么，而是什么东西支配你，这才是我的课程的基本状态，所以你提这么具体的问题,我肯定是回答不了的。如果我一定要给你做出回答，那也是班门弄斧，因为我研究终极问题，你才是企业管理方面的专家，我给你讲该怎么管理操作岂不是很荒唐吗？

但是我想借你的提问作一个简短的说明，我说东西方文化兼容性很差，这是一个历史现象学描述。我比照了印度佛教传入中国和鸦片战争以来170年过去，这前后两种不同文化的兼容过程，差异太大。它表明中国人近代发生的文化转型十分困难，我不得不讲，今天这种东西方文化的融通工作仍然做得极差。它的难点在于，你既要对中国传统文化有深刻理解，你又要对西方文化底层有深刻了解。可是，近代以来，中国人学习西方出现一个偏差，就是我们急切地想通过西方学术应用层面也就是科学技术层面的发扬来寻求我们的解脱。于是我们一方面砸碎了国学，一方面只学了西方文化的皮毛，也就是可应用层面的东西，这就是我在最前面的课件里讲中国人今天的文化结构是“国学失体、西学曲用”的局面。这是今天国人的基本文化构型，这当然是一个很糟糕的局面。那么中国人要想找见东西方文化的兼容点，显然是一个深重而艰巨的工作。他既得找见东方文化深层的可参考部分，又得找见西方文化未来的那个可能延伸的通道，然后要在这两者、甚至是更多其他民族文化的汇集上，建立一个新文化体系，或者叫作“新文明生存体系”，这当然是难度极高的工作。由于国人近代以来国学被腾空、西学皮毛化，因此真正在大范围、有深度的方向上进行底层文化融通，目前在中国不过刚刚开端而已。我们只能期待未来在这些方面有更多建树。

我们再提最后一个问题，今天下午结束。

同学提问：东岳先生，您好。我有一个对于上午听课时候的具体问题，在讲到社会组织体系的时候，您讲中华文明的“人性（本）善”，是因为延续了从氏族时代一直下来的文化传承。我想再跟您明确一下，之所以西方文化主张“人性（本）恶”，是不是正是由于他们的文明被打断了，所以导致后来的生存结构变化？比如说希腊文明形成的时候，才会出现“人性（本）恶”的这样一个传统观念。谢谢。

东岳先生：我的解释不是这样的。我的解释是：文明发展过程就是人性不断败坏和沦落的过程。因此，越原始的人类，人性一定越善；文明程度越发展，人性一定越恶。由于中国文化植根于人类原始文明的最底层，因此它会探讨“人性善”的问题。反之，由于环地中海地区交流过度，因此他们会产生进步论，因此他们的发展速度较高，于是他们把自己的基层原始文化扬弃了、丢失了。因此，当他们能够理性讨论问题的时候，其局域文明已经进入了“人性恶”的阶段。所以我的回答是，关于“人性善恶”的问题不是没有答案，不是那种类似于“先有鸡还是先有蛋”的无解问题，而是答案十分明确：在人类越原始的时代，人性越善；文明程度越高的时候，人性越恶。这个话题是什么意思？我们后面讲课的时候还会继续深入展开。

我们今天的课程到此结束。

二

老子思想主旨钩沉

开题序语

我们今天讲老子，讲座的题目是《老子思想主旨钩沉》。

老子是中国思想文化之元祖。这句话是什么意思呢？中国先秦诸子百家，其实不仅包括文人、学者、思想家，而且包括政治家、军事家、外交家（当时也叫纵横家）等等。

从时间排序上讲，诸子百家第一子，很有可能是春秋五霸之首齐桓公的宰相管仲。我们之所以说老子是中国思想文化之元祖，是指作为文人思想家，老子确属中国先秦诸子百家之第一子。

《老子》书是中国古代典籍中最深奥、最难读的一本书。这句话我也解释一下：老子思想高深，相较于其后中国所有的文人学者，他所达到的高度世人未可企及。

我前面讲课的时候一再讲过，我说东西方文化总是相反的。它们不仅在内容上、形式上经常相反，甚至连发展方式、运行脉络都大相径庭。西方文化从简单到复杂，从低级到高级，历经神学阶段、哲学阶段、科学阶段。但中国文化反着来，它是由高级向低级下流。

我举个例子。比如中国的整个国学思想奠基，全部发生在先秦时代，也就是秦始皇统一中国之前。此后中国的思想文化发展几乎再也没有任何重大建树，只有一件事情例外，那就是东汉中期，印度的佛教传入中国。即使返回先秦时代看，其思想最高点仍然表现在先秦思想第一元祖的老子那儿。所以，中国就连文化发展走势都跟西方相反，不是从低级向高级发展，反而是从高级向低级下滑。

老子的著作——《道德经》，不是老子书的原名。先秦时候，各子的书就是把他的姓标上，后面追一个“子”字。比如说，孟轲的书名为《孟子》，庄周的书名为《庄子》，韩非子的书名为《韩子》。由于唐宋时代，唐宋八大家里出了一个人物韩愈，时人称其为韩子，因此唐宋以后韩非子的书才由《韩子》改名为《韩非子》。那么，老子的书名原就是《老子》。《史记》记载：“老子乃著书上下篇”。

《道德经》这个书名，据说是西汉初年，一个著名《老子》注学者，叫河上公的人，给它追加的名字。而且，大家还要注意，老子书《道德经》讲的绝不是我们一般意义上的人伦道德，他的“道德”二字别有深意。

老子是中国思想史上唯一的哲人，老子思想中潜涵着狭义哲学某些深在的特征。而且，老子思想从某一个方面或者从某一个角度来看，其所达到的高度，即使与西方哲学史上的任何大哲比较，也毫不逊色。因此我们讲：老子目光别致而深远。

自古以来，关于老子学说，注本极多，前后积累2000多年，可谓汗牛充栋。可是对于老子思想的解读却歧见纷呈，误解甚多。至两汉时代，老子学说作为一脉高超的虚学思想，已经沉沦为黄老之学的实用之谈。我解释一下什么叫“黄老之学”：所谓“黄”就皇帝，所谓“老”就是老子，所谓“黄老之学”，就是把老子的虚学哲思，扭曲为一种治学实务或政治操作，这当然是对老子高远思境的严重贬低。

而且，关于老子书中的“道”是什么，后人也根本说不清楚。

茶有茶道、酒有酒道、文有文道、武有武道，连吃饭都有味道。但老子所说的“道”究竟是什么含义？却很少见人能讲清楚。

我声明一下，我们今天讲什么？我们今天只讲老子思想的原旨和主线。所谓原旨，就是原教旨主义的那个原旨，也就是追问老子当年究竟想说什么；所谓主线，就是《老子》书五千言，它的基本思想脉络和思想导向是什么。如果这节课各位都能听明白，那么，至少你以后读《老子》书，大致能够知道老子谈论的是什么问题；如果这节课你听不明白，那么你每读一次老子，都会有某种收获和感受，可你终究不知道老子究竟想要干什么。

晚清有一位著名学者、林则徐的朋友，名叫魏源。他曾经对《老子》书有一个评价，他说：“老子道，太古道；书，太古书也。”注意“太古”这个词，在中国文化传统上，它仅指盘古开天地的那个时段；在西方古地质学中，则特指原始地球和原始古生物的那个生发期，叫作“太古宙”。我们知道，老聃——也就是通常所说的老子——作为孔子师，生活在春秋末期。孔子是公元前551年生人，据胡适考证，老聃应该仅比孔子年长20岁左右。那么就是说，老聃应该大致是公元前570年生人，怎么会用“太古”这个词呢？这显然是一个疑问。

我们再看，民国时候有一个著名学者吕思勉，他曾在其名著《先秦学术概论》一书中谈到：“今《老子》书辞义甚古，又全书之义，女权皆优于男权，俱足征其时代之早。”吕思勉这段话是什么意思呢？他说，今天回望老子的文本，你会发现《老子》书“辞义甚古”，就是他所使用的文字要比春秋时代古远得多，而且“全书之义，女权皆优于男权”，是说人类远古时代，女权高于男权，言之所指显然导向原始母系社会时代。因此吕思勉说，从这两点看“俱足征其时代之早”，即足以证明《老子》成书不在当时。

我们下面就来看看《老子》书的状况。要说清这个问题，我必须先讲一件事情。

1973年，中国考古界在湖南长沙马王堆汉墓中，出土了两组老子帛书。所谓帛书，就是写在丝绢上的《老子》书，分甲、乙两本。老子帛书（以下简称《帛书》）的出土，让学界意识到，现在我们所拿到的《道德经》不是《老子》书的原本。

学界早就知道，它实际上是四位后世文人注本的综合本。那就是：西汉早年河上公的注本、东汉初期严遵的注本、三国时代曹魏所在地出过一个著名学者王弼的注本、直至唐初还有一个名叫傅奕的史官的注本。所谓《道德经》，是这四大注本的综合本，因此学界称它为“传世通行本”。也就是说，学界很清楚它不是老子的原著。

老子《帛书》出土以后，人们研究发现《帛书》跟《道德经》有诸多文字细节上的差异，而且《帛书》成书的时代远比《道德经》为早。比如在《帛书》乙本中，《道德经》第一句话“道可道，非常道；名可名，非常名”，被表述为“道可道，非恒道；名可名，非恒名”。能用“恒”这个字，就说明这个本子出现在西汉早年汉孝文帝刘恒之前。因为中国古代有为尊者讳的习惯，皇帝名字中使用过的字，时人不得再用。而甲本中“邦”这个字不断地替代《道德经》中的“国”字，很显然，它不避汉高祖刘邦的字讳，表明《帛书》甲本的出现时间应该是在先秦时代了。

尽管我们现在并不能考证《帛书》就是《老子》原本，但至少可以说，老子《帛书》是比《道德经》更贴近于老子时代的一个文本。相较之下我们就会发现，老子文本用词用字极为古奥，意境也更为深远。

我们下面略做文本之比较。

在《道德经》的“传世通行本”里，第六十二章有一段话：“立天子，置三公。”大家注意这句话的意思。在原始氏族社会，或者在文明化以前，人类血缘社会族群中，没有任何特权、没有政治机构、没有暴力管控、没有政府。那么，随着人类文明化的发展，社会紧张度增高，于是人们不得不建立特权、强权管制机构，比如设立一个国王，国王借助于三公九卿去管理天下，这叫“立天子，置三公”。

可是在老子《帛书》中，这句话却表述为“立天子，置三乡”。我们下面看一下“乡”这个字的甲金文。()这个字就是繁体字“鄉”的来源。“乡”是什么意思？首先看懂这幅画，它中间是一个古代的食器“簋”或者“皀”，上面堆满着食物，两边跽坐着两个人。这个字的意思是：有血缘关系可以对坐在一起吃饭的人，叫“乡”。我前面讲过，人类原始氏族社会是血亲社会，在社会成员以氏族、血亲为结构单元的时候，能够对坐在一起吃饭的人，一定是有血缘关系的人。中国农村今天还在这个古老文字的本原意义上使用它，比如张家村、王家村、李家村，中国真正的农村村落，每一个村子都是血缘群团，同村人是不能通婚的，一个人走到外地碰见自己的同村人，把他叫“乡党”，就是在这个意义上使用“乡”字。

但是这个字同时又是另一个中国字“卿”的来源。(

)“卿”是什么意思？“客人”的意思、“卿客”的意思。这个字为什么会从“鄉”（乡）转化为“卿”？是因为人类社会的发展是由血缘氏族社会向氏族联盟的部落形态转进，部落再往上叠加叫部落联盟，部落联盟再往上叠加才是国家的雏形。比如我昨天讲商代的氏族部落邦联，再往后才是周代封建国家雏形。也就是说，社会的发展是逐步超血缘化的。那么到了氏族联盟或者部落联盟时代，再来到你这里跟你对坐在一起吃饭的人，很可能跟你没有血亲关系，而是远来的客人。因此这个字又衍生出第二个字“卿”，它表达的是随着人类社会的发展其字形和字义所发生的相应变化。

值得注意的是，老子在这个地方都没有用“立天子，置三卿”，《道德经》已改为“置三公”，《帛书》居然仍然用最原始的“置三鄉（乡）”。要知道，老子当年是周王朝之守藏史，也就是王室一切学问的咨询者，是国家文化的最高代表人，他不可能不认识“卿”这个字。所以我们有理由怀疑，《老子》书成书的年代，“卿”这个字可能都还没有出现呢。

我们再往下看。老子《道德经》第六章中说一句话：“玄牝之门，是谓天根。”首先理解什么叫“天根”，老子把“道”称为天根，因为老子认为是“道”派生了天地万物。但他用什么东西来形容他所最珍视的“道”呢？居然用“玄牝”二字。

我们先来看看“玄牝”两个字的甲骨文。“玄”这个字在甲骨文中，就是画了一条脐带。（

）“玄”在中文中有两个含义：第一，黑色、黑暗的意思，比如古代穿黑色衣服，叫作穿玄色衣服；第二，深远、悠远的意思。那么，为什么画一根脐带代表这两重含义？是因为孕妇刚把孩子生出来，与脐带相连的胎盘还在子宫内，脐带所深入的地方是一个黑暗而悠远的地方，因此“玄”字出现了相应的含义。

接着看“牝”字。（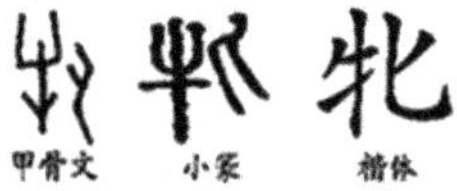

）其甲文先画一对牛角，代表“牛”字，旁边再画一条牛尾巴，然后在上面打一个指示符号，这个字就是“牝”。“牝”是中国一个常用字，它的对应字是“牡”，（

）也画一个牛角，右边画一个雄性生殖器。所谓“牡”，远古时代仅指公牛，以后泛指一切雄性动物；所谓“牝”，远古时代仅指母牛，以后泛指一切雌性动物。“牝”的含义是什么？揭开母牛的尾巴，就能看见母牛生殖器——黑红色的生殖器，所以叫玄牝。“玄牝之门，是谓天根”的意思是说，“道”作为“天根”，派生了天地万物，就像母牛的生殖器官能够不断地生出小牛一样。

老子的这个表述，显然不可能发生在春秋末期，那个时候孔子已经提出男女大防，后来被孟子表述为“男女授受不亲”。像“玄牝”这样的字眼，它只会发生在原始生殖崇拜时代。到春秋末期，如此直率而粗鲁的文风显然已经不能登大雅之堂。我们由此可以看出老子文本之古远。

老子在《道德经》第二十八章中讲“知其雄，守其雌”，就是说一个人应该知道雄性的品格，却更应该守住雌性的品格。他又在第五十二章中讲“天下有始，以为天下母”，这里的“始”就指的是“道”。他用什么形容“道”呢？再度用“母”字，即用母亲来形容。

我们从这两段文字中可以看出，老子给女性以极高之表彰，体现的是原始母系族群里女性社会地位较高的那种思想余续。由此可见，老子文本十分古远，它很可能不是出自于春秋末期那个时代。

我做一个说明，我们今天讲课，仍然主要依据《道德经》文本。尽管《帛书》与《道德经》有诸多细节上的差异，但是好在《道德经》并没有完全淹没老子思想之主旨。为了不让这个课程过度学术化，因此以大家日常能读到的《道德经》作为讲课的张本，它不妨碍我们讲解老子思想的原旨与主线。

老子在书中说：“知我者希，则我者贵，是以圣人被褐而怀玉。”请注意这个“希”字，是希望的“希”，他实际表达的是稀少的“稀”的通假字。老子很明确地知道，他的书要被世人读懂是非常困难的，能读懂他的书的人是非常稀少的；“则我者贵”，“则”是一个动词，特指按照某种原则而行为叫作“则”，就是能够按照我老子所说的方式行动的人，是非常高贵的。可见老子当时就明白，要想读懂他的思想绝非易事。

老子其人

下面，我们略微讲一下老子其人。

老子是谁？中国古代各文本中都只有片言只语的记载，《左传》《礼记》《汉书》《文子》《庄子》《吕氏春秋》《孔子家语》等等，在这些古代文典中，对老子通常只有几句话或者是几个字的记载。比如说，老子究竟死在哪儿、怎么死的，只见《庄子》有 11 个字的表述。

对老子情况记叙最多的，就是司马迁在《史记》中所作的《老庄申韩列传》，也只有 700 字左右。而司马迁给孔子作世家传，竟达 1 万字以上。这就导致老子究竟是谁，一直被史家纠缠，说不清楚。

直到民国时代，中国当时最著名的学者，像梁启超、钱穆、冯友兰等，他们都认为老子是比孔子迟得多的战国中期时代的人，原因是司马迁本人都没有搞清老子是谁。

司马迁在《史记》中说，老子是“楚苦县厉乡曲仁里人也，姓李氏，名耳，字聃，周守藏室之史也”。他说老子是楚国苦县人，姓李，名耳，字聃，是周王室的史官。

但是司马迁却说不清老子到底是谁，所以他居然用“或曰”、“或曰”，也就是或者说、或者说这样的方式来举例。他说，老子有可能是那个“聃”（dān），也就是我们今天所说的老聃。但他又说，老子也有可能是另一个叫“儋”（dān）的人，这个人是战国中期周王室的一个史官。然后他还说，老子的七世孙“仕于汉孝文帝”，也就是老子的第七代孙子给汉文帝刘恒做官。古人结婚很早，一代人的时间一般不超过20年，我们就算30年一代人，7代人往后推也只能推200年左右。如果从汉文帝刘恒往前推200年，那么老子确实是战国中期人，比孔子迟了上百年。

而且在《老子》的传世通行本《道德经》中，我们会大量见到战国乃至两汉以后的文字。我前面讲过，中国文字随时代的变迁，字义、字形会发生某些变化。学界研究《道德经》会见到大量远比春秋时代为迟的文字痕迹，比如像“仁义对举”等战国中期儒、道两家争论的文字，都出现在《道德经》中。

这当然也是后人怀疑老子究竟是什么时代的人的原因之一。实际上，它显然是由于《道德经》是后人的综合注本造成的。

古人没有印刷术，一本书写成，它是没有办法流传的。它的传播方式是靠每一个人抄写，在一次一次誊抄的过程中，发生笔误，发生错讹，甚至有些人把自己的理解加入其中，都在所难免。因此，老子文本中出现后世的字词，并不能表明这本书不是远古之作。

但是，它会引出诸多的麻烦和误解，甚至导致司马迁都搞不清是怎么回事。因此司马迁只好说“老子，隐君子也”，这个“隐君子”不是抽大烟的那个瘾君子，是隐居的“隐君子”。就是说，司马迁讲老子是一个隐士，故此他无法弄清老子是谁。

那么，我们下面就稍微考证一下老子的状况。我们分四个部分来谈：第一，谈他的籍贯；第二，谈他的尊号；第三，谈他的史迹；第四，谈他的传徒。

我们谈老子身世，一方面，是为了让大家对老子其人有所了解，有便于大家更好地了解老子思想；另一方面，也是给大家示范一下中国传统文化做学问的考据方式。

我们先看老子的籍贯。

司马迁说，老子是楚国苦县人，这个说法很可疑。因为班固在《汉书·地理志》中记载，说苦县不属于楚国。在春秋时代，陈国没有被楚国吞并之前，也就是在老子时代，（苦县）应该属于陈国。清代顾祖禹，一个著名学者，在他的《读史方舆纪要》一书中记载，说苦县在春秋时并非县制，到汉时，“苦”这个地方才设置为县。在当时，它不叫“苦”，叫“相”。《后汉书·郡国志·陈国》记载：“苦，春秋时曰相。”这就很清楚地说明，老子不是楚国人。

而且楚国是南蛮之国。我昨天讲课说，自然地理条件太好的地方不能成为农业文明的发祥地，因此楚国的农业文明及其整体文化发育相对较迟，直到战国中期，都被中原文明各国视为南蛮，起名把它叫荆国，荆棘丛生的那个“荆”。楚国第六任国君熊渠，《史记 · 楚世家》里记载：“熊渠曰：‘我蛮夷也，不以中国之号谥。’”就是楚国国君自己承认，我是南蛮子，都不用中原文明人的谥号。“谥”这个字，是指古代君王或贵族死后追加的尊称。这里表明，楚王承认自己是南蛮子，不接受或者不仰慕中原文明。

直到战国中期，孟子在他的书《滕文公》篇中还讲：“今也南蛮鴃舌之人，非先王之道。”就是在战国中期的孟子看来，楚国还是南蛮之地。所谓“鴃舌之人”，是指他们尚未开化，说话像鸟叫一样，中原文明人都听不懂。但是，老子是那个时代中国文化的最高代表，从常理上讲，他不大可能生长在一个文化荒蛮之地，因为当时的教育资源绝不像今天一样普及。因此说老子是楚国人，很可疑。

《后汉书》说，“苦”这个地方归陈，这倒让我们觉得，老子确有可能是陈国人。陈国是一个怎样的国家、怎样的封国或者服国？陈是远舜之封国，就是尧舜禹的“舜”的后裔之国，因此，陈国文风深厚。据说，武王把他的长女大姬，嫁给了当年陈国的国公妫满为妻，而大姬自幼喜好史巫文传，她的到来也进一步促使陈国成为周文化的重镇。

从这个意义上讲，说老子可能是陈国人，似乎有根据。但是《庄子》书中却一再说老子居于沛地，沛不归楚或陈。清代著名学者姚鼐在其《老子章义序》一书中说：“《庄子》载孔子、杨子朱皆南之沛见老子，夫宋国有老氏，而沛者宋地。”什么意思呢？说老子常居于沛，还说“老”这个姓氏就出自宋，“沛”这个地方属于宋国。

这样看起来，老子又像是宋国人。要知道宋国是殷商贵族遗民的封国，《尚书·周书·多士》记载“惟殷先人，有册有典”，就是说在当时的东亚，只有中原殷商之地，才有文字和书籍，其他各种族、各部落都还没有文字。因此说宋国出老子，太有道理了。

另有一件事值得一提。武王灭商以后，曾经把殷商贵族遗民中的相当一部分迁往关中，也就是西周首都丰镐的周边，让这些有文化的殷商贵族为新成立的周王室服务。我们可以从考古出土的青铜《墙盘》中看到有关这方面的记载。(其铭文记述史墙微氏家族在武王伐商时归顺周人，家族六代在歧周供职的事迹。) 因此，我们有理由推断，老子祖上或老子家系亦有可能是殷商移民，而且被迁往关中，也就是迁居陕西秦地。因为我们在《庄子·内篇·养生主》中，见到庄子对老子丧葬的一段描述，原话说:“老聃死，秦失吊之，三号而出”。他说老聃死了，秦国有一个叫“失”(佚)的人前去吊丧,只干嚎了三声就出来了。这是对老子死亡唯一的记载，它表明老子死于秦地。

这就让我们进一步怀疑，老子很可能是殷商遗民，因为那个地方最有文化，只有那个地方才有可能塑造出老子这样的文化人格。尔后，老子家系早在西周初期就已经迁到陕西关中，从此为周王室服务，但心中不免深切怀念旧朝殷商的固有文化。那时的官职是世袭的，因此老子家系世世代代做史官，以后随西周东迁而至洛邑。最终，由于中国古人有落叶归根的习俗，因此老子晚年出函谷关，西向归秦，死于秦地，这是老子籍贯可能的考证。

我们下面看一下老子尊号。

老子姓李，名耳，字聃，还有一个字，传说叫重耳。大家注意，老子的姓、名、字，都是很有特点的。

首先要问的是，老子为什么不叫李子？因为先秦时代，所有的“子”，都是用他的姓氏来标号的。他为什么叫老子？按理说，他应该叫李子。即便姓李的人太多，但他毕竟是文化第一先祖，如果他称了李子，后人是不会去与他重复的。但他却叫老子，这个名号是怎么来的呢？

第一种说法认为，“老”是老聃的姓或者氏。比如胡适讲老子“姓老，氏李”，而大多数学者认为老子“姓李，氏老”。我解释一下姓氏，我们今天姓氏是连着用的，在古代姓和氏是两个概念。“姓”字即“女生”（二字的复合），也就是由一个母系繁衍而来的，后代在原始血缘族群中拥有一个共同徽号者为姓。我前面讲过，人类社会由血缘社会逐步向超血缘社会发展，氏族社会的人群最终不免离散。大家分散开以后，各自保留原姓，却另外给自己追加一个分化出来的标号，叫作“氏”，所以氏小于姓。那么，老子很可能是“姓李，氏老”。这是第一种关于老子这个称呼的来源。

第二，老子这个称号是尊称。因为中国人有一个习惯，对他人尊敬就把他说老一点。比如，还不太老就把他叫“老王”，刚一老就把他叫“王老”。于是老子很可能是时人或后人对老子的尊称，这是老子这个名号的第二个来源。

第三，绰号。怎么讲呢？大家看，宋《太平广记》引《神仙传》中的一句话，说老子“生而白首，故谓之老子。”说他一生下来，就是满头白发，所以叫他“老子”。东晋时候，有一本书《玄妙内篇》，它说“李母怀胎八十一载，逍遥李树下，乃割左腋而生。”意思是，老子的母亲怀孕老子，在肚子里就持续了81年，老子生出来的时候已经82岁了，所以满头白发，因为孕期太长，从产道中生不出来，只好割开左腋，从腋下把他拉出来了。这说法当然很荒唐。但是明代著名学者陆德明，在他的《经典释文》中也同样载有老子“生而皓首”，也说他生下来满头白发。看来老子的这个特征很明显。

再看老子的名字。老子的名叫耳，字叫聃。要知道，古人给孩子起名字有很多种起法，其中之一就是看这个孩子的生理特征。那么老子的名和字都与耳朵有关。老子的字叫“聃”，这个字是什么意思？中国第一个古汉字学家，东汉时候的著名学者许慎，在他的《说文解字》里说：“聃，耳曼也。”什么意思呢？就是耳朵长得很阔大的含义。另外，明初宋濂在《诸子辩》中也说“聃，耳曼无轮也”，也就是耳朵很大而且还没有耳轮。你可以想见，如果这个字所形容的是老子的耳相，那老子的耳朵一定很难看，长得超大而又疲软，像猪耳朵一样耷拉下来，这证明老子是有天生的一些异相或缺陷的。

到了唐代，由于李唐王朝不完全是汉人血胤，李世民四分之三以上的血统是鲜卑人，于是他为了证明自己也是汉人，就封老子李耳为自己的祖先。因此，唐代尊奉的国教是道教。当时有一位佛僧，名号法琳，他对李唐遵道不满，于是出言中伤老子，说其父“胎即无耳，一目不明。”说老聃的父亲，一生下来就没有耳朵，而且一只眼睛是瞎的。

《四库全书·路史》中记载“周上御史，胎刵且眇”。这个周上御史就是指老聃，说他“胎刵且眇”。“刵”是什么意思？指古代的一种刑罚，把耳朵割掉。说他“胎刵”，就是说他一生下来就没有耳朵。再看“眇”这个字是什么意思？一眼瞎的意思。请注意，中国古代每一个字是一个含义。比如“盲”，是指两眼瞎；比如“瞽”，是指睁眼瞎；所谓“眇”，是指一眼瞎，说老子生下来没有耳朵，而且一个眼睛看不见。

那么根据这些记载，结合现代医学知识，我可以很有理由地推断，老子小的时候患有先天性白化病。因为我们不可能想象，老子母亲怀胎81载，生出来满头白发。现代医学告诉我们，怀孕最长不可能超过14个月，超过14个月就是死胎，正常只有9个月。那么老子“生而白首”，说明他很可能得了一种先天性疾病，叫白化病。

大家走在街上，经常会见到皮肤苍白的人，头发或毛发全白，甚至黑眼球虹膜上的色素沉着都很浅。这种病人，由于虹膜色素沉淀不足，阳光中的紫外线就会大量侵入眼底，损伤视网膜，他们很容易在少年时期发生一眼盲。因此，根据这些记载，我们有理由推测，老子当年是一个白化病人，患有先天性白化病，而且一眼盲。由于他生相异常，因此他作为儿童的时候，就经常被其他孩子嘲笑。这使得他从小不敢见人，于是又继发性引起一个心理疾病，叫少年幽闭症，这就是他晚年即使成为中国文化之第一宗师，也仍然表现为隐君子的原因。

假如这个推论成立，那么老子的先天异常就还可能是一系列综合症。要知道，先天性遗传病通常不只遗传一个病，而是会携带一组遗传缺陷并联下传，从而形成某种多发性异变的综合征。因此，我们很难想象老子长寿。《史记》记载："盖老子百有六十余岁，或言二百余岁，以其修道而养寿也。"就是说他活了160或200余岁，我觉得这个说法也很可疑。因为如果老子患有如此之多的先天异常病，他是很难长寿的。我的意思是说，史书的记载语焉不详，我们有必要对老子的身世另做一番考证。

我们再看有关老子的史迹。

由于老子家系世代承袭周王朝史官，因此后来随王朝迁动，从关中镐京来到东周洛邑，从此辗转于中原中心地带。至春秋末年，即如《左传》所载的鲁昭公二十二年(公元前520年)，周景王死，因王位继承问题，王室发生内讧，暴发了长达十多年拉锯式的内战，史称"王子朝之乱"。据说后来王子朝携带大量典籍逃亡楚国，老聃所管理的图书档案馆形同虚设，他因此辞职或被免职，萧然失业而流离失所，是年50岁左右（据高亨先生考证，当时老聃大约57岁）。

此后，老聃浪迹或居停于陈、沛、鲁，甚或楚以及宋，晚年出关西去，落叶归根，死于秦地，这就是关于老子的简略史迹。

我们最后稍微谈一下老子的传徒。

老子也是有很多弟子的。一般人们只知道孔子弟子三千，贤人七十二。其实，老子的弟子更有名，比如孔丘，比如杨朱（史称杨子），比如文子。文子何许人也？越王勾践有一位重臣叫范蠡，范蠡的老师，据《史记》记载叫计然，这个计然就是文子。换句话说，范蠡是老子的徒孙。再还有尹喜、亢仓子、蜎子、柏矩等等，所以老子的弟子也很多。

但由于老子是一个隐君子，因此他跟孔子带弟子的方式全然不同。他不允许弟子追随他，有问题来问，问完立即走人。史料曾有记载，说老子最重要的弟子杨朱，曾经硬要追随老子，被老子呵斥驱离。可见，老子作为隐君子，隐得非常彻底，连带弟子的方式都异乎常人。

我们对老子身世就做这么一点儿简单的介绍。

老子的著述及其与孔子的关系

下面我们谈谈老子的著述。

关于老子著述也有诸多疑点。《史记·老子韩非列传》中记载："老子修道德，其学以自隐无名为务，居周久之，见周之衰，乃遂去……"接下去说："至关，关令尹喜曰……"也就是老子辞官以后，西行至函谷关，所谓"关令尹喜"，就是函谷关的关长，名字叫尹喜。尹喜曰："子将隐去，强为我著书。"把老子扣在函谷关，迫使老子写作成书。"于是老子乃著书上下篇，言道德之意五千余言而去，莫知其所终。"传说尹喜随后挂冠而去，成为老子晚年归隐终南的唯一追随弟子。

对《史记》中的这一段记载，我也高度怀疑。

第一，从老子的思想记录来看，已具备比较系统的宇宙观、社会观和人生观，不可能是一次猝然而临机的随意发挥。

第二，秦汉以前的书写材料主要是简牍，所谓"简"，就是竹片制作的书写材料；所谓"牍"，就是木板制作的书写材料。当时没有纸张，书写材料的制备非常麻烦。比如竹简，先得把竹子砍下来，刨成竹条。竹子是湿的，而且呈弧状，容易变形，于是就得烘烤。大家知道文天祥说过一句话："人生自古谁无死，留取丹心照汗青。"所谓"汗青"是什么？就是把青绿色的竹子在温火上慢烤，让它的水分像流汗一样炙出。即便这样，这个竹片还不能算做完，还得拿重石压起来，逐步风干，再把它削成两头有凹槽的竹条，才能在上面写字。然后拿牛皮绳子把它扎起来，卷成一卷、两卷、三卷堆放，中国人所谓的“书卷”就是这样来的，“册”这个字也是指竹简展开摆置的形态。在老子那个时代，函谷关是荒蛮之地，是中原文明的西部边陲，在此边关堆积大量的简牍，似无可能，也无必要。

第三，遍观2500多年前的世界，除了某些叙事性文字以外，几乎见不到思想性巨著。除了老子，因为他的家系是史官，他们的工作就是史录，动笔记录，所以，老子才成为远古时代我们唯一见到的能用文字记录自己思想的先贤。

要知道，古代文人是不写书的，他们都是通过带弟子来传承自己的思想。比如孔子，他没有著作，死后由他的弟子们把他的言论集结起来，这就是《论语》。再比如佛陀释迦牟尼，他活着的时候讲经49年，但从来没有著作，直到圆寂之后，听过他讲经的比丘沙门，通过多次聚众结集才形成《佛经》。古希腊照样，在古希腊哲学史上，我们知道苏格拉底以前的哲人，全都不见有明确的大部头文本。苏格拉底本人也没有任何著作，多亏他有一位好弟子柏拉图。柏拉图著述颇丰，而他的书大多都是与苏格拉底的对话体，这才把苏格拉底的思想留传下来，以至于我们到今天阅读柏拉图的文本，竟无法分辨其中所表述的思想，究竟是他的老师苏格拉底的，还是他本人的。

这说明在那个远古时代，用写作的方式留下思想性巨著是非常罕见的。5000余字的文章，在今天看来是一篇小小的作品，但作为思想性张本，当年足以算得巨著。这样的东西，说是被扣在函谷关短时临机发挥而成，着实难以想象。我认为，一个人毕其一生，甚至不排除包括整个老子家系的多代人不断积累，成百年乃至数百年才能形成这样高难度的文本。因此，关于《老子》书的形成过程，《史记》中的描述也尽可持疑。

对于老子身世及其文本的考证，我们下面做一个总结：

第一，老子可能并非老聃一人，而是老聃家系的总称。我前面讲过，古代官员是血缘世袭的，老子很可能是其史官族系中不止一人的思想代表或虚拟承载。由于老聃曾经收留或教导过若干著名弟子，如孔丘、杨朱等，这些著名弟子最终把他点亮在历史中，致使人们错把老聃视为老子。

第二，老子家系之原籍乃殷商遗族，周灭商后被迁往西周中央所在之秦地，而后又随周王室流转东都。老聃晚年辞官，浪迹多国，死奔西秦，落叶归根。

第三，老子家系之姓氏名号不详。李姓可能是其祖上曾为先朝礼官之遗迹。“李耳、老聃”皆乃孔子师的绰号或名讳，且其人可能患有先天遗传的白化病和继发性幽闭症，故成“隐君子”。

第四，《老子》书应为老子史官世家的思想记录，未必全是老聃一人之手笔。而且，不能排除包括周太史儋在内的战国乃至汉魏之后多人的伪托篡改，但原意及古义未失。

第五，现存的《老子》文本，无论是传世通行本，抑或是出土古善本，都不能被确定为是截止于老聃的家传原本或初始手本，而只能视其为流传各阶段的不同誊抄本或注录本。

这就是我们对老子其人与老子其文所能给出的粗略考证。需要特别声明的是，上述观点之依据，仅限于并非可靠的历史文献和偶然出土的考古资料，它在很大程度上显现着中国传统学术的因循风格，故而断不足以成为定论，仍有待今后更加确凿的研究发掘予以证明或证伪。

我们下面略微谈一下孔子与老子的差别。

孔子是老聃的弟子，这一点是确证无疑的。虽然很多学者对此表示怀疑，但是从诸多古书中看，包括司马迁的《史记》、郦道元的《水经注》以及东汉边韶的《老子铭》等都有记录，孔子一生至少曾三次拜会老子。

第一次大约在孔子17岁，见老子问礼；第二次就是《史记》记载，孔子34岁这一年，被鲁昭公委派到东周首都洛邑，拜老子问道问礼；第三次，是出于《庄子》记载，孔子大约在50至51岁为官前后，去往宋国沛地见老子问学。因此，孔子作为老子的弟子，应该是可以确证无疑的。

但是，孔子和老子两个人的文化品格却截然相反。孔子的文化品格极为积极，最能代表孔子文化基调的是《论语》中的一句话："知其不可而为之。"这就是我们平常所说的"明知不可为而为之"那句话的原话，它的意思是说，我明知道做不到，也还会努力做下去。它表达的是一种积极参与社会改造的文化态度。因此，后世学者总结孔子学说，用两个字，谓之"入世"。

但是，老子却恰恰相反，他的文化品格极端消极。最能代表老子文化品格的，是在《道德经》中不断出现的六个字："无为而无不为。"它的意思是，我一无所为却无所不为。换句通俗的话说，就是我什么都不做，却把什么都做成了。我们今天听起来，觉得这句话很荒诞，可老子的意思是，"道"派生了天地万物，却没有任何人见过"道"有任何多余的动作，这叫"无为而无不为"。我们从这句话中就可以看出，老子的文化品格极端消极，消极到一无所为的状态。

于是，后人对老子的文化基调做了一个总结，跟孔子的"入世"恰恰相反，谓之"出世"，出离人世、边缘社会的含义。这也就是为什么司马迁在《史记·老子韩非列传》中专门加了一句话，说"道不同不相为谋"，指的就是孔子与老子之间"处世之道"明显不同，尽管二者是师徒关系。

我讲这一点，是为了让大家深刻理解老子文本的消极意绪。各位读《道德经》，如果体会不到这个韵味，你就无法理解老子给人类发出的忠告，其重点究竟是什么。

孔子34岁这一年，专程赶赴洛邑，拜老子为师。《史记》上有一段记载，详细录入老子和孔子的对话。当然，这个对话司马迁怎么知晓，是个很麻烦的问题。司马迁的史书，都是人物纪传体，里面有生动的对话，几乎可以视为文学范本，所以它的细节真实性显然是很可疑的。但是司马迁的《史记》记录被后人考证，却常常精准。因此，我们虽然不敢说司马迁所记载的原话一定为真，却至少可以这样看待，就是司马迁《史记》中的话意，语言后面的那个精神取向，大致不会有太大出入。

我们看看司马迁记载孔子34岁见老子时的对话。老子曰："子所言者，其人与骨皆已朽矣。"这里先说明一下，老子对孔子通篇全是训斥的话、批评的话，鼻子里出的全是冷气。他这段话的意思是说，孔子你总是挂在嘴边的那个人，死得连骨头都已经朽掉了，你提他干什么。这里所指的那个人，就是周公旦。大家知道孔子说他动不动就梦见周公。周公是谁？周武王的弟弟，西周早年第一任宰相。由于武王克商以后很快就死掉了，武王的儿子继承王位，这就是著名的周成王。成王年幼，全凭首任宰辅周公旦主持国政，周公旦为西周建立整个礼治，也就是周王朝的政治法统。

周公旦奠定周朝礼治，史称"制礼作乐"。"礼"是什么？你可千万不敢把"礼"理解为"礼节、礼貌"。"礼"这个字在周代的含义，是指从国家政治法统到民间礼仪、礼节的总和。"制礼"——就是建立周代封建宗法的政治道统。"作乐"，你也不敢把"乐"理解为一般的音乐。孔子和周公所说的"乐"，是指大型祭祀活动上的奏乐和乐章。所谓大型祭祀活动，其实就是国家意识形态的宣示。就像现在开"两会"伴奏（人大与政协），你可不能只是听听音乐了，你得听"两会"的主题报告都讲些什么，这叫"制礼作乐"。由于孔子对周公旦早年创立的封建周礼极其推崇，因此"好梦周公"。

整个孔子学说，其实就是把周公旦"制礼作乐"的政治操作理论化，这就是孔子学说的要义。因此，孔子不断地提到周公旦。于是老子批评他，说这个人死得连骨头都朽掉了，你整天提他干什么。然后老子又训斥孔子："吾闻之，良贾深藏若虚，君子盛德，容貌若愚。"老子说，我听说一个好的商人，深藏若虚，财不露白，绝不显示自己很有钱；一个君子即使具有厚德，他在外貌上也必须显得很谦卑，甚至很愚钝。那么，老子说这段话是什么意思？他显然是在批评孔子过度张扬，四处宣教，未免把自己表达得太过充分、太过刺眼。然后老子接着说："去子之骄气与多欲，态色与淫志，是皆无益于子之身。"就是说，赶紧把你身上的骄傲之气和多欲之态祛除掉，把你嚣张的气色和宏大的志向也都磨搓掉，只有这样你才不至于自找倒霉。大家可以听出来，老子对孔子全是讽刺批评的话。

我们下面看看孔子对老子的评价。

《史记·老子韩非列传》记载，说"孔子去，谓弟子曰……"，也就是，孔子离开洛邑回到鲁国对他的弟子说，"鸟，吾知其能飞；鱼，吾知其能游；兽，吾知其能走"。这三句话不用翻译，他接着讲，"走者可以为罔"，"罔"这个字的含义，是蒙骗的意思，也就是说，对于走兽，我挖一个陷阱，上面盖上芦席，洒上草叶或者浮土，就可以把走兽蒙骗到陷阱之中捕获之；他又说，"游者可以为纶"，就是对于水里游动的鱼，我下一条丝线，底下带一个吊钩，就可以把鱼捕获上来；他还说，"飞者可以为矰"，所谓"矰"，是古代专门用来射鸟的箭，因为你用普通的箭射鸟，即使射到鸟的要害之处，鸟扑棱几下翅膀，落在河边的芦苇荡里，你是找不见猎物的，于是，古人就专门设计一种箭，在这个箭后面绑上很长的线绳，如果射着了鸟，拉着线绳就可以把鸟取到手，这种箭叫作"矰"。他然后讲，"至于龙，吾不能知其乘风云而上天"。这段话的意思是说，我从来没见过龙，神龙见首不见尾，我不知道龙是什么样子。他最后讲，"吾今日见老子，其犹龙邪！"——这就是著名的"犹龙之说"。他说我今日见到老子，我终于知道龙是什么样子了，可见孔子对老子评价之高。

我讲这一段，是想说明两个问题。第一，老子对孔子这位弟子，其实并没有给过好评，全是差评的话。而孔子作为学生，对老子这位师长却是至为尊重，视之为龙。孔子说过一句话："朝闻道，夕死可矣。"这话里暗含着别样的一重含义，那就是孔子可能一辈子都没有搞清老子的"道"究竟在讲什么。我们由此可以看出，老子思想之深邃。

我们前面讲老子身世，老子文本，老子与孔子文化品格的差异，都只是为后面澄清老子思想主旨，做一个背景铺陈。

老子论"道"

我们下面进入老子文本。

老子书，上下篇，也称上下卷。在传世通行本《道德经》里，上篇即《道篇》或《道卷》，下篇是《德篇》或《德卷》。那么《道篇》究竟讲什么？

我首先做一个提要性说明：《道篇》着重讲宇宙观与自然观，《德篇》着重讲社会观与人生观。这句话是什么含义呢？首先大家要知道，中国先秦诸子百家全都关心的是人伦社会学问题，几乎没有任何人关心自然学问题。这跟古希腊哲学形成强烈对照，古希腊哲人除苏格拉底以外，全部都关心的是自然观和宇宙观。古希腊第一哲人泰勒斯，留下著名典故"观天落井"，被后人总结为四个字"仰望星空"。但奇怪的是，中国先秦诸子百家，却全都倾心于关注人伦社会学问题，以至于自然学、宇宙观几成偏废。

原因是什么？农业文明导致人口暴涨，导致人际关系和资源关系格外紧张，这就造成中国先贤全都关心人伦社会学问题。可是这里有一个漏洞，当他们讨论人伦社会问题，也就是人道问题的时候，他们缺乏一个深在根据或基本前提，比如，孔子讲“君子之道”，讲人应该这样做，应该那样做，可他却从来没有讲过，这些“应该”是从哪里引申出来的。老子思想深刻，他要追问这个世界的终极因。所以读老子书，你要特别注意两组词汇，一组叫“天之道”，一组叫“人之道”。我们今天讲人道主义的“人道”二字，就是从老子“人之道”中来的。所谓“天之道”，就是宇宙观，就是自然观，就是天地运行的总规则、总律令。所谓“人之道”，就是人类文明之道、人类社会之道、人类行为之道。老子认为，如果你只谈“人之道”，试问“人之道”的根据与依凭何在？显然，你必须首先追究派生了天地万物乃至人类本身的“天之道”的运行规律，你才有资格讨论“人之道”应该怎样操作。我们把这一脉思路视为追究终极，而“追究终极”是古希腊狭义哲学三大思想特征之一。这就是为什么我在前面讲，“老子是中国思想史上唯一的哲人”这句话的含义。

我们要想理解老子的“道论”，首先得看懂“道”这个字的甲金文。（
）“道”这个字，在甲骨文中先画一条带有十字路口的道路，这个字就是“行”。（
）在“行”字中间，或者如上画一个脚印，或者还有画一幅头脸的，关于后者之形象，学界争论很多，意见比较集中的一部分人，他们认为这个字实际上画的是一个孩子在分娩过程中，头颅已经伸出产道的形象。这个说法如果用在老子书中“玄牝之门”的解释上也成立。我们再来看看金文，因为金文把这个字形描述得更清楚。它先画一个带有岔道的大路（起初两边都画，以后省略一边），然后画一缕头发，接着在头发下面画一个大鼻子，这个中间字符部分，就是我们今天常用的“首”这个字，（
）然后在下面画一个脚印，这个字就是“道”字的来源。它是什么意思？走在笔直的大道上，远远就能看见对面来人的脸，叫作“道”。

我这样讲大家一定觉得很奇怪，我走在什么路上会看不见对面来人的脸？要知道，中国古字每一个字是一个含义。道，指人工修筑的笔直的大道；路，指人自然踩踏出来的弯弯曲曲的小路，比如你登山，远远都能听见对面来人说话的声音，可你看不见对面来人，这叫“路”。

中国还有一个形容道路的字，叫作“径”。“径”是什么，邪路的意思。我画一个图，大家看其笔划，像个“井”字（板书画图）。你读古书经常看到一个词汇“井田制”，也就是田地被分割成九块。什么叫“井田制”？它有两重含义，它的最原始含义产生于氏族时代，那个时候是氏族公社，是原始共产主义，没有私有制，随着氏族往后发展成氏族联盟乃至部落联盟，这个时候私有化逐步发生，但整个部落联盟仍然给原各氏族保留一部分当年氏族的公田，这是井田的最早形态。到周代初期，井田制发生改变，周边这八块地，是个人的或者各部族的佃田或私田，中间这一块地是王田，是公田，大家在各自耕作自家私田的时候，必须同时完成公田上的劳作，这是西周早年的井田。所以，井田制很复杂。别小看这么一片井田，其实总面积相当之大，一般都有数千亩乃至上万亩，几乎可以拿平方公里来说话。假定一个人要从地边某一点出发，走到对角线方向的地头另一点，按理说，他应该顺着田埂走，才不至于踩坏庄稼，可是没有人愿意这样走路，因为他要走两条直角边，于是大家宁可把庄稼踩坏，也会走中间那条随意踩出的斜路，这叫“径”。也就是放着正道不走，偏走邪路叫作“径”。

老子在《道德经》中说一句话：“大道甚夷，而人好径。”意思是说，明摆着宽敞的大路不走，人们却偏偏好走邪路。很明显，老子是要借此指责人类倾向于违背天道而运行。

那么“道”这个字的来源是怎么回事呢？要知道，老子探讨的是形而上学问题，而人类早期的文字符号，是普通民众在形而下的日常生活中建构的。因此，当年要寻找形而上的概念命名是非常困难的。于是，老子借助于“道”来表述天地运行的法则。“道”的字源根据是什么？是西周早年修过的中国历史上第一条人工大道，史称“周道”。我们怎么知道呢？《诗经》上留下一句话，说“周道如砥，其直如矢”。就是说周道平整得像打磨过一样，笔直得像射出去的箭一样。

大家知道，武王灭商之前，周部族的首府及其政治中心已迁至今天陕西关中的丰镐一带，但是之后，其所征服并需要管理的原属殷商的广阔地域都在中原，因此，西周王室早年不得不把相当一部分重要的行政力量和军事力量摆在河南，并为此建立了第一座陪都，这就是洛邑。为了调动行政、军事力量的方便，周公旦便在镐京和洛邑之间修筑了中国历史上第一条大直道，这就是“周道”。那么老子就借用这个“周道”隐喻天地运行之道。所以，大家注意，老子所谓的“道”和“德”，分别各是各的概念。

中文每一个字都是一个意思，先不要把“道”、“德”两字合在一起。我前面也讲,《道德经》中“道德”的含义，绝不是“人伦道德”的那个“道德”的含义。所以,你首先要理解“道”，它有点近似于古希腊哲学上所说的“逻各斯”。“逻各斯”(Logos)这个词的意思，我昨天如果没有讲清，今天再复述一下，它是古希腊人表征“言辞和秩序”的总称。“秩序”指客观规律,“言辞”指主观陈述，也就是在主客无分的状态下寻求它们之间的本体联系和存在法则。那么,老子的“道”就有点类似于古希腊“逻各斯”的概念。他要表达和追问的，是天地运行的法则，这是大家首先要理解的重点所在。

我们下面看《道德经》开篇第一句话 :“道可道，非常道 ;名可名，非常名。”对于这句话，现在各路学者的解释非常复杂，有人还把标点符号另做挪移，更是让人云里雾里，不知所云。那么，老子开篇就讲这句话，他究竟想要说什么？

为了阐明这一点，我先谈一些题外话。近代西方古典哲学时期，德国出现一个哲学大家，名叫莱布尼茨，他曾经讨论过一个问题，他说哲学需要有自己专用的文字符号。我前面讲过，我们的正常语言和文字符号，是一般老百姓在形而下的日常生活中建构的，而哲学表述的是形而上问题，日常语言不足以表述哲学。因此，莱布尼茨提出哲学表述应该有它的专用符号，这个说法是很有道理的。比如数学，你不可能使用日常语言来表述数学，无论是英语或中文都不行，数学是有自己专用符号的；比如音乐，五线谱是它的专有符号；再比如电脑编程，你不可能用日常语言给电脑编程，它必须借助专门的逻辑符号即电脑语言才能使之运行。那么，按理说，哲学表述的范畴完全不在日常生活的直观层面上，因此，它更应该有自己的专有符号系统。可惜它又没有，因为它要讨论的问题是收揽形而下，并注解形而下，因此，它又不能完全摆脱形而下的指向和形而下的诉求，这就导致哲学表述变得非常麻烦。

我们再看黑格尔，他在其名著《精神现象学》中说过一句话，他说我的哲学一旦用语言或文字表述即原意大失。他的意思是什么？仍然是日常语言不足以表述哲学。

我再举一个例子，释迦牟尼。要知道，佛教是世界上所有宗教中最华贵、哲学意蕴最深厚、逻辑体系最缜密的一门宗教，我们将来在佛教课中再谈。佛经上记载："世尊拈花，迦叶一笑。"说佛陀讲经，常常一言不发，手里转动一朵花，下面听讲的众比丘一片茫然，只有一个名叫迦叶的弟子微微一笑，佛陀明白，他算是一个清醒人。佛陀还讲过一句话："我所知法如树上叶，我所讲法如掌上叶。"意思是，我所知道的佛法，是树上的活叶子；可一旦我把它讲出来，它已经是从树上摘下来摆在手上的死叶子了。这段经典仍然是在讲，通过语言、文字表述深刻哲理，实在难以尽意。

好，那么我们下面看《道德经》开篇的这段话。老子讲，"道可道"——我所说的那个"天道"，是可以用语言表述的（可被言道）；但“非常道”——就是你用正常语言不能表述，你得用非常语言才能表述。他接着讲，“名可名，非常名”。所谓“名”，就是指我们可以感知的物之属性以及对此可感对象加以命名之谓。他说对物体属性这些东西，你是可以命名的，但是你用正常语言不能命名，你得用非常语言才能命名。请听一听，老子的说法跟莱布尼茨、黑格尔和释迦牟尼如出一辙。像这类话语，只有对哲学做过深长思考，并用文字符号加以陈述的人，才会有这种体会，也才会有这种表达。这是大多数学者为什么容易把它讲错的原因。

此外这句话中还包含一层意思，就是任何深思的表述都是极为别扭的，都是极为艰涩的。大家应有同感，读哲学书非常困难，包括读哲学史上的任何哲人的原著都是如此，因为他的思境和正常人的普通思境根本不在同一层面上，因此他的语境也就无法达成与正常语境的顺合。他甚至得生造字词，或者对原有字词的概念另注定义。这就使得你翻开他的书，每一个字你都认识，可它一旦排成句子，你却不知道在讲什么。大家读我的《物演通论》，大抵就是这种感受。这不是我有意识要把它写得非常艰涩，而是任何深厚思想、哲学思想的表述，其所面临的第一道障碍都是此类“非常道”与“非常名”的难题。这也就是老子深知他的思想和文本很难被世人理解的原因，故而他才会有“知我者希”的预言。

我们再往下看，老子讲：“玄之又玄，众妙之门。”就是说他所要追究的天道，在极其深远而黑暗的某个地方，那个难以企及的地方才是众妙之门，也就是万物的生发之根。显然，他讨论的问题，不在我们正常思维和正常感知的范畴之内。他接着讲：“谷神不死，是谓玄牝，玄牝之门，是谓天根”。“玄牝之门，是谓天根”，我在前面已经讲过。我下面解释“谷神不死，是谓玄牝”是什么意思。这句话引起很多误解。请注意这个“谷”字，很有可能在这个地方是“欲望”的“欲”字的通假。你把它理解为“欲神不死，是谓玄牝”，这个句子立即通顺。大家知道，任何生命、任何有机体，都是围绕性增殖这个中轴运转的，一切生命有机体说到底只不过是基因制造和播散更多基因的临时运载工具而已，这是生物学上的一种说法。因此，弗洛伊德探讨人类的精神层面，发现人类的精神扰动居然跟一个人幼年阶段的性压抑有关，可见他对生命和精神的底层深有了解，这就是弗洛伊德作为一个心理学家，他的专业理论却近似于哲学学说，广为传播并产生深远影响的原因。弗洛伊德把这种性的冲动或作用力，叫作“本我”，用一个词叫“libido”，它就有点类似于老子所说的“欲神”（谷神）。所以这里说的欲，是指生命最强大的性欲，他说这个欲就是“玄牝之门”，这个欲永远不灭。当然，老子只是用性欲来形容天地内在运行动力的本源，他说“欲神不死，是谓玄牝”，由此揭示了能够派生天地万物的“道”，以表示“道”是天地派生的原始成因和万物存续的不竭动因。

老子接着讲：“道生一，一生二，二生三，三生万物。”这句话被很多学者解读为，老子早在2600年前就已经对现代宇宙论有所猜想。这个说法表面上看拔高了老子，但却表明其对老子书的理解出现严重偏差。因为，人类原始文化是处在信息量相对较低的状态下所形成的思想模型，而现代宇宙论是科学高度发达，直到20世纪初叶，爱因斯坦相对论问世以后，才能建立的一个足以涵容极大信息量的崭新宇宙观模型。因此，把老子道和现代宇宙观相提并论，显然不恰当，两者根本不可同日而语。

要注意，在老子那个时代，信息量极低。所以老子讲的东西，虽然是形而上的，他却尽可能用形象的方式表述。他这里所说的“道生一”，是指“道”派生了天、地这两样东西以前的某种“元一”或“太一”状态；所谓“一生二”，是这个原始混沌的“太一”状态随后派生了天和地这两样东西；所谓“二生三”，是天和地这两样东西，接着派生了动物、植物和人类；所谓“三生万物”，就是动物、植物和人类，最后派生了天下万物。

我说“万物”这个词，主要是指亿万种生物，当然也包括无穷无尽的人造物。所以老子这段话所表达的，是以某种程度的具象隐喻方式对“道论”的追索和观照。

老子这句话，你今天看太普通了。可你要知道，在2600年前说出这句话来，如果你理解它，那么你会非常的震撼。因为这句话里暗含着一个意思：天地万物是逐步演化而成的。请注意，我们今天学了大量的进化论知识，你觉得这是一个常识，可你要知道，古人看天地万物是在平面上排列的。2000年前的《圣经·旧约》第一章“创世记”，说上帝6天缔造世界万物。大家想想，你幼年的时候，你刚刚看懂这个世界的时候，你能想到这个世界居然是演化而来的，而不是完整呈现的吗？你是不可能想到的。要知道，进化论这个概念，直到19世纪才在人类学术界艰难地铺展开来。而老子居然在2600年前，就已持有万物是演运而来的这样一个纵深观念，确实非同寻常。

我们回望一下古希腊哲人，古希腊第一圣哲泰勒斯只给后人留下一句话，就被奉为古希腊狭义哲学的开山鼻祖，那就是“水为万物之原”。这句话我们今天看，全错了，可是这句话为什么标定了泰勒斯作为西方哲学之祖的地位？是因为在这句话中同样暗含着“世间万物是从某种原始状态逐步演化生发而来的”这样一种非常超前、非常宏阔的眼界，由此开启了古希腊哲学的发端。所以，大家对这句话可千万不敢轻视，它标志着老子目光深远，标志着老子学说达到极高的哲学思境。

老子在《道德经·二十一章》中讲：“道之为物，惟恍惟惚”，说“道”派生和孕育万物的状态是恍恍惚惚的。“恍惚”指什么？视觉上、听觉上、感觉上、经验上无法清晰捕捉，无法形成明确的观念，谓之恍惚。也就是老子当年仍然尽可能用具象的方式来表述抽象的深思。我们从这些文字里可以看出老子行文之艰难。他接着讲，“有物混成，先天地生”，他说有某种物存状态，在天地还没有出现之前就已经混沌呈现了，这当然是极具力道的猜想。

上善若水

我们下面看看老子所说的“夷、希、微”是什么？《道德经》第十四章有云：“视之不见名曰夷，听之不闻名曰希，搏之不得名曰微。”这段话是什么意思呢？首先大家要知道，我们人类获得外部信息和外部知识的唯有通道就是五官，也就是视觉、听觉、嗅觉、味觉、触觉，除此之外，我们没有其他可以获得外部信息的来源。

可老子讲，你凭借这个通道，你不可能对“道”有任何捕获和感知，这叫“视之不见、听之不闻、搏之不得”，可见老子要想谈“道”是何其困难！他居然要超越人类的一般感知通道，去捕捉天地万物之根源。这种神秘的、中间缺乏证明环节、即在广义逻辑上无法贯通的表述，后来成为中国神秘道教的一个重要思想发源。

我今天讲老子课，只讲最重要、最核心的部分，理出老子当年的学说主旨和思想主线。老子讲:“执古之道，以御今之有。”什么叫“御今之有”？就是你如果要驾驭今天人类文明生存和文明社会的操作之道，你必须首先“执古之道”，即把握住“天之道”，只有这样，你才有资格、有可能、有依据来讨论“人之道”。请听听，这是不是我前面讲过的，“道论”的核心是宇宙观？你只有把握住宇宙观，你才能把握人世观、人文观、社会观、人生观。从这个意义上讲，老子达到了追究终极的哲思高度。

老子在《道德经》第十六章又讲：“天乃道，道乃久，没身不殆。”请注意这句话，他说“天”就是“道”，或者“天”离“道”最近。那么什么东西是它最主要的特质呢？“道乃久”是也，它着重强调其持恒性、稳定性、根基性以及不可分割性。他说你只有把握住这个东西，你才能“没身不殆”，也就是你才能恒久持存、掌控长远。这句话字面背后的深意是，老子要追究眼前飘忽流变世界背后的本原。如果对西方哲学史熟悉的人，一听我讲到这儿，你会立即想到，古希腊哲学第一期叫“本体论时代”。古希腊哲学早年追究存在、追究本体。它所说的“存在”，绝不是眼前万物之呈现，它认为这些东西都是假象，因为这些东西是不断流变的，是飘忽不定的。它认为，但凡是真正的存在，一定是永恒的存在，一定是不变的存在，一定是不可分割的存在，那种存在才叫“存在”，是那个东西支撑着或支配着面前的这个假象世界，由此带动古希腊哲学思境之深入。所以老子这句话跟古希腊哲学的追究对象十分相近，表达着东西方在轴心时代其思境之高下等一。

而且大家还要注意，这句话有另一层含义，甚至是更重要的关键点，那就是，既然老子借用“道生一，一生二，二生三，三生万物”来表达万物演化的序列，那么，他这句“天乃道，道乃久”，就又表达了在这个演化序列中有恒久性、稳定性的差别，是不是这样呢？否则他为什么要谈“道乃久”呢？他显然是说“非道”的东西、表层的东西，都是不能持久的，是没有稳定性可言的。所以我说，老子在这里有一个对演化进程稳定度状态的、或者稳定度递失状态的观察与猜想。

然后老子讲：“天地不仁，以万物为刍狗；圣人不仁，以百姓为刍狗。”有很多人说，老子这个人冷酷薄情。那么老子这句话究竟想讲什么？我们首先看“刍狗”这两个字，关于“刍狗”这两个字是指什么，学界有很多争论。在古文字中，“刍”这个字是画了一只手，手上拿着两束草，（

）这个字是“刍”，拔草的意思。所以有甲骨文学者认为刍狗就是落在草窝中的小狗，也就是没有母亲照料的狗。但大多数学者认为，刍狗的意思是草扎的狗。大家都很熟悉，古代祭祀天地和祖先要摆上牺牲，牺牲是分太牢和少牢的，所谓太牢就是大型动物，比如牛、猪、羊，所谓少牢就是小型动物，比如鸡、鸭。对于普通的百姓，少牢的祭祀成本对他们来说也还太高，于是他们用草扎的动物、纸糊的动物，来代替牺牲作为祭祀品，这叫刍狗。它指的是很轻贱的东西、很低贱的东西。我曾经也怀疑这个说法是否成立，因为我们很少能够见到草扎的狗这种东西。有一次我到西藏去，在西藏一个博物馆里居然看见草扎的祭祀品，在藏文里叫“容果”，可见此说法成立。

那么这句话的实际含义是什么？老子先讲天地之道，说天地之间没有人类文明社会里的那么多名堂，在人之道的种种造作焕发之前，天之道是寂静无为的，它视万物为刍狗，也就是它把万物看得很轻贱，绝不给予假惺惺的关照，结果万物顺势而发，恒稳衍存。他说既然自然天道是这样行为和这样操作的，那么人之道也就应该顺其而动。于是有了随后这句“圣人不仁，以百姓为刍狗”，他说因此真正管理天下者应该无所作为，应该不用文明派生出来的那些过多的花样，因为这些东西只会扰乱和破坏人类的生存境遇。这句话里仍然标示着，老子在讨论人之道，即人类该怎样运行时，先看天地怎样运行。而且这句话里还包含一个意思，老子反对人类文明社会花里胡哨的那些操作。他认为人类文明社会过多的理念、过多的说教、过多的手段，其实是对人类生存的戕害，是违背天道之举。所以大家一定要明白，老子的“无为”之论完全来自于对天道的总结。

这里我想强调一下，老子所谓“圣人”的含义。中国古代先贤都引用“圣人”一词，比如老子、孔子、韩非子等等。孔子所说的“圣人”是指德行敦厚而权位高拔者，因此孔子把人分为三等：圣人、仁人和君子；韩非子所说的“圣人”是指有独裁之力、深通法术的君王；可见不同的先秦学者，使用“圣人”的概念全然不同。可老子所用的“圣人”，是“圣人”字面的原初含义。我们看一下，“圣”这个字甲骨文的写法。（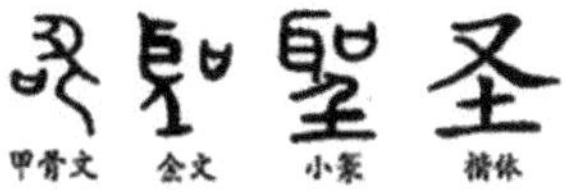

）它先画一个非常具象的耳朵，旁边画一个口，底下画一个人，这个字就是繁体字“聖”的来源。什么意思？在氏族血缘社会里，没有政府、没有暴力、没有特权、没有法制，它的管理方式是什么？族群里的长者，母系社会的老祖母或父系社会的老祖父，他们听取所有族人的意见，然后由他（或她）调解纠纷、协商共治、柔和管理，这个亲切慈祥的族群长者叫作“圣人”。

所以大家注意，老子学说是什么？我先说一句孔子的原话，孔子说“吾从周”，就是我追随和遵奉周代的封建礼制。那么我们说老子是“吾从商”，我追随和遵奉的是商代的氏族部落生存方式。可见老子对人类原始社会，即文明初期乃至非文明状态高度赞赏。所以老子的“圣人”跟孔子、韩非子以及后人使用的概念全然不同，因为老子认为人类在文明化以前，社会上的人为动作极少，这种自然而温和的处理天下事物的方式才符合天地无为之道，这就是老子这段话的含义。

老子接着说：“上善若水。”这句话我们很熟悉。它的原词含义是，“上善”指最佳的状态，“若水”指像水一样。全句的意思是，最佳的状态像水一样。那么老子说“上善若水”什么意思呢？他是用水这个具象的东西来形容，或者说来比喻天道运行的自然方式和自然状态。我这样讲你还不足以理解，因为老子这句话背后其实大有深意。因此他下面紧追一句话：“水善利万物而不争。”就是水滋养万物而不与万物竞争。请注意这句话，他为什么要说这样一个大白话呢？是因为他要批评人类文明社会是一个竞争结构。大家知道，人类在原始氏族社会的时候，其社会形态是真正的公有制，是人类历史上唯一的一次共产主义，叫氏族公社，没有私有制，人类之间也没有竞争关系。那么人类文明化以后，私有制发生，人类之间社会关系紧张，形成剧烈的竞争格局，由此带来天下紊乱、苍生难安的局面。因此老子讲，“水善利万物而不争”，这句话的含义，就是批评人类文明社会违背天道而运行。

他随后又讲：“处众人之所恶，故几于道。”这句话的意思是说，水总是向下流动的，流到最低处积成平潭。由于它的行为方式是下流的，而且处在最低的地位，因此为众人所厌恶。

他这里所说的众人是指文明人，他这句话仍然是在批评文明人，因为文明人总是争上游的。而老子认为天地运行没有这样的竞争格局，没有这样的向上配位的冲动。因此他说“故几于道”，他说因此水的这种状态，最接近于“道”的呈现状态。这是这段话的全文和原意，换句话说，“上善若水”这句话，其基本用意和指向，在于批评人类文明社会违背天道而运行，这才是这句话的核心含义。

弱者道之用

老子“道论”的中心章节在《道德经》第四十章。

学界一般认为，《道德经》第一章到第三十七章是《道卷》，第三十八章到八十一章是《德卷》。可大家注意，老子“道论”的核心章节却偏偏跑到了德卷，它说明什么？——分章、分卷之不合理。要知道老子书的分章、甚至分卷到底是谁所做，迄今不能考定。但是学界基本上有把握认为，八十一章之分章是后人之伪托。因此我们读老子书，会发现它章节紊乱、逻辑关系不连贯，当然这一点也很可能是《老子》原书表述状态的直接呈现。因为我前面讲，老子书有可能并不是出于老聃一人之手，而是老聃家系世代作为史官所形成的家传观念的叠续记录文本。如果是这样，它的逻辑关系自然难以顺畅。这也是我们推断老子可能不是指老聃一人的原因之一。

我们下面看看第四十章全文。《道德经》第四十章全文只有21个字，我把全文给大家念一下：“反者道之动，弱者道之用，天下万物生于有，有生于无。”这就是第四十章全文。大多数学者认为，老子道论最重要的一句话就是“反者道之动”。“反者道之动”这句话是什么意思？“物极必反”的意思，它表达的是一个典型的辩证逻辑。关于辩证法，很多人认为它就是老子书的核心，认为读老子书就是去读辩证法的。

可是我说，如果你读老子书只读出辩证法，那我可以肯定，老子书你根本没有读懂，你根本搞不清老子想干什么。首先大家要明白，辩证法和辩证逻辑绝不是人类理性逻辑的高端，它反而是人类理性逻辑的最初级阶段。建国以后，由于我们把马克思主义哲学引为哲学主体，而马克思哲学的主要组成部分之一就有黑格尔的辩证法，因此国内思想界把辩证法抬举到吓人的高度。从逻辑学上看，其实辩证逻辑只是人类理性思辩逻辑的最原始层面。从文明史上看，人类刚一展开思绪,在最早期、最低级阶段使用的思维方式就是辨证观。

比如《易经》最初只有两爻，它是比甲骨文还要早上千年的一个非文字符号系统，阳爻代表男性，阴爻代表女性，这就是原始辩证观的最朴素表达。而远古时代的思想者所用的思想方法都是辩证法，比如老子，比如孔子讲中庸之道。西方的古希腊照样如此，古希腊早期哲学家基本上都是辩证逻辑的使用者，比如巴门尼德提出存在与非存在，比如赫拉克利特提出明确的辩证论，再到柏拉图都一直在使用辩证观念。大家读一下柏拉图的《理想国》，讨论所有问题都是辩证观照。直到最后一位集古希腊哲学之大成并建立人类第一门逻辑学的哲学家亚里士多德，他认为辩证逻辑表达的是思维混乱。于是他专门研究人类的逻辑思维程式，发现人类逻辑思维总是在3个格上运行，把这3个格再仔细分类，可以分出48种前提组合；接着亚里士多德针对这48种前提组合逐项考察，发现其中34项是无效组合，14项是有效组合；随后继续进行一点一点的剥离和论证，由此终于形成了人类历史上第一门逻辑学，这就是“形式逻辑”。

我一讲到这儿，熟悉国内哲学界说法的人马上就听得出来，形式逻辑在黑格尔看来恰恰就是辩证逻辑的反动。可见亚里士多德整顿逻辑学，正是针对原始混沌模糊表述的辩证逻辑的纠正，是对那种思维条理紊乱状态的清晰化梳理。所以你如果读老子书，只读出辩证法，你确实水准太低。这里还有一个更严重的问题，辩证法只不过是老子使用的一个思想工具。大家要注意，你在某一个时代使用怎样的思想方法，这个东西由不得你选择，所以把思维程式的自发运行叫作“方法论”，我认为是很成问题的。因为你的思维方式怎样展开，并不是你选择的结果，而是你面对不同时代的信息增量，处理复杂程度不同的问题，它自然会影响甚至规定你的逻辑思脉调动状态，你是不可能随意选择的。在人类古代信息量较低的时候，那个时代的思想家自觉不自觉地都在使用辩证逻辑，因为他没有选择。那么老子使用辩证法就只不过是一个临时思想工具。

大家想想，“工具”是什么含义？这就好比你要过河，你必须搭桥，你如果在这条河上建桥，那就证明河不是你的目的地，否则你还给河上建桥做什么？那么老子使用辩证法，只是他的一个过渡手段，或者说只是他达致其思想目的地的暂用舟桥，那它当然就不是老子思想的终极标的。因此你读老子书，如果只读出辩证法，我说你读到糜子地里去了（陕西土话，意指失去方向）。辩证法内含“物极必反”的意思，或者用我们今天的说法，叫作“A与B两点之间可以互相转化”，那它也就暗含着这样一层意蕴：我们人类有退路可走，我们可以返回旧时代。因此，“反者道之动”这句最早的辩证逻辑表述，引出了中国很著名、很常用的一个词汇——反动。“反动”这个词就是从“反者道之动”这句话里引申出来的，而它表达的就是辩证逻辑必然带出的物极必反的指向。由于老子使用的是辩证逻辑，所以老子的学说意向最终果然流于反动。

在我看来，老子“道论”中心章节中最重要的是第二句话：“弱者道之用。”这句话究竟是什么含义，实在非常值得深入探讨。绝大多数学者，甚至可以说，从两汉以来迄今的所有学者，几乎都把它解释或注释为柔弱胜刚强、以柔克刚等，这当然也是老子的原话，但是其实这句话另有深意。一般人仅停留在字面意义上加以解读，似乎“以柔克刚”之说也颇有依据。因为古代文献上记录过一个典故，说老子年轻的时候曾经拜常枞为师。常枞年迈将死之时，老子前去看望恩师，常枞张开口让老子看，问“你看我的牙还在不在？”老子说“不在了”；常枞又问“那你看我的舌头还在不在？”老子说“在”；常枞最后问：“何所意味？”老子回答：“坚强者恒灭，而柔弱者长存。”这就是“以柔克刚”这个典故的来源。大多数人都在这个思路上解读，但是我觉得这样理解不行，不足以贯通老子的思想体系。因为我前面讲，老子有一个演化论的纵深目光。如果具备这个目光，那么老子所谓的“弱者道之用”就应该是在这一演化通道上给出的动态表述，而不可能是一个静态描摹。如果他是在一个动态轴向上表达“弱者道之用”，加之他又有“天乃道，道乃久”的确认，即对本原存在的恒久性、稳定性以及演化进程的变异性有所察觉，那么他所说的“弱者道之用”就不能排除这样一个意蕴：弱化现象是道的实现方式。我再重复一遍：弱化现象是道的实现方式！于是，关于老子“道论”的中心含义，关于“弱者道之用”这句话的理解，就出现了两派意见，绝大多数人都把它表述为：道的弱态作用形式；而我把它诠释为：道的弱化演动向度。

那么我们看看，老子在演化论的纵轴上探讨“弱”这个问题，他都有哪些表述？老子讲“天长地久”，道教后来引出“长生久视”。在老子书的原文中有一句话，说“物壮则老，是谓不道，不道早已”。老子说物如果发育得太急，它就会很快老化，他说这是“不道”，他说这是脱离了“道”，“不道早已”，你跟“道”的运行方式不贴合，你就会很快玩完。显然老子在“道论”里含有一种追求稳定而不得的眼光。他又问道“天地尚不能久，而况于人乎？”也就是说，最原始的派生物天地尚且不能恒久永存，人类的柔弱化自然早已注定，成为不言而喻的趋势和结果。他在这里比较了天地与人存的强弱态势，其中显然含有一脉弱化发展眼光。他甚至直接断言：“天下之至柔，驰骋天下之至坚。”他所谓的“至柔”，就是最软弱者，这个最弱化者是谁？一望而知，是人。他说人能够驰骋于天下之至坚，也就是比人坚强得多的万物却被人驾驭。显然这个思路包含着对弱化现象发生疑问和比照的独特考量。

他发现，存在稳定度递失的弱存者，比如人，却具有了驾驭存在稳定性极高物质的能力。他提出这样奇怪的比较和讨论，表明他对物质演化的方向有过一个强弱程度之差异的探问，这在他的字里行间都有表达。只不过自两汉以来，所有解读老子文本的学者从来没有这样看待过问题，因为当年信息量不足，而我们站在今天这个时代回望老子这句话，就会发现老子是对此类问题最早有所猜想的唯一思想者。

老子道论的中心含义最终只归结为两个字——柔弱。“柔弱”是老子道论的总纲。请注意他什么都不总结，居然总结了“柔弱”二字，这是很奇怪的现象。大多数人把它理解为行为方式要柔弱。可是老子在讲“天之道”，而“行为方式要柔弱”这个话题，与“天之道”的运行毫无关系，与老子说“天乃道，道乃久”、“不道早已”等也颇为不合。“柔弱”这两个字，在《道德经》五千言文本中竟然出现11次之多，可见它是老子对“道”的基本总结。它还有很多表述，比如“天下莫柔弱于水，而攻坚强者莫之能胜”等。老子用种种方式，包括借助于水、借助于人，不断论证柔弱这个问题。包括我刚才讲，“天下之至柔，驰骋天下之至坚”，这是拿人来形容人和物的关系、弱者和强者的关系。所以大家只需记住，“道论”的核心，最后归结在“柔弱”两个字上。

关于老子道论，它的更精深的证明、它的更复杂的含义，我们后面专题讨论。我们目前只把文本方面的表层讲解到这里。

老子论“德”

《道卷》的主旨是讲宇宙观与世界观，或者说是讲宇宙观与自然观。它的中心章节是《道德经》第四十章，它最重要的一句话是“弱者道之用”，其含义是，弱化现象是道的实现方式。它归结下来的重点是两个字：柔弱。

我们接着进入老子《德卷》。“德论”的中心思想，是讲社会观与人生观，是从“天之道”进入“人之道”的讨论。实际上严格说来，老子更关心的同样是人伦社会问题，这个是中国先秦时代所有思想者的共性。因此《德篇》是老子书的重点所在，也因此在《帛书》中，《德篇》在前，《道篇》在后。

那么“德”究竟是什么意思？我们得看它的甲金文。“德”这个字，（

）在甲骨文中先画一个带有岔路的大道，然后在它旁边画一个十分具象的大眼睛，再在上面画一个直出符号。到金文，人们在下面又给它加画了一个心脏，这就是“德”这个字的来源。

它的含义是什么？先看懂这个字符：走在带有岔路的大道上，眼睛直盯着前方，一心一意往前走，叫作“德”。换句话说，顺道而行即为“德”。顺什么道而行？顺天道而行就是“德”。所以，大家一定要注意，老子所说的“道德”，不是我们日常所谓的“人伦道德”，而是指天道运行，顺其而为，即循天道而行叫作“道德”。

那么，中国人后来把“伦理”这个东西称为“道德”，确实算得智慧高深。因为人类的伦理，其实是随着人类的生存形势在“道”上的运行而发生变更和转进的。但老子的深意，你必须首先理解。

而且，大家还要注意，这个字在甲金文形成区域，比如河南、陕西一带，它的发音不是dé，而是děi。比如，在关中地区，说一个人缺德，会说他缺děi。dei这个单音是什么？农夫赶牛车、马车，给牛马发出直行的那个口令。

农夫赶牛车、马车，给牛马发四个指令。第一，驾（发音jià），让牛马启动；第二，德（发音dèi），让牛马直行；第三，阿（发音wó），让牛马拐弯；第四，驭（发音yù），让牛马停下来。

把第一个字和第四个字抽出来，组成一个词，叫作“驾驭”。这第二个字，让牛马顺道而直行，就是“德”。这是在甲金文的原意上使用这个字。所以大家一定要记住，所谓“德”，是顺道而行的含义，顺天道而运行叫作“德”。

一提起“德”，人们就会认为，一定是说人有德。错了！老子所谓的“德”是指“物德”。他在《帛书》中原话讲“万物尊道而贵德”；在《道德经》中，这句话表述为“万物莫不尊道而贵德”。两句话意思完全相同，都是指万物有德。

大家很熟悉一个词组，曾经作为清华大学的校训，叫作“厚德载物”，其实就是从这里引申出来的。只不过很多人把它解释错了，把“物”解释成“人物”，把“德”解释为“伦理”。而老子所说的是“物德”，所谓“厚德载物”，其原意是指天道为万物所遵行，于是万物有德，化育而成。

那么，老子讲这句话是什么意思？他是要说，万物都有德，唯独人没有德。所以这句话里暗含着老子对文明人类的批评。因此他才会说下面这句话：“人法地，地法天，天法道，道法自然。”这里的“法”，是“效法”的意思，说人要效法地，地要效法天，天要效法道，而道法自然。

大家注意这里所谓的“自然”。这里的“自然”概念不是“自然界”的意思，“自然界”这个概念是近代从西方传入中国的。这里的“自然”是“自然而然”的意思，是指道的自发演化和进化状态，这叫“自然”。所以，老子对“德”又做了一个补充，他说“辅万物之自然而不敢为”，就是顺应万物运行的方式，绝不敢有任何多余的动作，叫作“德”。他说这句话的意思是什么？进一步在批评人类文明，名堂太多、动作太多，违背天道、丧失物德。

所以他会说下面这些话：“不尚贤，使民不争”，因为贤能之别或贤良与否的评价，全都是文明人编排出来的东西，其实内含着名利之争；“不贵难得之货，使民不为盗”，难得之货体现的是价值高下，而价值无非是贪欲的尺度，要知道世间万物原无价值之分别，在自然界中，你能说黄金比花岗岩更贵重吗？它们没有任何贵贱之别；“不见可欲，使民心不乱”，也就是没有人情、人欲的张扬，没有这些被文明充分调动的激情和贪念，才会使人心宁静、天下安平；“为无为，则无不治”，是说什么多余的造作都没有，什么文明的事务都不做，于是人世间才能真正治而不乱。

如果我这样讲，大家认为我是误读，那么看看老子进一步的阐释。他说：“失道而后德，失德而后仁，失仁而后义，失义而后礼。”这段话讲什么呢？

大家首先要明白，人这种东西，一定是缺什么才喊什么。比如我们今天高喊“八荣八耻”，一定是因为我们早已把这些东西丢了个精光。鲁迅曾经给孔子做过一个考证，他说孔子当年周游列国13年，狼狈得像一只丧家狗，他凭什么要求“食不厌精，脍不厌细”？是因为他总是饥肠辘辘，偶然有一次吃饱饭的机会，不免把肚子撑得浑圆，然后又得驾车远行，那时候没有柏油马路，也没有橡胶轮胎，木轮车子上下颠簸，结果把他折腾成胃下垂了，于是他只好讲究“食不厌精，脍不厌细”。也就是说，鲁迅断定孔子患有严重的胃病，依据只有一条：他一定缺什么才喊什么。

我们姑且不论鲁迅对孔子的这个考证是否成立，他至少明白，你一旦看到人们强调什么，一定是人们缺失了什么。请注意老子这段话，他说“失道而后德”，当人一旦开始大喊“道”和“德”的时候，一定是你把“道”给弄丢了；“失德而后仁”，你后来连“德”都丢掉了，你才喊“仁”；“失仁而后义”，你连仁爱之心随后也保不住了，你才讲“义”；“失义而后礼”，你在“道、德、仁、义”全都丢光之余，你才只好讲“礼”。

我前面讲过，所谓“礼”，指国家政治法统（宗法道统）及其民间礼仪礼节的总和。就是你把道德仁义这些东西都丢光了，人类文明社会才开始了严刑峻法的暴力管控。显然老子的意思非常明确，他认为文明人必定是失道缺德的。

老子接着又讲："上德不德，是以有德；下德不失德，是以无德。"什么叫"上德"？就是真正有德的状态叫上德，也就是万物都有的那个"德"。它是什么样子呢？"不德"！就是你看不出来它有德。"是以有德"，其实这才真正有德。他说"下德不失德"，这里所说的"下德"，就是人嘴喊的、怀里抱的那个"德"。他说，表面上看他"不失德"，实际上他没有"德"。

如果我这样解释，你仍然觉得说服力不够，那么，我们看老子直接表述"德"的样貌。他竟然用"孔德之容，惟道是从"这八个字。

首先，我们看一下"孔"字的含义。我们今天一说这个字，都是在某个复合词上来讲，比如"孔洞"，孔和洞连在一起。我前面讲过，古代每一个字都是一个含义，复合词不成立。洞是什么？山洞、树洞，里面有一个空腔，外面也直接开一个大窟窿，这叫"洞"。什么是"孔"？我们看它的金文。(

)先画一个孩子，这个字就是"子"，不过有意识把孩子的嘴画得比较尖，然后在旁边画一个十分具象的乳房，这个字就是"孔"。"孔"是什么意思？里面有空腔，但外面你看不出来。就像母亲给孩子喂奶，请问有哪个母亲给孩子喂奶，她的乳房上要豁然开一个大窟窿往外流奶的？这种里面有空腔，外面并不展现，即无所显露却富有实质内涵的状态，叫作"孔"。

老子偏偏使用"孔"这个字形容"德之容"，说明"德"本身没有自己独立的样态。所以他追补四个字"惟道是从"，意在点睛"德"的内涵究竟是什么？——就是顺道而行罢了。然后他讲，"道生之，德畜之"，就是道派生天下万物，万物顺道而行，即被道所畜养，是为"德"。

所以，他又讲："长之，育之，亭之，毒之，养之，覆之。"

这里的“亭”是变化、化育的意思，这里的“毒”是督导、管理的意思，这里的“覆”是涵容、收纳的意思。然后“生而不有，为而不恃，长而不宰，是谓玄德”，他说顺道而行，则万物自然得以发生成长和化育伸展，这种不显现自身，却实际上有力地繁衍并支配一切存在的状态叫作“玄德”，即“暗中有德”之意，我讲过，“玄”有黑暗的含义。“玄德”这个词，大家应该很熟悉。三国时期，著名政治家刘备，给自己取的字叫“玄德”，就源自于此。

他接着讲：“塞其兑，闭其门，挫其锐，解其纷，和其光，同其尘，是谓玄同。”我解释一下这段话。什么叫“兑”？就是五官。我前面讲过，我们人类获得外部信息和知识的唯有通道是五官——视觉、听觉、嗅觉、味觉、触觉。老子讲“塞其兑”，把你的五官堵塞起来，不要接受外部过多信息；“闭其门”，这里的“门”指精神世界，把你精神的大门关闭掉；“挫其锐”，这里的“锐”指文明人所具有的宏大志向，他说，把文明人所具有的宏大志向都磨挫掉；（只有这样）才能化解文明社会的纠纷，叫“解其纷”；下面就是那个著名的成语“和光同尘”，就是让文明人把自己降格为，或恢复为，跟自然之光线、自然之尘埃没有分别，是谓“玄同”。只有这样，你才能暗里与天道扣合、与天道同一。所以，“玄同”是“玄德”的另一种表述，是更明确地展示人类达不到玄德、玄同状态的举例批评。

总之，我们可以看出，老子在《德篇》里，照样是一直在批评文明人类失去了物德。而在《道篇》里，一直在批评文明人类背离了天道。如果我这样讲，大家还觉得可疑，还觉得不足以证明老子是这个本意，我们再看老子的一段原话。

他说：“含德之厚者，比于赤子。”这是《帛书》里的原话。《道德经》说的是“含德之厚，比于赤子”，二者没有区别。老子在这里说得更清晰了，他的意思很明确，只有新生儿才“含德之厚”，才具有厚德。换句话说，人一长大，全都变成了坏种。

我在这里首先解释什么是“赤子”，赤子仅指出生一个礼拜以内的婴儿，即只有新生儿才能称为“赤子”。因为新生儿皮肤很薄，皮下毛细血管都可以泛泛看见，孩子呈现红色，因此叫作“赤子”。为什么讲“仅指一个礼拜以内的新生儿”？是因为所有婴儿出生4到7天以后，一律发生黄疸，在临床上命名“生理性黄疸”。因此，出生一个礼拜以后的孩子，已经不叫“赤子”，而叫“黄子”。

为什么会这样？因为胎儿在母亲体内孕育，6个月以后胎儿变大，需氧量增加，可是给胎儿供氧，却只能凭借母亲的那两叶肺，这两叶肺本来是给一个人供氧的，现在同时要给两个人供氧。尤其麻烦的是，给胎儿供氧仅有一条动脉——脐动脉，此外别无他途，因此，胎儿会严重缺氧。那么，任何动物，如果它持续性缺氧，它该怎么办？它只有一个办法，那就是增加红细胞数量。

大家知道，红细胞里包含一种大型蛋白分子，叫作血红蛋白，它是专门络合氧分子即输送氧气的血液固体成分。试问，你到西藏去为什么会产生高原反应？是因为西藏海拔3500米以上，那个地方的氧含量，比低海拔的平原地区氧含量要低40%左右，所以，你到那里去旅游，会发生急性缺氧反应，这叫高原反应。那么西藏人怎么办呢？他长期定居在那个地方，处于慢性缺氧状态，他只剩一个办法，就是增加自己的红细胞数量。因此，给藏民抽血检测他的红细胞计数，比平原人的红细胞多出40%到60%。

那么胎儿缺氧，在妊娠的最后一两个月里持续性缺氧，于是红细胞大量滋生。随着分娩产出，婴儿张口哭叫，他自己的两叶肺突然打开，供氧突然充足，于是大量红细胞显得多余，在一周以内，部分红细胞裂解，这在临床上叫溶血现象。溶血在医学上是一个非常危险的事情，因为血红蛋白分子量太大，无法顺利通过肾单位——肾小球和肾小管，进而被肾脏排泄。而它却对脑神经与神经核有严重损害作用，必须经过肝脏快速降解为小分子的胆色素、胆红素，然后通过粪尿排泄。这就是为什么得肝炎的人，由于肝功能受损，黄疸指数会增高的原因。

新生儿一方面血红蛋白供量超多，另一方面肝功能又发育不全，因此所有新生儿在出生4到7天左右，全都会出现一个黄疸化的过程，临床上称为生理性黄疸。我在这里做一个说明，大多数孩子不用治疗，他会自然度过；但如果过于严重，那确实需要去医院及时处理，否则会造成严重的神经系统损伤和肾损伤。

一般来说，新生儿在黄疸期，60%表现出皮肤巩膜发黄，40%你看不出来。可是，如果抽血检测黄疸指数，全部是增高状态，因此出生一个礼拜以后的孩子已经不叫“赤子”，而叫“黄子”了。

我讲这一段是想告诉大家，“赤子”仅指刚刚出生的孩子。而且你一定要知道，新生儿的智力，连普通成年动物的智力都不如。也就是说，一个新生儿的智力，还不如你在家里养的一只成年狗、一只成年猫的智力。为什么？因为人类新生儿的脑容量，居然只占他成年期脑容量的27%到30%，也就是说竟然达不到他成年期脑容量的三分之一。

要知道，所有动物幼崽的脑容量都至少占到它成年期脑容量的一半以上。比如牛和马，幼崽脑容量约占成年期的70%左右，这就是为什么牛和马刚出生半小时以内，就能围绕着母亲蹒跚奔跑。即使是类人猿，比如黑猩猩、大猩猩，它们新生儿的脑容量也占成年期50%以上，所以黑猩猩的新生儿，不需要母亲总是抱着它，它自己会紧紧抓住母亲的鬃毛，母亲到处腾挪跳跃，孩子绝不会被甩脱。唯独人类婴幼儿由于脑容量太低，他的神经系统未能充分发育，以至于连自身维持体姿的肌肉都不能有效控制，因此全靠母亲搂抱在怀，居然半年都动弹不得，简直就像一个瘫痪病人。

为什么会这样？是因为人这个猴子突然直立了。大家要知道，直立是个很可怕的事情，因为它会使脑容量大增。其实，所有后生动物以及爬行动物，它的脑容量在基因突变的过程中，都会随机发生改变，也就是脑容量倾向于随机增大。可是，所有动物的脑容量一旦增大，就难免被自然选择淘汰。为什么？因为它会失去运动平衡。

这是什么意思？我举一个例子。比如，给你一根竹竿，让你把竹竿横挑起来，我在前面挂一丁点重物，这支竹竿立即倾塌下去；可是，如果我把这个竹竿直立起来，你甚至可以在上面架一桶水。就是说，动物爬行运动的时候，体长呈横向分布，头部重量稍有变化，它的运动平衡就得重新协调，难以把持。可人类一旦直立，顶端脑容量发生变化，重心并不明显偏移，亦即不会影响运动平衡。

因此，猿类只有在直立以后，脑容量才会大规模发展，而不至于被自然选择淘汰。在短短300万到500万年前，爬行猿包括类人猿的平均脑容量，只有400毫升左右，而到智人，几百万年骤升到1350毫升以上。大家知道，脑容量增加会带出一个严重的后果，那就是难产。婴儿头太大了，会憋死母亲，因为母亲的产道仍然是爬行动物的那个产道。也就是人类女性的产道仍然在一个硬骨架下运行，这个硬骨支架在解刨学上叫作耻骨联合。因此，胎儿如果脑容量太大，会卡在骨盆这个地方生不出来，这就是为什么在所有动物中，难产这个疾病仅见于人类。在远古时代，妇女第一次生孩子叫初产妇，大约每10个产妇分娩，就有1个会死于难产。由于这个原因，全人类都是早产儿，就是一定要在孕育还没有成熟的时候，脑子还没有长得足够大的时候，头颅还不至于憋在产道口下不来的时候，把你提前生出来。因此，全人类的脑容量在初生之时，都只有成年期的三分之一不到。

我举个例子。你上小学的时候，老师给你出一道四则运算题，把你难得死去活来，长大以后，你回头一看，发现它简单到不值一提的程度。何故如此？是因为你当年脑子没长熟。人类脑发育到成熟状态，要到17至20岁才完成。我讲这个是想说明什么？是想说，新生儿智力低下，几乎达不到成年动物的智慧。可老子偏偏讲，只有这个时候的人，才可谓“含德之厚”。可见老子把话说得非常明白，文明人展开自己的智慧调动，形成一个实现贪欲的社会结构，形成一个竞争态势，形成一个高智群体，其实是背离天道、丧失物德的不良进程。

无为而无不为

老子“德论”的中心章节，在第三十七章。

我前面提到，第一章到第三十七章是《道卷》，可“德论”的中心章节，又跑到了《道卷》。其中最重要的一句话是这样说的：“道常无为而无不为。”他不说“德”是什么样子，他说“道”是什么样子，这反而解释了“德”是什么状态。因为我前面讲，老子对“德”的形容是“孔德之容”，是“上德不德”。也就是说，老子始终认为，“德”没有自己独立的样态，它唯一的内涵就是“顺道而行，惟道是从”。

因此，当老子在“德论”的中心章节，阐述“德”是什么的时候，所用的表述是“道常无为而无不为”。总结下来就两个字：无为。就像在“道论”中，只总结两个字是“柔弱”一样。

这里的关键在于，“无为”究竟是什么含义？我们听到大多数学者讲“无为”，把它讲成“有所为有所不为”，说这个东西是“无为”。对不对？显然不对。大家听课听到这儿，应该明白，老子反对人类用智，老子反对文明社会调动智能的激进过程。而“有所为有所不为”，是对“为”这个东西有一个智慧化选择，所以“无为”不可能是“有所为有所不为”的意思。

宋代有一个著名经学家、大学问家，也是理学家，名叫朱熹，他曾经对老子的“无为”有过一个注解，他用四个字概括，即“全无事事”，意思是，什么事都不做叫“无为”。这个解释倒有点接近于老子的原意。但这个说法仍然有问题，因为即使是一头狼，它也得找羊吃，即使是一匹羊，它也得找草吃，人怎么可能什么都不做，还能够存活呢？因此朱熹的说法仍然不成立。

那么“无为”究竟是什么含义呢？我在所有古代乃至近现代的老子《道德经》注本中，没有见到真正透彻且符合逻辑的诠释。因此，我在这里给出一个独特的定义和注解，供各位参考。

什么是“无为”？老子反对一切文明化作为，此谓之“无为”。我再强调一遍，老子“反对一切文明化作为”。“无为”这两个字在老子《道德经》五千言中前后出现10次之多。他讲“为无为，事无事，味无味”，他说，你有什么可为？什么都没有；他说你有什么事情？什么事情也没有，因为文明人所做的事，所有的行为，在老子看来都是多余的，都是背道丧德的；他说“味无味”，连你吃饭都不要有味道。大家想想，人类文明化以前，吃饭是不会添油加醋的，所以“味无味”仍然表达的是彻底的前文明生存状态。

我讲到这里，大家应该能够听出来，老子的社会观极为反动。

老子把他的社会观，把他对人道的总结和看法，表彰在《道德经》第八十章。《道德经》全书总共只有八十一章，最后一章即第八十一章的重点是在讲“信言不美，美言不信”，就是可信的话都是不好听的，好听的话都是不可信的，我老子说话不太好听，可你要小心，只有它才最为可信。显然，第八十一章是对他整个全书的最后提示，也就是对他此前论点的最后确认。而在倒数第二章即第八十章，是老子对全文在“人之道”中表述的最高理想的标定，亦即是对符合“天之道”的人道状态的回归。

老子怎么讲？我下面解读他的原文。他说：“小国寡民，使有什佰之器而不用。”这里的“小国寡民”是指什么？——原始氏族社会。就是人类文明化以前的那个跟动物亲缘社会没有任何区别的社群组织状态。

大家知道，在原始氏族社会，各个聚落的平均人口大约30到80人左右，这叫“小国寡民”。我们一说“国”，大家立刻就想到大国体制，可是各位要知道，甲骨文中“国”这个字成型的时候，也就是在甲骨文发生期，甚至甲金文发生期，“国家”这个东西在全世界还从来没有出现过，因为商代只能算是一个氏族部落邦联体（此后的各朝各代之辖区仍被视为“天下”），算不得近现代意义上的国家。再往前，氏族时代、部落时代，更没有这种语义上的国。因此，老子所说的“小国寡民”，那个“国”，绝不是后来意义上的“国家”这个概念。

我们看一下“国”这个字的甲骨文。（）它先画一个小口，然后在旁边画一个古代兵器戈，在手握的地方打一个指示符号，这个字就是甲骨文中的“国”。它的意思是，口（嘴）代表生存体系，戈（兵器）代表防御体系。一个原始氏族部落，既是生存单元，又有自己的保护手段，这就是氏族状态的“国”。到金文或小篆，加了一个边框，这就是繁体字“國”这个字的来源。这个边框是什么？城墙与城壕。

大家知道，中国农村腹地，每个村落都是一个血缘群体，同姓不通婚。某些大一点的村庄，它是有自己的城墙，甚至有自己的城河的。请大家回忆一下淮海战役战场中心的那几个村庄，在那些村庄周边的城墙和城河里堆满尸体。它说明，过去的很多村落都是有这个边框形城防建筑的，这个生存防御体系的血缘结构叫作“国”。所以，老子所谓的“小国寡民”仅指原始氏族社会。而原始氏族社会，我再强调一遍，和任何动物的亲缘社会组织形态没有区别。

什么叫“什佰之器”？就是文明人发明的能够替代十数人甚至上百人的文明化器具。比如，古人造一辆牛车，一车就可以载几吨重的东西前行，这些东西是几十个青壮小伙子都扛不动的，这叫“什佰之器”。老子讲“使有什佰之器而不用”，就是有了这些文明化器具，你都把它弃置不用。

他接着说：“使民重死而不远徙。”我前面讲过，古人就在自己十几平方公里的氏族领地内生存，绝不远行谋生，这叫“不远徙”。什么叫“重死”？怕死的意思。要知道，所有动物，包括人类，其天性一定是怕死的。因为所有动物和人类的神经建构及其精神反应，都是以趋利避害为原则的。因此，在其七情六欲里面，有一个重要的东西作为基础，那就是“恐惧”。这种情愫发自大脑边缘系统的杏仁核，是人类精神体系的一个重要行动调节指标。

它是一个保护机制。因为古人生活在丛林中，危机四伏，如果他没有恐惧之情和逃避反应，他就不可能有安全保障。这就像疼痛在医学上、临床上被视之为一个保护机制，因为假如没有疼痛感，你就会在感知系统上缺乏一个防御保护的应激反应。我举个例子，比如临床上有一种疾病，叫作末梢神经炎。病人四肢远端的感觉末梢神经损坏，病人会失去疼痛觉，甚至失去温度觉。这种病人是非常可怕的，他手握利器，受到损伤，却浑然不知；他冬天烤火，跟旁边的人聊天，回过头来才看到手烧焦了，他竟然不知道把手缩回来。可见疼痛是什么？是一种保护机制。

恐惧是什么？是一种保护机制。因而所有生物、所有动物，包括人类，其天性一定是怕死的。只有文明人，才会创造一大堆好听的词藻，什么“勇敢”、“献身”之类，然后刚好把你抛到战场上当炮灰。所以老子讲“使民重死而不远徙”。

他接着说：“虽有舟舆，无所乘之”，虽然有车有船，我都没有乘用的地方；“虽有甲兵，无所陈之”，这里的“甲”指盾牌、铠甲，这里的“兵”指兵器，虽然有盾牌、铠甲和兵器，我都没有地方摆放；他最后总结：“使民复结绳而用之。”这句话很直率，就是使人们倒退到没有文字、民智不开的结绳而用的时代。

老子接着在下面讲，他说“至治之极”，就是人类社会最好的社会管理状态是什么呢？他用了四组词：“甘其食，美其服，安其居，乐其俗。”意思是，茹毛饮血，吃着生肉，你就觉得很香甜；围一条兽皮裙，你就觉得穿得很美；挖一个地窝子住进去，你就觉得居住得很安宁；嘴里喊着粗犷的号子，身体扭着难看的舞姿，你就觉得很欢乐。

然后他说：“邻国相望，鸡犬之声相闻，民至老死，不相往来。”这段话是什么意思呢？要知道人类原始氏族社会，我前面讲过，和所有动物亲缘社会没有区别。那么，所有动物，在发情期都一定组成一个血亲社会单元，然后占有一块领地，开始进行繁育后代的生存接续过程。同类动物是绝不侵犯别家领地的，动物会在各自领地周边做一些气味标号。这就像你在家里养狗，你出去遛狗的时候，总是看到狗不断地抬起后腿撒尿。它在干什么？它没有得膀胱炎，而是当年它身为野狗，给自己领地做气味标号的那个本能遗存。即是说，所有动物，它们之间从来不发生同种相残的事情，狼虽然吃羊，狼绝不吃狼，它们即使以族群分立状态彼此相邻，一般也不会侵犯对方。

老子讲人类原始氏族社会，就是这种状态。文明化以前，人类的生存模式、社会状态，跟所有动物亲缘社会没有区别。因此，当时的人类，从来没有冲突争端，更没有族群战争。这叫作“邻国相望，鸡犬之声相闻，民至老死，不相往来”，这就是老子的最高社会理想。是什么？——倒退到动物般的非文明、未开化生存状态中去！

老子的反动与保守

老子不仅把他的“反动”社会观在第八十章表述，而且他在全书中不断强调。他说“复归于其根”、“复归于婴儿”、“复归于无极”、“复归于朴”，全都是叫你倒退。这是“复归”二字的含义。

他接着讲：“我有三宝，持而保之。一曰慈，二曰俭，三曰不敢为天下先。”今天的人好大胆，把这句话改成“敢为天下先”了。老子说，我有三样宝贝，我永远捏在手里，从来不放松，这叫“我有三宝，持而保之”。哪三宝？“一曰慈”，什么叫“慈”？我们一般人是在“慈悲”这个复合词上理解，这样理解不行。“慈”这个字的原意，是一个人看着另外一个人，那人其实活得很好、活得很正常，你仍然觉得他活得不够好，仍然心疼他，这种情怀叫作“慈”。它仅指现在做母亲的人，看着自己的婴幼儿，其实孩子活得很正常、活得很好，你仍然觉得他活得不够好，仍然想帮助他，仍然心疼他，这叫作“慈”。

在原始氏族社会中，“慈”这个情怀是当时社会的主流情怀。这话什么意思？要知道，原始氏族社会，孩子是由整个社会公养的，因为那时候是群婚制，孩子找不见父亲，父亲都是另外氏族的男性，孩子生下来就一直在自己本氏族内生活。氏族内的所有成员全都是孩子的血亲，其中的女性，要么是孩子的母亲，要么是孩子的姨姨，要么是孩子的姐妹，可能还有祖母；其中的男性，要么是孩子的舅舅，要么是孩子的兄弟，可能还有舅舅的舅舅。总之，在整个氏族社会中，大家都是血亲关系，族群共同抚养孩子。因此，“慈”这种情怀，是氏族社会的主流情怀，它跟现今的文明社会刚好相反。文明社会讲什么？讲“成功”，讲“优秀”。什么是“成功”？你本事很大，看其他人都活得猪狗不如，你很得意，这叫“成功”。什么是“优秀”？你鹤立鸡群，看其他人全是一群蠢驴，于是你沾沾自喜，这叫“优秀”。可见，文明社会的主流情怀，跟原始氏族社会的主流情怀恰好相反。

“二曰俭”。我们今天一说“俭”，大家立即想到的是艰苦朴素，即“节俭”的意思。不对！“俭”这个字的古意，是指吃饱穿暖以外，多一点都不要，叫作“俭”。要知道，所有动物吃饱穿暖以后，多了一点都不要，想要也要不成。请问，有谁见过哪个猴子给自己脖子上戴一条金项链的？所有动物穿暖的事是天然解决的，它长着皮毛。每到深秋来临之际，它的皮毛下面会长一层细绒毛，这叫“秋毫”，以便于冬天保暖（“明察秋毫”的成语即源于此）；来年开春，临近夏季以前脱掉秋毫，以便于夏天疏解体温。所以养过狗、养过猫的人都知道，一到夏天，绒毛满屋子飞，为什么？脱秋毫。因此，所有动物，它的穿暖问题是天然解决的。

所有动物，吃饱以外，它也不会再有更多需要，它想要也要不成。我举例子，比如熊，熊为什么会冬眠呢？“冬眠”是一个生物学专用术语，它仅仅指冷血动物，也就是体温不恒定的动物，它们的体温随外界温度的波动而波动，比如鱼、比如蛇，这叫冷血动物。它们一到冬天，外界温度太低，体温随之下降，于是动不了，这叫冬眠。熊是热血动物，也就是恒温动物，跟我们人类一样，它没有冬眠的质素，它为什么会冬眠呢？其实不叫“冬眠”，叫“休眠”。是因为冬天没得吃了，所以它每到秋天就大量进食，恰好秋天又是万物和果实成熟的时候，一只成年熊，在秋季一天采食量竟达40公斤之多，把自己吃得极肥，皮下脂肪很厚。到了冬天没有吃的了，只好躲进洞中，一动不动，将基础代谢率都降到最低水准。来年开春，瘦得皮包骨头，再重新出来找食。

这说明什么？说明动物吃饱以外，什么都要不成，想要都要不成。只有一种动物例外，那就是啮齿动物——老鼠、田鼠、松鼠。啮齿动物在秋天会给自己洞子里贮藏食物，比如松籽之类。但它即使这样做，也仅仅收藏到冬天够吃为限，多了一点都不要。因为如果它给洞子里藏得过多，冬季过去，洞里的食物没有吃完，来年开春，气候温热、降雨充沛、空气湿度增大，存在洞子里没有吃完的食料会霉变，它还得花费第二道工程，再把洞子里这些霉烂的食物搬出去，它没有这么蠢。所以，它秋天给洞子里藏吃的，也仅仅藏至冬天够吃为限。只有我们人类与之相反——个个贪心万丈，没完没了地要！

大家仔细想想，什么是人类文明？所谓“人类文明”，就是不断地调动和实现人类贪欲的过程。尤瓦尔·赫拉利在《人类简史》中说，人类手里的一切物品，即现在使用的所有工具和生活资料，都可视为奢侈品。这话一点不错，想想你当年做猴子的时候，手里有什么？什么都没有！你今天使用的所有东西，全都不是必需品，而是奢侈品。人类贪心万丈，文明高度发展。换言之，人的贪欲调动，才促成了文明的节节拔高，或者说，文明增进与贪欲调动，两者互为刺激，形成正反馈关系，于是历史车轮滚滚向前。

我举个例子，经济学上有一个术语叫作“恩格尔系数”。什么是“恩格尔系数”？你购买食品花销的费用，在你总收入中所占的比例越低，则恩格尔系数越低，表明你文明程度越高。可见“文明”是什么？不外乎就是调动和实现贪欲的过程。

因此，老子讲“三曰不敢为天下先”，就是不敢创新，不敢推动文明发展。因为如果你不断创新、不断推动文明进程，那么你就会走向越来越不“慈”、越来越不“俭”的那个糟糕的、尔虞我诈的文明社会之中。

我们从这里可以看出，老子的社会观，内含着“反文明、反文化、反进步”的倾向。如果今天用这些词语，你立即会联想到“反人类”。别搞错！老子绝不反人类，他恰恰是想维护人类。他认为人类不断地促进文明，不断地增加文化，不断地追求进步，其实是对人类生存的戕害。因此，他才反其道而行之。

老子在这方面还有很多表述，我把它浓缩为老子本人采用的两组词汇：第一叫作“弃智绝学”，第二叫作“见素抱朴”。

所谓“弃智”，就是把文明人所能调动的智慧全都抛弃；所谓“绝学”，就是把文明人所能创造的学问全部摒绝。什么叫“见素抱朴”？“素”指没有经过漂染的丝绢；“朴”指没有经过雕琢的原木；所谓“见素抱朴”，就是让人类倒退到没有经过文明漂染的、动物般的原始氏族前文明社会之中。

因此，老子说：“圣人之治，虚其心，实其腹，弱其志，强其骨。”什么叫“虚其心”？不是虚心学习的意思，它的对应词是“实其腹”，就是把你心里所有的智慧和学问一概抛弃叫“虚其心”，只管好把自己的肚子填饱这件事。“弱其志”，就是消磨和弱化文明人的宏大志向。请想想，处于丛林中的那些猴子前辈们，谁会有改造世界的宏大志向？然后说“强其骨”，就是只让自己的体魄筋骨保持强壮。它很符合我们今天所说的“四肢发达、头脑简单”，这是老子最欣赏的状态。

所以，老子又说：“常使民无知无欲，使夫智者不敢为也。”意思是，让所有的人都无知、无欲，永不进入文明序列，这才是最好的生存状态，这才可谓“圣人之治”。

他接着讲：“五色令人目盲，五音令人耳聋，五味令人口爽。”这个地方的“爽”是“伤”的意思。太过艳丽的色彩，会伤了你的视力；过于轰鸣的音响，会伤了你的听力，你整天挂个耳机在耳朵上，听力一定受损；极度刺激的饮食，会伤了你的口舌。下面一句是：“驰骋畋猎，令人心发狂。”大家想想，我们今天的文明状态是什么情形？不就是“驰骋畋猎”吗？古代文明人骑着马高速奔跑，现如今我们驾着车高速飙车，心旷神怡也心惊肉跳，真可谓“心发狂”啊！随后说“难得之货，令人行妨”，所有的人都追求奢侈品，LV包之类的，致使其行为完全偏离正常的谋生之道。

所以他说“为学日益，为道日损”。他说人们追求学问，是希望学问越多越好。这里的“益”，是三点水那个“溢”的原字，“溢”是增多流出的意思。人类追求学问，总想越学越多。但如果你“循道而行”去追随“道”，则反而“为道日损，损之又损，以至于无为”，意思是你应该不断地削除文明的负累，直至彻底离弃文明为止。可见，老子对其反文化、反文明、反进步等一系列保守观点是毫不讳言、明确表态的。

那么，老子为什么会有如此反动的“德论”社会观呢？

要知道，在当年，东亚文明仅限于中原，它的周边全是未开化人。老子眼睁睁地看到，他不用逻辑推理，他直观就能够发现：中原文明之地，社会关系紧张，人心诡谲，尔虞我诈，战端遍地，血腥冲天。商灭夏，周灭商，到春秋时代，180多个诸侯国打成一团。而周围原始氏族社会，即未开化人的非文明社会，却是一片守静安宁之态。

因此，直观对比之下，老子就能够体悟，文明是一场灾难！文明趋势不良！老子文本中，非常明确地表述他的反动社会观。且不说学者，任何人如果认真读老子书，老子的反动一望而知。

可是为什么我们很少听到学者这样讲课，很少听到学者这样讲老子呢？是因为大多数人，根本不能理解“反动”是什么含义。要知道，在人类思想史上，但凡是伟大的思想家，都倾向于反动。反倒是凡夫俗子的正常人，决不会反动，他想反动也反动不成，因为这个世界是单向度演化的。

我举一个例子。比如我国近代史上总说袁世凯反动，这个说法其实是不成立的，至少是不完整的，要知道袁世凯是晚清官僚中最先进的一个人物。他在当年洋务运动的时候，就极力支持向西方学习，他晚年做到直隶总督兼总理衙门大臣，竟在中国创造了八项第一：他建立了中国第一支现代化军队；他作为直隶总督驻节天津期间，在天津建立了中国第一支现代警察系统；他还在天津建立了中国历史上第一个电报电话局；在他推动之下，修筑了中国历史上第一条被官方确认的现代铁路，这就是以詹天佑为工程师的那条著名的京张铁路——从北京到张家口；不仅如此，他又建立了中国最早的现代学校和现代女子学校……而当年的女校招不到学生，因为那个时候人们的观念陈旧，女性不得抛头露面，谓之“大门不出、二门不迈”。女校招不到学生，袁世凯怎么办？他居然把自己的八个妾全都赶到女子学校去读书，真可谓先进至极。

袁世凯晚年称帝，这确实有点反动。可你要知道，他称帝才不到83天，把小命都丢掉了，结果给中国留下连续11年的北洋军阀乱政时代。它说明什么？说明正常人想反动都反动不成。但我们会发现，但凡是伟大的思想家，都倾向于反动。这说明，“反动”里面一定包含着某种不为常人所理解的深刻。

我们下面看事实。在人类思想史和文化史上，如果你仔细探究，你会发现一种很奇怪的现象，我把它称为“思者反动”而“行者曲解”。就是思想者总是倾向于反动的，运用思想家的思想进行实务操作者，由于他反动不成，于是只好曲解思想家的思想，以求行为得以落实。——这是人类文明史上的一个普遍现象。

我举例子。老子反动，已如前述。但是到两汉以后，老子的学说居然变成黄老之学，变成治国策略。大家知道，西汉初年，老子学说占主流地位，文景之治就是运用老子的“无为而治”达成的。它标榜老子的一句话“治大国若烹小鲜”，这确实是老子的原话，意思是治理大国就像油炸一条小鱼一样，你千万不要乱翻腾，如果你动作太多，就把它弄成鱼渣子了。

可是老子为什么讲这句话？如果你读懂老子书，如果你听懂这节课，你应该明白，老子的基本主张，我们可用四组短语加以澄清——国更小，人更愚，事更俭，物更朴。这才是老子真正的理想。所谓“治大国若烹小鲜”之类的话，出现在《道德经》中，其实只不过是老子想证明“无为”的重要性所做的一个边边角角的比喻，它不是老子思想的主题。

我再说一遍，老子思想的基本观点是“国更小，人更愚，事更俭，物更朴”。很多人把老子学说解释为阴谋诡计，解释为心机细密，甚至认为兵家之道都源自老子，这完全是误解，这完全是误读。可老子学说就这样硬生生被曲解长达2000年之久。

我们再看孔子。孔子的最高理想是什么？——克己复礼。什么叫“克己复礼”？克尽自己之所能，站在春秋末期却想倒退到西周早年周公旦制礼作乐的那个时代，此之谓“克己复礼”。所以“文化大革命”的时候，批判孔子是“反动的孔老二”，确实一点都没有冤枉他老人家。

那么，大家看看，孔子学说主张反动，主张退回到西周早年的完好封建体制中去，可它最终被曲解到什么程度呢？从汉武帝独尊儒术以后，君主专制制度的大国反封建体制，却成为孔子学说旗帜张扬的时代标志。这显然是对孔子学说原本意向的严重扭曲。

我们再看柏拉图。柏拉图写过一本书《理想国》，我想在座很多同学读过。柏拉图在这本书中，提出了一系列反动主张。比如，他主张公有制，反对私有化和私有财产。人类什么时候是公有制？唯独在原始氏族公社时代。所以请记住，你往前跑得越快，你一定离共产主义越远。

柏拉图又主张不应该组成对偶制婚姻和家庭，他反对对偶婚制。试想人类什么时候不是对偶婚制？还是原始氏族社会，在文明化以前，人类是群婚制。柏拉图甚至反对孩子由家庭私养，他主张孩子应该由社会公养。大家想想，我们什么时候孩子由社会公养？又是原始氏族社会。足见柏拉图的基本观念也是十分反动的。可柏拉图的学说，最终带动了西方哲科思维的一路发扬，成为西方近代古典哲学及其激进科学潮流的思想奠基者和理论推动者。

我再举一个例子——卢梭。卢梭是什么人？是资产阶级革命的马克思。换句话说，卢梭是资产阶级革命的理论旗帜。卢梭写过一本名著《社会契约论》。大家注意，《社会契约论》的思想来源，不是卢梭凭空发明的，早在2600年前的古希腊，他们的基本社会构型与社会思想就是“契约社会”。

《社会契约论》讲什么？卢梭提出，人类文明社会是一个公意渐成的状态。我们今天可以把"公意"这个词理解为"公共意志"或"公权力"，他问公意和公权力这个东西是怎样形成的？是因为人类从"自然状态"逐步进入"契约社会"，即逐步达成了某种不成文或成文的共识与契约，每个人让渡自己的一部分私权，由此才构成公意和公权。故此，它应该着力维护所有人的基本私权或曰"天赋人权"，并可对违反公意者予以必要制裁。但如果公意和公权力最终剥夺和伤害人权，那属于它违反契约，个人有权要求纠正甚至收回私权。他的这一套学说，最终构成西方现代民主制度的理论基础。

你听我这一段表述，你会觉得卢梭的思想非常先进。别搞错！其实卢梭深心以为，契约社会是一个非常糟糕的社会状态，它使得"生而自由"的人，反而"无往不在枷锁之中"。他说一般人不知道人类怎么莫名其妙跌落到了这个时代，他有意澄清这个问题。他推论说，从文明史的演进来看，人类最好的黄金时代，他特地用了一个词叫作"自然状态"，也就是说，他认为人类当年像猴子一样生活在丛林之中的时候，是人类最好的生存状态。

如果我这样讲，你可能认为我把卢梭误读了。那么我们就看看1755年，卢梭把他的一篇著名文选《论人类不平等的起源》寄给了当时的法国启蒙大哲伏尔泰，伏尔泰读罢，给卢梭的回信。伏尔泰在回信中讲："看到了你的反人类的新作，我为此谢谢你。在企图使我们大家都变得愚蠢上运用这般聪明，还是从未有过的事。捧读尊著，人们不由渴望用四肢爬。"可见伏尔泰读懂了卢梭，知道卢梭这个家伙特别反动。

我还可以举出很多例子，限于时间，我不再多讲。

我们会发现，人类思想史上，最重量级的思想家，都倾向于"反动"。它表明"反动"里面一定深含着某种不能为常人所理解的内蕴。

我们下面就借助于一个大信息量的认知模型，对这个现象加以分析和解读。

递弱代偿法则

人类文明史就是一个信息量不断增大的自发进程。任何一个前引问题，只有随着信息量的增大，它才能够舒展开来，清晰呈现。那么我们下面把20世纪自然科学的总图谱拉开，形成一个大信息量的全新宇宙观。我们看一看，整个宇宙物演是一个怎样的进程。

20世纪自然科学的发展，使得原有各学科之间的界限被打破。比如什么叫作“生命”？关于生命的定义，人类从来说不清。那位自称是达尔文的“斗犬”，也是著名生物学家赫胥黎，曾经有人问他，什么是生命？他答不上来，只好调侃说：生命就是逃避死亡。

直到20世纪中叶，人类才突然明白，所谓“生命”，其实不过是一个分子编码而已。由此创立一门新学科——分子生物学。这门学科的出现，打掉了生物学和分子化学之间的界线。与此同时，甚至在此之前，还发生了一个新学科叫作“物理化学”。因为我们通常所说的化学键，其实不过是原子物理外壳层电子云能量的重新分布，因此你要想知道分子结构是什么，你必须首先知道原子结构是什么，由此出现物理化学。它又抹掉了化学和物理学之间的界线，于是万物展现为一系演化的格局。

1859年，达尔文发表了他的著名生物学专著《物种起源》，“进化论”学说由此诞生。在达尔文的著作中，你能看到生物38亿年的进化史，从原始单细胞生物一直到人类，由简单到复杂，由低级到高级，呈特定阶段性演进态势。可是，随后人们就发现，这个进化现象不仅限于生物界。生物进化之前还有分子进化，也就是从无机小分子进化出有机大分子，再进化出生物高分子，包括生物编码分子。到此并未终止，人们接着发现，在分子进化之前还有原子进化，一张化学元素表，就是从第一号元素——

氢，逐步演化出92种天然元素。到此还不究竟，人们又发现，原子进化之前还有粒子进化，就是从137亿年前的那个能量“奇点”，突然爆发出最初的三种基本粒子，这就是夸克、轻子和玻色子，由此演化出随后大量的其他粒子和92种天然元素。

万物演化的完整图谱就这样全面拉开，构成万物一系、万物同质的总体局面。在这个大谱系上，我们会发现一个很奇怪的现象，那就是，越原始、越低级的物质存在形态或者物种，它的存在度越高；越进化、越发展的物质存在形态或者物种，它的存在度反而越低。我在这里得注解一下,什么叫作“存在度”?简单说,所谓“存在度”偏高,有三项硬指标与之匹配对应:第一,它在宇宙空间上的质量分布越大；第二，它在宇宙中存在的时效越长；第三，它的存在状态越稳定。

我下面举例子。基本粒子在宇宙中已经发生137亿年，它迄今仍然是宇宙中质量最大的物质存在形式。既往物理学认为宇宙中的物质总量就是恒星系，可是很快发现不对，因为按照恒星系的质量计算，它根本不能维系现有宇宙星系的引力结构。据计算，要维系这样一个引力结构，物存总质量至少需要增加5倍左右，由此推出“暗物质”的概念；再者，由于近代天文物理学发现宇宙各星系是快速远离的，这就是所谓的红移现象，那么，按照宇宙中既往推算的暴涨能量，支持这种快速远逸的能级不够，因此又导出“暗能量”的概念。尽管物理学现在说不清什么是暗物质和暗能量，但大多数物理学家认为，所谓暗物质和暗能量，一定是潜藏在基本粒子或量子存态中的某种迄今仍然观察不到的奇性质量或能量。而根据计算，暗物质和暗能量约占宇宙总质量的95%，恒星系只占5%左右。基本粒子及量子是最早的物质原始形态，可它在宇宙中质量分布最大，演运时间最长，存在状态最稳定，137亿年来一直如此。

我们再看原子。所谓恒星就是原子存态，氢核不断聚变，聚变为氦核释放能量，这就是太阳能。一张化学元素周期表，就是从第一号元素氢逐步演化出92种天然元素。而且你会发现，越原始越前位的元素，它在宇宙中的总质量越大，状态越稳定；越后位的元素，它在宇宙中的总质量越小，状态越不稳定。比如最后一位天然元素铀，人类利用它做原子弹，就是借用它的不稳定性。因此，在恒星中，氢与氦之间的质量分布差异很大，仅是氢就占据一般恒星约79%的质量，另外19%左右是氦核，其余的后发天然元素在多数主星序恒星中，占量不到1%至3%。我们会发现，越原始越低级的元素，总体质量越大。

如果继续审视恒星系的其他物质分布关系，则上列情形更为显著。以太阳系为例，太阳占据太阳系总质量的99.86%；如果我们把八大行星主体上视为分子物质，那么八大行星加上星际物质，只占太阳系总质量的0.14%。而且我们会发现，行星虽然迟于太阳而发生，却一定先于太阳而灭亡。当代天文学研究认为，40亿到50亿年后，太阳将变成红巨星，它的体积会膨胀，把水星、金星、地球等近日行星吞没，在高温高压之下使其分子物质重新解离为原子。也就是说，我们会发现，恒星先于行星而发生，却迟于行星而灭亡。它要从红巨星变成白矮星，再变成黑矮星，历经上千亿年以上时间才消逝，可是分子构态的行星却难以持久，不免后发而早亡的宿命。这再度体现，越高级越复杂的物质，存在质量越低，存在时效越短，存在度倾向于低落。

及至发展到生物阶段，这个现象就更明显了。

生命物质仅仅覆盖在地球表面，铺成薄薄一层生物圈，它连地球总质量的亿万分之一都不到，质量进一步大幅度递减。而且我们会发现，越原始越低级的物种，存在力度越强，存在质量越大。

我给大家举例子。地球上最原始的生物就是发生在38亿年前的单细胞生物，单细胞生物的生命力极为强大，几乎可以说它从来没有“生老病死”这些现象。大家想，今天存在的单细胞菌类，它是什么？它是38亿年前那个不断一分为二的细菌的继续。除非资源限定，你没有听说过单细胞老死了吧。它不断分裂增殖，除非资源受限，使它的分裂数量被限定，但是没有“老死”这个说法，所以生存状态平衡，或者说生死过程与衰老无关；反倒是越高级的物种，生死轮回紧迫。而且单细胞生物存在了38亿年，从来没有灭绝过，不但没有灭绝过，它迄今仍然是地球上质量最大、生命力度最强的物种。它在海洋中叫单细胞藻类，如果它的总质量不是大于所有海洋生物质量之总和的若干倍以上，那么海洋生物的基础食物链早就崩塌了，海洋生物早就系统性消失了。它在地表上叫单细胞菌类，同样也是质量最大的物种，因为连土壤的形成都要有细菌的参与。它的生命力度强悍到什么程度？——它在火山口90摄氏度以上高温的液体中，它在深海下1万米的高压下，都能够生存无虞。大家知道，人类潜水，你潜到30米以下，就会出现致命的高压病了。它在废矿坑中的强酸、强碱液体里也照样生存。我们今天污染太湖、污染滇池的那个单细胞生物叫蓝绿藻，也叫蓝藻，它就是38亿年前最原始的单细胞生物之一种，可见原始单细胞生物生命力度之强大。

我下面不做逐项举例，比如海绵生物、软体生物、扁形生物、节肢生物等等，我们直接看中等高度的脊椎爬行动物恐龙。恐龙在地球上只生存了1.6亿年左右，却在6500万年前突然灭绝了。我们今天讲恐龙灭绝，说是小行星偶然撞击地球所致，这就是著名的“灾变说”，可是这个说法有问题。因为生物学家研究发现，恐龙的灭绝至少经历了上百万年乃至数百万年的过程，即早在小行星撞击地球以前，由于植食性恐龙的食料——蕨类植物趋向灭绝，为被子植物所取代，造成植食性恐龙先行灭绝，也就是所谓“花朵消灭了恐龙”，而后以植食性恐龙为基础食物链的肉食性恐龙才相继灭绝。因此恐龙的灭绝早在小行星撞击之前上百万年就已经开始逐步发生。而且，就算是小行星在6500万年前撞击地球，最终导致恐龙骤然全部灭绝，有一个问题不能得到解答：为什么比恐龙低级的大量其他物种不灭绝？

临末，我们看高等生物——哺乳动物，要知道我们人类就是哺乳动物中的一个分属种系。

哺乳动物在这个地球上发生，总共只有7000万∽9000万年，却在人类还没有问世以前，绝大多数早就已经灭绝了。它的存在度极低，种群量也极小。我们再往下看，哺乳动物中最高级的一类叫作灵长目，灵长目里最高级的一族就是直立人。直立人才在地球上存在了300万年到500万年，我前面讲课中提到，却在7万∽2.5万年前骤然间全部灭绝了。而我们今天的人类——现代智人，在地球上只存在了不到20万年，我看离灭绝也不远了。

总之，拉大尺度看，我们会发现一个情况：越低级、越原始的物质存在形态或者物种，它的存在效价或者存在度反而越高；越进化、越高级的物质存在形态或者物种，它的存在效价或者存在度反而越低。我们还发现一个更奇怪的现象：存在度越低的物类或物种，它的属性和能力反而越强。我为什么把“能力”称为“属性”？是因为所谓生物能力，比如人类的感知能力，其实不过是原始物理感应属性的增益代偿产物。

我下面举例子。存在度最高的基本粒子，它的属性或能力极低，只有强弱作用力；到原子出现电磁感应；到分子出现布朗运动；到单细胞，细胞膜上布满受体，它居然能够分辨宇宙中绝大多数原子和离子；到扁形动物出现视觉和神经网；到脊椎动物出现五官和低级神经中枢；到灵长目动物出现高级神经中枢和大脑皮层；到人类出现额叶新皮层，出现理性能力。

也就是我们会发现，存在度越高的物质形态或者物种，它的属性和能力反而越低；存在度越低的物质形态或者物种，它的属性和能力反而越强越大。请大家注意，它跟我们的一般感观或直观表象完全相反。人们通常认为，能力越强，则存在状态越具备优势。错了！拉大尺度看，能力越强，存在度其实越低，两者成严格的反比函数关系，严格到几乎可以精确计算的程度。

大家一定要明白，我们只有拉大尺度才能看清事态。我举个例子，人类古代视野极小，他看大地是一个平板，于是形成盖天说，也就是天圆地方说，认为大地是一个托在神龟背上的平板，天空像一个穹隆扣在地面上。古希腊哲人毕达哥拉斯、柏拉图、亚里士多德直到托勒密，他们观察发现，月亮盈亏和月食移动实际上是地月相对位置变化以及地球弧形影子投射在月球上的表现，他们站在了远高于地球立场的大尺度上，建立了地球说和后来的地心说。尺度再进一步拉大，迄今这个尺度已经大到时空尺度为137亿光年，也就是光以每秒钟30万公里的速度走137亿年。如此之大的空间尺度是我们当今人类的天地视距和感知边际，于是我们才形成了现代宇宙观。

而且大家还要注意，现象和本质总是相反的。你拿眼睛看，太阳分明是从东边升起，从西边落下，明明是太阳绕着地球转，可事实上却是地球绕着太阳转。因此当我拉大尺度的时候，你会发现，它跟我们在常识上所建立的一般观念和物质形态全然不同。

我们会发现，在物演进化的过程中，物质的存在度是一路递减的，而物质的属性丰度和能力代偿是反比例递增的，我把这种现象叫作“递弱代偿法则”，或者，我把这个现象的逻辑整顿模型叫作“递弱代偿原理”。这个法则或原理在人类文明史上继续贯彻，比如人类前文明的旧石器时代持续上百万年以上，农业文明持续1万年左右，工商业文明迄今也不过就300多年，今天已经被信息文明所覆盖。我可以料定，信息文明绝不会超过100年，就必定被下一个更恶劣的文明浪潮所淹没。我们会发现越高级的结构，一定越不稳定。它在人类文明史上继续表达，从无间断，即属性和能力越增高，其存在效价越低下，很可能这才是宇宙物演的总规律。

现如今，我们人类拼命地努力提高自己的能力，认为自己会由此获得生存优势，甚至由此获得永生，提出“更高、更快、更强”的激进口号，借以作为各行各业共同奉行的信条和愿景。你想干什么？你前面只有一个目标，那就是——快速奔赴死灭，这才是在大尺度上展现的物演进程与人世前景。这个学说有效地解释了“为什么人类文明程度越高反而危机越深重”这一严峻的现实问题。大家知道，直到上个世纪60年代以后，人们才发现我们今天的高度文明正在给全人类带来一系列重大灾难。

我给大家举例子。先看环境污染，我们人类今天已经把地球上最丰富的三大物质：空气、淡水、土壤，几乎全部污染了。由于空气污染，一旦降雨，空气中的污染物质会随雨水洒落到土壤中，再加上由于我们早就已经把地球上淡水资源的97.85%全部污染，也就是所有江、河、胡泊全被污染，大概现在只剩下深山老林里的溪流还没有被污染，农民浇地只能用污染水灌溉，导致土壤全面污染。早在近十年前，全球土壤学家普遍调研，发现地球上现有的农田土壤污染率高达60%以上。污染究竟会给我们带来怎样的损害？我们现在说不清楚，但是你要知道，你今天吃的每一口饭，喝的每一口水，甚至你每呼吸一口空气，你都被污染所损害。

20世纪50年代，荷兰医学界发现荷兰男子精子数大幅下降。这个消息传到英国，英国医学界开始普查，调出1950年英国各大医院男子精子检测报告，与2000年各大医院男子精子检测报告做对照研究，结果发现，50年间英国男子正常精子数下降45%。这个信息传到中国，中国医学科学院在中国局部大医院展开调研，调出1975年男子精子检测报告和2010年男子精子检测报告做对照研究，结果发现35年间中国男子正常精子数下降30%。要知道，所有哺乳动物灭绝前的第一指征，就是雄性精子数下降。

我们再看生态破坏。据联合国野生生物基金会调研，现在每小时有3～6个物种灭绝，每天至少75个物种灭绝，每年3万～6万个物种灭绝，被生物学界称作地球上第六次生物大灭绝。而且灭绝速度极高，比前五次的速度快得多。要知道现在正在灭绝的物种都是比我们人类低级得多，也就是存在度高得多的物种，连它们都在快速灭绝，试问我们人类离灭绝还有多远？

我们再看气候异常。2009年在丹麦哥本哈根召开气候大会，世界各国首脑都要参加，为什么？今天地球上气候异常的程度已经严重威胁全人类的生存。大会上讨论的主题是什么？——“两摄氏度”问题，什么意思？从1788年第一次产业革命到今天不足250年间，我们人类居然把地球平均气温抬高了将近1摄氏度。要知道地球上的气温本来就是波动的，可是它的自然波动周期极长，几十万年乃至几百万年才发生一个波动周期，而且总的波动方向是致冷，形成冰河期。可是人类在工业化以后迄今，短短数百年间居然快速把地球平均气温抬高了0.8～0.9度，其速率是自然地球气候波动的成千倍以上。

为什么大会讨论“两摄氏度”问题？是因为如果人类把地球平均气温抬高两摄氏度以上，那么掩藏于西伯利亚冻土下和北极浅海下的一种物质，叫作固态甲烷，也就是我们通常所说的可燃冰，就会从固态释放为气态进入大气圈，而甲烷的温室效应是二氧化碳的20～25倍以上。换句话说，如果人类把地球平均气温抬高两摄氏度以上，那么固态甲烷这个定时炸弹就会爆炸，人类从此就没有解决气候异常问题的任何可能了。

可是有学者计算，根据人类现行工业化发展速度，要知道非洲、南美洲、阿拉伯各国工业化才刚刚开始，按照这个速度继续发展，只需要30年，大约在2050年前后甚至2050年以前，地球平均气温就将升高两摄氏度以上。又有学者计算，如果要打断这个进程，至少需要现在就把人类所有的工厂及其工业制品包括汽车飞机关停70%以上，请大家想想这可能吗？哥本哈根气候大会仅为达成一个减排协议，还以失败告终；新近虽然又订立了一个巴黎协议，但各国争执不休，妥协到最低限度，美国还退出了。因此我们基本上可以断言，人类已经失去了解决气候异常的前途。

我们再看大规模毁灭性武器。早在上个世纪末叶，联合国统计全世界当时的核武器存量，结果相当于全世界几十亿人口每个人屁股底下坐了2.5吨TNT的核当量，足以把全人类炸翻几十遍。这还没有计算更恶毒的基因武器、生化武器、气象武器等。

请大家注意，我们今天高度文明了，地球人类却处在全面危机的深渊之侧。人类远古时代生存非常艰难，但作为一个物种，他总体上是安全的。我们今天高度发展、高度进步的结果，却是面临灭绝之险。所以我说，从根本上看，今天人类对自己的生存形势依然毫无了解，我们的宇宙观、世界观可能存在重大问题。今天的学界、知识界，不管是东方还是西方，几乎没有任何人对这个问题进行过真正深入的研究。东西方所有学者都在主张更快的发展，都在推动更快的进步。我们究竟要到什么地方去？我们拼命地你追我赶往前跑，却没有人能说清楚我们的目标是什么。我们究竟要奔向何方？我们的前途何在？跻身于如此大信息量的时代，全人类及其思想界却完全处于盲目遮蔽状态。

反观老子，他居然在2600年前就已经对这个问题敲响警钟。大家注意老子的“道论”是什么？我前面讲“弱者道之用”，我说它的深解是“弱化现象是‘道’的实现方式”。大家注意它的核心点、落脚点是“柔弱”。大家再想老子“德论”核心点、落脚点是什么？是“无为”，即“不要提升你的能力”。也就是老子的“道论”和“德论”，恰好盯在了“递弱”和“代偿”这两个点上，可谓慧眼独具，是整个人类思想史上唯一最早对这种自然现象有所猜测的思想者，所以我说，老子目光深远而别致。老子在他的书中竟然有过相当准确的预判性描述，比如他讲“天无以清将恐裂”，他说天空将来没有清澈之时，恐怕将会被撕裂，表征着大气污染；他说“地无以宁将恐废”，对大地上的土壤、河流将遭到污染做出模糊的预判；他说“谷无以盈将恐竭”，对我们今天河流枯竭、水资源不足的现象做出预判；

“万物无以生将恐灭”，对生物的第六次大灭绝做出预判；可见当时老子眼光如炬。

我这样讲老子，很多学者是不同意的。我们中国古人做注经文化可以用八个字概括，叫“我注六经，六经注我”，什么意思？我紧紧追随经本原文，对经本加以注释，不加入自己的任何见解和意见，这叫“我注六经”。大家注意我在这个时段以前，我讲课的方式是“我注六经”，我严格追随老子文本做原意解读，即使这样的原意解读跟我们当前的主流意识形态完全不合，即使把它表达为一个最反动的形象，我也照样忠实于原文。所以我开课就讲，我们讲老子的原旨与主线，就是严格遵循老子文本，绝不另做后世之曲解或别样之阐发，这叫“我注六经”。但我现在的讲法是“六经注我”。

不笑不足以为道

很多学者认为，老子的“道论”和“德论”跟你的“递弱代偿原理”没有关系，这不过是你自己胡乱引申而已。

我在写《物演通论》以前，年轻的时候我就读过《道德经》，当时自以为读懂了。及至《物演通论》写到卷一临半之时，我突然意识到《道德经》我可能根本没有读懂，于是重新翻开它再读，这才明白悟出老子的深意。

“六经注我”其实是解读前人文本的必需方式。如果你解读前人的文献，没有任何新视野、新见解，你读什么？这叫读书吗？你只有能够读出前人文本对你造成的启迪，也就是后向信息量增大对前向典籍所具有的更大解释力度，你能够解读出更深刻的见地，这才叫读书，这才叫做学问。因此，“六经注我”是十分正常的。

我举一个例子。达尔文在他的《物种起源》这本书的绪论中，竟然专门感谢马尔萨斯。大家都很熟悉,马尔萨斯不是生物学家，他是一个人口学家和社会学家。他的主要学说是“人口论”，认为人口成几何级数增长，而人类的生活资料或者是生产能力呈算术级数增长，因此人类的人口增长势头及其生存发展前景必然造成饥馑、瘟疫和战争，由此彰显人口和资源之间的相对平衡关系。我们姑且不论这个学说是否正确，他给达尔文造成了一个重大启迪，使达尔文意识到生物的生殖潜力远远大于生物的现实生存量，就是任何生物的生殖能力都显得太大，而现实资源条件所允许的物种生存量却被设有一个非常低的天然阈限。马尔萨斯的人口论对达尔文造成的这个重大启迪，让达尔文深刻理解了“种内竞争”在进化过程中起到怎样的作用力。这项跟达尔文生物学毫不相关的研究，被达尔文在《物种起源》的绪论中加以专文鸣谢。这叫“六经注我”，这才是真正做学问的方式。

要知道古老思想、前人学说，它的价值就在于，它内含着可以广泛生发的后向解释力。我借用黑格尔的一句话，大意是说：一株绽开了的花朵，它的全部内在规定性，都包含在那个微小的种子之中。因此，如果对前人简洁叙述中所隐含的解释力，你不能把它发掘和揭示开来，证明你没有研究功力，证明你没有对新增信息量的把控能力和整顿能力。因此真正好的读书，一定要首先做到“我注六经”，即忠实于原本；同时还要做到“六经注我”，也就是基于大信息量的更深解读；这是做学问、做学术的规范方式。

老子当年是无法对这个东西做系统证明的，由于信息量不够，所以他表述混乱。我说他五条错了四条半。他说“道”是“柔弱”，可是他说不清这个“柔弱”究竟是怎么回事，他无法系统证明。他一会儿表彰“柔弱“，一会儿批评“柔弱”。比如他说，“物壮则老，是谓不道，不道早已”，这显然是对“柔弱”

的批评。他说，“天乃道，道乃久，没身不殆”，这显然是对“柔弱”的反向赞扬。可是他又讲“天下莫柔弱于水，而攻坚强者莫之能胜”、“天下之至柔，驰骋天下之至坚”，你在这两句里又能看到他对“柔弱”的赞赏。他表达混乱，为什么？信息量不够，无法做系统证明。这导致后人对老子的解读出现诸多偏差和肤浅论述。所以老子自己也说一句话：“天之所恶，孰知其故？是以圣人犹难之。”（见《道德经》七十三章）他说天地到底厌恶什么，谁能说得清呢？即使是圣人也会被难倒！——其实，那是因为当年的信息量不够。上述引言也表明，老子深知对他所讨论的问题，他不能予以透彻阐述和证明。但是大家不要忘记，老子的“道论”恰好指向“递弱”，叫作“弱者道之用”；老子的“德论”恰好指向“代偿”，叫作“无为”，即不要提升你的能力；如此精准的两点对应，表明老子当年曾有一个自己暂且无法证明的深思与猜测。

人类所有的重大思想变革都是从某种猜想开端的。试看人类今天的物理学，居然是2500年前古希腊德谟克利特和他的老师留基伯提出的“原子论”猜想的继续。因此即使老子说不清楚他的观点，显得表述混乱，其思想学术价值之高，可谓无与伦比，为此我们当然要给予老子极高评价。

我们讲老子学说出现诸多失误，表现在各个方面。所谓对了半条，就是道论对“柔弱”之猜想。不过，老子讲“无为”，讲人类越来越有为是违背了天道，提倡“为道日损”的“无为”才符合天道，老子显然搞错了。因为我们发现，越高级的生物物种其能力一定越高强；人类文明越发展，人类的能力一定越增加。也就是说物质属性和能力的提高，包括我们人类的文明史上科技能力不断提高，恰恰是天道演运的产物，而不是违背天道的作为。可见老子在这个重大问题上说错了。老子把人文现象，也就是人类文明现象，排除在“天道”和“物德”之外，错了！文明现象只不过是宇宙物演终末阶段的人格化表达和社会化体现，仅此而已。

法观念，而辩证法内涵着物极必反的回路，因此老子主张反动，主张退回到未开化之前的动物般的原始血亲社会群团之中。而我们今天知道辩证法不成立，这个世界是单向度演动的，我们没有退路可走。因此我们今天面临的形势远比老子当年的预判更为险恶，因为我们的后向是绝路，而我们的前向是畏途。老子至少认为往回走还是有出路的，可是这个出路不存在，我们今天进退维谷。只不过愚蠢的人类至今还认为，往前高速发展和推进会给我们带来生存优势，我们因此而欢乐，我们因此而癫狂，然后我们糊里糊涂地继续嚣张下去，直到走向死灭。唯有老子2600年前就为人类文明的趋势不良而敲响警钟，因此我给老子再高的评价都不为过，尽管他当时显得不合时宜。

我这样讲，大家一定会产生很多的疑问，我都可以预想很多人会跟我提出辩论，说我们今天能力已经很强了，我们完全可以超越递弱代偿原理。别搞错！一个大尺度下的物演规则，它驱动和支配着我们，这就是“道”。而我们一般人的眼光流落在“术”的层面上，只讨论我们能驱动和支配什么。我开题就讲这个话，实际更重大的问题是你应该首先要搞明白，你被什么所规定，这才是从根本上要关注的问题，这才是宇宙观要解决的问题，归根结底一句话：找见人类在自然界的位置。所谓哲学，不过“宇宙人生”而已！它探讨终极问题，探讨你不可改变的境遇规定。由这个基础理论引出和观照人类的前途，在更高立点上追寻未来的生存之路，并为之提供逻辑路标，这就是研究无用学问的价值。要知道我们在点点滴滴上都可以证明这个递弱代偿原理及其弱化或危化发展趋势，即被老子称之为“弱者道之用”的自然法则。

我给大家举例子。曾经有学者跟我争论，说如今文明了，至少人们已经不再随地大小便了，这总算好事吧。可你别忘了，古代人口很少，随地大小便一点都不污染环境，只是肥了林地农田。今天全都变成了水冲厕所，粪尿无从处理，只经过化粪池软化为无形，然后直接排入江河，70亿人的粪尿统统直接污染江河，大家想想这是个多么可怕的局面。仅是生活污染，姑且不算工业污染、化学污染，所有的江河湖泊被糟蹋，我到南方农村看见偌大的河流上面漂满粪便，这就是今天人类进步成水冲厕所的后果。再看垃圾围城，一个中小城市每天产上百吨垃圾，要知道古人是根本没有垃圾的，烧火的余烬是草木灰，做饭剥除的葱皮蒜叶，堆沤下来全是有机肥料，从来不见垃圾。我们今天大量使用人工材料，从塑料到各种重金属以及电子产品污染，根本没法处理。你怎么处理？你深埋，一旦下雨它污染地下水，而地下水和地表淡水是沟通的；你燃烧，它立即产生40多种以上的空气污染物，包括严重致癌物质二噁英等，因此欧洲国家近年来对于燃烧处理垃圾转而持否定态度。可见，你的每一个小小进步，其实都不免造成远期戕害。

有人说我们今天把燃油汽车改成电动汽车，总该是一个良性进步措施吧？你又搞错了！要知道一节1号电池，你把它随便抛弃，腐蚀破溃之后足以污染一平方公里的地下水，这就是为什么对电池分拣需要特别严格的原因。想想一辆电瓶汽车，它后面背负的电瓶至少相当于近千节1号电池，怎么处理？从生产制作到废弃回收，你最终怎么处理？你把大量原来分散在地表岩层中的有害物质，凝聚提纯到人类社会生存的大环境之中，你怎么把它返回原处？它远期将造成怎样的污染，你今天根本无法预判。人们对一个事物的认识需要几十年甚至成百上千年时间，你今天所做的短期论证根本不足以说明问题，眼下看来像是改善环境、治理污染的措施，长远看料不定是一个更大灾难、更大污染的新源头。

你说我们今天建核电厂是解决环境污染，因为核电厂不产生温室气体排放。可你知道核电厂的后处理问题是一个怎样的状态？且不说核电厂根本无法解决自然灾害或人为事故带来的核泄漏这个问题，我们就假定核电厂百分之百绝对安全，仅是核废料人类就没法处置。要知道核燃料棒，即使用到最现代的高技术，它也绝不可能百分之百耗尽其中的放射性能量与放射性物质，它有相当大的比例成为核废料，怎么处理？往哪儿放？用铅桶裹起来埋在地下，可任何铅桶再坚固也持续不了三四百年，数百年以后铅桶还是会破溃。而它发出的热量，也就是核废料的单位热量高到如此程度，竟然是相同容积太阳物质热量的1.5倍以上，因此它足以熔化周边的岩层，以放射性方式污染整个地下水。我说过地下水跟地表水是循环沟通的，从而造成整个地表放射性污染。如果往海底投放，所有海洋生物必然被放射性污染，大家知道日本福岛核电站泄漏出来冷却水，核污染的冷却水量越来越大，根本无处贮存，只有一个办法，那就是排入海里，以至于它在太平洋西面排放，美国人在太平洋东海岸取海水测量，发现其中放射性物质量大大提升。因此要你小心，你今天吃海鱼是一个暗藏危险的事情。怎么办？还剩一个办法，把核废料运到月亮上去，可这么做成本太高，你根本无法支撑大量供电的可耐受成本。足见它不是安全的生产方式，不是可持续的供能方式，它是一个更可怕的拖延自欺性污染通道。总之，我们会发现，人类的每一个进步，那怕是一举微小的创新，放在远期看它都是戕害效应。

我们人类目光短浅，一般的处世智慧根本不足以预见远方。其基本生存方式是，面临什么问题，就只临机解决什么问题，至于这个问题的解决方式将来会产生怎样的远期后果，人们根本看不见。因此纵观整个人类文明史，它展现为这样一个诡异的怪象：为求当下之生存，不得不先释放一个小魔头；待到这个小魔头作乱了，我们再释放一个中魔头去制服小魔头；最终那个中魔头又作乱了，然后我们释放一个大魔头去制服中魔头；到头来重重魔影笼罩全人类。这就是恶性文明进程的真实写照，这就是我们从古至今所面临的越发展、越进步，却见生存形势也越来越险峻的原因。而它的基础动因及其基础理论，就出自于这条宇宙演化法则——递弱代偿原理，认识这一点或者不认识这一点，将决定人类未来之命运。

关于老子学说的宏大义理部分，我就简单讲到这里。我们下面再谈一个话题，讲一下老子的“懒蚂蚁之叹”。

老子在他的《道德经》第二十章中有一段表述，是一个典型的“懒蚂蚁牢骚”。我解释一下什么叫“懒蚂蚁”，生物学家研究发现，蚂蚁群体无论采食、搬迁，一般都是军团化行动，但是总有那么几只懒蚂蚁，它们不参与蚂蚁军团的集体活动，而游离于蚂蚁群体之外，在不同方向上独自游荡。其实这些个懒蚂蚁是最危险也最辛苦的，因为它失去了群体的庇护，同时失去了明确的食物资源之方向。那么，它们为什么要在别处散漫孤行呢？生物学家发现，在任何一个蚂蚁群落中，懒蚂蚁现象越明显，这个蚂蚁群团的总体安全程度和长远生存前景就越有保障。因为蚂蚁群体一致行动，它们很快就会把前面发现的生存资源采集尽净，随后一片茫然，立即陷入生存危机。只有那些存在个别懒蚂蚁的蚁群，由于它们经常分散在四处搜索，实际上是在为蚂蚁群体寻求新的生存资源，由此才为蚂蚁社群下一次大规模采集食源的团体行动找见方向，尽管它们最危险、最寂寞。那么，我们返回来看老子，我说人类族群中的思想家就是人类的懒蚂蚁。他当时做着无用的事情，说着众人都不理解的怪话，他是典型的异类，甚至被当时的主流意识形态所排斥，亦被当时的主流社会所压制。但他却代表着人类总体生存发展的前途，并成为探求人类未来出路的先驱或先知。

所以老子书中会有这样一段别致的慨叹，他说，“众人熙熙，如享太牢，如春登台”，就是普通人众都很会热闹，快乐地享受着生活，赏游着春光，而我“独泊兮，其未兆”，我独自寂寞地守在一旁，发不出声音；他又说，“我愚人之心也哉，俗人昭昭，我独昏昏”，所有人看起来都很聪明，都能把世道看清楚，都能找见自己的所需，唯有我浑浑噩噩，不知所措；“俗人察察，我独闷闷”，所有普通人都明察秋毫，眼前的任何东西、点滴利益都不让它丧失，而唯独我蒙眬失察，苦闷无着。实际上凡能看见远处的人一定看不清近处，所以他总是栽倒于眼前的羁绊。他接着说，“众人皆有以，而我独顽且鄙”，众人皆有能耐，而我却固执己见，一无所长；“我独异于人，而贵食母”，他说我独处一隅，落落寡合，但我的高贵之处在于我之得“道”。我前面讲过老子借用女性或“母”来形容“道”。我们由此可以看出，老子的思想不仅在数百年后指导了整个汉帝国的文明之奠基，而且给我们2000多年后的人类以思想启迪。

我们下面稍微说一下老子学说的细节特点。老子作为一个重量级思想家，他说的每一句话你都不敢轻视。比如他赞赏“滞后”，他说应该保持低级原始状态，不要向高级文明状态挺进。大家想想我刚才讲的“递弱代偿原理”，也就是“弱化演运法则”，它实际上就是我前面讲过的一个表述：越原始、越低级的东西，越具有奠基性、决定性和稳定性；反之，越进步、越高级的东西，越具有轻飏性、动荡性和失稳性。是不是这样呢？

我举例子。你今天可以没有电脑，可以没有汽车，你敢没有粮食吗？粮食是人类最原始最低级的造物，但它却是人类生死攸关的最重要资源。我再举例子，我前面讲辩证法是人类理性逻辑的最低级阶段，但为什么我们在日常生活和工作中，90%以上的时间、场合，我们面对的90%以上的各种问题，人们不由自主所采用的大都是辩证观念？是因为越低级的东西越有用。

请大家回想，我昨天上课的时候讲“进步论”是西方舶来品，它是由于环地中海地区是一个开放地貌，自古以来就过度交流，快速进步，因此它把最原始的文化思绪丢失了，因此它产生的基本观念、基本文化格调是进步论。可我又讲，有谁真正考察过，你凭什么说进步的东西就是好的。我们今天借老子之言来考察“进步论”，会发现中国原始文化中的“保守论”思想，确实深刻且价值无量。所以，依我看，国人今天执迷于西方的进步论观念，可能是深受毒害。

越原始越低级的东西，越是你要维护的东西。想想欧洲前些年发生金融危机和主权债务危机的时候，谁最安稳？德国、瑞士。为什么？德国保留了传统制造产业，瑞士保留了传统手工产业，结果它们不受这场文明风波的动荡冲击。大家再看看，美国在干什么？从奥巴马到今天的特朗普，都着力于召回美国传统制造业，而且美国一直高额补贴最原始的第一产业——农业，迄今美国仍是世界上农产品出口量最大的国家，由此奠定了它的世界最强、最稳的国基。它在干什么？寻求滞后稳定效应。

所以大家一定要注意，我们今天的很多观念是有问题的，比如创新。什么叫“创新”？我们一般人总是认为创新代表未来。别搞错！世界上可不是只有我们人类才创新。如果没有38亿年的生物变异——我们可以把它视之为生物创新——地球上何来人类？但是如果你仔细考察一下生物史上的变异存活率，变异带来的是什么？基本上全都是畸形、畸变和死灭。因此，性增殖最重要的表现是什么？是遗传，原样拷贝亲本的基因。生物变异虽然创造了复杂的生物链和高等生物，但一定要知道，从生物史上观测，生物变异被自然选择存留的概率竟然不到1%，也就是任何发生变异的生物有99%的概率都是被自然选择淘汰。可见“创新”是什么？创新首先是风险，其次才代表未来。而且创新所开辟的未来是一个更薄弱、更失稳、更动荡、存在度更低的前途，是一个物种死灭速度越来越快的前途。这就是为什么老子讲“不敢为天下先”。所以我希望各位深刻理解老子学说，因为它关乎人类生死存亡，因为它关乎人类下一期文化和文明再造的一个基础理论和逻辑目标。

好，我们下面对这节课做总结。

所谓“思想家反动”，它实际上是什么含义？它相当于给人类后脑勺装了一双后视的眼。要知道我们人类的视野只有前向180度，在生物学上叫“后视盲区”。而低等动物甚至中等动物，它们的眼睛是长在两侧的，比如鱼，比如马。它们的每一个眼睛有180度的视野，两个眼睛合成360度的全视野。因此鱼不用回头，它就能看见后面鲨鱼在追赶它；因此你最好也不要在马屁股后面捣蛋，马不用回头，一抬蹄子一定踢到你的要害处。那么人类为什么失去了后向180度的视野呢？是因为在上千万年前灵长目猿类逐步进化，到三五百万年前演化成直立人，这个过程是其生存状态越来越险恶的进程。大家想，一个直立的猴子突然从树上掉下来，它最初是一个罗圈腿，它上树已经够不着果子，追猎动物又没有动物跑得快，于是立即面临生存危机，它怎么办？它只有一个办法，通过自然选择把长在两侧的眼睛逐步调向前方。为什么把眼睛从两侧调向前方是智化求存的首要举措？是因为用两只眼睛平视前方的一个对象，你才能够产生对前向物体的精确距离测量感。因此你如果得了眼病，医生给你一只眼睛扣上一块敷料，我建议你这个时候千万不要开车，因为你会莫名其妙地追尾，因为你对前向物体失去了距离测量之感。

那么“思想家反动”实际上意味着什么？——保持或恢复低等生物的360度全视野。由于人类失去了后向视野，凡人也就丢失了后向思维。思想家保持思维状态的全视野，于是被我们常人感觉为“反动”，以至于“反动”到我们不敢说他“反动”，然后去曲解他的程度，这个东西叫作“思想反动”。所以千万不要随便指责眼界及思绪倾向于反动和保守的人，指责他只说明你视野狭窄。

中国古代形容孔子和老子有两句名言：“无孔子则无英雄之进取，无老子则无英雄之守成。”今天人类文明高度发展，成就卓著，在座各位有相当比例也算得成功人士。可是你要记住，如果你是成功者，那么你最重要的事情不是进取而是守成。马克思在《共产党宣言》里写有一句名言，他说无产阶级之所以应该积极革命,是因为他一无所有，他获得的将是整个世界，而失去的只是一条锁链。可是对于成功者、有产者而言，你最好别乱折腾，因为你失去的可能是整个世界，而收获的恐将只是一条锁链。其实今天的人类相当于过度自信、过度张扬的成功人士，对人类而言，也有一个克制自己莫要过度积极、过度浮嚣的必要，不懂消极保守，不知激流勇退，那是自取祸殃之道。深刻理解老子消极哲学思境的深远内涵，此乃后人的一大课题。老子书中有一句名言："不笑不足以为道。"意思是说他的学说如果不为常人所耻笑，那就证明他离"道"还很远哩！我今天所讲的东西，与当前社会舆论和主流文化观念差距颇大，可各位要注意，我讲的东西可能离"道"很近。

好！我们今天的老子课到此结束。

课后答疑

同学提问：老师您好！在白种人面前，黄种人都有一种莫名的自卑感，我相信这是无意识的自卑感。就感觉西方人不仅仅是逻辑(思维能力)上比我们做得要更好，无论是设计、建筑或者说音乐，全方位好像是超越了东方。不知道先生怎么去认识这个事情?

东岳先生：我简单回答。首先你今天觉得国人的逻辑思维能力不好。我早就说过，人类是一个物种，智能上没有区别，但是国人的文化总趋势、总构成偏向于技艺文化状态。你今天早已经全盘西化了，你小学、中学、大学全都学的是西方文化，所以今天你调动的数学、物理学、化学这些能力不是中国文化的产物。至于西方，它的感性、艺术层面，也在文艺复兴以后大加扩展，其实在古希腊时代就相当高超，这跟它的智能调动度极高有关，这个话题我们在哲学课上再讲。相对于它的抽象逻辑思维，它所创立的哲科文化体系构成今天整个人类的物质和技术生存结构，相对于这个层面而言，两者的差距要大得多，我们是在此种意义上讨论这个话题的。

不过我顺势想稍微谈一下，你所谓我们今天中国人面对西方仍有一种自卑感这个话题。今天中国经济发展速度极高，可是我们确实有自卑感。为什么？我们在近1000年来的历史时段，基本上对人类没有重大的思想文化贡献。我举个例子，有人统计，在科学界4000～6000多条定律或定理之中，犹太人占世界总人口数不到1%，却贡献15%左右，中国人一直占世界人口20%左右，贡献率不到1%。近数百年乃至近千年，我们中国人对世界精神文化方面几无贡献，这才是我们自卑的原因。大家一定要注意，我们只是有钱，这叫暴发户。要知道在康乾时代，中国的GDP（国民生产总值）占世界三分之一。而美国最强盛的时候，国民生产总值只占世界22%。可正是康乾盛世之际，西方出现从牛顿到提出三权分立的孟德斯鸠，以及洛克写出《政府论》、亚当·斯密著述《国富论》、穆勒提出代议制、卢梭完成《社会契约论》，西方快速发展，把经济总量极大的中国远远抛在后面。所以你今天经济发达绝不标志着你强大了，更不标志着你将被人尊重。一个民族要想受人尊重不在于你有多少钱，而在于你的文化贡献，你给人类的精神贡献，因为精神和文化才是人类生存的基石。

我再举一个例子。俄罗斯1861年才废除农奴制，尽管彼得大帝以后俄罗斯开始学习西方，到19世纪已经被马克思称为“欧洲警察”，算得强国，但是，俄罗斯实际上最初一直是被西方瞧不起的。可是到19世纪，俄罗斯连续出现了一批重量级文化人：门捷列夫——化学元素周期律的创立者，化学奠定为科学的第一鼻祖；列夫·托尔斯泰、屠格涅夫等世界级文学家；柴可夫斯基——世界级音乐家；列宾——世界级画家……它立即引起西方人刮目相看，西方当时就有人预测俄国将成为强盛之国。果然随后20世纪，俄罗斯就变成超级大国。然而成为超级大国之后，文化受到压抑，于是又衰落。所以一个国家仅仅是经济发达不算数，你得给人类做出精神文化贡献，到那一天，西方人才会真正尊重你。好，大家还有什么问题？

同学提问：我想探讨两个小问题。首先第一点，就是你怎么知道什么更重要；第二点，就是往往你不知道的东西比你知道的更重要。

东岳先生：你问我怎么知道哪个东西更重要？我给你引用老子一句话："天之所恶，孰知其故，是以圣人犹难之。"这个问题你把我问倒了，因为我连圣人都不是。但是我想告诉大家，我们会发现，在人类文明史上，探讨无用之学的基础理论，对人类造成更重大的影响。牛顿只不过谈了天体力学运行的状态，你拿它在日常生活中根本用不了，但它却开创了整个工业时代，我们把工业时代就叫牛顿时代。爱因斯坦探讨时空弯曲，你能用吗？你一点也用不成，可我们今天叫爱因斯坦时代。所以探讨虚学，探讨无用之学，探讨道学、道论，研究基础理论，这是最重大的课题。尽管我也可以反过来说，正是这些伟大的人物成为把我们人类引向危亡的灯塔。

好，大家还有什么问题？

同学提问：先生您好！在您的课堂上用拉大尺度的方法，来给出这个衍存梯度模式图，但是说明的方法还是举例子和归纳法。我相信是为了我们便于理解。除此之外，还有没有其他的方法来证明这个衍存的梯度？谢谢！

东岳先生：我讲课要取悦听众，所以没有任何严谨性可言。你只不过是听着好听，越好听的东西其实越没有价值。我写书绝不迁就读者，你能不能看懂跟我无关，我只追求逻辑证明的严谨。因此大家注意，想了解我的思想，听我的讲课不算数，必须去读书。我的整本《物演通论》厚达三四百页，其实只干了一件事，那就是对“递弱代偿原理”的证明。请记住，学问就是证明！你所谓的我在进行归纳，实际上是“假设”之后的“求证”方法之一。全书共分三卷：卷一、自然哲学论；卷二、精神哲学论；卷三、社会哲学论；后两卷都是演绎求证。宇宙所有东西的总和不外乎这三大领域，由以完成“递弱代偿原理”的系统证明。因此你得去读书，而不能仅仅通过听课作为理解我的学说的通道，本课程只起着介入、导引和铺垫的作用。

同学提问：今天听了这节课，感觉心情非常沉重。我想问一下，目前科技最发达的美国，我感觉像埃隆·马斯克等，做火箭、电动汽车，都是在把人类推往一个不归路，我不知道美国有没有类似东岳老师这样能把问题的真相指出来的人。然后我的问题是：人类还有救吗？怎么救？如果没有救的话，还有多少年？

东岳先生：你的第二个问题我无法回答，因为我不是算命先生，我只能谈趋势。其实我也没有那么悲观，我认为人类还有很长的生存时限，它取决于人类是否能够恰当地再造自己的下一期文明，这个问题的回答请读我的《人类的没落》一书。至于你说美国最先进，所以最有可能带动人类走向灾难。我看未必如此！中国今天的发展速度远高于美国，所以中国不要把自己排除在外，它今天才是最激进的发展者，高举着最激进的发展观。

所以，昨天刚一开课我就讲，中国传统乃至近现代历史，使得中国人具有更开阔的视野。我们近代虚心地学习西方，又经历了典型的农业文明以及农业文明与工商业文明的剧烈冲突，然后展开了眼界。我们甚至还比西方多走一步，提前试探共产主义运动，我们今天比资本主义国家跑得更迅猛，因此我们很有资格比美国人、欧洲人更具有前瞻性。因为我们的前向如他们一样展开，而我们的后向资源——原始文化资源比他们更深彻、更扎实。我的学说最初创立的时候，1998年书写完，我想这么简单的一个东西，怎么会被我发现？我认为我只不过是在重复他人的东西而已。写完书迄今20年，我没有见到西方国家有类同的理论表述。我不想说这个学说最具备前瞻性，我只是想说这个学说是借助于东方保守论“天人合一”之思想核心，又结合了西方哲科思辨逻辑所达成的一个成果，因此至少到今天它还有一定的独特性。虽然我很惭愧，我不知道我这本书写出来究竟是人类的绝唱，还是人类未来的福音。

好，大家还有什么问题？

同学提问：王老师好！我就问一个问题，《道德经》上说，“天之道，损有余而补不足”，“人之道，损不足以奉有余”，如果这样从字面上来理解的话，它是矛盾的。所以我想请教王老师，“天之道”和“人之道”到底是一个什么样的关系？

东岳先生：其实我的课已经讲得很清楚了。老子所谓的“天之道、人之道”，用我们今天的大信息量来整合其实就是“递弱代偿原理”，或者说，“递弱代偿原理”就是对老子道论的现代证明。你所说的那段话，只不过相当于《圣经》上提到的“马太效应”，这个问题不涉及根本。老子《道德经》中有很多话是凌乱的，因为他当年信息量不足，证明不清楚，所以他说很多话是相互矛盾的。我举个例子，比如“为学日益，为道日损，损之又损，以至于无为”这一段，他的意思是说，你如果参与学习，你总是追求知识越来越增多的；但你如果追循“道”，你就一定是越来越有所减损的。那么按照递弱代偿原理，“损之又损”其结果应该是什么？应该是“以至于大为”，而不是“以至于无为”。因为你的存在度损量越多，你的代偿度增量必定反比例扩张，所以老子的这个表述错了。可见老子《道德经》中有大量的表述是混乱的，还有大量的表述是具象比拟的，而不是逻辑推导的严谨结论，比如“上善若水”之类。所以，读老子书的前提是你得理清他的思想逻辑脉络，这是读懂他的关键。所以我开题就讲，我们今天讲课只讲老子学说的原旨与主线，就是你要在读老子书的时候着力搜索他的基本思路。

同学提问：先生好！我想问一个问题，就是“食色，性也”。就是我们所有人都很难冲破这种诱惑，总是被这种人性的东西所束缚，这种天道的东西一直在背后束缚着我们。但是对我们整个社会来说，就包括您昨天说的我们人类社会经过了一个农耕文明，这是一个自然选择的结果。那我们到了今天，我们的社会发展，包括所导致的污染，还有气候异常等问题，从另一个角度来说，是不是也是自然选择的结果？因为我们的人性决定了我们一定会去追求更多的东西。

东岳先生：我没有用“自然选择”，我用的是“自然进程”。读懂我的《物演通论》，里面有一句话现在被到处引用：“人性是物性的绽放，人道是天道的赓续。”就是我们人类今天的一切冲动、一切操作，实际上是某种身不由己的自然驱动状态，所以我们逃不出递弱代偿法则，这才是最大的问题所在。如何处理这个问题，才是人类将来需要关注的首要问题。

同学提问：东岳老师，我接触了你的理论，我觉得人类肯定是没救了。你之所以还在探讨人类可能会怎么样延续的问题，我认为你是不是站在你本身是一个人、是人类族群一分子的立场上所抱有的一丝幻想？我的问题是，人类处于现在这个阶段，像国家这种东西的存在，像民族主义这种情绪的存在，如果我们人类还想略微延缓一下或有所改变的话，那它们可能就是最大的障碍，我想听一下东岳先生对“国家”的未来走势是一个什么看法？

东岳先生：读我的《人类的没落》，里面对这些具体问题有所讨论。我现在回答关于我的学说看似悲观又充满幻想这个问题。首先我不算最悲观的，西方现在有一批学者比我悲观多了。比如霍金，他虽然不知道递弱代偿原理，但是他说人类在地球上的生存期只剩下一二百年了，建议赶紧外星移民。我的学说根本没有那么悲观，你读读我的书，尤其是《人类的没落》，我说如果人类处理得好还有一个漫长的后期生存。人类在今天相当于中年四五十岁，这个年龄段的人还乱折腾、胡作为肯定会猝死，还继续拼命竞争、好勇斗狠的话一定会死得很难看。但是，如果一个中年人随着生理老化的自发节奏而转型趋向于全面消极，也就是心理上渐趋意志消沉，体力上渐趋运动减少，多加保养，不再折腾，养尊处优，珍重自爱，则最终活过八九十岁的天年也未尝全然办不到。如果照此计算，此前智人已有20万年左右的青壮年生存期，此后应该可能还有若干万年的寿命呢！

当然，我没法提供具体确切的数字，因为递弱代偿原理至今还代不进去参数，信息量不够。如果将来信息量继续扩展，使之能够代入参数，这个问题应该可以精确计算，但现在做不到，所以我从来不讨论具体时间和细节问题。但是我也没有你所说的那么悲观。至于我是不是抱有幻想，我只想说一点，我绝不认为人类能够违背递弱代偿法则而无限存在，所以我没有幻想。但是一个基础理论绝不会凭空发生，一个基础理论出现，如果它正确——因为没有任何东西是真理，所以我用如果是正确，或者如果恰当——那么它一定对后世人类文化产生某种扶助生存的影响。这才是我所抱的希望，这才是我做这个理论系统的潜涵价值。

同学提问：先生您好！自从六年前我接触到先生的学说，我就以先生的学说作为我的价值观的基石。我的问题是，如果老子的《道德经》预应了先生的递弱代偿理论，老子是向后看，是反动的，是向善论，其他各种学说是向前看，是正动的，是向恶论，如果文明发展是向恶，文明倒退是向善，那么，未来我将如何把握善与恶、发展与保守的度。

东岳先生：这么具体的人生问题，我可真是说不好。不过，需要特别注意，你不能视我的学说为主张反动，因为我说老子学说反动恰恰是老子论述的一大缺陷。读我的书，我讲这个世界是单向度演化的，你想反动都反动不成，因此我的学说绝不主张反动。不是反动不好，是你反动不成。有人读我的书，说我的观点是虚无主义，读完之后什么活着的意思都没有了。这完全搞错了，我的书恰恰是在告诉你，为什么你想虚无都虚无不成，为什么你一定越来越折腾，为什么你一定越来越浮嚣。因为代偿量始终在增加，自为属性一直在膨胀，求存意志和能动自由倾向于日益飞扬。所以，解读我的书，必须深刻而系统地领会。至于在应用层面上该怎么做，我确实说不好，各位若在应用层面上跟我讨论问题，我无言以对。

同学提问：老师您好！由于后人对老子的误读，结果生成了皇老之学。未来的话，我相信根据存在度的下降、代偿度的增高，一定会有更多人对先生您的学说作出种种误解，你对这种事持以怎样的看法、有什么态度？然后在这个基础上，哪些人的误读方向是您所喜欢的，而那些人的误读方向您是不喜欢的？谢谢！

东岳先生：未来还没有发生的事情，我无从作答。至于如果我的学说正确有效，会被后人误读，我认为一定是这样的，是不可避免的。人这个物种是很奇怪的，再好的东西到手，最终都能将其彻底糟蹋变形。试看共产主义是个多么美好的理想，结果让斯大林、波尔布特之流作践得一塌糊涂。西方有人曾讲：“自由啊！自由！多少罪恶假汝之名而行！”人就是这样，再好的东西都会被人类歪曲或污化到泥坑之中。因此我确实非常担心，后人拿我的学说去为罪恶开道或辩解。还别说后人，当代人已经这样表演了。比如我在《人类的没落》一书里讲，控制人口数量，即降低人类的生物衍存质量，是保持自身持续生存的一个重要环节。我还专门强调，要用哪些合情合理的柔性方式进行，决不能用荼毒生灵的手段强推。随后有人在网上讲，王东岳主张把人类大规模消灭。所以别说未来，今天就已经出现不良势头了。因此我在《人类的没落》中说过一句话，大意是：如果我的学说被人以违背天伦与天良的方式运用，则我宁可面对毁灭。

同学提问：我想问的是，有没有可能通过未来一些事情的发生和启示，验证《物演通论》理论其实还可以再修正，甚至于还可以再演进，而不是现在就变成一个定论，说一切必将终止，一切必将都是朝着负面的方向前进的。

东岳先生：我的学说的主旨和方向，不是讲人类没救了，不是讨论有生必有死，这个问题不用讨论。我只是在探问：为什么人类的文明发展程度越高，反而危机越深重？亦即我恰恰是想告诫人类如何寻求下一期生存出路。所以不是没救了，是采取拯救措施，它的可能性有多大，用什么方式进行，对此我没有任何信心，也不认为在《人类的没落》一书中所提出的方案就一定可行。

我唯一有信心的就是“递弱代偿原理”，虽然它不是真理，很有可能只是一个临时正确的逻辑模型。如果我的学说不是真理，它将来被后人证伪，这个可能性太大了，但即使有一天证明我的学说错了，也不过是换一个解释方式而已，“递弱代偿”会从“原理”转化为“现象”，却绝不会完全消解失效，就像牛顿的引力学说被证伪了，被爱因斯坦时空弯曲的新解释取代了，但地球照样以符合引力关系的方式绕着太阳旋转。再者，我还想说一点，你看看人类思想史，人类在自然界的位置一路沦落：最初仅次于神，以至于居住在宇宙的中心；后来变成日心说，跌落到普通星球上去了；再后来又变成猴子的徒子徒孙……总之，从思想形态上审视，人类的处境是越来越堕落、越来越糟糕的。基于此，我可以预判，如果后人有一天证伪了我的学说，那一定是一个比我的学说更为不堪的学说，这个可能性很大，所以各位最好不要期盼那个学说出现，尤其不要指望它能够一举扭转乾坤。

同学提问：先生好！我想问一个问题，就是您提到孔子是入世（的），是一个进取的状态，但是他其实也说要回溯到周朝；那老子是出世（的），他提到的是回溯到商朝。我的问题是，您刚才提到中国的近1000年，在老子和孔子之后基本上没有对世界上人类的思想有重大的贡献，是不是因为他们不管是入世还是出世、进取还是守成，他们其实背后的原点都是想回溯到过去？因为要回溯到过去，从单向的角度来讲，就您的演进的角度来讲，它其实是没有一个演进的、往前的这样一个状态和一个诉求，这是不是中国近1000年没有新思想产生的一个核心原因呢？

东岳先生：我说相对于先秦时代，公元前221年秦始皇统一中国以后，中国在思想领域再没有超过先秦时代的思想贡献。公元后第二个1000年，我们几乎在所有重大文化领域都没有重要贡献。这个原因很复杂，当然跟中国传统文化的保守论主基调也有关，但它不是根本原因，它是很多制约因素造成的。关于这个话题，我们在下一期西方哲学课上，我会专门就“爱智是智能储备调动”这个话做深入讲解，你把那一节课听明白，这些问题就能得到回答。

不过我想肯定，你这个问题里包含的一个要素成立，就是中国文化的保守论在某种程度上克制了中国的快速发展，即使它不是因果关系，至少是个并行关系。那么它就标志着人类在文化上转向消极和保守可能还是有效的，可能还是寻求某种稳定生存的手段，可能在某种程度上或者在极小的余地上有实现的机会。因此保守论思想——东方这个文化思绪的基调价值巨大。

当然我的这个说法不指向任何具体事件，比如有人说我“主张专制，主张倒退”，政治上保守；有人认为我老了，因此喜欢守旧的东西。这跟具体问题都没有关系，跟我的政治观、社会观、人生观都没有关系。它不涉及任何具体问题的讨论，只在纯逻辑上推演。

三

西方哲学基础综述（上）

开题序语

我们今天讲西方哲学。

我对这个课程先做一个说明。西方哲学课是我们这12天课程里唯一一节集中讲西方文化核心的课程。这个课程占两天时间。时间虽然不多，但是这个课程非常重要。而且这个课程特别烧脑，烧脑的原因在于我们对这种思维方式极度缺乏了解。

那么我们今天讲什么呢？我们今天不讲西方哲学的整体，这个课程至少需要200多个学时，而我们只有两天时间。我们今天只讲西方哲学基础综述，也就是只讲西方哲学最基础的层面。这里要让大家了解的是，西方哲学的思路是怎样导出的？它的思维基础是什么？它的思维通道怎样得到拓展？它的思维效果是什么？或者我用一句话简单总结，就是你要找见“哲学感”亦即“哲学意趣”。

也就是，如果你听完这节课，你对西方哲学有了一种基本的感觉，你对西方哲学展开思维的模型有了一种基本的认识，那这节课就算达到目的。有了这个基础，你至少将来能够在翻开哲学书的时候，看懂哲学家讨论什么问题，看懂他的出发点、他的运思方式和他得出结论的那个推导方式。所以，我再强调，我们今天讲的只是“西方哲学基础综述”。

我说中国文化早已衰落，那么，它还有什么价值呢？它是人类未来再造下一期文化和下一期文明的重要底层参考系。比如，我上一次讲老子，讲老子的“道论”，讲老子的“德论”，讲老子的“保守论”，他是人类未来建构新思想的一个基础，或者一个借鉴。

那么，我又讲，我说西方文化绝不代表未来，因为它今天已经给人类带来戕害，因此，人类面临重大的下一期文化转型。但人类的下一期文化转型一定是在当今主流文化，也就是“哲科思维”（哲学和科学思维）这个工商业文明文化基础上发生的。因此，西方文化尽管不代表未来，但它却是下一期文化和下一期文明直接延续的端口。也因此，深刻掌握西方文化的形成过程及其当前状态，是延展后续思想系列的基础，这是我们今天开这门课的目的和初衷。

下面我先说一下什么是哲学。“哲学”这个词，大家很熟悉。我们通常所说的哲学，我把它叫广义哲学。所谓“广义哲学”，用中国的古话讲，《易经》上有一段话说：“形而上者谓之道，形而下者谓之器。”也就是，只要达到形而上的思维，就属广义哲学。所谓“形而下”，就是你直观看到的事物；所谓“形而上”，就是超出直观的思维。我这样讲哲学，绝不是西方哲学。因为我们任何人，一旦展开自己的感官，你感官后面的意识，立即就会把你的感官素材提升到一个你不自觉的总结层面上，这个层面一定是形而上的。我举一个例子。你在世界上见过“马”吗？你永远见不到，你见到的一定是黄马、黑马、公马、母马、大马、小马。“马”是一个抽象，在世界上你是永远见不到一匹“马”的，你见到的都是具体的、具象的马，而不是马的抽象的总和。但是你一旦运用视觉，你立即得出“马”的观念，这个观念就是形而上的最初级的抽象。如果你把形而上视为哲学，那么它只是人类表层意识的不自觉升华，它不构成真正意义上的哲学追究。

因此，我要强调，我们今天所讲的哲学叫作“狭义哲学”。

而我们大家日常生活中所讲的“哲学”这个词，通常是在广义上使用。一个人不必经任何学习，也不用做任何深思，你只要开口说话，你只要讨论的问题超出直观层面，都可纳入广义哲学的范畴。因此，它距离真正的狭义哲学甚远。

那么，所谓“狭义哲学”，仅见于古希腊。这句话是什么意思？要知道，人类远古时代，据英国著名历史学家汤因比总结，世界上至少有600种以上的文明。在这600多种乃至数千种文明中，产生狭义哲学者仅见古希腊，其他所有文明区域、所有文化类型，均没有产生真正意义上的狭义哲学系统。

因此，我们今天所讲的哲学，绝非你日常生活中对哲学的普泛印象。哲学是纯粹的务虚。因此，国人既往对哲学的理解几近于零。

中国有一个著名的学者钱钟书，他曾经在他的《围城》这本小说中，用调侃的口气说，中国只有哲学家学家，而从来没有哲学家。什么叫“哲学家学家”？就是研究某一个哲学家的学者。比如尼采专家、海德格尔专家、康德专家等，这叫哲学家学家。真正的哲学家，是研究狭义哲学本身，通常人思维够不到的那些终极问题。在那个深点上所讨论的那门学问，才叫哲学，这是有必要区分清楚的。

我说中国文化传统上不产生狭义哲学，也不具备基本的哲科思维。注意“哲科思维”这个词组的含义，它的意思是“哲学乃科学之母”，也就是科学思维完全是哲学思维的延展产物。

我说中国文化，它的基本状态是“技艺文化”——技术和艺术文化。而哲科思维是一脉独到的思维。因此我们讲哲学，只讲西方哲学史。我们将中国传统文化叫做东方思想史，而不用“哲学史”这个名称的原因就在这里。

那么，为什么我们对哲学极其缺乏了解？是因为我们近代以来，引入西方文化的着眼点有问题。自1840年鸦片战争以后，中国最早学习西方文化的运动是洋务运动。所谓“洋务运动”，就是“师夷之长技以制夷”，就是只注重学习西方优长的技术或者科学实用层面的东西，希望借此尽快制伏西方。我们是从这个起点开始学习西方文化的，可是科学只是西方哲学思脉的后续延展部分，是近乎应用之表层。这就导致我们学习西方，从一开始就只流于西方科学技术应用层面的皮毛，这使得我们对西方哲学的深入探讨，始终缺乏一个系统训练过程。

到上个世纪初叶，1916年新文化运动，胡适为中国引入西方哲学。胡适在美国获得哲学博士，可是他的导师是约翰·杜威——实用主义哲学集大成者。所以，胡适所引入的西方哲学是实用主义哲学。大家知道，这一脉思路，跟中国自古“学以致用”的思想十分接近，但它与西方真正的哲学深层，仍有相当大的距离。因此，在很大程度上，严重地误导了中国人对西方哲学的深究。

建国以后，我们接着又把马克思主义哲学当作西方哲学来学习。我在这里，有必要说明一下马克思主义和西方哲学的关系。首先，大家要注意，马克思本人的学术研究之核心不是哲学。尽管马克思说，他的学术组成有三个部分，其中一个部分是西方哲学。马克思整个研究的中心叫作“政治经济学”，也就是说，都不是纯粹的经济学，是从经济学角度研究社会政治结构的一门学问。用他的话讲，叫“政治算术”。马克思曾经专门研究政治经济学第一鼻祖——威廉·配第的著述，他说配第开创了政治算术。这是马克思主义的核心部分。我承认，在这个方面，马克思达到非凡的高度。而且马克思《资本论》第一卷，尤其是讨论货币和价值的那个部分，其运思方式、文笔的舒展程度、哲思运用之巧妙，都令人惊叹。但马克思毕竟不是哲学家。要知道，马克思毕其一生，除了他的博士论文研究古希腊哲学家伊壁鸠鲁之外，几乎见不到有专门的哲学论文，他也没有任何一本哲学专著。马克思只是哲学的应用者，而不是哲学家。

真正的哲学家，甚至真正的科学家——请注意把科学家和工程师区分开来——真正做基础科学的人，他们都只关心认识世界的问题，绝不关心改造世界的问题。因为人类的智能，对任何一个人来说，他即使把他的全部智力调动出来，绝不让精力有任何一丝分散，全心全意只专注于研究这个世界如何运行，毕其一生，也难以终彻。这就是为什么真正研究哲学和科学，也就是研究深刻学问的人，绝不关心实用问题的原因。所以，请大家记住，真正的哲学家，只关心认识世界，绝不关心改造世界的问题，那是其他人的事情。

而马克思说过一句名言，他说此前的哲学只关心认识世界，而他的哲学要改变世界。这说明什么？说明马克思是哲学运用者，是哲学界的工程师，而不是哲学家。所以，如果你把马克思主义哲学当作西方哲学来学习，我基本上可以肯定，你是哲学外行。

而且大家还要注意，马克思主义哲学在近代没有追随西方哲学主流和西方哲学基本问题去纵深。什么意思呢？马克思主义哲学叫作“辩证唯物主义”。要知道自笛卡尔以后，除了洛克之外，基本上再没有真正意义上的唯物主义。因为这个时候，唯物主义者其实大多已陷入哲学外行，他们已经不知道，哲学家这个阶段在研究什么问题了。

而我在前一节老子课中，简单提到辩证法、辩证逻辑、辩证思维，我说它是人类理性思维的低级阶段。即使你不学习马克思主义哲学，你只去翻阅中国先秦古典文献，你所形成的哲学观是什么？一定是辩证唯物主义。中国传统思维始终是唯物主义——“眼见为实，学以致用”，它是我们中国文化固有的思维基础。大家再想想，即使我们不学习西方哲学，即使我们不学习马克思主义哲学，我们展开思维所用的基本方法是什么？一定是辩证法。因为从《易经》开始，中国逻辑学的基本架构就是辩证思维。

换句话说，马克思主义哲学不是给中国输入了新的哲学观念，而是把中国固有的哲学思脉加以强化，仅此而已。我在上一次讲课的时候，我说中国早在数千年前就已经是社会主义社会了，我说农业文明一定建构的是非个人主义，也就是以社会群团为基础的社会构型。

那么也就是说，我们现在回顾马克思主义学说，无论是社会主义观念，还是辩证唯物思维方式，其实都是中国传统社会构型和传统思想方法的加固。因此，它使我们没有在真正意义上突破原有的思想局限，反而在更大程度上，固化和遮蔽了我们对其他异质学术的理解。

因此，你得把你脑子里原有的所谓哲学成见腾空，我们从头开始了解西方狭义哲学，也就是从古希腊发端的那一脉思维苗头开始起步。只有这样，我们才能真正建立起最基础的哲学感或哲学意识。

由于哲学乃科学之母，所以当年统领新文化运动的杂志《新青年》提出的口号是两个东西:“德先生”和“赛先生”，民主与科学。也就是说，从洋务运动“师夷之长技”到新文化运动“打出科学旗帜”，我们中国人今天已经在文化教育领域全面科学化了，以至于我们今天的国策都叫“科学发展观”。

可我们不知道的是，科学的基础是哲学，它是哲学思脉分科化了的大信息量延展模型。如果你不知道哲学是什么，你也就从根本上不能理解科学是什么。这就是为什么我说，我们今天全国陷入一种“科学教”的局面，也就是把科学变成了一门新的宗教。我把它称为“科学教”是一点都不为过的。

请大家想想，我们今天中国人对于科学的态度，可以用“信仰”二字来描述，也就是科学跟神一样。只要说这个东西是科学的，我们就不再追究了，我们认为科学就是客观规律，就是真理。

可什么叫“客观规律”？什么叫“真理”？什么叫“感知”？什么叫“知识”？所有这些最基本的问题，我们从来没有探讨过。

由于科学的底蕴，它的思脉运行，其实并不在科学的应用层面上流淌，这就导致如果你不对西方哲学思想有深刻的钻研，你根本就不知道科学是什么，你甚至会对科学产生重大误解。这也就是为什么建国以来，我们从小学、中学、大学，全部是按照科学思路学习，我们派出去的中学生参加世界奥林匹克的数学、物理、化学等科目竞赛，常常拔得头筹，可是我们在科学的创新和发明上却贡献极小，原因是我们始终对科学基层的思脉缺乏理解。

因此，我们今天这节课，在很大程度上是对工商业文明基础思路的补课。我上次讲，我说工商业文明对应的基本文化和思维方式叫作“哲科思维”，这也就是我们今天科学化的原因。我们今天进入工商业文明，它是与工商业文明相匹配的思想方式，你如果缺乏对它内在深层结构的了解，那么你也就不能真正理解工商业文明的基本思绪、展现形态、沿用效果及其发展前景。

真正要把“西方哲学”这门课讲清楚，其实是有很高难度的。因为如果一门学问，你站在下面仰望它，这就像你站在山脚下仰视一片群山，你是永远看不清楚的。要想理解和把握一门学问，你必须站在比它更高的某个点位上俯视它，才有可能看清该事物的全貌。高山仰止，身陷庐山，其实表达着你对它无法全面观照和理解的尴尬。因此，我们今天要站在一个别样的高点上，瞰瞰西方哲学的源流与思境，这个话题才能真正深入，哪怕我的讲课内容仅限于西方哲学的基础综述也罢。

何谓之“哲学”

下面我们进入主题。

先问一句：什么是“哲学”？我们试看一些西方哲学家所作

的评论。叔本华讲："对一个人而言，假如他看见的众人和万物，都不曾时时看上去仅仅是幻象或幻影的话，他就不会是一个拥有哲学才能的人。"这句话什么意思？如果你看待外物，你视之为真实，你认为眼见为实，那你就离哲学很远。西方哲学的起点，是说我们看到的世界全是幻象、全是假象，这是探讨哲学的一个最基本的起点。

请大家注意，我们中国传统文化的精神是什么？叫"眼见为实"。仅这一个最基本的观念，就把哲学大门完全关闭了。请大家想想什么叫眼见为实，要知道，我们人类的眼睛，是从亿万年生物进化过程中发展而来的。也就是说，如果你抱着眼见为实的态度看待这个世界，那么你和动物没有区别。

所有中高等动物都是眼见为实，我们的眼睛只不过是动物眼睛的直接继承，如果你认为眼睛看见的就是真实，那么你的所有见识、你的所有知识，都只停留在动物般的识辨反应状态之中，也就是你仅仅建立在A、B、C、D不同物象的直观鉴别之中，却没有进入高智思索状态。因此请记住，如果你看见的万物，不是幻象或幻影的话，就表明你离哲学很远。

我们再看罗素说过的一句话："究竟有没有智慧这样一种东西，还是看来仿佛是智慧的东西，仅仅是极精炼的愚蠢呢？"这句话什么意思？我们所有人都认为自己很有智慧，我们每时每刻、每分每秒都在运用智慧。可什么是智慧？这个问题有谁探讨过？智慧为什么而发生？怎样运用才叫智慧？智慧运用的结果是什么？为什么运用智慧常常导出愚蠢？像这些问题我们从来没有思索过，可哲学家竟然一开端不相信眼睛，接着不相信智慧，他们要对智慧本身加以琢磨，这是哲学的入门级问题。

亚里士多德讲："古（往）今来人们开始哲理探索，都应起于对自然万物的惊异。"大家听这句话很平常，我想问一下各位，有谁今天看见世界上普通存在物，你会产生惊异的兴奋感？我们看一个人成熟与否，通常是这样判断的，就是当他还处在幼稚阶段的时候，比如小孩，他看任何东西都觉得惊异、都觉得奇怪，他不断地提出问题，不停地问“为什么”，这是一个孩子幼稚状态的表现；一个人长大了、成年了，他的一个重要标志就是他看万事万物都视之当然，他不再产生疑问，这是成熟的表现。可亚里士多德偏偏讲，对自然万物、任何事物，始终保持惊异和追问，才是哲学的起点。换句话说，发育成人了，没有惊异感了，不再追问了，这叫思维封闭。达到这一步，相当于你彻底丧失哲学头脑，可它却是我们一切正常人的常规状态。

我们再看康德的说法：“哲学家的事业，正在于追究所谓自明的东西。”就是哲学家在干什么？他在追问那些不问而自明的问题，就是不构成问题的问题才是哲学家要追问的东西。

我举例子，比如什么叫“物”？什么叫“存在”？什么叫“知识”？我想所有人都认为，这是不成问题的问题。可你深想一下，你能说清什么叫“物质”吗？你能说清什么叫“存在”吗？莱布尼茨、谢林和海德格尔都曾问过一句话：“为什么存在者在而无却不在？”什么是“存在”、什么是“无”？再者，我们整天运用知识，但什么叫“知识”？休谟曾经做过一个证明，证明一切知识都不成立，这才引出康德对知识本身加以探讨，后来还专门为此写了厚厚一本书，才说明什么可谓“知识”。请各位想想，什么叫作“证明”？我们所有人都不会想到，这还能成为问题吗？——其实的确大成问题。

我们一般人认定眼见为实，眼睛看见了，这就是证明。当我说这儿有一只杯子，我目有所视，那么这个杯子在不在这儿的问题就证明完了。可这不叫证明。一切学问仅仅是一个证明系统。如果你眼睛看见就完成了证明，世界上还会有学问吗？这就是我前面讲，动物展开视觉，就已经完成了眼见为实的一切证明，可那仅仅是动物的非智慧生存状态。

请记住，一切证明都叫“逻辑证明”。那么什么是“逻辑证明”？怎样展开“逻辑”才能达成“证明”？但凡没有证明的东西，都是虚假的东西。那么敢问什么叫“证明”？这些所有人认为不成问题的问题，恰恰是哲学家要深究的问题。

赫胥黎说过一句话，他说“不可知论是唯一可靠的哲学”。当然这句话并不全对，但他说明一点，就是在西方哲学家和科学家那里，他们秉持的基本观念是不可知论，这跟我们中国人的知识观念刚好相反。我们认为，所谓知识，就是得出确定结论、不再发生动摇的那个思绪或事实。也就是我们认为，一切知识，一定是有确定答案的东西才叫“知”！可这和西方哲科思维恰恰相反。

西方知识界的主流思维是不可知论。也就是说，他们创立了整个科学系统，然后他们却说世界是不可知的。请你想想，他们所说的“科学”是什么？西方流行一句话：“人类一思考，上帝就发笑。”它的意思是说，我们一旦展开我们的感知，我们一旦觉得我们有所知，我们就陷入愚蠢和可笑，可见知识本身是一个需要无穷追究的深刻疑窦。

而坚持以“不可知论”看待世界，表达什么？表达对一切确定的知识和结论永远保持怀疑态度。如果你以前的知识是确定的，如果你从小学、中学、大学，在应试教育的过程中，从来建立的观念就是有正确答案、有标准答案的，那么你距离真正的哲学与科学都十分遥远。

米西莱讲：“形而上学就是一种有条理的把自己导入云里雾中的艺术。”什么意思呢？就是一旦你有确定的看法，你就脱离了求知探索，一旦你不断地追究疑思，你就会把自己导入云里雾里，你就得不出确定的结论。可当你被导入云里雾里的那个状态，才是哲学的或者说求知的状态。

如果你听这两天课，听完以后，你被导入云里雾里，这节课算你听出了一点名堂。如果这节课听罢，你又得出了一个新的真理，你又给出了确定的答案，这节课算你白受了一场折磨。

赫拉克利特有一句话，他说：“我听过许多人谈话，在这些人中间，没有一个人认识到，所有的人都离智慧很远。”什么意思呢？要知道，我们在日常生活中，甚至我们在非寻常的知识探究性的对话过程中，我们其实都没有调动智慧的深层，我们其实都离哲学家所说的智慧很远。哲学是一种智能运动的极端特殊调动，这才是狭义哲学的基本状态。

我们接下来说一下“哲学”——“Philosophy”的概念，它是希腊文phileo和sophia这两个词的字源合成。phileo是“爱”的意思，sophia是“智慧”的意思，此即“哲学”之谓“爱智”是也。最早运用这个词汇的人，很可能是古希腊第一位唯理论哲学家毕达哥拉斯。

近代日本明治维新全面学习西方，他们最早把“Philosophy”这个词用中文翻译为“哲学”。大家知道，在明治维新以前，日本学界的主体，使用的文字都是中文，现在流行的片假名，当年是贩夫走卒、普通百姓使用的文字，为文人学者所不屑。日本学者当年用中文把西方Philosophy这个单词翻译成“哲学”，应该说翻译得非常之好，因为“哲”这个字，在中文古义上就是“明智”的含义，所以“哲学”就是“智慧之学”。

但是我如果只讲到这儿，你仍然不知道哲学是什么。问题的关键在于，什么叫“爱智”？我首先想在这里说一点，西方近代所有重要的科学家，我指的不是应用层面的工程师，他们一定是对西方哲学有深刻了解的人。我给大家举例子，牛顿的经典力学，其原著的书名叫《自然哲学的数学原理》，牛顿丝毫不认为他在做科学，他认为他在研究自然哲学。我再举个例子，有人曾经问爱因斯坦，你的“相对论”究竟是什么？爱因斯坦这样回答，他说宇宙就像一个打不开表壳的钟表，你永远不知道宇宙是怎样运行的，我们一切做科学的人，只不过是站在这个打不开表壳的钟表之外，不断地猜测和模拟这个宇宙钟表的运行方式。什么意思？就是科学绝不是客观真理，宇宙这个表壳你是打不开的，你看着它运行有序而好奇，你却只能做一个比拟性质的逻辑模型，借以解释其展开运动的可能方式。

我仍然拿钟表做例子，大家知道，钟表的运行可以有多种方式，机械表靠齿轮带动，电子表用电子振荡方式带动，原子钟用的是原子铯这个东西。铯元素每秒钟振荡90亿次以上，然后把铯元素的振动频率作为时间校准的基点，所建立的那个钟叫原子钟，因此它的精度极高。也就是说，我们今天人类缔造的表，可以有各种形式，可是你永远不知道宇宙这枚钟表是怎样运行的，你站在外面的猜测，永远只是对它的模拟性猜想，这是爱因斯坦的表述。

爱因斯坦在一本小册子《相对论的真理》中说，一切科学和心理学一样，只不过是让自己的经验要素与逻辑系统达成融洽（大意如此）。它没有说，我的逻辑系统和客观本真完全一致，他说只是让我的经验系统，也就是感知所得，与自身的主观逻辑系统达成某种自洽状态，他说这个东西叫作相对论的真理。

哲学的起源

在西方真正懂科学的人，一定有一个基本的哲学思维垫底，它跟我们的科学观是全然不同的。可恰恰是这个全然不同的科学观，实际上出自于全然不同的哲学观，导致他们的科学发展得以不断纵深。

我这样讲，你可能还没有听懂什么叫爱智。我换个讲法，自人类文明化以后，人类基本上有三种用智的方式：第一叫“信主”；第二叫“重德”；第三叫“爱智”。

我们先看“信主”，也就是信神，也就是在宗教信仰下整理文化。远古时代迄今，人类的主体部分，基本用智方式大体上都是信主——也就是认为世界是由上帝，或者由主、由神缔造的，我只要确信这一点，一切问题都得以化解。因此，我用不着再去思索探究，因为上帝、神已经把一切事物排布有序，这叫信主。大家听到这儿就应该明白，信主产生的第一用智效应，就是遮蔽和压抑。

当然，我在这里需要做一个补充。在西方思想史上，神学、哲学和科学一脉相承。也就是说神学当年追问，认为世界的终极是神；随后哲学接着追问，探究神这个终极力量是如何操纵世界的，由以构成哲学的追问课题。因此，早年的哲学只不过是神学的婢女，而科学只不过是哲学思脉的延展。换句话说，在西方思想史上，神学、哲学和科学是层层接续、一脉递延的。这种对神学问题展开哲学追问的现象，仅见于古希腊，以及继古希腊之后通过近代文艺复兴而在西方继续传承。在世界其他任何地方，神学本身大抵停留在追问终结状态。也就是认为，神已经把所有问题全部回答了。只要我信神，所有问题都不成问题。这是在希腊以外，在近代西方以外的基本神学状态。

我举个例子，大家知道公元7世纪，阿拉伯地区形成伊斯兰教。伊斯兰教最初形成的时候，穆罕默德这个教团组织——同时是一个政治组织和军事组织——很快把阿拉伯地区统一，形成阿拉伯帝国。中国唐代把它称作大食帝国。大食帝国迅速扩张，占据整个中东地区，随后攻略版图直至北非，像一把张开的钳子从东西两面威胁欧洲，一端突入欧洲东部边缘的土耳其这个方向，另一端突入欧洲西南角的西班牙这个方向，夹攻态势几呈吞灭欧洲之危。大食帝国在公元8世纪占据埃及以后，曾经把古埃及遗留下来的古希腊文献，也就是当年在亚历山大里亚古城那个图书馆里留下的文献，于焚毁之前有选择地翻译成阿拉伯文。结果导致欧洲反而在古罗马以后，将古希腊思绪失传无余。

大家知道，欧洲近代勃发是从文艺复兴开端的。所谓“文艺复兴”，各位千万不要搞错，以为它就是指达·芬奇、拉斐尔、米开朗基罗之辈，那你就完全被误导了。文艺复兴实际上是找回古希腊文献和古希腊理性精神，这才引出了复兴之途。11–12世纪，欧洲基督教军团光复西班牙，然后开始了一场著名的拉丁文翻译运动，就是用拉丁文把阿拉伯文字保存下来的古希腊文献翻译回来，这个过程启动了文艺复兴。而后文艺界的人士，如达·芬奇、拉斐尔、米开朗基罗等画家、雕塑家，加上一批其他的文化学者，比如但丁、彼特拉克、薄伽丘这些人，通过他们的文学艺术重新张扬了古希腊人文精神和理性精神，这惊动了大多数人，形成了普及社会的新认知，由于“文艺”这个东西比较容易影响民众，因此使得潜流于深层的古希腊文献与古希腊思想之承传反而被人们忽视。其实文艺复兴的首要功绩是将古希腊文献和古希腊理性思脉重新捡回欧洲，这个东西才构成文艺复兴的划时代力道。

阿拉伯人当初翻译了古希腊文献，其中少数伊斯兰学者深入研究了这些资料。这使得当中世纪欧洲陷入一片黑暗的基督教压抑氛围里时，阿拉伯社会曾经崭露过少数极度理性的学者，他们在哲科方面达到很高造诣。比如数学方面，比如光学方面，最早在中世纪有所突破或有所建树者，大都跟阿拉伯人有关。可是由于伊斯兰教以信主为最高宗旨，它压抑了伊斯兰教整体文化的舒展和演进，结果导致阿拉伯文化区域、伊斯兰教覆盖区域，在信主压抑状态下根本不可能展开整个近现代科学思想系统，最终使得阿拉伯人成为古希腊文化的传薪者，也就是传递火把的角色，而他们自己的文化却渐趋没落，失去了原本可能长足发展的前途。

请注意，信主是一种思想压抑状态，不管在阿拉伯还是在欧洲。古罗马后期，君士坦丁大帝把原来备受压迫的基督教确立为国教以后，也就是著名的“米兰敕令”以后，基督教变成罗马帝国的国教。自那以后，西方逐步陷入黑暗中世纪。用“黑暗中世纪”这个词其实不恰当，但是从思想张扬这个角度来讲，它确实是黑暗的压抑时代。它说明什么？说明信主文化在主流上不是开发智慧的前导，而是遮蔽信息和压抑智慧的力量。古希腊人曾经也信神，他们信的是众神。古希腊的神祇都显得非常顽劣，非常调皮，他们忌妒、好斗、恣意妄为，且淫欲旺盛，甚至不惜乱伦，所有人性的弱点他们都有。从某种角度看，他们只不过是凡间人格在天庭舞台上的另一重展现，或者说是平庸人性在超拔境界中的虚幻调动。由于古希腊神学是这样一种宽松骚动的别致状态，因此，古希腊当年的神学非但不构成思想压抑，反而成为古希腊人智慧调动的一个启动点。苏格拉底曾经讲，大意说当人把智慧调动到极端，追问到众神的高度而仍然不肯罢休，也就是一心想要搞清神明的能力何所在的时候，就是哲学探问的开端与终点。——这就是古希腊哲学跟神学的奇特关系。

我再举个例子，看看毕达哥拉斯。毕达哥拉斯师徒既是一个学团，又是一个教团，还是一个政团，其主政古希腊克罗顿地区长达二十年之久。他们首先是一个教团组织，神学信仰名为奥菲士教派。那么他们的哲学在研究什么？研究神怎样操纵世界，是从这个角度追究神本身的运作能力何在，由此构成毕达哥拉斯数论哲学的全部系统。

我讲了两点：第一，神学、哲学、科学一脉相承，哲学早期就是追问神学之终极；第二，这一脉追究神学终极的思路，仅见于古希腊和近代欧洲哲科萌芽时代。而在世界其他任何地方，神学反而构成思维的压抑和遮蔽力量。我们把这种构成思想压抑的主体文化形态，叫作“信主”文化。这是人类早年用智的一个重要方面。

“重德”这一脉的用智方向，最明显地表达在中国古代传统文化上。东亚地区是最典型的农业文明，而农业文明会使人口成百倍暴涨。人口增长，土地资源却是有限的，于是带来人际关系和资源关系的过度紧张。由此造成中国先秦时代的先贤们，把自己的全部精力使用在处理人伦问题和社会问题这个角度上，从而导致中国先秦文化和中国传统文化的主脉，全都关心的是人伦社会问题这个话题，它表达为人际关系的约束整顿，我们把这一脉学问称之为“重德”文化。所以中国从古迄今，道德讨论、伦理讨论、社会关怀成为中国文化的全部基础，甚至整体轮廓。——这一脉文化就使得你在其他方面调动智力的通道全部被堵塞。

因此，从中国先秦时代一直到近代鸦片战争以前，中国很少有过自然学的整体追问。甚至文人士大夫，就是以文化传承为职志的这么一个阶层，几乎也没有人关心自然学问题，且不要说自然科学，连自然学这一脉的思路都基本全程空白。重德文化很明显地遮蔽了中国思绪节外生枝的可能。所以，孔子留下一句名言：“攻乎异端，斯害也已。”什么意思？他说重德文化以外的思绪叫异端，大家只有不断地攻击异端思想，才会让它可能带来的害处被消除。可见中国文化在重德时代对思想压抑的程度何其之深重。一切超出重德体系之外的思路，通称为异端文化。所以，孔子的师表行状，在《论语》中被他的弟子们总结为“子不语怪力乱神”。意思是说，那些跟重德文化不相干的东西，孔子从来不谈。这是人类用智的第二种方式。

自人类文明化以后，人类基本上有三种用智的方式，第一叫信主；第二叫重德；第三叫爱智。哲学Philosophy，它居然全部核心就是爱智。所谓“爱智”，就是日常生活中所有的琐碎事务都不在讨论的范围之内，而只讨论智慧本身带出来的问题，是谓之“爱智”。

对于常人而言，我们的智慧用来解决什么问题？无非是日常生活和工作中出现的各种应景问题。也就是在实用层面上要解决的问题，是我们使用智慧的主要方向，故而美其名曰“学以致用”。可古希腊哲人认为，但凡是能够应用的学问，就是学问的完成态，它已经不构成学者应该继续追究的课题。所以，但凡能用的东西，都是匠人的东西。研究不能用的东西，才叫学问。这种只研究跟实用没有任何关系，纯粹的无用之学才叫哲学。它跟中国“学以致用”“知行合一”的思路，刚好相反。

我们中国人认为，一个文化、一个学说，得到大多数人理解，被大多数人承认，标志着它比较接近真理。可是，在西方哲学界，在“爱智”文化里恰恰相反，它认为绝大多数人其实是进入不了这个层面的。它认为，如果你研究的问题是绝大多数人都能欣赏的问题，那就证明你离智慧还很远。我举个例子，牛顿的著作《自然哲学的数学原理》，也就是论述经典力学万有引力，这本书最初出版的时候，由于其中的数学方程、微积分都是牛顿刚刚发明的，所以西方各大学物理学教授大多都看不懂。可正是牛顿这本不为常人所能看懂的书，却缔造了工业时代。我们今天把工业时代也叫作牛顿时代。技师和工人做每一个齿轮所运用的计算方式，都是从牛顿的经典力学中引申出来的分支方程。

我再举个例子，爱因斯坦的相对论。1905年狭义相对论完成，1916年广义相对论完成，几乎未产生任何社会反应。直到1919年，英国皇家科学院首席科学家爱丁顿，带领一批科学家分头到非洲和南美洲观测全日食。因为相对论讲，一个大质量的物体会使空间发生弯曲。那么也就是说，一颗在太阳后面的星体，在全日食遮蔽了太阳的光亮以后，按照爱因斯坦的计算，这颗星位应该在太阳旁边被看到。爱丁顿派出两组人观察全日食，果然看到一颗在天文计算上应该处于太阳后面的星，在太阳侧面出现了，表明空间是弯曲的，光线走的不是直线而是曲线，计算结果都跟爱因斯坦预判的曲率完全一致。于是，爱因斯坦在1919年暴得大名，全世界所有报纸头版刊登的都是这条消息。可这个时候爱丁顿宣称，世界上能读懂爱因斯坦论文的，只有两个半人，而他只属于那半个人。就是这个只有两个半人能读懂的相对论研究，成为今天整个人类宇宙观的基础。我们今天进入核时代、电子时代，也可以称其为爱因斯坦时代。我想说明什么？我想说明大众文化离真正的高深思境很远。一个学说、一种思想、一本书，越被大众赏识，就标志着它离真理越远。不要把通俗文化当作学术攻坚的高端。

爱智，它是一种极端的、过度的、超乎寻常的智能调动。这句话什么意思？我再做一层解释。要知道我们所有人，你的身体各器官都是有功能储备的。比如心脏，我们的心脏在静息状态下每分输出量，就是每分钟心脏的搏血量大约5升左右，这就足以维持你的生命处于正常状态。可是当你长跑或者剧烈运动的时候，你的心脏每分输出量增加6倍，达30升以上，这个从5升到30升的差额就是心功能储备。要知道，我们所有的器官，都是有功能储备的。比如呼吸，你只有一侧的肺就足够了。严重的肺病患者，把胸腔一侧肺全部切掉，不影响他正常呼吸。两颗肾脏，你取掉一个移植给他人，绝不会发生尿毒症，这都叫功能储备。要知道人类的智力也是有功能储备的。我们所有人在正常情况下，是做不了这种功能储备调动的。什么可谓之“爱智”？就是对智力的功能储备部分加以超常调动是也。

请注意我说两句话：第一，智能储备调动难乎其难；第二，任何功能储备调动都是有害的。比如你过度调动自己的心脏功能储备，去跑马拉松，跑得太过疲劳，你可能会猝死。那么，人类调动自己的智力功能储备也会带来巨大损害。我指的不是个人损害，我指的是对人类整体的损害。我现在只想强调，智力功能储备的调动才叫爱智。

要知道，我们的智能是我们在丛林中做猿猴的时候发育而来的。大家想想，你在丛林中依靠狩猎和采集，即采集植物、狩猎动物，你在这样一个环境中生活，你当年需要调动多少智慧？你和所有动物调动智慧的状态几乎一致，没有分别，这才是我们智慧禀赋的常态。我们大多数人，其实就是在这个常态下运用自己的智慧。但以“爱智”为标榜的狭义哲学，绝不停留在这个点上，它认为这类动物般的正常识辨感知活动，全都在我所要探讨的问题之外。我要把跟这一类常规用智活动全然不同的那个智慧底层调动出来，并加以发挥，这才叫爱智。

换句话说，狭义哲学之“爱智活动”是智慧储备潜能的过度调动。我给大家举个例子，一头豹子追猎一只羚羊，它会怎么跑动？它一定是潜伏在那里，等待这只羚羊走到跟前，它才起跑。羚羊为了躲避豹子追赶，它绝不直线逃跑，它一路曲折拐弯，以躲闪直行速度更快的追击者。豹子在潜伏之前，就会对地形加以观察，比如它看清这边有一片灌木丛林，动物是跑不过去的。那么当它追逐羚羊的时候，羚羊首先朝丛林方向跑，豹子并不尾随紧追，而会直线奔跑，它知道羚羊必须转弯，于是它沿直线运动，走三角形的一个边。也就是说，豹子实际上是能够计算的，但是它绝不会缔造毕达哥拉斯定律，$a^2+b^2=c^2$。它不用如此精密计算，它在直感上就把这个问题处理了，这叫正常用智。

可哲学家在干什么？他本来也用不着计算，他如果追一头动物，同样也不会跑三角形的两个边。可是他这个时候不追动物，却坐在房子里硬要把这三角形两个边跟一个边的关系，用精确的数学模型加以计算。这种跟日常活动没有直接关系的用智方式，叫作智能储备调动。请问你追猎一只动物，你需要计算勾股定律吗？如果你计算勾股定律，动物早就跑掉了。也就是说你不做智能过度调动，反而对你的生存更有利。

智能的深层调动，从表面上看与你日常实用的生存活动没有关系，可这才是狭义哲学的用智之点。请注意我刚才讲的那个毕达哥拉斯定律，就是古希腊哲学家毕达哥拉斯首先发现的。

我再举个例子。计算机今天每秒钟可计算上亿次，但是你让它识别人脸，识别狗脸、猫脸，是非常困难的。可是我们人类，甚至所有动物，它识别自己同类个体之间的面相差异，没有任何困难。这说明什么？说明识别脸孔是一个非常复杂的计算。可为什么我们普通用智的情况下，它是一个极简捷的行为？是因为我们人类在亿万年生物进化过程中，我们的用智方式被压缩成一系列简捷反应模块，也就是我们把复杂的算法问题变成一个个简捷反应的神经廻路对接关系。这使得我们的用智方式变得十分简单而快捷。但请注意，它虽然十分高效，但是这个高效化和简捷化的过程却舍弃了中间所有的精密计算环节。

那么，哲学在干什么？把中间的精密环节调动出来并加以琢磨。请问有谁在日常生活和工作中需要做这样一个徒劳之功？这种徒劳费神、毫不实用，却得把智慧潜能充分调动出来加以精细琢磨的学问，叫作“爱智”。所以大家请记住，哲学所关注的问题，决然与日常生活之应用无关，它是纯粹智慧的精雕细琢，它是纯粹智慧的储备调动，它是智慧潜能的过度发挥。我们把这个东西称作“爱智”，或称之为“狭义哲学”。

所以，亚里士多德对哲学做过一个总结，他把哲学叫“metaphysica”。什么意思？——物理学之后。亚氏所谓的物理学，就是你用眼可以直观、用脑可以直思的物质实体，哲学竟是在它之后的那个更深一层的追问。它跟中国的“形而上学”这个词几乎完全一致，可内涵不同。中国的形而上学，不做智慧储备的极端调动，仅表达为意识对直观的初级整理。而“物理学之后”的古希腊狭义哲学，是指对直观物理现象之后的智慧形态之精密琢磨。

因此，近代古典哲学时代，德国出一个人物叫莱布尼茨。他曾经这样表述，他说哲学需要有自己的专用符号系统。他提出一个词汇“普通符号”。什么叫作“普通符号”？须知我们一般人使用的语言和符号，是在形而下的日常生活中建构的；而哲学要讨论的问题，是对形而上思境深层或智慧本身的琢磨体系，因此我们在形而下直观世界中建立的日常语言不足以表述哲学问题。莱布尼茨认为，我们必须创立一种“普遍通用之符号”。请注意“普通”这个词的原意，不是庸常通俗的意思，而是普遍通用的含义。也就是它既要能用于形而下，又要能用于形而上，只有找见这种符号序列，才能拿来用作哲学表述。它说明什么？说明哲学的思境根本就不在日常思境之中，以至于哲学的表述也根本不在日常语境之中。我们要把这个不在日常思境和日常语境中调动的智慧，抽取出来加以研究，研究清楚之后，再把它放散开来，在不现实的层面加以落实，或在现实层面上加以参照，由此缔造的学问系统，才叫哲科体系。

这就是为什么古代的哲学和今天的科学都不在我们的日常运思活动之中，都不在我们的直观见识范围以内。它所调动和缔造的学问，都是眼睛看不见的。由此创立的这个知识体系，叫哲科思境下达成的逻辑游戏之产物。正是这个纯逻辑游戏的产物，构成我们今天的全部知识体系。哲学就从这个起点开始，孕育了整个近现代人类的知识和思想系统。这也就是为什么你在从古希腊到近代西方哲学里，除了极个别经验论者之外，你见不到西方主流学界讲一句话——“实践出真知”。他们是不会讲这句话的，这句话只有我们中国人才反复讲。因为实践不构成知识系统，真正的知识系统是在智能储备调动与纯粹逻辑游戏的雕琢过程中建构的。这也就是为什么曾有哲人对西方狭义哲学做过这样一句表述：“所谓哲学，就是古希腊一群大号儿童所玩弄的一种纯逻辑游戏。”请各位同学精深揣摩这句看似笑话的实际含义。

再谈古希腊

我前面讲了那么多，只讲了什么叫作“爱智”。我们从这个起点开始，是首先希望大家能明白，你在日常生活中、日常学习中，你的思维训练距离哲学很远。要想进入哲学的智力储备功能调动，你得远离心灵鸡汤式的文化氛围。那么，我前面讲，“狭义哲学仅见于古希腊”。请回顾我的第一节课，我说第一节课是所有课程的基础。在那节课中，我讲所谓西方文明叫环地中海文明，也就是，环地中海这个地方形成人类古代文明孕育中唯一一个全开放地貌。环地中海地区包括有北非、近东和南欧，那么为什么狭义哲学思脉仅仅发生在古希腊这个地方？这是需要我们探讨的一个问题。

我这里首先想再度强调，古希腊文化是环地中海文化的荟萃。我们现在见到很多书上这样讲，说古希腊文化导源于古埃及、古巴比伦这些“东方文化”的源头，这个说法是大成问题的。因为，近代站在西欧这个角度，看中东、近东还有西亚都在东方，所以，现在许多学者把古埃及文明，把古巴比伦、近东、中东文明，即两河文明一概视为东方文明，这个说法是不对的，它被西欧近代人所说的“东方”这个概念所误导。古埃及、美索不达米亚、克里特与爱琴海诸岛及其沿岸，甚至包括小亚细亚等，在古希腊文化的形成中完全是一体，故统称为“环地中海区域”，它们是典型西方文化的摇篮。因此，不应把古埃及、古巴比伦叫东方，它实际上是西方文化的整体温床。

问题在于，为什么整个环地中海地区所有文化最终的聚焦点发生在古希腊？那么，我们下面就必须把古希腊这个地方展开来看。大家注意这张地图，这是古希腊全域。古希腊这个地方，由于它地貌多山石，土壤贫瘠，因此，它的农业文明很难开展。而且我细述了它的气候条件，雨季偏偏到冬天才来临，而旱季又偏偏卡在气候温热、阳光充沛、万物生长的夏季，因此，它的植被生长条件错位，对农作物的培育产生巨大障碍。而它又面临地中海，且夹在欧洲、亚洲和非洲之间的这个内海通道之中央，这使得它具有极为便利的商贸与文化交流条件，缔造了人类原始时代的半农业、半工商业文明。而工商业文明需要一种极度的智能调动状态，才有可能使之发展。

那么，为什么在整个环地中海地区，比如在古埃及，比如在古巴比伦，最终未能发生狭义哲学呢？说起来，数学、几何学的最早发生之地，并不在希腊半岛上，倒是首先在古埃及和近东地区展现。但因为古埃及是尼罗河文明，古巴比伦是两河文明，但凡大河文明都是农业文明，而农业文明不需要调动智力储备，或者不需要调动精密逻辑。

想要理解这个问题，就得看懂这张地图。大家注意，古希腊可绝不是今天的希腊半岛。今天的希腊，与古希腊在地理范畴上差别很大。古希腊包括小亚细亚和近东，包括希腊半岛，包括亚平宁半岛也就是意大利半岛的南端，还包括克里特岛和西西里岛，这么大一片地区通称古希腊。

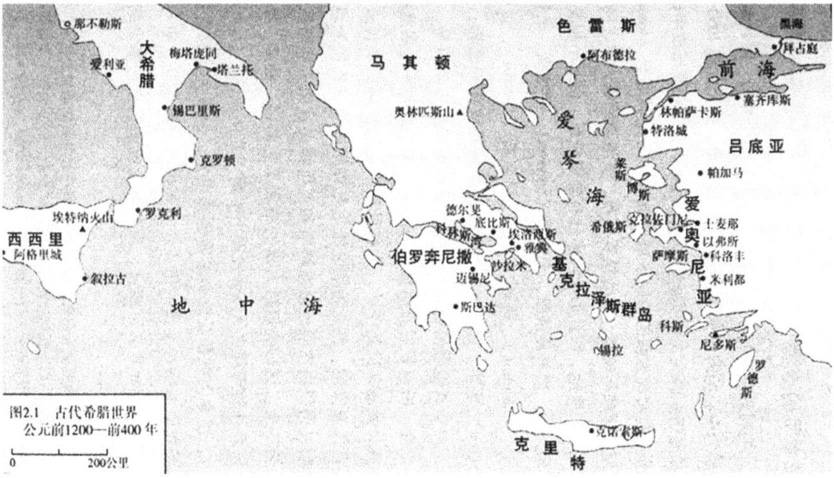

图2.1 古代希腊世界 公元前1200—前400年
0 200公里

先看地图的右侧。古希腊东面有一片地方叫吕底亚，下面有一排字叫爱奥尼亚，要知道，古希腊自然哲学最早就发生在爱奥尼亚地区，古希腊第一位圣哲——泰勒斯，就出生在这里一个叫米利都的地方，并创立了“米利都学派”。大家再往上看，在小亚细亚有一片地方叫色雷斯，这个地方今天也不属于希腊。色雷斯产生了两个重要人物，那就是原子论的缔造者留基伯及其弟子德谟克利特。然后大家看希腊半岛，在希腊半岛的下端偏南处就是名闻遐迩的雅典，这个地方产生了古希腊哲学的主体，古希腊三杰——苏格拉底、柏拉图、亚里士多德都在这一带活动。再往地图左边看，这是意大利半岛，也就是亚平宁半岛的南部，这个地方也是当年大希腊的组成部分。它的西北面，有一个叫爱利亚的城邦，此地产生了著名的“爱利亚学派”，以巴门尼德和芝诺为代表。而在它的稍南方向，有一个城市叫克罗顿，这个地方就是毕达哥拉斯学团的发生地。

此外，在地中海东侧的近东地区，我第一节课上谈到，那个地方出现过一个小邦国名叫腓尼基。腓尼基人在古希腊时代，占据了地中海远洋航运和贸易的50%，由于他们大面积进行经商活动，因此他们缔造了拼音文字，或者说缔造了拼音文字的字母主体，亦即早在3000年前它就已经创建完成26个拉丁字母中的22个。腓尼基人随之洒遍整个环地中海地区，后来还发展出古罗马帝国的强劲对手迦太基，这些历史事件都跟腓尼基人有关。实际情形可能是，拼音文字从环地中海周边逐步传到克里特岛，最终进入古希腊，而拼音文字是造成语法逻辑思维结构的前提。

古希腊这片地方，是一个被分割成碎片的地理结构。它包括近东、小亚细亚、希腊半岛和亚平宁半岛南部，以及爱琴海诸多岛屿和克利特岛。这个碎片化地理结构，使之形成了无法完成政治一统的独特生存结构。因此，古希腊文明是典型的城邦文明。每一个城邦构成一个生活聚落，也是一种文化分型。这种碎片化的地缘关系，以及我前面讲的特殊开放地貌和不利于农业耕作的生存环境，由此造成半工商业文明，加上非统一性的多元政治文化格局，缔造了古希腊自由开放的思想交流条件。也就是说，古希腊哲学的发生，不是少数人刻意设计的，它是某种特殊的地理地貌和生存结构摇荡出来的思维系统。

大家知道，一个统一的政治实体，它的思想很容易在一个政权结构的强力压抑下，形成一系过度僵硬的主流文化，从而使得其他思想的发育，总是显现为难以相容的异端形态。由于古希腊的碎片化城邦政治结构和特殊化地理物候格局，使得它在各个不同辖区和不同地域之间可以发生不同的思绪，然后它又有充分的交流条件，这个交流条件又使不同的思想不断地发生碰撞与融合。长此激荡、异变、分化、重组的过程，起到了智慧潜能调动的自发促进作用，这就是古希腊哲科文化得以产生的原委。

古希腊哲学概述

我们下面谈一下古希腊哲学的三项思想内核。

第一，知识观念。知识观念是什么？就是你对知识的基本态度和基本看法。

我先引述当代以色列青年历史学家尤瓦尔·赫拉利的一句话：人类文明的思维调动是从自觉之无知开端的。他也称其为“无知革命”。这个话什么意思？要知道在非爱智的文化条件下，我们人类的基本知识观念叫作“全知道”，也就是我们认为，我们对自己所关心的问题是完全清楚的，我们处在无所不知的状态。

可是人类的认知革命其实是从无知状态开端的，这句话什么意思呢？大家想一个动物，比如一只猴子、一匹狼，它看见周围的丛林里有一枚水果，或者一头羊，它是什么反应？它一定是“全知道”——我非常清楚我看到了一头羊，我非常清楚我看到了一个苹果，我绝不对羊和苹果本身再产生怀疑和思索，这叫“全知道”。

我们人类早年的思维状态乃至今天的思维状态，绝大多数总是处于“全知道”的自满情境之下。就是在日常生活和工作中，如果你以处理实际问题为目标，那么你的思维过程总是处于知见明确的状态。可是古希腊哲学的开端恰恰相反，它是从“无知”起步的，它认为我们什么都不知道，或者我们自以为“有所知”的东西，其实全都不过是假象而已。这是智能储备调动的第一前提。

因此古希腊哲学所讨论的“存在”，我前面讲过这个词，它只是一个谓语系词Being（是）。它表达着什么？它表达“什么都不知道”，暗含着“继续追问”的意蕴。因为谓语系词后面的谓语，才给主语寻找概念。可见古希腊哲学的“存在”之义是很奇怪的，它不承认我们眼睛看见的东西就是存在，它说我们眼睛看见的东西全是假象，它要追究这个东西后面的某项决定要素，此之谓“存在”。所以它一开始就不承认“我之所见”即为“我之所知”。

苏格拉底说过一句名言：“我知道我一无所知。”——这居然是古希腊哲学的一个重要起点。苏格拉底总是缠着别人讨论问题，他说我很无知，因此我诚恳地向你请教，这时对方通常表现出有所知且全知道的样子，于是就逐一回答苏格拉底的提问。苏格拉底不断地追问，换着角度追问，直到对方的某一个答案与他前面之所答相矛盾，最后不得不低头承认自己无知为止。苏格拉底的这个街头游戏被后人称之为“知识助产法”。

我们可以想象，这种不断地追问别人，最初显得是在向别人请教，而后让别人从“有知”状态退化为“无知”状态，让别人从自觉很高大、很圆满的状态，无意中陷入很幼稚、很荒唐的窘境，这当然使对话者十分恼火。所以苏格拉底最终居然是被古希腊人用投票方式判处了死刑。苏格拉底的这种行为是要干什么？提醒你一切从“无知”开端！告诫你当你认为自己“有知”的时候，其实多么荒唐！大家想，大多数人类在一般状态下都处于“信主”或“重德”的文化氛围中，这是什么状态？这是确知状态，因此你就会停止追问。如果你的知识是确定的，你就不会有问题，你没有问题，你就不会展开进一步的思索，思想由此而被封闭。

亚里士多德曾讲，一切哲学追问都从惊异开始。什么叫“惊异”？我对我看到的东西无知，我才会惊异。如果我对我看到的东西习以为常，追问就停止了。所谓“惊异”必以“无知”为前提。——这个东西才叫“无知革命”。

我再举个例子。早在中国的第一本书《尚书》中，其中有一篇文章叫《禹贡》，就已经把中国的地理地貌全部说清了，叫小九州。当时不叫小九州，就叫九州，但它的描绘其实出入很大。到战国时代，一个名叫邹衍的人，也就是发明五行学说的那个人，用五行推导的方式提出大九州，也就是把整个世界地理说完了。我们可以想象在那个非航海时代，你要想说明世界，你能怎么做，完全是凭空臆断。但是这个臆断居然成为确知，于是我们对世界是什么已经没有任何疑问，我们进入“全然有知”状态。凡是无知的部分，均属不必知道的东西。直至清朝康乾时代，那时有一幅中国地图挂在皇室里，它把中国的地理地貌标注出个概略，然后认定凡属中国以外的地方一律是不值得关心的荒蛮所在。

我在第一节课中讲过，东亚是一个典型的封闭地貌，它的北面是西伯利亚高寒冻土地带，西面帕米尔高原，南面横断山脉，东面是浩瀚的太平洋。这就注定了中国人当年对世界的看法，就只有“中央之国”这一片地方，称之为“天下”。从小九州到大九州，中国人在先秦时代，已经自认为对世界有了非常完整和系统的了解，而且这种看法居然延伸到十七、十八世纪都没有任何改变。我们的“有知”和“确认”状态牢固到如此程度。

我再举个例子。大航海时代初期，也就是十四、十五世纪，那个时候的葡萄牙人，最早开始沿着非洲西海岸，寻求到达东方的海路通道。当时他们那里出现了一张连带周边的欧洲地图，仅限于很片面的局部，沿着非洲西海岸的部分全是空白，整个非洲只画有西海岸的一条线索。它留下了大量的疑问，使得人们看到这个地图就想去探险，就想去了解那些未知的地方。由于它悬挂的是一个无知的问号、一个无知的引诱，因此大航海时代得以发生。无知是追问的前提，追问是思想的开发，思想才缔造知识。因此，确定自己的知识观念是在确认状态还是在无知状态事关重大。它是一切思绪得以展开的起点，这是第一条，叫“知识观念”或者叫“无知观念”。请注意我现在铺垫的这三大内核之首，是你理解古希腊人为什么会有那样的奇思妙想的底层原因。

古希腊哲学的第二个内核叫作“本体真存”。

一提起古希腊，很多人从泰勒斯一直讲到亚里士多德，其实这样讲你根本听不懂为什么古希腊会出现这一脉别致的哲思。古希腊人不承认我们看见的世界就是“存在”，他的推导是这样的：我们看见的世界总是流变的，山会垮塌，大地会开裂，河流会干涸、会改道，人会衰老、会死亡，万事万物都在飘忽不定的流变中闪现。古希腊人认为这些个东西是假象而绝非真存，他认为一个真正的“存在”一定是永恒的、不变的、不可分割的，那个东西才是“存在”。因此他要追问眼睛所见的世界背后，那个主导着流变世界，而它本身又守恒不变的隐含内核，他认为那个东西才叫“存在”。

西方哲学第一期叫作“本体论”。什么是“本体”？现象后面、直观后面的那个“真存”才叫本体。他的这个思境是很奇怪的，恰恰不承认“眼见为实”，它的前提叫“眼见为虚”。他为什么会产生这样奇怪的想法？这跟我们中国自古认为眼见为实的朴素看法恰恰相反。我曾经说，东西方文化总是相反的。它在思维方式上的这个“反点”十分奇特，为什么会这样呢？

我前面讲过，西文的“存在”只不过是一个谓语系词，是因为拼音文字本身失去了概念，而人类思想最基础的砖瓦构件就是概念。当一个拼音文字挂在那里，它本身并没有具象符号，于是你不知道它是什么，你得在它的语法逻辑结构中给它命义，而一切命题句式的中间必有一个谓语系词，谓语系词带出来的谓语才是主语概念得以形成的来源，于是把这个谓语系词抠出来叫“存在”。它说明什么？说明“存在”是一个追问！它在近代中国翻译西方哲学的时候造成重大困难，我们所说的“存在”是实际眼见的那个“存在”，而西人所说的“存在”是一个“看不见的追问”。所以当年翻译的时候就出现争论，是把它翻译为“存在”呢？还是把它翻译为“是”呢？所以直到现在，“存在论”有时还叫“是论”。“是论”的意义在哪里？“是”乃追问？追问什么？——“是”什么？！即“是”后面一定是一个对“什么”的追问，这就是“Being”这个词项所必然形成的潜在逼迫。当它展现为“存在”的时候，它并没有固定为一个现实系统，而是成为追问态。

中国人所谓的“存在”，它讲的是男女交合、繁衍后代、子子孙孙、万世不绝，它是一个对“在”的确认状态。而“Being”是对一个“在”的非确认状态和追问状态，这就是“Being”这个“存在”和我们所说的那个“存在”的内核差异。因此西方就会出现这样一个中国传统文化里缺失的观念，谓之“现象”，就是说，它不承认你看见的是“实在”。

请注意“实在”和“现象”是两个概念，我们看到的只是“现象”，是表现出来的假象，这叫“现象”，“现象”背后的主宰才叫“实在”，这就是古希腊“存在论”、也叫“本体论”的含义。它认为“现象”背后你看不见的那个东西才是“真存”，这个概念引出了近代的“本质”之说。我们今天不断用“现象”和“本质”这组词汇，其实导源于古希腊对“being”的追问。

这种追问终究会形成怎样的态势？我再举赫拉利的例子，赫拉利讲“人类的文明起源于虚构”。什么意思？就是我不承认我看到的是“实在”，我要对“眼见的假象”再加以追索和虚构，由此才缔造文明。赫拉利举例说，譬如青猴，它们也是有见识的，它们也是有知识的，它们甚至也是有语言的。一群青猴里，其中一个青猴看见了一只老鹰，它会发出一种独特的叫声，说“老鹰来了”。因为鹰会抓走小猴，于是所有的青猴都赶紧带着小猴隐蔽起来。这些青猴还会发出另一种奇怪的叫声，告诫整个猴群，说有黑熊来了，熊对它们构成威胁。

那么人类是怎样表现的呢？人类当年跟猴子是一模一样的，

首先确认感官事实，辨识老鹰和黑熊。可当人类有一天突然开始虚构故事了，他说“熊是我们的保护神”，文明由此开端。中国的黄帝，他所在的氏族部落叫“有熊氏”，这说明什么？熊是他们部落的守护神。于是中国的文明始祖即为黄帝。什么意思？当他能够把现实虚拟成“存在”，当他不承认现实就是“实在”，当他对现实做了一个纯思想的虚构，人类脱离动物的思境由以展开，文明进程由以启动。这种借助于“思想”再造或重塑“实在”的能力，我们在哲学和科学上把它叫作“假设”。

大家知道，西方文化的基本展开方式就是“假设与证明”。什么叫“假设”？我不承认我看见的是“实在”，它只是假象或者现象。既然我看到的都是假象，那么“实在”和“真存”是什么？我就只能通过“假设”来追索，俗语谓之“虚构”，学术上称其为“假设”。有了假设才会去追问，有了假设才需要证明。如果你不做假设，又为什么要证明呢？既然是假设，眼见为实的证明当然无效，因为眼见的东西都是假象，因此拿眼见的东西就不足以作为证明。于是假设后面追加的那个证明，就绝不是常规状态下的见识或意识的总和，而是某种运行在精密逻辑程序上的产物，这个东西叫作“证明”。

中国传统学术自古缺乏“假设”这个前提。中国文化总结下来共有四部分，谓之“经、史、子、集”。其中最厚重的一个组成部分就是史学。史学上有一个很经典的说法被我们反复强调——“历史不允许假设”。也就是中国学术在主体上不接受假设。可人类文明恰恰是从假设开端的。其实中国人（包括其他文明）自古就在假设，只不过他不肯承认这个东西，于是就不再主动对其加以设定、加以追问，于是他的思境就会陷于停顿，其后的证明过程当然也就无从展开。这就是狭义哲学只发生在不断假设并不断求证的古希腊的原因。

而且，什么叫作“证明”，这是一个问题。我们后面要不断地讲到这个问题。我现在就提醒大家，当我后面讲到“广义逻辑”这个概念的时候，你才能听懂什么叫“证明”。可能到那个时候，我不再重复这个问题。我在这里只对“证明”做一个粗略的表述，什么是“证明”？你上中学的时候，老师给你出一道二元二次方程题，老师说请你算这道题，解这道题，你写几行就解完了。但假若老师说“请你证明这个方程”，你如果不是数学家，你如果没有几十页纸的推导演算，你完成不了对这个方程的证明，这个精深的过程才叫“证明”。西方有一句话：“学问就是证明。”学问绝不是直接宣布真理，绝不是说你立即拿出一个确定的答案就告罢休，而是你必须先做一个假设，然后在逻辑上一步一步地深入求证，这叫“学问”，这叫“证明”。你读一下牛顿的著作《自然哲学的数学原理》，全书只是对什么是引力，乃至什么是力，做了一个证明。你读一下我的《物演通论》，全书只证明了一个原理——递弱代偿原理，全书数十万言只是对它的系统证明，因此读起来特别费神。因为证明是纯逻辑推论，一环套一环，不允许有任何缺环，这个过程叫作证明。而一切实在、一切学问居然全都是假设和证明的结果，这叫“本体真存”，这就是古希腊哲学的“本体论”。

我在这里顺便多说一句，以便于引导大家听后面的课程。古希腊人认为我们的感官是一个近似真空的孔道，也就是那个时候的古希腊哲人，还没有意识到我们的感知本身是有规定性的。因此，他们直接将感知施加在对象上，却没有对感知本身予以探究。这个阶段在古希腊哲学叫本体论阶段，也叫自然哲学。

随后，也就是自柏拉图之后，其实他们已经发现我们的感知本身不是真空的。如果我们的感知是有规定性的，那么你如果不首先搞清“感知”是什么，你就没有资格追问“存在”，是不是这样呢？因为你的感知本身对“本体”、对“存在”是有所规定的，是有所扭曲的。于是，近代以降，西方哲学从本体论阶段进入认识论阶段，这是另一个话题，我们后面再谈。

我们现在先谈古希腊哲学的总体思境，我们今天整个重点放在古希腊。为什么？因为只有它才能引导你理解西方哲科文化的起源。所以请记住，当本体论发生的时候，当自然哲学在古希腊兴起的时候，它的前提条件是不承认看见的东西为真实。它要追问后面的东西，而追问本身只能通过假设来进行。如果我们的感官和意识的展开，都不足以证明那个假设，反而提供的都是虚像，那么证明就得通过纯逻辑推导来完成——也就是让一个纯逻辑的假设后面跟上一个纯逻辑的证明，这才构成哲学和科学追问的开端。

下面进入第三内核——精密逻辑。

什么是“精密逻辑”？既然不承认感官提供的证据，而要运用假设和假设后面的逻辑思维来进行证明，那么逻辑怎样证明？这就需要逻辑本身能够具备某种特别精致、特别严密的运行方式，使之不是随机的、任意的，而是必然导出的、无可游移的，这种思维推理程序谓之“精密逻辑证明”。所以请注意，当我讲思想、讲逻辑、讲推理的时候，我不是讲一般的思维推理，而是讲精密逻辑推理。

在人类现有的学问中，大致只有三样学问需要调动精密逻辑：第一，数学、几何学；第二，物理学；第三，哲学。你学习数学试试，那是一环扣住一环，数的背后没有任何东西。比如我说3，3是什么？可以是3只杯子、3台电脑、3张桌子或3个人等等。什么都可以是，但什么都不是。当我把这类纯粹抽象的逻辑符号排列出来，然后进行一环套一环的推导证明或演算求解，这个过程是不是构成数学、几何学的全部。几何学为什么在古希腊特别重要，是因为人类早年的数学是在几何学上展开的。这句话什么意思？要知道人类在原始时代是没有数位数列的，故此人类早年的数学计算都不得不在几何图形上进行。无论在古埃及、在中国、还是在西方，早年的几何学和数学是一码事。这就是为什么在柏拉图学园的外墙上写有一句话：“不懂几何学者不得入内”，这句话相当于“不懂数学者不得入内”。

大家都学过数学，应该深知数学的繁复细致，由此可见精密逻辑的精密程度。

我再举例子，古希腊第一位哲学家泰勒斯，出生在公元前7世纪，展开他的思想是在公元前6世纪。泰勒斯只留下一句话："水为万物之原。"他为什么就成了西方第一圣哲、哲学第一开山者，这个话题我们后面再谈。我们眼下只看有关泰勒斯的一个典故，据古希腊哲学史上记载，泰勒斯游历过古埃及，年轻的时候就特别热衷于几何计算，他站在海岸边的悬崖上遥望远处的船只，通过其视角的斜线和海平面的直线所构成的三角关系，居然能够准确计算船只与他所处位置的距离。他在干什么？进行几何学数学思维训练。古希腊当年的哲学家，很多人都有过环地中海游学考察的经历，他们站在古埃及金字塔下，可以通过目测计算，确定或大致确定金字塔的高度，这是典型的几何学数学训练和几何学数学运用，这就是古希腊哲学的始发状态，也就是精密逻辑思想系统得以展开的起步状态。在那个原始时代，很少有哪些文明类型，也很少有哪些早期文人，能够像古希腊哲学家那样普遍而执着地使用和调动精密逻辑。

让我们大略审视一下人类的智识状态。我们人类和所有生物的意识，我说简单一点可以分为五个层级。我前面讲到赫拉利，我引用的故事，都是出自他的《人类简史》这本书。他最近又发表了一本书，我想在座很多人读过，叫《未来简史》。他在《未来简史》里讨论了一个问题，他说人类的意识就是算法，也就是精密逻辑的算术。他说因为电脑时代的出现，今天他才理解这一点。他甚至说，处于精密逻辑之外的残余意识，也就是算法以外的初级意识，其实完全是无效的，甚至是有害的。比如计算机或机器人，它是感觉不到疼痛的，疼痛是意识中的东西，与算法无关。你拿针刺人的指尖，会有疼痛感，可你拿针刺机器人，它是没有疼痛感的。可是机器人运行算法，要比你精密得多，也高效得多。因此说，人类的低端意识是一个多余的甚至有害的东西。他还给出了一个很有意思的例证，他说就像飞机飞行的时候，不免会发出轰鸣的噪音，意识就是这个噪音，噪音没有任何用处，它一点儿都不能推动飞机前行。

赫拉利这个讲法对吗？大错而特错。人类的意识从哪儿来的，你得先把这个问题梳理清楚。我们所有生物以及人类的意识可以分为五个层级，即：无意识层级、潜意识层级、下意识层级、上意识层级、精密逻辑层级，也叫思想意识层级。任何生物，包括人类，你的整个感知系统奠定在什么基础上？奠定在细胞膜的跨膜电位和神经系统的生物电传导上。这个部分，我们在显意识中是调动不出来的，这个东西叫“无意识”。请注意，我选用的是心理学家荣格创造的术语，但我所说的含义比他深在得多。

第二个层面叫“潜意识”。什么是潜意识？请注意，我采用的这个概念，乃为弗洛伊德所建立，但我这个选词的深意，虽然与弗洛伊德之原义较为近似，但外延可能更广阔。怎么说呢？就是在细胞跨膜电位即微观生理电磁感应的物理运动基础上，所建构的有机体神经结构及其内感知维护系统，亦曰“交感神经系统”或“植物神经系统”之机能总和。要知道生命一旦发生，及至进化形成多细胞、多器官有机体，它的内在协调关系就会变得非常复杂，因此我们人类的神经系统中便留有一个专门调节生理结构内部运转的中低端遗存。比如你的心脏跳动、呼吸频率、胃肠蠕动、生殖机理等等，你是不用拿显意识支配它的。这些东西由谁管理呢？全由植物神经系统加以有序调节。

由于一切生命有机体都是围绕着性增殖这个中轴运转的，因此弗洛伊德讲幼年时期的性压抑，会给人带来严重的精神变态，他把这个东西叫潜意识。我给它一个更广泛的表述，将其扩展为整个有机体内在结构的神经调理系统。这个东西潜伏在显意识下面，由不得你自主控制。比如你不能用显意识来控制自己的心脏跳动，你也不能用显意识来节制自己的胃肠蠕动，这是生物意识的第二奠基层。

第三层叫作“下意识”，也就是我们的低级神经中枢，比如处在背部椎管里的脊髓。我们骑自行车，如果你在完全学会了以后，能够很熟练地掌控，两腿不经意地做圆周运动，你尽可以一边骑自行车，一边思考复杂问题，绝不会摔倒，也不会撞到树上，这个时候谁在主宰你骑自行车呢？是你的脊髓下意识系统，亦即低级神经下中枢系统。再比如，针刺手指，你会立即有一个痛点感觉和缩手反应，它是末梢感觉神经回馈至下中枢反射弧所引发的应变保护机制。像这类随机的、本能的内外知觉综合反应构成下意识。

再就是“上意识”，这已经是第四层级，也叫“显意识”或“动机意识”。在这个层面上，你才开始使用智慧，或者你通常所说的“智慧、智能、智力、智商”等，就是这个上意识部分，心理学上也叫显意识。一般人浮于此层，自觉聪明无比，夸夸其谈，处处炫耀，殊不知他其实只比禽兽猿猴的用智稍稍延伸了一寸。

最后，在这个上面还有一层即第五层级，才是智人独具的潜能或哲人调动的优长，也就是赫拉利所谓的“算法意识”（简称“算法”），或者叫“思想意识”。请注意我用思想意识之概念，跟我们通常在国内政治上所说的“某人思想意识很坏”或者“某人思想意识很好”绝不相关。我所说的“思想意识”就指“精密逻辑意识”，因为真正可称得上“思想”的，仅指这个部分。我们的日常用智活动是靠亿万年应对一般外部环境所产生的模块化反应，因此我们在显意识层面，也就是第四层面上已经把智慧用到了满足状态。

而精密逻辑意识是需要特殊调动的，也就是你得长期不断地加以后天训练才行。它原本只是一种潜在能力，一种微弱慧根，并不直接彰显为随时可用的智能。好比你不是看到一个障碍物，然后像动物般选走三角形一个边，就以为自己完成了什么要紧的智举，而是你偏要去做勾股定理或毕达哥拉斯定理的演算推导。你得在这样繁纷紧致的逻辑路径上达成通透，借以实现思维细节的精密运行，这才叫精密逻辑，它是人类思维序列的最高层级。

我前面讲，电脑识别人脸，识别狗脸、猫脸，迄今仍然颇为吃力。它每秒上亿次高速运算，尚且如此，我们人类为什么觉得轻而易举？是因为我们早已把它压缩成神经网络联系的反应模块了。但是反过来看，人类在进行精密逻辑运用的时候，却变得非常困难。困难到什么程度？我们从小学到大学，学习数学十几年，能变成数学家者，即能够把所有问题随时转化为方程和算法的人，大概万分之一都不到吧。它说明什么？我们要调动最上层的那个算法意识，它居然是一个超级潜能调动。也就是说，算法意识只在我们的潜能之中，而不在普遍智能的正常实现当中。我们必须借助于后天刻苦持续的训练和调动，我把它叫作“智能储备调动”，才能进入“有思想的高端意识层次”，也就是“精密逻辑意识”，简称“精密逻辑”。请想想，古希腊文化在它的哲学起点上，就是从这个层面开始训练，且步步纵深，由此才夯实了古希腊狭义哲学的思想基础。

我再重复一遍，古希腊哲学的基本内核如下：第一，无知革命，即其知识观念始终处于虚空与追问状态；第二，本体真存，也就是不承认在浅层直观上所获得的见识属于真知；第三，精密逻辑，唯有借助于此等思维训练方可达成人类智能储备的高度调动。这些基本素质的综合与凝练才是狭义哲学的真正出发点。

本体论的初始追问

我们下面进入古希腊哲学所探问的课题讨论。我再次申明，我们这节课不讲西方哲学史，而只讲西方哲学基础综述。因此，关于古希腊哲学，我只给大家提供一个基本框架。

我用倒叙方式讲，先直接从亚里士多德谈起。大家知道亚里士多德是古希腊的最后一位著名哲学家，成为古希腊哲学之集大成者。我为什么讲古希腊哲学，从他这儿谈起？是因为他做了一个总结，他说你看万物纷呈，你要追问“存在”或“存在的本体”（请注意我一旦说“追问存在”，绝不是讲“流于直观层面的现象”），你一定会追问出“四因论”。亚里士多德所谓的“四因”，我现在做一个简单论述，第一叫质料因，第二叫形式因，第三叫动力因，第四叫目的因。

我一项一项说明。什么是“质料因”？古希腊哲学追问万物为什么会有所区别，这个追问立即就会导出一个最简单的答案，就是万物的差别是因为它内含的质料不同。比如一个瓷杯子，它内含的是陶土；比如一个钢杯子，它内含的是金属；比如一个木头用具，它内含的是植物纤维；比如一个人，它内含的是无数细胞；于是我们认为，不同的外物类别就是由于它内含的质料有所不同。

可是大家注意，20世纪美国出现了一位著名物理学家名叫盖尔曼，他是夸克的发现者，因此获得诺贝尔物理学奖。他写过一部科普著作《夸克与美洲豹》，他在这本书中提到一个问题：万物都是由夸克和电子组成的，为什么会有万物的差别？这句话的意思是问，既然万物的组成质料是相同的，如果这个命题成真，那么为什么还会显现出万物的差别呢？要知道迄今这个问题仍然没有得到解答。当古希腊人追问，万物之所以会有不同分类，是因为内含的质料有其差别的时候，他的用意不是得出了什么确切的结论，他的用意恰恰是形成追问。这叫质料因，不是质料果。

古希腊第一圣哲泰勒斯只留下一句话：“水为万物之原”——水是万物的本原，他竟然因此成为古希腊第一哲学奠基人。我们今天听这句话，他全然说错了，因为水不是万物之本。水是氢二氧，两个氢原子配一个氧原子，显然水不是万物的源头，因为原子尚且不是万物的起始。请问原子从哪儿来？你得追到基本粒子，粒子又从哪儿来？你得追到奇点能量。一望而知，泰勒斯并没有追至本原。但为什么他由此成为西方哲学第一鼻祖？是因为他这句话里含了这样一个追问：万物本身不是现成平铺的，也不是同步涌现的，万物系统是有一个将其渐次导出的来源的。它包含两重含义：第一，万物后面还有一个主因；第二，万物是演化而来的。

请大家回想我讲老子，老子的“道”也是这个追问。因此我说老子是中国古代思想史上的第一位乃至唯一一位哲人。但是老子的“道”到此为止，而泰勒斯的追问要比老子显得幼稚得多，于是就还留有再行追问的余地。老子的“道”你不知道是什么，你可以无限想象却无从着落，你可以至此视为问题得到圆满回答，而泰勒斯的这个答案又构成新的问题，故而算不得终极结论。当他说“水为万物之原”的时候，他立刻陷入了一个巨大的麻烦，敢问水的前体或本原又是什么呢？

泰勒斯之所以这样说是有道理的，从直观上看，只要有水的地方，万物就会滋生。有水植被就会发芽；浇水灌溉才会长出粮食；潮湿的地方便会生蛆；积水的地方则产鱼虾；连婴儿都是从羊水中钻出来的。由于观察到水的存在会莫名其妙地导出原来没有的东西随之发生，因此泰勒斯做出了一个今天看起来太过粗浅的论断，说水是万物之原。一方面它表达着万物后面还有一个需要追问的本因，另一方面他又试图对这项追问给出一个试探性的回答，这个回答越幼稚、越具体，就意味着对它的突破越有可能发生。

于是他的弟子阿那克西曼德就批驳他的老师，说水是不对的，因为，水本身还有一个来源需要追问。阿那克西曼德说，水的后面还有某种更根本的东西，我不知道应该怎样称呼它，于是阿那克西曼德给了它一个奇怪的命名，叫作“无定形”。不过，阿那克西曼德的弟子阿那克西美尼，他说无定形也未免太缥缈了，于是又给它另做了一番寻根，认定为“气”。我一说到“气”，大家应该不陌生，中国人自古就讲“气”，其具象思路与米利都学派略显相合。但是希腊人至此并未停顿，随后另有一系列哲学家继续追询，比如赫拉克利特说是“火”，因为火能够使任何东西变质变形，火能够再造新物态，而且太阳就是一团永不熄灭的火，万物生长靠太阳。所以他的说法成立，或者至少相对于前面的追问算得又一个追问。可是火的出处是什么呢?

所以阿那克萨戈拉接着提出“种子说”，他认为万物起源的最开端一定有一个类似种子的生发点，这有点像是阿那克西曼德的无定形的回归。到恩培多克勒提出著名的“四根说”，他说万物的组成在假设和推导上，可以证明是四样东西的综合，这就是“水、火、土、气”，他说这四样东西构成了万物的基本质料元素。这个看法跟中国战国时的“五行说”有点相近，可视为“四行说”。我讲这一点，大家应该意识到中国先秦时代是有类似追问的。

可大家注意，“质料因”在古希腊只是“四因论”追问的一因，而且最终结出了一个惊人的硕果：留基伯和他的弟子德谟克利特提出的“原子论”。他们认为，任何具体的东西作为质料的本原都不成立，因为你能够看到的都是假象，后面一定有一个你看不到的东西，但是它一定真存，它一定才是事物的质料本体。他们说对于这个东西，需要给予一个特殊的命名，就叫“原子”吧，即最原始、最本质的存在介子——“原子论”就此诞生。也就是，在留基伯和德谟克利特的时候，他们就已经从纯逻辑上推导出这样一个结论，万物不管怎样纷纭，实际上是由一种或者少数若干种基本粒子组合构成的，这种想法已经是今天物理学的前沿，或者更准确地说，是引领近现代物理学的先声。这就是质料因的追问概况。

我们再看亚里士多德总结的第二因，叫作“形式因”。我们今天一讲“形式”，就是指“内容与形式”。说一个东西总有内容，总有形式。所谓“内容”就包括质料，所谓“形式”就是它的外在形态。我们通常很容易得出一个推断，说“内容决定形式”，听起来似乎很有道理。可你注意，亚里士多德说了一句相反的话，他说“形式决定内容”。我们中国人很难理解这句话。这里的关键在于什么叫“形式”？古希腊哲人绝不在直观界上讨论外形，他们所说的“形式”是指“逻辑形式”！我换成今天大家比较容易理解的讲法，可称之为“感知形式”。这个概念的第一创始人是毕达哥拉斯，毕达哥拉斯的整个哲学其实就是在探讨“数论形式系统”。

要知道毕达哥拉斯的数论系统，绝不是我们一般应用层面上所讲的算术或数学。毕达哥拉斯思想的核心，用一句话表述，叫作“万物皆数”。什么意思？毕达哥拉斯发现，万物都可以归整为数的逻辑关系。他说万物都是假象，如果把万物抽象为一个数论系统、一个数学逻辑系统，倘若万物都跟这个系统相符合，那就表明这个“数论逻辑形式系统”才是万物现象背后的本原，因为它更具有普遍性和统一性，这叫“万物皆数”。请回想我前面讲“本体真存”，说“存在”不显现于直观。那么要想超越直观，有几种追问方式，一种就是追问内在包涵的质料，结果追出“原子论”；另一种就是追问普遍适用的形式，其实就是“感知形式”或曰“逻辑形式”。我想学通了数学的人都知道，什么叫数学？无非“数的形式系统”而已。

毕达哥拉斯说“万物皆数”，就是讲万物都只不过是一个数学逻辑形式。由于万物是以这个东西作为本体，或者说，万物皆以这个形式作为自身存在的根据，所以顺势推论，则当然可以说“形式决定内容”，也就是你的感知逻辑形式决定了或规定着一切事物的表观呈象。故此毕达哥拉斯被誉为古希腊哲学“唯理论”的开山鼻祖。请注意我在这儿所说的“唯理论”，在中国的叫法是“唯心论”。我建议大家千万不要乱批唯心论，你先搞清楚唯心论的思路从哪儿来。请记住，毕达哥拉斯当年并不认为数论逻辑形式是主观的东西，他认为那是客观世界背后的本原决定因素，尽管这个决定因素竟然是一个逻辑理序，或逻辑程序形式。这就是毕氏学团的“本体”追究。

这个东西经过他的弟子传到雅典。我前面讲毕达哥拉斯在意大利半岛的克罗顿这个地方发起毕氏学团，他逝世以后，他的弟子流散到雅典，然后将其思想传达到柏拉图那里，柏拉图这时方才领悟，他的老师苏格拉底曾说“直观者无所知，真存者乃理念”的含义。实际上苏格拉底本人当时也还说不清什么是“理念”，他将理念表述为神的躯壳或神的追思。直到柏拉图接受毕达哥拉斯学说的影响，确认“理念”就是一个数理逻辑形式，从此柏拉图的“理念论”有了实质性的内核。

什么叫作“理念论”？所谓“理念”就是一切事物后面的精神逻辑形式，是万事万物得以发生的本体或得以认知的源泉。所以柏拉图说“万物都不过是理念的分有”。譬如任何一张桌子，它是会朽坏的，可是为什么桌子在世界上永存？是因为木匠的头脑里有桌子的理念，因此桌子永存，现实中的桌子只不过是桌子理念的分有。你今天听起来觉得很荒唐，觉得很难理解，稍安勿躁，请把这个课慢慢往后听，它是太有道理了，因为你所说的万事万物其实只是经由某种你所不能自觉的认知理念整合出来的产物。

总结一下，这个“理念”是什么？就是逻辑形式或认知方式。然后有了欧几里得，我们今天知道他是几何学家，别搞错了，欧几里得是哲学家。他当年做几何学根本不是为了应用，我再说一遍，古希腊人不关心应用，至少古希腊哲人不关心应用。他们认为凡是能用的东西，都是匠人的东西，根本不值得他们再去用心钻研。欧几里得的书名叫《形论》，就像毕达哥拉斯的数学叫“数论”一样。请注意“数论”跟“算术”有很大的区别，中国自古就有算术，算术是用来应用的一种技术。毕达哥拉斯的数学是数论系统，数论系统是指一个逻辑形式系统，请大家把这两者区分开来。一个是计算用的数术，是实用的技术；一个是万物的本原，逻辑形式的精密系统。一个是为应用而生；一个是为追问世界之终极而生。实际上，欧几里得是为了证明柏拉图的理念论成立，才为之而著述，于是他起的书名叫《形论》，也就是“形式论”。中国人后来把它翻译成《几何原本》，是因为中国的“几何”这个词是“多少”的意思，曹操的诗“对酒当歌，人生几何”，是问人生还有几许时光。因此中国人借用“几何”这个古词，把他的书翻译变味了。

欧几里得用纯逻辑的方式，组成了所有“形”的规定。要知道在现实中，三角形的山会垮塌，矩形的地面会发生变形，线状的河流会改道，总之，一切直观视野中的“形”都是变动不居的。可是在“形论”里，也就是在几何学上，三角形、矩形、圆形、线形，它们的概念却是被明确规定的，是永恒不变的，其间具有某种既成的逻辑关系或先验规定。

因此，欧几里得用几何学，也就是用“形论”来证明这个世界背后的本原是“理念”，此后才有了亚里士多德的形式逻辑——人类历史上第一门逻辑学。这个由亚里士多德创造的逻辑学，名字就叫“形式逻辑”。请注意它不是指一个物体的外形，它是指你的思想形式，或者说它是指你的感知形式。在你的思想形式里，2+2永远等于4，3×3永远等于9，它是不会变化的。这个给定的逻辑形式决定着飘荡的假象，决定着事物的呈现，其实是被“理念”规定死的，从而才能最终解释万物如何存在，这叫“形式逻辑”。他然后讲，你在逻辑形式上导出了对万物的认识。

“逻辑”是什么？亚里士多德给出一个定义：“必然的导出。”也就是当给你一定的素材、一定的前提，你在逻辑上推演的结论便是给定的，这个注定的结论是被逻辑形式制约的，因此这个逻辑形式才是事物的真核。这个话题，我们后面还会再谈。

我讲了“质料因”和“形式因”，这是古希腊早年的两路追问。追问“质料因”，结果追问出原子论，迄今整个人类物理学，从原子物理学走到粒子物理学，还没有把这个问题探讨完毕；追问“形式因”，最终追问出数论形式、几何形式乃至逻辑形式，迄今人类的逻辑学即精密逻辑结构也没有研究穷尽。就是这两路追问，从古希腊走到今天，仍然在继续追问而不止。

亚里士多德接着再总结，他说这两路追问之后还留有一个问题未予处理：什么是万物运行或万物存续的动力？于是他提出“动力因”。然后他又问：万物运行的最终归宿是什么？它的目标在哪里？这叫作“目的因”。大家知道万物演化是有一定规律的，其中自然隐含着动力源和目的地，也就是运动初启与运动趋势这两大问题，对此亚里士多德没有给出明确的回答。古希腊哲人也曾有过很多猜测，但是在当时条件下，他们得不出像样的结论，于是有三个东西被作为可议论的主题抬出：第一是“神”，这当然是一种逃避，但是苏格拉底讲过神的后面是无穷追问的余绪和线索，这大概也是亚氏“目的论”里含有某种“主观设定之意向”的原因；第二是“善”，也就是人类一直追求的那个最美好的东西，它构成探讨动力因和目的因的又一个思路;第三是“智”，也就是“知”，正如中国古代“知”和“智”同样是不分的，意思是说，你只有在“知”和“智”上无穷地追究下去，这些个问题才能得到回答。显然，即便是亚里士多德提出了四因论，他也终于未能穷尽其所问，结果让这四因仍然表达为继续追问态，这就是古希腊哲学的总体呈现。它由此形成了一个重要的思维方法系统，即深层追问和精密逻辑。请注意我说的这两点：不停地追问，怎么追问？通过猜想和假设。而给出的假设要想得到确立，或者至少得到当时的承认，就必须经由精密逻辑予以求证。

好了！我们现在回头看中国。我说老子的“道”与泰勒斯的追问大体一致。而且老子的“道论”中，甚至包含了除质料问题以外的形式因之追问。老子有一句话，可能很多人未加注意，他说:“不出户知天下，不窥牖见天道。”这句话的意思是说，我不出家门，我就知道天下事；我连窗户都不看一眼，我就知道天道怎样运行。他接着讲“其出弥远，其知弥少。”他说你跑出门去实践，你的动作越多，你的知识一定越少。

老子这段话是典型的古希腊式纯智慧追问，他不承认“实践出真知”。所以我们今天说“读万卷书，行万里路”，这是跟着孔子瞎跑，孔子周游列国13年，确实行万里路，最终却一事无成。在中国只有老子,既一心追问事物假象背后的道——本体，又断然否认一般感知方式能获得知识，所以老子确实是中国先秦时代唯一可与古希腊比肩的哲人。

但是，为什么老子的哲学到魏晋时代变成“三玄”之一？中国古代哲思后来演变成玄学，而没有伸展出哲科思维体系，缺失了什么？缺失了纵深追问与精密逻辑求证。请大家听懂我在讲什么，中国先秦时代以道论哲学为起点，终点却变成玄学，而古希腊同样的哲学起点，终点变成科学。这其间的差别就在于是否进行纵深追问，也就是后人不断地追问，不断地质疑，不断地批驳，并且不断地借用精密逻辑去组织对此等“假设-证明”系统所显露的破绽予以弥补或革新，这个探索系列历经数千年的功夫，才锻造出哲学思维及其后续科学思维。

而且大家要注意，当亚里士多德讲“形式决定内容”，当古希腊哲人讲“理念是万物的本原”的时候，尽管那个时候唯心主义问题，就是认识论问题，也就是精神本身的规定性问题还没有开始探讨，但是它却已经为后续的发展埋下了伏笔。所以你读亚里士多德的书，他会讨论范畴，他所说的“范畴”，不是客观世界的范畴，而是指你的逻辑和思维中有一些固定联系的模块，这个东西他称为“范畴”。我的表述很不准确，我只是为了让大家听明白，你要想知道它的细节和深意，你必须去读他的原著。这个东西深深地影响了康德，所以康德后来也组织了著名的四组“十二范畴”，借此讨论先验理性问题。

这种一脉相承的质料追问、形式追问、逻辑追问、思想追问，构成西方哲科思维的长远伸展，这就是古希腊哲学所奠定的开端。它的开端绝不是“水为万物之原”，或者“火为万物之原”，或者“数为万物之原”这些结论，它的展开是由于贯彻了纵深追问和精密逻辑求证，亦即假设和证明系统的不断调动和训练。它的出发点是我们在一般感知层面上所获得的见识，都属于不能确认的假象，这就是狭义哲学的开端。这个开端在古希腊经过数百年的锤炼形成了一脉精密逻辑系统。大家只要读一下阿波罗尼奥斯的圆锥曲线证明、纯数学证明，读一下欧几里得《几何原本》13卷，再读一下亚里士多德关于形式逻辑的推证，你就知道古希腊哲人当年走到了怎样深远的智慧潜能调动高度。

科学的萌芽

我们前面讲了作为西方哲学开端的古希腊哲学，它在智能调动和思维方式上的底蕴及其概况。

大家回想，这个哲学的底蕴和思绪的开发，是不是必然导出科学？想想“质料论”这一脉的追究，以及“逻辑形式论”这一脉的追究，这两者的结合，是不是今天科学活动的基本思维方式和追究方式？即使在古希腊时代，科学在亚里士多德之前表达为博物学，也就是尚未形成分科之局，各类知识浑然汇集在一起，但这正是自然哲学本身，也就是说，古希腊的自然哲学与博物学完全是一回事，而博物学作为科学的前体或萌芽，它的基本样式早在古希腊“自然哲学时期”已然逐步形成。

我们下面就看看，哲学思维怎样导出科学思维？哲科思维的基础怎样形成？

从泰勒斯追问万物的本原，到米利都学派接续追问下去，再到毕达哥拉斯提出数论形式系统是世界之内核，直至“柏拉图转型”及其“理念论”的完成，精密逻辑思脉由此铸就。

我在这里稍微解释一下柏拉图转型，我反复提这件事，是因为柏拉图作为苏格拉底的弟子，曾经有过一次重要的思路变迁。苏格拉底除了比较关注思维追究以外，他的相当一部分精力落实在社会问题上，柏拉图最有名的著作《理想国》，其主体讨论也偏重于这个方面。

我前面讲过，毕达哥拉斯学团曾经主政克罗顿，毕达哥拉斯本人后来死于政治斗争，他的学团就此星散，其中有一部分学生流落到了雅典。这个时候，柏拉图遇到了毕达哥拉斯学派的思想，他大为震惊，才知道在意大利半岛南部、古希腊的西面，曾经有过一脉纯数理探讨世界本原的精密逻辑思绪。于是，柏拉图发生思想形态的重大转变，他承接了毕达哥拉斯学派的精密数论逻辑系统，为“理念论”注入精髓。“理念论”的提升，成为后世之科学思想方法与追究深在本质的重要思路导向。现代西方出了一个著名哲学家怀特海，他曾经讲过一句评语，大意是说，整个西方哲学和科学的发展过程，实际上无非是给柏拉图思想所做的注脚。想想欧几里得几何学，只不过是给柏拉图的理念论作证，它纯粹是一个哲学探讨。我们今天看数学、几何学，认为它是科学的工具，别搞错，它是哲学的锻造。

柏拉图的学生亚里士多德，又往前进了一步。亚里士多德转变了原先那种“事物的本体在假象后面”的说法，提出“实体论”。所谓“实体论”，就是说假象世界本身正是理念真存的实体表达。你不能完全看空它，你得通过对它的追究，才能找见本体。亚里士多德的这项纠偏，使得整个哲学和后继科学开始朝着“对象实在”的研究方向转进，而且亚里士多德本人就是分科之学的开山者。所谓“科学”，就是博物学或者自然哲学的分科化，我们把这种“分科之学”简称为“科学”。若非亚里士多德从“实体论”角度探讨分科之学，想必当年的科学萌芽，尤其是近现代的实证科学，都会丧失脚踏实地的立足点。他当时已经分科研究了诸如物理学、形而上学、逻辑学、生物学、政治学、伦理学等，门类居然达19种之多，分科之学由此初现起点，科学的表达方式，由此成为一个开端。

亚里士多德也有很多失误，其中包括一个重大的倒退，就是他对从毕达哥拉斯到柏拉图追究数理逻辑方法的忽视，尽管他用形式逻辑为之做出了某种程度的弥补。所以你读亚里士多德的分科文论,你会发现他错误百出。可这些错误一点都不重要,因为这个思路才是最具有启迪性的。

大家知道，伽利略提出自由落体实验并且从中得出定律，其实跟亚里士多德当年的一个错误讨论有关。也就是，亚里士多德早在2000多年前就已经讨论了关于自由落体的问题，他认为轻的东西一定下落速度慢，重的东西一定下落速度快。尽管这符合常识,后来却被证明是错误的。但我想问,除了在古希腊,世界上还有哪个地方曾经讨论过这类问题呢？古时候的中国人,会去讨论有关自由落体的问题吗？也就是说，问题不在于讨论的对还是错，而在于你是不是有这个视角和思路，它是不是成为一个问题聚焦点，这才是关键。由此，才会有后向的引申。

再回到欧几里得，他把精密逻辑已经做到这样的极致，他用世界上不存在的抽象的点、线、面—我的意思是说世界上不存在抽象的点、线、面，现实中你能找一个粉笔点、一个苍蝇点，但你能找见一个抽象的“点”吗？你能找见一条丝线、桌子边缘线,你能找见一个抽象的“线”吗？你能找见桌面、地面、床面，试问你能找见一个抽象的“面”吗？欧几里得居然就用这些纯粹抽象的东西，在他的几何形论著作中，开篇给出了5条公设、5条公理和23项定义。

我先说其定义。他说什么叫作“点”？只有位置而没有大小叫点；他说什么叫作“线”？只有长度而没有宽度叫线。他先给出这样的定义，诸如此类23项，再由此提出5条公设、5条公理。今天我们把公设、公理通称公理，也叫公理系统。这是今天任何一个严谨的逻辑工程必用的方式，叫作“公理化方法”，就是从欧几里得开端的。

我举其中公设的两例：第一公设，两点之间可以做一条直线；第二公设，任一直线可以无限延长。他从最简单的、已属不证而自明的那个逻辑原点开始，居然逐步推导出48项定理，再结合5公设、5公理和48项定理，进而推导出476项命题，由以完成整个平面几何13卷，后人从此几乎再加不进去任何一条定理，其逻辑严谨程度令人咋舌。

影响之大，从笛卡尔到斯宾诺莎，到牛顿，到爱因斯坦，到罗素，所有这些人的哲科启蒙，居然都是在少年时代读了欧几里得的《几何原本》，大受冲击而开智的。因此，欧几里得的几何学，奠定了整个精密推导思维模型之基础。

在古希腊时代，科学同时相伴展现。比如阿基米德，他在精密逻辑上推证了几何体表面积和体积的计算方式，推导出浮力定理和杠杆原理。他探索的问题，已经完全跟近代科学讨论的问题一致。

然后到托勒密，大家知道，托勒密的地心说被我们今天视为笑谈，可它当年实在是一个巨大的精密逻辑工程。阿拉伯人把托勒密的著作翻译为《天文学大成》，这个名字是不对的，希腊原文叫《数学汇编十三卷》。也就是，托勒密当年把整个天体运动分成多层天轮，进行精确数学计算，建立了精密的地心说天文体系，影响西方农业文明长达1400年，其精致程度，几乎在大多数情况下能预测月食、日食，这是西方天文学乃至自然科学的明确启动。

其实在托勒密时代以前，古希腊就已经有人提出日心说，这就是著名的阿利斯塔克（我们后面再谈他）。同时出现一个叫埃拉托色尼的人，他居然当年就把地球的圆周，几乎做到精确测定。要知道，那个时候世界其他各地的人，基本上还没有意识到地球是一个球体，基本上还都处在认为大地是一个平板的“天圆地方说”阶段，而埃拉托色尼已经把地球圆周的周长，也就是赤道周长，做了相当精确的测定和计算。

我们再看，从古希腊时代就已经出现了一系列跟近代科学活动非常类似的科学行为和人物。比如希罗，他在古希腊时代就已经发现空气是可以压缩的，并尝试将压缩空气作为机械动力。有一个名叫阿契塔的人，最早在公元前4世纪，就发明了蒸汽动力装置，据说还借此做出了精巧的飞行器木制鸽子。公元前2世纪，海隆也利用蒸汽动力制造出气动球和多种机械玩具。我们知道，蒸汽作为动力是18世纪人类第一次产业革命的开端，而这些问题的探索，早在古希腊自然哲学时代，就以科学的前体形态崭露头角。

我为什么把哲科思维说成一个体系？是因为所谓科学，就是哲学思维模型的分科化大信息量处理，我们把这种在信息增量进程中不得不分科处理的哲学思维模型，另取一个名字叫作科学。因此，凡是不产生狭义哲学的地方，都不会产生真正意义上的科学系统文化。

我在前面讲，所谓古希腊哲学，就是古希腊一群大号儿童所玩弄的一种纯逻辑游戏。之所以把他们称为“大号儿童”，是因为他们不关心实用，只一味专注于逻辑游戏，就像小孩子玩耍游戏时的那种没有功利动机的心无旁骛一样。这个幼稚的状态，恰恰是他们成就精密逻辑推导和思维潜能调动的前提条件。所谓“纯逻辑游戏”，就是它一定要摆脱实践操作的限制，一个学问一旦来自于实操，其深层思维探询就会被浅层试错观察所取代。

如果你持以“实用论”，所有的学问出自实用目的，则限于目标性条件，该学问一旦落实，它就会随即中断。如果只从实用角度引出问题、牵动思考，那么狭义哲学这一脉纯粹的逻辑游戏就无从展开。而且实用论者一定视对象为真，这自然立即封闭了纵深追询的前途。

我一直讲，“无知观念”与“假象意识”才是古希腊哲学的出发点。这种思境在西方古典哲学时期得到继承，由此带出了启动近代科学思潮的第一哲人弗朗西斯·培根。培根说，人类所建立的知识，超不出四种假象的局限。

第一，“种族假象”。如果说“种族假象”大家不容易理解，我把它换称为“物种假象”。就是每一个人所认识的世界图景，一定是你的感知模型，而不是对象的客观反映。举一个最简单的例子：蝙蝠没有眼睛，它是用发射和接收超声回波的方式获得世界表象，而我们人类是靠视觉感光获得世界表象。如果我们人和蝙蝠同处于一个山洞之中，由于蝙蝠总是处在这般黑暗之地，因此视觉、感光器官对它无效，因此它最主要的感受器，是一个超声回波雷达接收系统，它借以形成的认知表象与人类一定是大不相同的。这表明，你所说的世界，永远是你的主观感知模型，这叫种族假象或物种假象。

第二，“洞穴假象”。柏拉图曾经提出过，一般人在认知上不免陷于洞穴困境，仿佛被锁在山洞中的人只能看见投射在洞壁上的身影那样。我在这里换一个解释，中国人比较熟悉的解释——井底之蛙。也就是，我们每一个人的视野或者知识范围都是极为有限的，就像一个深井里的青蛙，它所看见的天，永远只有井口那么大，于是它就会认为天也只有井口那么大。谁都不可能没有局限，因此，每个人所说的世界一定是自己那个局限的世界，这是假象得以发生的第二个原因。

第三，弗朗西斯·培根把它表述为“市场假象”。好比一个市场里的商人们，各自用不同的方式叫卖他的产品，用不同的方式描绘他的产品，用不同的方式广告他的产品。你受这些不同信息的影响和扰动，然后只能在这一堆纷乱的、自相矛盾的信息中做出选择和判断。

第四，“剧场假象”。就是我们每一个人所说的世界，一定是自己固有理念或成见的产物。这就像你去看一出戏剧或者一部电影，其间的情节是按照某种特定的逻辑演绎发展的，如果你仅仅追随剧情，你会认为这剧情是自然演化的结果，但它实际上在上演以前，就已经被剧作者编定了一个故事框架，这叫剧场假象。我们每一个人心里，实际上是有一个事先形成的理念性剧本的，你在这个理念剧本的基础上张眼看世界，于是世界也就展现为你那个理念剧本的逻辑形态。我举一个例子，你如果是唯物主义者，那么你看所有的东西都是物质的，你可以列举无数的佐证，且无不应验；反之，如果你怀揣的是唯心主义的剧本，或者说你是唯心主义的理念，那么你看这个世界所有的东西就都是感觉的派生。但问题在于，不管你是唯物主义还是唯心主义，你所拿出来的各种证据，正是需要追究的问题本身，因此证据永远无效，这叫剧场假象。

我再举个例子，比如你是马克思主义者，那么人类社会运动在你看来，都是按照阶级斗争和历史唯物主义方式发展的，你认为它就是真理。但是如果你持有另外一个理论体系，那么你又会提出各种证据，证明人类社会是按照那个理论系统的逻辑路径演进的。也就是说，你的任何看法，包括你的整个世界观，它铺展开来的样态，实际上是被某个事先形成的基本理念所规约和塑形的。

因此弗朗西斯·培根认为，一般人的知识，如果未加考究的话，大抵都是假象的堆砌。他从这些方面做出阐发，其解说方式听起来挺生动，足以让我们理解希腊人看所有的东西都是假象的原因。

狭义哲学的三大特征

下面我们进一步讨论狭义哲学的三大基本特点。

第一个特点是“追究终极”。我们一般人看待事物和处理问题，是就眼下的具体对象进行多因素分析。比如你看一个陶瓷杯子烧得好不好，有诸多因素在影响它：最初的瓷土质量好不好、研磨瓷土的细度高不高、泥坯的制型是否挺拔、彩绘与着色是否悦目、烧窑的时候火候把握得是否到位等等，如此之多的因素，都在影响一个瓷杯是不是烧得好。

我再举个例子，比如你罹患感冒，它也是多因素造成的。感冒不仅仅是病毒感染的结果，一场流感病毒过来，有人得、有人不得，有人轻、有人重，为什么？因为人们的先天免疫素质是有差异的。而且你当时是否受寒也很重要，因为受寒会导致抵抗力临时下降，原来正常寄居的病毒会突然变成致病病毒。此外，你当时的身体状况、心理承压，还有疲劳程度、饮食变化等各种因素，都可能对你是否感冒造成影响。

不过多因素分析会出现一系列问题。科学研究为什么要建立实验室？就是为了能把所有多因素屏蔽在外，一回只抽调一项因素，在齐同条件对比下研究每一个因素对这件事情的作用量，把这一个因素研究清楚，然后把它甩出去，再把另一项因素调取进来予以孤立研究。但是即使你把所有的因素都在实验室中分别做了单项研究，这个问题仍然没有答案。因为各因素之间的排列组合是一个无穷大的数量，因此在多因素分析的情境下，无论对于任何问题，你都永远得不出真正确定的见解和结论。

所以，哲学在初启运思的时候，它就不承认多因素讨论问题的方式是可行的。它的纯逻辑游戏规则要求必须追究第一因或唯一因，也就是终极之因。第一因就排除了因果论，因为既然只有第一因，就没有可转化为下一因的第一果。我们知道，因果论的思维链条，是由因转出果、果又成为因，依此类推，永无止境。我后面会讲，在因果链条上讨论问题是要出严重偏差的。第一因的讨论，就是探询具有唯一统摄力的终极原因，这叫“追究终极”。

追究终极有两种方式。

第一，在所谓的本体上找第一因。也就是在外部世界中探求第一因，这就是典型的本体论。

第二，找逻辑极点，也就是在逻辑推导上，寻找纯逻辑的那个启动点。

譬如我刚才讲欧几里得，他从公设、公理和定义出发。他为什么从不证自明的那个最简单的点开始，最终却要去讨论非常复杂的问题？是因为他必须首先找见逻辑上的那个极点作为思维启动之唯一原点，才不至于陷入头绪多端的混乱思境之中。所以追究终极之义，既包含着思脉的终极，也包含着对象的终极，比如神学认定创世之源头归于天庭，它成就了后起之哲学继承神学追究第一因的思路，这就是我一再讲，神学、哲学和科学是一脉思路的原因。

神学是人类在追究终极的思路上之最原始、最粗糙的简单模型的开端。罗素在《西方哲学史》一书中，曾经对神学、哲学和科学之间的关系做过一个说明，他说神学和哲学都是探讨终极原因的，这就是神学和哲学的一致性所在；而哲学和科学也有一个共同点，它们使用的都是理性这个工具；但科学是探讨具体问题的，所以科学在这个地方与哲学、神学有区别，而神学的不同点在于它使用的工具乃是信仰。

罗素的这种区分方式虽然显得太过简单，但是他大致说明了哲学思路的第一特征。就是它继承了神学追究终极的那个思路，这是哲学不同于一般学问和一般科学的关键点。而且大家要注意，如果我们讲逻辑极点也是追究终极的一个关键部位，那么要注意这个逻辑极点是漂移的，人类总在不断地追问，其中就包括对这个逻辑极点的重审与前移。

我举一个例子。比如欧几里得当年做几何学，他是设定一切几何现象均发生在平面上。欧几里得那个时代，从来没有人想到空间可能是一个曲面。直到19世纪，西方数学界出现一个著名人物名叫黎曼。黎曼意识到，这个世界是在曲面上建构的。那么如果这个世界在时空起始点上，也就是在欧几里得推导的逻辑起点上就发生了某种移位——从平面到曲面的移位，整个几何学建构就会被全面颠覆。所以在黎曼几何中，两点之间是做不了一条直线的，第一公设就不成立，因为空间是一个曲面。

而且三角形内角之和在平面几何上等于180度，在曲面几何上大于180度。因此整个几何学的建构就必将全部重新修正，这叫逻辑极点前移。黎曼几何后来构成爱因斯坦相对论及其时空弯曲理论的数理表述基础。

可见追究终极的思路，包括追究逻辑极点的漂移，构成哲学思脉得以纵深的指标。由于科学就是哲学的继承与发展，因此科学，至少是基础科学，在本质上也同样具备追究终极的深层意蕴。

我们一般人熟悉的其实是应用科学，真正的哲科是不求实用的。我举个例子，牛顿当年研究经典力学，也就是万有引力学说，他是追究终极的，他是要追问上帝操纵这个世界的方式。牛顿在把他的著作《自然哲学的数学原理》完成以后，居然后半生花了近乎10年左右的时间研究炼金术，成为历史上的笑谈。他为什么要研究这个问题？当他认为自己把上帝操作世界的方式搞清以后，他的下一个问题是要搞清上帝创造宇宙的材料。于是他做了多年炼金术的研究，结果以失败告终。最后英国为了照顾他，让他出任造币局局长，发点小财，过好养老的日子。

我们从这件事情可以看出，真正的科学大家也同样是追究终极的，几乎跟神学、哲学追究的方式完全一样。而我们一般人所受到的科学训练，大多是工程科学训练或者叫应用科学训练，也就是工程师水平上的训练，这才使我们脱离了哲科思脉原本追究终极的那个境界。由于我们学习科学较多地在“学以致用”的角度上进行，因此导致我们的科学教育距离真正意义上的哲科深层思维很远。

哲学的第二个特点，是“广义逻辑反思”，简称“反思”。（眼下这个概念被当成“反省”一词到处乱用，错得离谱！）什么叫作反思？这个词的含义是指，用思想反过来思想思想，就是用思想反过来考究感知本身是什么，或者说，用思想拷问思想，用思想拷问感知，此之谓“反思”。这就是典型的唯心主义哲学的开端。

我们现在阅读古希腊自然哲学时期的著本，大多都说它是朴素的唯物主义，这个表述是不对的。因为那个时代还没有出现对精神和感知的直接追究，也就是“心”这个东西还没有成为一个问题，所以没有唯物主义这一说，因为“唯物”一定是相对于“唯心”才能存在。

现在回头看，人类早年都像是朴素的唯物主义或者直观主义。因为当时的人们根本想不到，我们的感知本身是需要琢磨的。所以古希腊自然哲学期，它直接追究本体，直接追究对象，这种直接追问对象的做法，是把“思”施加在外物上，这叫“直思”。

古希腊哲学发展到毕达哥拉斯用数来解释万物的时候，已经出现一个萌芽：我们所说的万物其实只不过是一个逻辑形式。到了柏拉图，他已经明确把它总结为理念，说世界的本原只不过是我们的一个理念，我换句话说，只不过是我们的一个感知模型。其实柏拉图当年没有意识到这个问题还有一层差别，也就是没有分辨理念究竟是主观的还是客观的，但是到此时，“心”这个东西，也就是主观理念这个东西，已经暗里浮生。

及至亚里士多德，他已经做出形式逻辑，但是认识论问题，也就是唯心主义对“心”的拷问，仍然没有走上前台。为什么？是因为那个时候，古希腊人还没有明确意识到，我们的感知是具有规定性的。

我举一个例子，大家才能反过来理解它。提出“四根说”的古希腊哲学家恩培多克勒，他曾经对“知”是什么，“感知”是什么，有过一个很经典的表述。他怎么讲呢？他说我们的感知都是真空的孔道，外物放射出一种东西，他取了一个名字叫“流射”，你现在可以把它理解为信息。他说外物发出流射，通过真空的感官孔道进入我们的意识。他说这个真空的孔道有一个特点叫“同引异斥”，什么意思呢？就是相同的东西它就吸纳，不相同的东西它就排斥。比如他说，我们的眼睛里面有水和火两个孔道，通过火的孔道，我们看到了光明；通过水的孔道，我们看到了黑暗。既然我们的感知是真空的孔道，那么我们当然就是客观地认知世界。

恩培多克勒接着说，外物发出流射，最终进入血液，然后通过心脏混合而形成我们的知识。这跟我们中国人自古以来的看法完全一样，我们自古也讲“心里想”，只是我们没有像恩培多克勒那样，把它表述为一个哲学追问。

那么我们的感知究竟是什么？它是有规定性的呢？还是一个真空的孔道？这个真空的孔道是怎样履行的？或者是怎样接受信息的？我们中国人没有深入地讨论过，但是在朦胧中，我们的看法跟恩培多克勒完全一致。这是人类历史上最早的唯物反映论。

我们下面就讲唯物反映论为什么不成立。大家想，古希腊那个时代，心、理念、逻辑都已经展现，它成为后来追问感知、研究感知是什么的前导。它随后一定引出一个问题：如果我们的感知不是真空的孔道，如果我们的感知本身是有规定性的，也就是感知过程需要另行处理信息，那么你怎么知道你所获得的“知”不是主观加工的产物，而是客观对象的原样反映呢？换句话说，如果我们不知道感知是什么，如果我们没有考究过感知的内在规定性，我们就没有资格追问对象，因为你无法判断你所说的对象究竟是客观对象还是你的主观对象，是不是这样呢？

因此，当古希腊追问外在本体、展开“直思”的时候，随后必然引出的是“反思”。也就是唯心的认识论追问，是唯物的对象追问所必然引出的后继追问。换句话说，认识论问题和唯心主义问题，是唯物主义必然导出的高级问题或者问题的纵深。

我这里绝不是赞美唯心主义。关于唯心主义和唯物主义究竟是什么涵义，我们应该给以什么评价，后面再谈。我在这里只是想提醒各位，当哲学开始追问感知本身是什么，当哲学开始追问感知本身是否具有独自的特性，当哲学开始用思想拷问思想的时候，哲学进入第二个纵深阶段，我们把它叫“反思”阶段，也叫“认识论”阶段。

我给大家举些例子。我们人类接受外部信息只能凭借五官：视觉、听觉、嗅觉、味觉、触觉，此外我们没有任何其他通道可以抵达外物。那么我们就来看一下这五大感官，究竟是不是真空的孔道？——非也！它们全都是有自己明确规定性的。

比如我们的视觉，占据人类采集外部信息的80%左右，但是视觉是什么？它只是一个感光器官，任何对象如果它不发光、不反光、不折光，对于视觉来说它就不存在。

视觉通过感光获得的是什么？是明亮。要知道光是能量，叫光量子，光并不是明亮。光打在任何一个物体上，该物体都不会产生明亮的感觉。光刺激视网膜，视网膜把它转化为生物电，通过传入神经进入视中枢，视中枢把这个光能量错觉成明亮，然后让我们面临的对象有了一个在感光方面的轮廓。明亮本身就是对光子能量的曲解。

而且，更重要的是，我们的视觉只看到宇宙光谱中的十万分之一，也就是我们视觉只能看见400∽760纳米波长的光波，这个狭窄区段以外的光波，我们一律看不见。400纳米以下是紫外线、X线、伽马射线，760纳米以上的长光波是红外线，这两端以外还有上万倍的光谱频段，一律不在我们人类的视觉范围以内。

而且这个世界是没有颜色的，我们所说的颜色实际上只是对光波波长的错觉，在我们所能看见的360纳米的光波中，我们可以把它至少分辨为150种以上的颜色。就是说，世界是没有颜色的，颜色只是不同光波的波长通过视中枢产生的错觉。可见我们刚一张开眼睛，立刻就扭曲了这个世界。我们把光量子扭曲为明亮，我们把光波长错觉为颜色。

而且这个世界也是没有声音的，我们所说的声音其实是外界振动波的能量通过空气震荡传到外耳耳膜上，然后外耳耳膜的震荡再传导到内耳转化成生物电，通过传入神经进入听中枢，听中枢把这个震荡能量错觉为轰然作响的声音。

如果我们的眼睛就是一个光谱仪，如果我们的耳朵就是一个振频仪的话，那么这个无声无色的世界会是什么样子，你能想象吗？那个东西可能才是真实的世界，仅仅是可能。也就是说，我们刚一接触外部信息，我们立即就把它扭曲处理了，我们在接收外部信息的瞬间，所谓外部信息已经变成主观信息。

一言以蔽之，我们的感知所得永远是我们的主观世界之塑形，而不是客观世界之本身。请各位深刻理解：我们的感知不是为求真设定的，而是为求存设定的。

大家设想，我们为什么要把360纳米的光波分辨为150种颜色的错觉？是因为如果我们要直接处理光波频谱，它会变成一个非常复杂的问题。光波是连续的，是一个无级变量，从400纳米到760纳米，是没有任何区隔的，而我们却要把它分辨为完全不同的色差，如果你做不到这一点，将是一件多么危险的事情。譬如你做猴子的时候，你在秋天的一片黄叶之中，要寻觅和摘取一个微微发红的桃子，你必须远远就能够看见那个微红的桃子深藏在一片发黄的树叶中，黄色和红色在波长上只有几纳米或者几十纳米的差度。如果你不能把它截然区分为不同的色差，猴子一定会饿死，是不是这样呢？

我再举例，比如你看到一条五花蛇，如果你届时才开始计算它的波长组合，那么你的脑子那怕像教室这么大，可能都来不及处理。而你瞬间把它错觉为不同的色差，你马上就能够形成明确的分辨关系，我们把这叫作“识辨求存模型”或“简捷识辨机制”。

因此，我们只有错觉这个世界，才能最经济、最快捷、最有效地维护我们的生存，因此我讲，我们的感知不是为求真设定的，而是为求存设定的。

可能有人会说，我们的嗅觉、味觉，总该是真知吧！那你就又搞错了。我们为什么品尝水果是甜的？不是水果客观上是甜的，而是因为你必须把它内含的能量品尝为甜味这种舒适的感觉，你才会去吃它。大家知道水果中饱含葡萄糖，其实它不是以葡萄单糖的方式存在的，葡萄单糖在生物界、在自然植物界，存量是非常之低的。

我们人类获得的能量来自于三个方面，葡萄糖也称碳水化合物，然后是脂肪，还有蛋白质。葡萄糖大多是以双糖形式存在的，也就是两个葡萄糖分子构成一个果糖分子。由于水果和植物中的甜素——碳水化合物——人体可以利用的这个能量多以双糖结构存在，因此我们在进化的过程中才会把双糖体会为明确的甜味。

后来，我们培植了粮食。人类过去是找不见淀粉的，因为淀粉存在于草籽之中，淀粉里面含有的葡萄糖量要比双糖多得多，可是我们为什么今天吃淀粉没有任何味道？你吃米和面是没有甜味的，是因为你吃它只有几千年的时间，你在太过短促的进化变异过程中，还没有来得及对它做出能量分辨的味觉感受适应。

为什么我们会觉得肉比水果香？是因为精瘦肉里都含有18%的脂肪，而脂肪的能量是碳水化合物的两倍以上。一克碳水化合物包含4大卡能量，而一克脂肪包含9大卡能量，因此你吃肉就觉得非常得香，是因为它含有更高的能量。

你为什么闻大便是臭的？不是大便里天然就有臭素，而是你在进化的过程中必须把它嗅闻为一种非常不舒服的气味。因为大便是你已经把人体所能利用的能量榨取净尽的残渣，如果此刻你还不把它嗅为一种不舒服的感受，你就可能返回去吞吃大便，吃了也是白玩，因此你闻大便一定是臭的。可苍蝇为什么总是不断地在大便上爬动？是因为大便里还有苍蝇可以利用的能量，所以苍蝇闻大便一定是香的，否则它整天爬在大便上干什么？可见甜、香、臭这些感觉，不是由于物质中天然具备某种味素，而是你从获取能量的求存角度，在亿万年进化的过程中必须把它设定为舒适或不舒适的感觉分类。

同样，但凡是苦的东西，一定是对人体有害的东西。不是说它客观上含有苦素，而是由于在适应性进化的过程中，你如果不把对有机体造成损害的毒素品尝为苦的，你就会被自然选择淘汰。只有在感觉的设定上把对有机体造成戕害的东西体会成一种不美好的排斥性感官反应，你才能够获得生存的资格。所以苦不是客观的，而是主观的，凡属对你造成损害的东西，你都必须把它设定为苦味。因此，但凡是苦的东西都一定是有毒的东西，也因此，吃苦瓜你还是要小心为好，至少不能大量食用。

进一步讲，所有药物首先是毒药，无论它是苦的或是不苦的。今天人类缔造了大量的化学品，它们大都是强烈的致毒剂，可它却表现为无色、无臭、无味，为什么？是因为自然界中不存在这些个东西，因此我们在感官进化中就没有对它们做出分辨性处理，于是它们今天会给我们带来更大的戕害。

总而言之，你的感觉本身是具有规定性的，它是按照“寻求能量资源”或“机体保护机制”来设定的，而不是按照“求真”设定的。为此在你接受任何信息的瞬间，你一定要以把它错觉为一个最简洁、最节省生物能量的反应方式来处理这些信息。可见你所说的世界永远是你的主观世界，而不可能是直接抵达的客观世界本身。

可能有人会说，我的感觉、感性是有问题的，但是我的理性、我的逻辑有可能纠正这种偏失。如果你这样想，那你就又搞错了！

狭义哲学的三大特征（续）

我们人类使用逻辑，也就是使用思想，其实基本上只有三大方式。

第一，纯逻辑思维。比如数学、几何学等。纯逻辑思维会出现一个问题，你不知道它跟对象究竟是什么关系。比如数学，每一个数字后面可以包含任何东西，也可以不包含任何东西，它只不过是一个纯粹的逻辑演算数位数列系统。那么纯逻辑演算本身只按照自己的逻辑格律进行，但它跟世界是什么关系你永远搞不清楚。因此，数学发展到今天，有大量的数学模型在数学上成立，可是我们找不到它与自然外物的对应关系。所以数学、几何学是典型的人脑内在之纯逻辑表达。

第二种用智方式叫做归纳法。我举例子，比如你看亚洲的天鹅是白色的，你到欧洲看欧洲的天鹅还是白色的，你到非洲，到美洲，天鹅都是白色的，于是，你归纳出一个结论，说“凡天鹅皆为白色”。但这里有一个问题，你并未将世界上的天鹅计列穷尽。如果偶然有一天你来到澳洲，突然发现了黑天鹅，于是原来归纳所得的“凡天鹅皆为白色”的结论，就立即崩塌。显然，归纳法是有天然缺陷的，它只能证伪，不能证明。就是它只能证明你以前得出的结论是错的，却永远不能证明你当下得出的结论一定是对的。

再比如，你今天可以得出结论说“凡天鹅不是白色就是黑色”，表面上看对。可你只把地球上的天鹅总结完了，你怎么知道在外星上另有一只天鹅不是绿色或红色的呢？你永远不能把宇宙中的所有天鹅观察穷尽。因此，归纳法永远给不出真正可以获得有效证明的结论。

第三种方式叫演绎法，它是归纳法的后续应用。我举例子，你已经知道“凡天鹅皆为白色”，然后你推导说，如果澳大利亚有天鹅，它也一定是白色。“凡天鹅皆为白色”叫大前提，“澳洲有天鹅”叫小前提，“澳洲的天鹅必为白色”是结论，这就是亚里士多德所谓的典型的三段论演绎法。但是演绎法有一个问题，就是它的前提是归纳得来的。而且由于它的前提是被归纳法限定的，因此它只能证明，不能证伪，它与归纳法刚好相反。我重申一遍：归纳法只能证伪，永远不能证明；而演绎法只能证明，却永远无法证伪。

大家注意，我们人类运用逻辑只有这三种方式：纯逻辑、归纳法和演绎法。可它们居然全都是有缺陷的，是被我们的先天思维格律规定死的。它们是在感官非真素材的基础上，经过一个被先天给定的思维格律套死再加工的又一重失真思维模型。因此，经它处理的结果一定是在原来感官扭曲的基础上进一步扭曲，你才能得出思想性结论。这就是为什么，我们的一切感知都不可能是真知的原因。

我在这里讲什么？我在讲“反思”，就是用思想反过来拷问思想。我之所以把它叫作“广义逻辑反思”，是因为广义逻辑包括从感性、知性到理性的各阶段。那么我们拿狭义逻辑，就是拿我们的思维去考察我们的感官，我们拿我们的思维去反过来考究思维的三种格律，这叫用思想拷问思想。我们在广义逻辑上可以把思想掉过头来，考察感知序列和思想序列，这叫反思。这就是认识论的展现。我用最简单的科学表述说这些话是想告诉大家，唯心主义是有它的道理的，它是唯物地直思世界与对象所必然导出的纵深问题。只有把这个问题考察清楚，你才会知道你的“知”本身是什么，以及“知”的局限是什么，进而你的“知识”是什么，诸如此类的精神问题才能真正深入讨论。

狭义哲学的第三大特点叫作“科学前瞻”。哲学必然引出科学，因为所谓科学就是哲学思想模型的大信息量分科处理状态。比如我们今天讲数学、几何学，这些东西当年都是毕达哥拉斯和欧几里得这一批哲学家缔造的。他们当初绝对不是为了缔造科学应用工具，他们是试图寻求这个世界存在的终极因，所以，它们是纯粹的哲学产物。尽管它们是我们今天整个科学工具最基本的思维方式。再比如“原子论”，它是当年古希腊哲人追究“质料因”的一个终极结论，它是纯逻辑推演的产物。直到19世纪卢瑟福才把他做成恒星系模型，中间一个原子核，周边有电子围绕着它在虚空中运转。

我们今天的原子物理学、粒子物理学探讨的所有问题，其实都是2500年前原子论者留基伯和德谟克利特所提出的问题。迄今物理学前沿还没有探讨完毕。我们今天的粒子物理学探讨的问题，仍然是原子论当年提前涉猎的问题，这叫科学前瞻。这是哲学的一个重大特点，这是我反复讲哲学和科学是一回事的原因。

罗素在晚年写过一本小册子，书名叫《哲学问题》。他曾经专门探讨，哲学和科学既然完全是一路产物，那么它们的区别是什么？罗素把它表达为，所谓哲学就是对科学问题的前瞻性非确定性讨论。请大家回想原子论，也就是在人类距离真正精确地研究原子问题之前2000多年，哲学家在纯逻辑上就已经推导出世界万物是由一种或若干种基本元素构成的。在当时它不可能具备非常严谨的原子模型，也无法进行确定性数理处理。这种提前对问题加以讨论，却不能达成精确化定量分析的研究结果，即为科学前瞻的哲学状态。

哲学问题是科学问题的提前探讨，是信息量不足情况下的预先追问或课题准备。因此，它带有科学问题的前导和引领作用，构成科学后继展开的前驱角色。科学迄今仍然解释不了精神是什么，因为精神进不了实验室；也仍然解释不了社会是什么，因为社会也同样进不了实验室。因此，这些问题我们今天照例只能在哲学层面上，以哲学思想模型的方式予以探讨。

为什么国内搞哲学的人，大多是哲学家学家。其中一个很重要的原因是哲科不分家，哲学和科学是一回事。由于在中国当前的中高等教育体系中，文史哲这一块和数理化这一块是截然分开的，理科和文科两路独进，互无交集，这就使得搞哲学研究的人绝大多数对自然科学是陌生的。

要知道，古希腊时代所有的哲学家，基本上都是当年的博物学家。比如亚里士多德，再如毕达哥拉斯是数学家，欧几里得是几何学家。而到近代古典哲学，所有重要的哲学家全都是当年自然科学的大家。比如笛卡尔是数学家、生理学家、机械论者，比如康德是康德-拉普拉斯星云学说的提出者，在他中晚年进行哲学研究之前，他足足教了近20年约40门以上的自然科学课程。比如黑格尔对化学十分熟悉。比如罗素，他对数学的兴趣达到这样的程度，他在15岁的时候曾想自杀，一日看见黄昏天际像血一样的残阳，被感动而终止，据他自己说，他之所以苟活下来，是因为数学实在太美好了。我在告诉各位，西方真正的哲学大家一定是当时的自然科学家，他们通常对自然科学非常熟悉，或至少精深于其中之一门。这就是国内教育文理分家，造成中国的哲学研究停滞不前的原因之一。

我们下面再讨论一个问题。由于国内的哲学素养很差，因此我们经常会听到一些针对哲科学术的不当诠释。表面上看，这些诠释者借助了某些最新的科学进展，比如我们最近见到网络上流传着大量关于量子力学的哲学新探，其中包括某些科学家，都在那里乱说一气。譬如鉴于量子纠缠现象的出现，于是有人便说佛教因此在科学上成立，甚至还做出了这样的哲学性假定，说我们头脑中有一堆量子，我们所谓的外部世界无非是这些量子发生超距纠缠的产物，意思是说外部世界根本不存在等等。这些说法为什么大成问题？是因为他们对哲科思维的内部相互促进作用如何才能达成缺乏了解。

我建议大家读一下量子力学创始人之一薛定谔写的这篇文章，名字叫《自然与希腊人》。他说量子纠缠的问题首先表达为一系列哲科思维尚需纵深的疑点。比如量子纠缠，也就是发现相同的两个或多个量子总是同时超距运动。这种超距作用力，薛定谔认为有两个问题尚待追究。第一，空间是否连续的问题。我们一般人感觉到的空间是连续的，可是空间有可能是不连续的，所谓超距量子纠缠，可能是空间不连续的一种特定表现形式。第二，什么叫作整体性与个体性？当你观察两个或多个量子，它们在超距发生纠缠运动时候，你把它们视为两个或多个个体，这个看法在概念上有商榷的余地，它们很可能是一个整体，而不是分立的个体，人类关于整体和个体的观念，需要重新修正和考究。（我以为还有一种可能：量子纠缠现象所表达的，是在物演的量子阶段或量子层面，多维时空尚未展开的状态。）

大家注意薛定谔的表述方式，他不是瞬间根据一个细小的科学进展，立即对哲学系统加以颠覆，而是对科学研究的这个问题的纵深点再行讨论，这是非常慎重的态度。要知道，在西方哲学史和科学史上，出现过诸多对新发现的自然现象加以胡乱附会而带出来的笑话，比如在17、18世纪，曾经有西方哲人根据对动物或人体生理学的研究发现，轻率地做出关于社会结构只不过是人体生理结构的内外匹配关系的学说，后来被证明完全是瞎扯。因此我想说明一点，对于量子力学的最新进展，立即做哲学性的颠覆性假设，也许可行，但你千万记住，假设后面需要精密逻辑证明。如果证明不能展开，你就一定要探讨你所说的根据本身是否还需要深究。

我举一个例子，比如量子力学谈能量。所谓量子就是最小的能量包，也就是能量的最小单位。可迄今物理学，包括量子力学在内，说不清能量是什么。要知道人类在过去说不清物质是什么，在爱因斯坦狭义相对论解决时空关系以后，他的相继逻辑推导，得出能量和物质是一回事的结论。这就是著名的质能方程$E=mc^2$，能量等于质量乘以光速的平方。它第一次确立了物质就是能量的特定转化形态，人类第一次知道了物质在科学上的终级表述。可是留下一个问题，什么叫作“能量”？这个问题，即使在相对论，即使在量子力学，迄今仍然没有做出最后的回答。那么在一个科学系统的问题没有得到终极论证以前，你急切地拿它做哲学论证，显然你的证明系统无法达成。所以，哲科虽然是一个系统，但是这两者之间的前瞻性对应关系，你必须做精密逻辑证明，而不能随便给出结论。

为什么做哲学研究的人一定要有科学素质？是因为科学提供了最有效的新信息。请大家听懂我这句话。我们今天是信息时代，大量的信息扑面而来。但信息绝不是知识，信息必须在精密逻辑的整顿之下才构成知识。信息是客观的,知识是主观的。只有经过主观的广义逻辑精密整顿，信息才转化成知识。由于科学是哲学精密逻辑的伸展产物，因此它提供最有效的新信息增量，从而成为一切新哲学思想得以发生的基础，这就是哲学和科学的关系。

我再重申一遍，哲学是科学之前瞻，科学是哲学问题的精确化临时表达。

我们下面再讨论一个问题，我们在国内见到某些自认为对科学非常谙熟的学者，对哲学大加贬低，说哲学死亡了，说哲学讨论的都是伪问题，甚至说哲学纯属胡搅蛮缠，这种说法是对哲学与科学之间的内在关系完全无知的表现。要记住，科学是由哲学引导而发生的，科学本身内涵的是哲学灵魂，哲学是在信息量不足情况下对科学问题的前瞻性讨论，因此哲学与科学本是一家。而且，哲学一定比科学长命，哲学导出科学，哲学引领科学。尽管科学是对哲学前瞻性问题的精确化表述，但它并不是终极真理，它将在新一轮哲学的前瞻性探究与质疑之下而被证伪和颠覆。而且科学一定是最短命的东西,因为越进步、越高级的东西，一定是越飘摇的东西，反倒是越低级、越原始的东西一定具有奠基性、决定性和稳定性的质素。因此，我们可以预见，当科学消亡的那一天来临，哲学还将继续存在；就像今天哲学已处于摇摆动荡之时，神学照样还笼罩着80%以上的人类是一样的。这里的关键在于，任何学术都不是真理，它只不过是一脉思绪的失稳递进过程，是信息增量整顿模型的自然演化方式或自发衰变进程而已。

我反复强调，科学绝不是真理，这是西方所有科学家都非常清楚的事情。我在这里再举一个例子，还是那个量子力学创建者之一的薛定谔，他在一篇题为《科学与人文主义》的文章中探讨了一个问题，他说科学一定是有偏差的，这个偏差直到研究量子力学的时候才被发现。就是科学家通常把自身置于世界系统之外，成为一个外在而孤悬的观察者。实际上人是世界客体系统的一个组分，人观察事物一定会造成对象干扰。而且你观察万物，是借用你自己有规定性的感知属性，将其施加于外物之后的耦合产物。你根本不可能超脱于外物客体系统，你也根本不可能孤悬在外面观察对象。但一般科学却总是把自己设定在外置的、孤悬的状态下或立场上，因此它给出的研究结果一定会出偏差。

过去，由于科学只研究宏观问题，这个偏差可能显现不出来，或者可以忽略不计。到量子力学，海森堡提出“测不准原理”，就是观察者自身一定会对观察对象产生扰动。从哲学的、反思的角度看，你的感知本身是有规定性的，它会给对象系统造成扭曲；从物理的、直思的角度看，你自身就是外物的组成部分，它会对依存关系造成干扰；这是无可规避的场景，你怎么可能客观地、孤悬地、外置地考察对象呢？因此，请记住，一切学术，包括一切科学在内，都只是对象的主观认知模型，而不是客观世界的真实描述。

好！我对哲学的基本状态做了三点诠注。第一，追究终极。不在表浅的多因素层面探讨问题，而是不断深究其终极因，并且在思维展开的链条上不断逼近逻辑极点，形成公理系统论证。第二，广义逻辑反思。用思想反过来拷问思想，拷问感知，从而使得我们知道我们的感知本身只是一个主观感应属性，其感知结果也只是一个主观扰动模型，这是哲学远远高于科学的深邃眼量之所在。第三，科学前瞻。它是科学要素和科学问题在信息量不足的情况下所进行的提前探问，因此它具有引领科学诞生和引导科学发展的先驱作用。我们把这个思想系统总称为哲科思维模式。

附谈：依赖模型的实在论

我们前面讨论了哲科思维的基本特点，我们下面可以再对它做一些评价。

首先，无用如地基。因为它是纯逻辑游戏，因为它不着眼于实用，也就是它不受实际运用的眼界局限，因此它能够纵深展开。这就好比你盖一座大楼，你首先得打地基，地基占掉一座大楼最主要的工程部分。可是地基却是不能住人的，这个不能使用的基础部分就是我们思想大厦的根基所在，哲学就是奠定这个部分。

我举一个例子。传说泰勒斯每天晚上观察星空，有一天不小心跌落在一口枯井之中，他的婢女，也就是他的女仆，把他从枯井里打捞上来，然后就问他，你连你鼻子跟前的井口都看不见，你整天仰望星空干什么？泰勒斯很尴尬地一笑说，惟其我看不清鼻子底下的枯井，所以我是泰勒斯。大家知道“仰望星空”这个词，就来自于泰勒斯的这个故事。后人用仰望星空来表达哲学思境的深远而无用。它说明什么？说明眼界深远、思虑纵深、不求实用、集注精神，发掘思想深层的逻辑潜力，是哲学的基本思维方式和智能调动方式。

第二，怪诞而深奥。就是哲学探讨的问题多是一些非常奇怪和非常偏僻的问题，甚至是不着边际的问题。比如毕达哥拉斯学派，他们当年全副精力探讨奥菲士教派的神怎样运作这个世界。他们用纯数学的方式，建立了数论的整个逻辑系统。要知道毕达哥拉斯当年，已经用数学方式把十二音律全部计算完毕，后人再加不进去任何一条定理。他的学团会去探讨如此抽象的纯数学问题，这在中国传统文化中是无法想象的。大家想想中国先秦诸子百家，他们讨论的问题，何曾有过纯数学、纯逻辑问题。

毕达格拉斯有一个学生，名字叫希伯索斯。他有一次发现了一个很奇怪的现象，就是正方形的边长与对角线的比例关系，居然是无限不循环小数。也就是说，小数点后面永远没有终结。这种无限不循环小数可以在诸多方面发现，比如圆周率，也就是圆周长与直径的比例，也是一个无限不循环小数，还有2的开方，都是无限不循环小数，这就是我们今天所谓的无理数。希伯索斯发现无限不循环小数（无理数），由于他违背了奥菲士教派和毕达哥拉斯学团一贯以有理数的规范方式解释世界的基本原则，因此引起毕达哥拉斯学派的巨大震动。

大家要知道，无限不循环小数意味着什么？为什么叫它无理数？是因为数值在数轴上是可以连续排列的。如果突然发现一个在逻辑探求上的数点，永远找不见它的具体位置，小数点后面是无限不循环的数字延展，就意味着这个数点在数轴上无从安放。几何学描述的是空间，数学在某种程度上描述的是时间。就我们一般的感觉而言，空间和时间都是连续的，因此在数学上，一般的数论，直感上数轴是一个连续系统。可是希伯索斯发现无理数，就会出现一个重大麻烦，就是数轴居然是断裂的，时间和空间有可能是不连续的。也就是在一个数轴中有一系列位点居然是摇晃的、不确定的，这给毕达哥拉斯学团的宗教信仰带来严重冲击。

冲击到什么程度？希伯索斯受到学团其他成员的猛烈攻击，不得不逃亡避祸，他在过一条河的时候被人发现，惨遭夺命，投尸中流。古希腊人为了研究这些纯逻辑游戏，居然认真到要杀人的程度，真是令人惊诧！

毕达哥拉斯学团当年其实有很多极荒唐的规定，比如不准吃豆子，不准坐在翻置的桶底上，不得俯身在地上捡东西，以听见白色的公鸡打鸣为不祥，等等。作为一个教派，表现出极为荒诞的一面。但是它从宗教角度探究这个世界的本原，逻辑精密程度居然导出无理数的发现，以及对无理数的无穷追究。最终直到两千多年后的19世纪下半叶，无理数的数学涵义才真正被搞清。我们可以由此看出它的怪诞程度和深奥程度。

我再举一个对应的例子。大家知道明末西方传教士进入中国，早期最有名的就是利玛窦。利玛窦来到中国以后，收了一个基督信徒兼学生，这就是中国文化史上著名的徐光启。后来徐光启与利玛窦合作翻译了欧几里得的《几何原本》。徐光启对此做过一个说明，他说《几何原本》这本书虽然看起来毫无用处，却是任何人要进行精密逻辑思维训练的基础工具。可见徐光启对欧几里得的几何学在当年是有相当深入的理解的。

徐光启翻译《几何原本》，这是明末的事情，比古希腊时代已经迟了1000多年。可当翻译到第六卷的时候，徐父突然逝世。此时徐光启本人虽已加入了基督教，但是中国的重德文化仍对他构成沉重的压力。按照中国的孝道文化，父亲逝世他必须回家守丧，于是被迫中断译述工作，返乡为父亲守丧三年。三年后他重归故地，利玛窦却已谢世作古，二人合译的《几何原本》就此中断，成为残篇。直到清朝中期以后，事隔200多年，《几何原本》才在中国翻译完毕。

这个例子说明什么？说明重德文化和爱智文化的差别何其之大。即使是徐光启这样已经理解爱智文化的精要，并且长期浸染于其中，他都会因为重德文化的社会氛围而大受拖累，以至翻译中断。这种被重德社会所牵制的情景，与那种被爱智文化所鼓动的情景，一方是一举一动均为强硬的人际关系压抑束缚，另一方是为一道严密推算的数学难题动刀搏命，体现着两种全然不同的文化生活状态或文化境遇之别。

第三，纯逻辑工程。也就是它所探讨的问题没有任何现实意义。我也举一个例子，柏拉图因与毕达哥拉斯学派接触而发生思想转型之后，他在文章中探讨过一个问题，即正多边形问题。比如正五边形、正八边形、正十六边形、正三十二边形，你可以无穷地放大，把这个边变得越来越多，画一个圆，贴着圆周，不断地做内切等量多边形，这叫正多边形。柏拉图为什么要探讨这样一个毫无用处的奇怪问题？请大家试想，圆周怎么测量。要知道曲线是无法精确测量的，于是圆周的长度就无法进行精确计算。只有一个办法，就是把正多边形做得越来越多，以至于做成无穷量的多边形，然后测定每一个边的直线距离，这样才能得出最贴近于圆周长的计算结果。

我们讲微积分是牛顿和莱布尼茨同时发明的，这已经到17、18世纪了。可是早在古希腊柏拉图那里，将正多边形和圆形的关系作为微积分数学的纯逻辑探究已经开始，这说明此类纯逻辑运用达到了一个怎样的境界。请大家比较一下，我们中国文化跟这种思绪是完全不同的。我们这边的主体文化格调，用孔子的原话叫“述而不作”，就是我只叙述前人的东西，绝不创新和创作。它与追究终极、不断探问、持续纵深的风格是完全相反的。哲科思维讲假设与证明，证明的过程要求不能出现逻辑断环，在纯逻辑上一步一步推进，环环相扣。而中国文化讲“微言大义”，也就是用最小的脑力与最少的语言得出最重大的价值判断和结论，这又跟精密逻辑证明相反。

哲学的另一个特点——科学前瞻，提前讨论由纯逻辑引出的问题展望。而中国社会的基本文化我把它叫人伦社会关怀，或者用中国古代的一个词汇，叫社稷关怀。社是中国对土地神的祭祀，稷是对谷神的祭祀。中国的社稷这个东西就是指中国的农业文明基础及其相应社会构型。中国文化是社稷关怀，而西方哲学文化却表达的是纯逻辑证明，这种对应性的文化反差，构成东西方思维方式的重大分野。

因此西方哲学，我们可以把它总结为两句话。第一句话，它是智慧游戏与逻辑通道。它始于游戏，终于通道，介于科学。所谓通道者，开辟精密逻辑的路径，拓展理性思维的前途。第二句话，它是理性运动的逻辑基础。所谓理性运动就是指纯逻辑推理，此乃整个理性思维得以展开的训练过程和运作基础。这种纯逻辑游戏就相当于电脑中你看不见也调不出的那个基础操作系统，有了这个基础操作系统，应用软件才可以不断地在上面接续和生发。请设想一下，如果你的电脑里没有这个基础操作系统，你的电脑会成什么样子，你的应用软件会浅薄到何等程度，这就是理性运动的基础。在我们国人的思维方式和文化构型中，这些东西恰恰是最为缺乏的。

即使我们今天学习来自西方的由哲学导出的科学，我们其实并没有脱离传统实用性思维的这么一个浅层运作方式。中国学术历来讲“学以致用”，讲“知行合一”，这跟西方专门研究无用学问的那个古希腊哲思完全相反。荀子在他的书中讲“学至于行而止矣”，就是一个学问如果能够实际应用，它就达到了最彻底的深度。大家再看《中庸》中有一段话表达孔子的同样看法，它讲“博学之，审问之，慎思之，明辨之，笃行之”。其整个思辨目的，或者整个思想高点，最终落脚在“笃行之”这一点上，也就是一旦能施行运用，学问到此为止。宋明理学的重要奠基人朱熹说过一段话，他说“学之之博，未若知之之要，知之之要，未若行之之实”。他说学问之博大，在于要能够梳理知识之要点，他说知识的要点在于能够落实为有效的行为，这都是中国学术的衡量尺度。它表达着中国文化或者狭义哲学以外的文化基本形态。这就导致其他文明的思想潜能之调动受到限制，这就导致古希腊哲学终于成为最具有后续延展性的思想通道。

我把课讲到这儿，我想大家应该明白，我们人类的所有知识都不是客观世界的直接反映，而是主观感知模型或主观逻辑模型。所谓宇宙观、世界观，你都一定要理解它绝不是宇宙和世界的本真反映，它实质上只不过是一个逻辑观，或者更准确地说，任何宇宙观和世界观其实都不过是一个主观逻辑模型体系而已，这就是哲学探究最终达成的知识论效果。这也就是我一再讲，一切知识都只是一个主观思维模型，而不是客观世界的本真反映。理解这一点，你才能理解人类文化和思想的精要。人类文明不是建立在客观世界之中，而是铺垫在思想家的思想通道之中。须知所有动物都生活在客观世界之中，它们为什么不创造文明呢？人类文明是在人类智能潜力的调动基础上，通过纯思想的虚拟、假设以及严密证明，然后得出符合逻辑的知识体系，并依次不断更新、接续延展所铺垫而成的产物。

这都是大家要建立的基本观念，它和我们原有的观念存在着很大的区别。但你只有理解这些东西，你才能真正理解人类文化、人类文明乃至人类知识的构成基础。

我们的知识既然只是一个主观逻辑模型，那么这个逻辑模型为什么能够指导我们的实际生存？这当然是一个严重的问题。也就是说，我们的感知是在一个封闭通道中运行的，我们并没有感知之外的另外一条通道抵达外物。因此，我在书中把它描述为形而上学的禁闭。所谓“形而上学禁闭”，你可以把它用更简单的方式理解，叫作“感知通道禁闭”。因为，我们所说的世界永远是我们主观感知中的世界，我们并没有主观感知通道以外的另一条通道抵达外物。这也就是为什么即使在今天的中国，也有人提出“全知论”，就是我们所说的世界永远是我们主观感知的总和。

其实这个观点在西方哲学史上早就给出证明了，可仅仅停留在这一点上是不够的。因为这里有一个问题，我们的感知是什么？我们的感知既然只是一个封闭的主观通道，它为什么跟我们的实际生活即外部世界的对接有效？而且，我们的感知逻辑模型为什么不断地发生变革？这些问题仅用“全知论”是不足以回答的。所以“全知论”只说我们的世界永远是我们的感知模型，这在哲学上只相当于进行了一番入门概况介绍，亦即相当于只做出了一个最简单的事实陈述。可为什么这种介绍或陈述是有价值的？是因为它纠正了一项非常普遍的认知错误，即以为我们的感知是客观世界的真实反映。实际上，我们一切感知、一切思想、一切知识、一切学说都不是客观世界的真实反映，而仅仅是一个思维模型。

但这里发生了一个问题，这个思维模型为什么是有效的？为什么在我们的日常生活中表达为和这个世界充分对接？这是我们后面要逐步讨论的问题。我希望我后面讨论这些问题的时候，即使并不直接针对这个问题而发，大家也能听出其中的韵味，它的难度是很高的。

大家先看一下斯蒂芬·霍金对这个问题的表述。我之所以引用它，是因为霍金有较大的影响，而且他是当代著名科学家，占据当年牛顿在剑桥大学三一学院的首席物理学教授这个教职。我前面讲过，西方真正伟大的科学家对西方哲学都是非常熟悉的，因为哲科思维是一个体系。西方科学家即便不读古希腊乃至西方哲学史上的原著，他们的思想方式都深受这些东西的侵染，就像中国绝大多数人并不读孔子、老子、韩非子，可是中国传统文化在我们的精神底层其实都有非常深刻的濡染是一样的。霍金曾经在他的一本名叫《大设计》的哲学书里，表达了我们的知识与这个世界的关系。他用了这样一个词组，叫作“依赖模型的实在论”。请注意，我在前面一开始就讲，我们所看到的世界，古希腊哲人认为它不是世界的“实在”和“本真”，它只是虚幻之象。“实在”是“假象”后面的那个“本体真存”。什么是“实在”？思想模型才是“实在”。因此霍金讲，人类的知识其实只不过是一种“依赖模型的实在论”，所依赖的模型就是思想模型，就是感知模型。

他举了一个例子，他说这就好比鱼被养在圆形的鱼缸中。由于鱼缸壁是一个曲面，所以鱼缸中的鱼看待外部世界永远是在一个弧镜中成像的，因此，它一定认为这个世界就像我们在哈哈镜里看到的世界，虽是一个被扭曲的形象，却全然不能自觉。他说我们人类的感知就相当于鱼缸的那个曲面投影，我们的感知不是真空，不是外部世界的直接反映。因此，我们要用我们的感知规定性塑造一个外部世界的渲染模型，然后拿这个模型跟外部世界对接，这叫“依赖模型的实在论”。我想懂自然科学的人应该都能理解这句话的意思。比如在我们人类的感知体系中，我们是生活在四维世界中的，也就是长宽高空间三维和时间一维。爱因斯坦把时空糅合在一起，这就是我们生活的四维世界。可是在物理逻辑上，今天已经推导出十维、十一维的世界模型。哪一个模型是真的？我们说不清楚，因为我们的感知是被局限的。

霍金又举了一个例子，他说科学上讲的所有东西都只不过是一个逻辑推导的产物。比如他说科学家从来没有见过电子，尽管我们今天所有科学技术的应用成果全都奠基在电子之上，可是谁都没见过电子。因为，电子只不过是1897年汤姆逊通过阴极射线所发现的一个现象。从阴极射线管射出来的电子流，如果给底下放一块恒磁铁，电流本身会发生偏移，这就是电子在逻辑上推导为负电荷系统的依据，请问有谁见过电子？

再比如夸克，谁也没有见过夸克。夸克是强子结构中的一个逻辑成分，比如质子就属于一个强子结构。在今天的物理实验中，夸克从来是打不出来的，也就是物理学在理论上都认为没有自由夸克。那么夸克这个东西是什么呢？是对物理学粒子现象的一个逻辑推导产物。世界上没有任何人见过夸克，也没有任何人能够证明有自由夸克存在，这就是科学。科学是什么？一个精密逻辑的推导模型，所以请大家理解，我们是在这个体系上建立了我们今天的世界观、宇宙观和知识体系。

所以大家读我的书，早在20年前我就在书里讲，我们人类的感知表象至少可以分三个层次呈现。在感性上，我把它叫“直观表象”；在知性上，我把它叫“识辨表象”；在理性上，我把它叫“模型表象”。很巧合，跟这个“依赖模型的实在论”的表述完全一致。大家想想我们今天理会的世界，是在数学坐标系上建构的。这个世界有坐标系吗？坐标只不过是一个理想模型，只不过是一个逻辑模型。但你只有在这个系统上才能理解这个世界。所以我再度强调，我们的一切知识只不过是一个主观思想模型，这是西方科学家都非常清楚的事情。

霍金接着进一步解释，他说分辨模型的好坏，或者建立模型的标准有四条：第一，它是优雅的；第二，不可任意调整，即十分精确；第三，可通过预测等加以检验；第四，可被证伪，就是可以证明它最终是错的。请大家注意听一下这四条标准：什么叫它是优雅的？你怎么判定它优雅还是不优雅；它是精确的，你怎么判定它为精确？如果它最终被证伪，就说明它还不够精确，至少不确定；它是可以加以预测的，所谓预测就是可以用感官证实，这在科学上叫实证。你仔细看这四条，没有一条是非主观的。

而且霍金不能回答三项问题：第一，为什么会发生逻辑模型变革？大家知道人类的宇宙观、世界观和知识体系是变动不居的，是不断被证伪以后，再创造新的逻辑模型和新的理论学说。为什么逻辑模型总是不能稳定？第二，他说一个好的逻辑模型一定是方便的，也就是宇宙这块表壳打不开，你站在外面可以猜测这块表怎样运行，那么你有多个运行模型，你会采取哪一个模型呢？霍金认为哪一个方便就采用哪一个。可是正确仅仅是方便吗？实际上人类的逻辑模型或者学说体系，一直是越来越复杂，越来越不方便，以至于今天绝大多数人都沦为科学外行，可见事实上是越来越不方便的。第三，模型、正确、方便，这些概念究竟是什么含义？我们在霍金的著作中都得不到回答。在哲学问题的探讨上，显然还有更加纵深的疑问和探求余地。当你理解古希腊哲学所引出的问题，以及最终发展出科学成果以后，人类的思境仍然有无穷的扩展边界。人类的知识，人类对世界的理解，迄今仍然只是一个边缘性的探索，这就是哲学所揭示的人类知识底蕴的深层状态。

关于哲学的基础问题，我就简单讲到这里。各位至此应该明白一个道理，就是唯心主义哲学、认识论哲学，它实际上是对人类精神的探查，是人类思想不断纵深的产物。它不是你简单用批判否定的方式就可以处理的一个问题。在哲学史上，人类的思境越走越深，才导出科学上不断分化和细化的研究领域，这是大家要特别小心的。

辩证法：理性逻辑的初始形态

如果听懂前面的部分，你对原来抱持的唯物反映论这个世界观可能会产生基础性动摇。其实我们只是站在另一个角度审视“认知过程的生存维护效应”，或者说是重审“宇宙-人生”的相互关系，其间并不排斥物质系统的客观存在及其基础作用。

下面讨论辩证法。因为国人的基本思想架构是辩证唯物主义，那么我们就很有必要稍微讨论一下辩证逻辑。我一点都不想颠覆大家原有的看法，我只是想告诉各位，如果你要想了解西方哲学，如果你要想了解科学的根基，你必须知道人类思想伸展和运用的方式。

我们先简单看一下辩证法的思想位阶。我在老子课上已经讲过，我说辩证法或辩证逻辑是人类理性思维的初级阶段，请大家记住我这句话。由于马克思主义的重要组成部分之一是黑格尔的辩证法，因此国内把辩证法抬高到吓人的程度，认为辩证逻辑是人类思维逻辑的最高端。这是一个重大误解，因此我针对这个问题做一个最简单的说明。我不用纯哲学的方式表述，尽量用大家能听明白的方式表述，尽管我下面讨论形式逻辑和理想逻辑的时候可能会涉及一点稍微复杂的问题。我不知道我是不是能讲得让大家通透，我们尝试一下。

辩证逻辑是人类理性发展的低级阶段，这句话什么意思？首先大家要知道，从人类思想史上看，辩证逻辑是人类最早的理性逻辑形态。中国早在3300年前，甲骨文还没有形成，以《易经》为代表的阴阳两爻文化就已经普行，所以中国原始思维的初始奠基就实现在辩证法上。这个话题我们将来在讲《易经》的时候再展开。大家知道，中国思想史上最早的思想家，比如老子（讲“反者道之动”），比如孔子（讲“中庸”），建立的都是辩证观念。西方照样，古希腊最早的哲学家如赫拉克利特，包括巴门尼德，包括柏拉图，他们使用的都是辩证法思维。

辩证思维表达为人类思想史上最早期的思维模型。为什么？是因为人类早期的信息量很低，用辩证逻辑处理理性问题，表现出最简捷的状态。辩证法的简捷状态，我们可以这样来看，最典型的表述就是AB两点可以互相转化，用我们中国人的描述叫矛盾论。大家看看辩证法的思维模型简单到何等程度，它说A之外通称为B，相当于我们在矛盾论中讲，矛之外通通是盾。大家知道，矛以外还有万千物象，并不都是盾。可是辩证逻辑怎么处理呢？它把A以外的东西全处理成B，把矛以外的东西通称为盾。矛以外的东西太多了，比如杯子，比如麦克风，比如电脑，比如桌子，它都不是盾。可是在辩证逻辑中统统把它归之为盾，或者将A以外的东西统统归之为B，这显然是一个极为粗糙的逻辑模型。

它处理什么问题？处理“知性形式逻辑”的同一律，A=A。这个话什么意思？我们后面再谈。我只是想告诉大家，辩证逻辑是人类处理“同一律”问题，也就是“A=A”这个问题的最简单思想模型。换言之，辩证逻辑是一个典型的相对主义的主观建构模型。什么意思？比如在辩证法上，就是在日常概念上，我们是怎样运用的？比如前后、上下、左右，什么叫前？以你为中点，前面叫前，后面叫后，如果你往后退几步，那个原先的后就立刻变成了前，也就是前后、高下、左右，这些概念全是相对主义概念。我们为什么会这样处理概念？我们为什么没有确定的前、确定的后、确定的上、确定的下、确定的左、确定的右？是因为我们人类的生存处在时空失位状态。这个话我很难用非哲学的语言表述，我只能说它是人类迫于失位存在状态或失存演运倾向的一种寻觅定位与定在的摇摆求存方式，这话含义是什么？只能请各位自己课后去读书琢磨了。

那么辩证逻辑，它是人类建立识辨方式的一个动摇状态的整理。我说过，人类的感知必须把外物的无级变量分解为明确的边界变量，比如你把连续波长360纳米的光波，要分割为150种以上截然不同的色觉。它表达的是建立识辨反应的需要，这个识辨反应是非常复杂的。当对象无限复多化的时候，识辨过程就会发生混乱和动摇，辩证逻辑就是用最简洁的方式克服这种动摇的一个主观整顿模型。

我讲到这儿，可能大家还没有完全理解，我们下面讲形式逻辑的时候再讨论。

人类早年认识世界的时候，就像我们处在儿童时代，那个时候我们看世界是完整的、持恒的，或者说是稳定不变的。我们只有年长到一定程度，智力发育到一定程度，信息量增大到一定程度，才会发现和理解这个世界居然是流变的。到这个阶段，辩证逻辑就要处理一个问题，或者人类知性逻辑就要处理一个问题，这个问题就是万物为什么会流变？以及如何变化？辩证逻辑是对这个最基本问题的最简单处理，这就是“AB之间可以互相转化”的解释模型之来源。

辩证逻辑属于知性逻辑，这是黑格尔本人的表述。黑格尔认为在知性逻辑以后，有一个比辩证逻辑更高端的逻辑形态，他把它叫思辨逻辑。可见黑格尔本人也认为辩证逻辑不是最高级的逻辑阶段。辩证逻辑为什么在我们的日常生活中表现出最大的用途，甚至95%以上的情况我们都运用的是辩证逻辑，是因为越原始、越低级的东西，越具有奠基性、决定性和稳定性。越简单的模型越有效，使用起来越便捷、越稳定。因此我们在日常情况下，使用逻辑模型都是选择最简单、最原始的底层模型。

人类的下中枢叫下意识，由脊髓决定。我前面讲过，比如你骑自行车，真正熟练以后，你是把它交给脊髓管理的，反而是在初学的时候，你得调动高端思想，调动大脑皮层，竭力控制自己，即便如此你还不免摔倒。它说明什么？说明我们人类运用智慧的方式，是尽可能把调控任务交给低级中枢或低端逻辑来运行。所以一旦你熟练以后，你骑自行车就已经不用大脑皮层控制，而是交由脊髓来控制了。它说明越低端的东西，越有效越稳定，这就是人类的用智方式。因此辩证逻辑惟其低端性和稳定性而表达出它的有效性，这都是辩证逻辑的基本特点。所以千万不要把辩证逻辑视为人类的高端逻辑。

当你面临诸多复杂条件，日益增多的对象呈现，你已经无法再用简单的逻辑模型来处理的时候，高端逻辑自会呈现。所以把哲学或逻辑学叫作思想方法，这个说法是不成立的。“思想方法”这个词很容易让我们产生一种错觉，以为某种思想方法你是可以随意选择的，但实际上我们用智的方式是不由我们选择的。当你处在原始低信息量阶段，或者处理的问题是低信息量的简单问题的时候，你不自觉地就会用低端逻辑。当你面临高端复杂问题的时候，你不自觉地就得选用高端逻辑来处理，这里没有选择的余地。

黑格尔有一句名言，大意是说一个人不懂得食道如何蠕动的生理学，一点都不妨碍他的食道继续正常蠕动。这句话的意思很明确地告诉大家，你所使用的思想方法，不在于你从显意识中能否主动选择调配，而在于你处理问题时所面对的信息量或复杂程度，此刻你会自然调动对应的思想方法，哪怕你并不自觉，这就是我们的不同逻辑层级的显现状态。

黑格尔在论述辩证法问题的时候，着意搞得极为复杂，但实际上他的研讨非常过时。因为早在2000多年前，古希腊哲人和中国的《易经》一直到老子的《道德经》，都在深入地讨论辩证思维。那么黑格尔为什么非要用辩证逻辑不可？是因为他要回应康德探讨理性终极问题遗留下来的二律背反困境，以及作为对象的自在之物与精神主体之间的关系。所以要读懂黑格尔，前提条件是你必须读懂康德，然后你必须读懂黑格尔的“绝对精神”是什么含义。黑格尔讲，绝对精神的异化就是对象系统，感知过程就是使之复归于理念的同一过程，这叫辩证法的“正反合”运作。黑格尔的“绝对理念”的确有其道理，它无非就是柏拉图“理念论”的继承。其切近的思路背景是，在近代古典哲学清楚认识到我们的感知是一个主观封闭通道以后，对万物或者对我们人类所说的对象是什么，所进行的另一番追究，只不过是他找不见恰当的探讨方式，因此借用人类最原始、最简洁的辩证逻辑模型来胡缠。所以读懂黑格尔哲学的关键，在于理解“绝对理念”即是指感知封闭系统本身的不可逾越性，此乃黑格尔哲学中的合理要素。

由于黑格尔在他的《逻辑学》和《精神现象学》中对辩证法做出了不恰当的过度抬举，因此现代逻辑的重要创始人之一罗素，在他的《西方哲学史》一书中曾经就黑格尔哲学给以这样的评价，我引用他的原话：“黑格尔的学说几乎全部是错误的。”我声明，我并不认为罗素的评价是绝对正确的，但是罗素在逻辑学上对黑格尔哲学的评价是有道理的。他站在高端逻辑的立场上对原始低端辩证逻辑本身被过度拔高所给出的批评是有见地的，这是大家要特别注意的。

我们下面简单讲一下辩证逻辑和高端逻辑的关系。为了澄清这个问题，我们先看亚里士多德提出的形式逻辑。在国内，各位从中学到大学，学习了马克思主义哲学，经常见到马克思主义哲学使用两个由黑格尔创立的对应词：一个叫“辩证法”，一个叫“形而上学”，应该对这两组词汇都很熟悉。所谓“形而上学”，在马哲里或者在黑格尔那里就表述为静止地看待问题的哲学方式；所谓“辩证法”，就指的是运动地看待问题的哲学方式。但实际上什么叫形而上学？我在前面讲过，相当于亚里士多德所说的“物理学之后”（metaphysica），所以“形而上学”这个词，站在古希腊狭义哲学的基础和纵深程度上讲，它是“哲学”这个词的亚里士多德式的有效表述，或者恰当翻译。实际上亚里士多德建立的逻辑学叫“形式逻辑”。所谓“形式逻辑”，就是抽掉对象的具体要素，看逻辑形式怎样运行，被亚里士多德总结为三条，叫“同一律、排中律、矛盾律”，之后又被德国近代古典哲学家沃尔夫和莱布尼兹追加上第四律，叫“充足理由律”。黑格尔把它准确地指定为知性逻辑的典型形态。

好！我们下面看一下形式逻辑之三律和四律的状态。形式逻辑的第一定律是“同一律”，最简单的表述叫作“A=A”。大家听起来觉得这完全是一个同语反复，主语和谓语没有任何区别，它为什么是形式逻辑的最重要核心定律？要知道人类的感知系统是为了达成识辨反应。大家想，如果我们面临的对象是单一的，那么我们就没有必要去识辨对象，也就是没有必要去识别对象，是不是这样？

我们假设，在宇宙刚刚发生的时候，世界上只有两样东西：夸克和轻子。对于电子、轻子来说，或者对于夸克来说，它们各自的对象都是单一的，电子只面对夸克这一种东西，反过来也一样，夸克也只面对电子，此外别无他物，这叫A=A。也就是当物从“一”分化为“多”的时候，如果它面临的认识对象仍然表现单一，那么它跟对象建立依存关系就没有选择性障碍。可是大家设想，这个宇宙的演化过程是一个分化过程，宇宙最初是一个奇点，被巴门尼德表述为“存在是一”；大家再想老子说一句话“道生一，一生二，二生三，三生万物”，这里都表达的是分化进程。那么宇宙最初从能量这个“一”的奇点分化出夸克、轻子、玻色子，分化出“多”，这些最基本的粒子再演化出，或者说构合分化出更多的基本粒子和92种天然元素，这92种天然元素继续分化出近千万种分子物质，这些分子物质在构合分化的进程中，再分化出上亿万种生物。我们会发现，宇宙的物质演化过程就是一个分化过程。

当你面对诸多对象的时候，你在单位时间内只能依存一个对象。要知道分化过程就是原来那个“一”的残化，因此所有分化物都有一种内在追求合一的倾向，我们把这个过程叫作“依存”,也叫作“结构”。我们达成依存和结构的手段叫“感应属性”，或者进而叫“感知属性”。那么当对象复多化的时候，所有的对象都是你的依存物，都是你的存在条件，或者说都是你的生存条件，而你在单位时间只能依存一个对象，这个时候你怎么办？你当然得在诸多对象中确认并捕捉当时最首要的那一个依存对象，而不能在诸多对象中发生混淆和动摇，这叫A=A。

5亿年前，最原始低等水生动物——扁形动物开始出现视觉。在单细胞生物的时候是没有感官的，细胞进行外部物质识别和外部能量代谢，是通过细胞膜上的受体进行的，它只能分辨宇宙中的部分原子和离子。随着自然分化越来越复杂，到扁形动物阶段，出现视觉，也就是五官中最早发生的感官。据生物学家研究，最原始的视觉并不能看见复多的对象，只能看见跟它生存相关的依存条件，这叫A=A。

我们讲哲学课非常困难，因为我如果用A=A这些话表述，大家一定全都瞌睡，因此不得不借用科学的语言和直观的实验来给大家讲课。这种讲课方式距离你真正读懂纯逻辑推导的哲学思境相距甚远，所以大家千万不要把这节课视为是真正意义上的完整的哲学课，它只算哲学基础综述和启蒙。

我讲一个实验。生物学家做一个圆盘，在上面放一只蟾蜍，也就是我们通常所说的癞蛤蟆，在这个圆盘上扣一个玻璃罩子，把蟾蜍拘于其中。然后在外面挂一个像昆虫一样的条形物，但是把它纵立起来，在外面旋转，蟾蜍不做丝毫反应，表明蟾蜍看不见它。当把这个外置的条形物放倒，并施加以适当振动的时候，一旦这个圆盘再转动起来，蟾蜍就会始终跟着这个条形物转圈。它说明什么？——这个时候蟾蜍才有了视觉反应。此项实验表明，蟾蜍的视觉只能看见平行运动的条形物，也就是模仿一只肉虫蠕动的形象，蟾蜍的视觉才会有效。发展到蟾蜍这样高度进化的卵生动物之时，它的视觉居然还是局限于单一对象的，只能看见它所要依赖的条形爬虫，对其他无关的复多对象，它在感性知觉中会自动排除，这叫A=A。

我再举个例子。假如眼下你已经不是扁形动物，也不是蟾蜍了，你已经变成了一只鸟，你已经变成了脊椎飞行动物。一只鸟要在树上找到一条虫子，此时它的感知对象已经高度复多化，它既能看见树干、树枝，又能看见树叶、残花，还能看见树皮上的各种条纹。然后它在这些纷繁晃眼的复多对象中，必须分辨出那只与树皮裂纹十分近似的昆虫，而不能随便撞在树干上，或者不断地绕着树叶乱飞，这样会过度地消耗它的生物能量，且完全属于无效消耗。于是它必须在A、B、C、D等无限复多的对象中选择捕捉那条虫子，这叫A=A。也就是在复多对象中，第一时间找见首要依存物的识辨反应，叫做A=A。

形式逻辑的第二律谓之“排中律”。它的哲学表述是“A是B或不是B”，它是什么含义？它的意思是，当复多对象已然呈现，A 、B、C、D……都分化而出，我要依存A的时候，B却在干扰我，我得不断地在A和B之间做出分辨。在复杂分辨的过程中首先得确定所要依存的那个对象A，其次它还得将A以外的其他不同对象明确认定为B，也就是断然不可发生游移不决的局面，这叫排中律。可见排中律是什么？ A=A不能保持，A=A被复多对象干扰，为此而简捷迅速地排除这类知觉干扰，叫排中律。

形式逻辑的第三项叫作“矛盾律”，也叫“不矛盾律”。它的哲学表述是“A不是非A”，什么意思？它是讲A又在排中律那里发生了动摇，由于分化物越来越多，A已经淹没在太多的对象之中，已经很难确定何者为A，我得在诸多对象中反复寻觅，初步识辨以后还得再度加以确认，保证我没有识辨错误，或者没有识辨扰乱，这叫“A不是非A”。它是失察于（同一律）A=A，经过排中律“A是B或不是B”的识辨之后，再对A本身加以筛选确认的动摇克服状态，所以它叫知性逻辑。

请注意我在这里表述什么叫“知性”？知性是复多对象发生动摇，发生确认对象的动摇时，不得不产生的判断行为叫“知性”。大家注意“判断”这个词，是指“判别求断”，只有对象复多化才需要判别。如果你只有一个对象，比如电子只面临一个质子，那么它就用不着判别。当对象复多化，你必须在对象中加以判别，判别完成才能做出决断，才能发生识辨依存反应，这叫判断。所以在哲学上，“判断”是一个非常重要的概念，而“判别求断”谓之“知性”。

如果对象单一，叫感性，所以最原始的感性是不需要判断的。比如电子面对质子是不需要判断的，比如蟾蜍面对竖起来的条形物是不需要判断的，它就不在感官可察的范围以内。直到复多对象引出知性，判断之举才成为必要，因此“形式逻辑”被黑格尔归类为“知性逻辑”。

什么叫“理性逻辑”？对象分化到无穷之多，我们已经无法在实体格局中，面对无穷量级的复多对象产生识辨反应，即无法直观实现A=A的判别确认，于是我们必须把对象归类为概念，然后在概念上，而非实在对象上，去处理思维模型推演，最终再回归实物反应，这叫理性运动。质言之，理性运动是把对象抽象和归类，使之简化为概念，然后做虚体推理反应。其目的仍然是对超载的复多对象加以判断，只不过这个时候硬态实物判断已无从进行，必须在软态逻辑概念的思维沙盘上运行，这叫理性。

亚里士多德所表达的知性逻辑，提出同一律、排中律、矛盾律，这个阐述本身是理性的，是抽象的，是概念化的，但它所回答和解释的问题是知性判断问题。我想大家应该能够听明白我这段话的含义，就是形式逻辑处理的是知性判断问题，但不是像鸟那样处理实物对象，而是在理性逻辑层面上，以概念推导的方式，处理知性实物分辨状态的理性模型。或者说，达成的效果是对知性逻辑反应形态的理性化模型说明，这叫知性形式逻辑。它后来被沃尔夫和莱布尼兹追加了一条“充足理由律”，就是当你做A、B、C、D……等等判断的时候，你的判断得有延续性的根据，得有可推导的顺序，追加的这一条已经从知性逻辑进展到理性逻辑的过渡层级，这就是第四律不在亚里士多德形式逻辑中的原因，也就是充足理由律已经表达为理性逻辑的后续中介状态。

“理想逻辑”简述

我们下面简单谈一下知性形式逻辑进一步发展为理性逻辑的状态。这些部分各位听起来仍然会比较吃力。本课程不详讲逻辑学，因为逻辑学非常复杂，它甚至要借用非文字符号才能推导，如果大家有兴趣，可以读一下罗素等人的逻辑学专著。那么我现在只想就形式逻辑往上推演和发展所形成的理性逻辑高端状态做一个概要总结。

当人类进入哲科思维状态，也就是在柏拉图、亚里士多德之后，乃至近现代科学时代，真正的思想大家在研究比较复杂的问题系统时，是绝不可能运用辩证逻辑来处理问题的。这个时候的新增信息量和对象复杂程度已经必须借助于高端理性逻辑才能应付。理性逻辑的范畴很宽，从最基础的辩证逻辑逐步发展到理想逻辑。

有必要说明一下，当我在这儿讲逻辑的时候，都是指狭义逻辑，我们明天再展开对逻辑本身以及广义逻辑含义的扩延和诠释。

我先讲解“理想逻辑”的词义。我把理性逻辑的最高段位称之为“理想逻辑”。请大家特别注意“理想”这个词，我们今天一说理想，就是指一个乌托邦式的愿望，我们把这个东西叫理想。可大家要注意“理想”这个词项的中文原初概念，什么叫“理想”?“纯粹推理之想”是也。什么叫纯粹推理之想?请回顾我刚才的讲课，我说一只鸟，面对树干、树枝、树叶、树皮条纹和条虫，它是面对实物产生判别求断的依存反应；当对象趋向于无限复多化，再在实物体系上加以判断，这个过程已经完全无法进行，于是只好将成千上万的直观对象归类为简洁的、缩略化了的概念系统，然后进行推理判断，也就是进入软性思维的判别求断，这叫理性或理性逻辑。

当理性逻辑展开的时候，感性要素，也就是实物对象要素，从概念中抽离，也就是概念中已经没有实物对象，这叫纯粹推理之想。比如数学，3指任何东西，也不指任何东西，在实物对象上它永远悬空。3只不过是一个纯粹的概念符号，它后面已经没有实物要素来支撑，然后在这个上面进行推演，叫纯粹推理之想。我们一般所说的思想和推理都是在直观要素的掺杂中进行的，比如我们说“杯子”，这个世界上你是找不见杯子的，你只能找到一个陶瓷杯子，一个塑料杯子，或者一个不锈钢杯子，你给我找一个纯粹的杯子，你是永远找不见的，杯子是一个抽象。但是当你说杯子的时候，这个实物对象仍然在背后支撑着，也就是这个概念没有排除感性素材。尽管你说杯子的时候，它已经抽象化了，它已经概念化了，但它没有把感性素材排除干净，所以它不是纯粹推理之想，它是掺杂感性要素之想。

当你把抽象度提高，由于对象繁复程度极高，你不得不在更虚化的高度上推演，也就是进行层层虚拟的逻辑推演。比如生物，请问有谁见过“生物”？你首先见过某一匹马、某一头狼、某一只羊、某一棵树，然后你把它们分别归类，说这叫动物，那叫植物，这已经是抽象了。但还不够，你再把它进一步抽象，说动物和植物都是有生命的，可总括为“生物”，这又在植物和动物上抽象一层。这个时候你不断抽象，其中的感性要素就逐步在概念中被过滤掉，当你把所有的概念抽象到最高程度，感性要素完全洒脱，只做纯粹推理之想的时候，我们把它叫作“理想”。我请大家听明白这一点，在“纯粹推理之想”的层面上进行逻辑思维推理，叫“理想逻辑”。我再举个例子，比如爱因斯坦提出相对论，他做的是一个理想逻辑实验。他讲当你以光速运行的时候，事物会呈现什么状态？时间和空间会呈现什么状态？你能够以光速运行吗？那是根本不可能的。他的整个科学理论模型是在一个纯逻辑的推演中、纯理想的推演中进行的，这叫“理想实验”。我们把这样一种思维模型视为理性逻辑的高端状态，我把它称作“理想逻辑”。

我们下面就来看看滤掉了感性要素的纯粹推理之想，它在模型上对应于形式逻辑的承接表达方式。

第一，叫作“简一律”。它对应的是知性逻辑的“同一律”。请记住，我们人类乃至所有动物的感知，只是为了达成识辨依存反应；请牢牢记住这一点，我们的感知不是为求真设定的，而是为求存设定的。求存是在复多对象的分化、残化系列中达成的，因此你必须把你的感知过程展开为一个识辨序列，也就是面临复多对象的识辨状态。当对象分化量偏少的时候，你可以直接感性和知性地对应；当对象分化量太多的时候，你必须把它从硬性实物状态转变成软性概念状态进行虚拟推导，这个过程叫理性化进程。那么既然我们的感知都只是识辨反应的求存系统，当对象极多的时候，同一律（A=A）的识辨依存就转化为抽象程度更高的简一律。所谓“简一律”，就是把“A=A”转化成“A系等于A理”。所谓“A系”就是达成A的这一个整体系列，A、B、C、D、E、F、G……这个跟A相关的分化系列，我们把它整顿成一个逻辑脉络，叫简一律。请注意听懂这一段的意思，对象在概念中倾向复多化，然后在复多概念中再把它整理成一个A，叫简一律。

我举一个例子，比如我们人类使用“力”，有各种各样的情况。今天工业时代，你做一个齿轮，做一个曲轴，做一个连杆，你都得用到力学。可是在“力是什么”这个问题上，你如果不能把它整顿成一个点，一个A系的缩略点，你就永远不知道这个“力”是什么。所以人类使用“力”长达数万年，人类在上万年前就已经使用投枪、标枪捕猎动物，就已经在运用膂力、足力、体力，可人类在牛顿以前从来不知道什么叫作“力”，直到牛顿最终把它整合为一个方程：引力方程。大家都很熟悉引力方程式，引力等于两个物体质量的乘积做分子，物体之间距离的平方做分母，再乘上引力常数。即把整个力的实相，无穷的具象力，变成这样一个极为抽象的方程。至此力是什么得到终极回答，至少在牛顿那儿做到了简一化回答，万千力的状态简约表达为引力。

我再举一个例子，关于力的动量。牛顿将引力划分为三大定律。第二定律即动量定律这样表述：$F=ma$，力等于质量乘以加速度。它把万千力的动量样态表达为一个最简单的方程。这叫把“A系”，也就是万千力的样态，表达为一个“A理”，这叫“简一律”。它相当于一只鸟在万千树林的物象中只盯住一个虫子一样，它在万千物象的概念中只盯住一个点，并拿这一个点，能够统括万千物象的整体关系。这就是理性逻辑跨越知性逻辑处理更大信息量的A=A的升级状态，叫作“简一律”，表达为“A系=A理”。

我们再看，第二叫作“排序律”。

请大家记住，它对应于知性逻辑的是“排中律”。排中律在知性形式逻辑中表达为“A是B或不是B”。也就是单位时间依存一个对象的判断反应发生动摇，于是必须在A和B之间，在复多对象之间摇摆、选择并加以确认，这叫排中律。那么到理性逻辑的高端，即理想逻辑状态，它转化为“A是B以及C、以及D……”的织合。也就是它不再去做排中，而是去做排序。也就是它把A和所有非A之间的关系理清，使得A和非A之间的关系贯通，叫“排序律”。

我下面举一个例子。我再说明一下，当我以非逻辑的直观方式举例表述问题的时候，这些例子可能都不恰当或者不精确，它们仅仅是为了协助大家理解哲学抽象表述。比如在达尔文建立他的生物进化论之前，生物学非常复杂。大家知道“万物”主要指生物，因为无机物只有几百万种，但是在生物界，包括已灭绝的生物竟达上百亿种。故而此前人类里知识最渊博、学问最复杂的是生物分类学家，像林奈、居维叶这些人。他们把亿万种生物简化归类，界、门、纲、目、科、属、种，层层细分。种有上百亿种，然后往上归类；上面有属，属就会减少；把多属再归并为科，科就会更少；这样依次递归，后来归类到门，比如原生动物门、脊索动物门等；各门物系再往上归类叫界，比如动物界、植物界、真菌界，越归并则越精简。但即便如此，用这7个层级归类，对象总量仍然是无数之多。而到达尔文，他怎么处理？他用“自然选择”这一项原理，把所有生物排序为一个进化层级，于是万物一系呈现，即形成一个排序系列上的清楚链条。我只是想告诉大家，从排中律升华到纯理性的排序律是一个怎样的模型状态，这叫排序律。

第三叫作“消矛盾律”，它对应的是“矛盾律”。形式逻辑中的矛盾律是“A不是非A”，也就是再度对动摇了的A=A加以确认，一定要搞清楚，绝不能让非A混淆其中，这叫矛盾律。那么到了高端理想逻辑，它表达为消矛盾律，不是把所有A以外的东西排除，而是把它们之间的界线与矛盾予以消解，所以它在逻辑上表达为“A之为A正在于它源自非A或导致非A”，这叫“消矛盾律”。我前面提到达尔文，他讲生物是从一个点导出另一个点，或者可以还原为某一个点，而不是断裂成无数个点。比如所有的生物都是从单细胞生物演化而来的，比如脊椎爬行动物往前看，往原始方向追溯，可以归类为水生脊索动物，进而可以归类为两栖爬行动物，最后才是陆生爬行动物，这种在A之所以为A，正在于它源自非A或导致非A的状态上消除A和非A之间的断裂与矛盾，此谓之高端理想逻辑的消矛盾律。

第四叫作“追本溯源律”，它对应的是“充足理由律”。所谓“充足理由律”，实际上不免导入多因素分析状态，而多因素分析状态会带来思维混乱。因此在高端理想逻辑上，必须追本溯源到一个终极点，所以充足理由律最终表达为追本溯源律的终极追索。我讲到这儿大家应该立即联想，它达成的是什么结果？回归“简一律”。也就是追本溯源律是在最终整理多要素对象的时候，从概念上复归第一律，即最重要的那个依存实现律——简一律。它相当于知性逻辑A=A的确认非动摇状态。只不过一个是在实物上判断确认，一个是在概念化了的大信息量上整理确认。人类高端理性逻辑是动物知性逻辑的顺势延展，而不是辩证逻辑的反向过渡。辩证逻辑表达为A和非A之间互相转化，而实际上人类的逻辑进展，是在知性逻辑、理性逻辑、理想逻辑这一脉上不断纵深和顺延发展。它的内涵实质上是处理信息量，或者说是处理信息增量的差别，这就是理想逻辑状态。

在黑格尔和马克思的表述中，总说形式逻辑是静止地看待问题，辩证逻辑才是动态地看待问题，这个表述显然是不对的。因为即使是形式逻辑，或者是形式逻辑顺延的理性逻辑，它虽然要确定A=A，但它绝不是说A永远不变，它恰恰是在理性逻辑的顺延中处理A=A，处理这个A的变量的逻辑关系。这就好比我们说细胞，你要想研究细胞，你必须让细胞表达为一个静态模型，你才能研究。可它绝不排斥细胞是可以变化的，从原核细胞变化为真核细胞，从单细胞变化为多细胞。你如果不在静态上把它琢磨清楚，你说的动态就是一个混沌模型。你在静态上把它琢磨清楚，它的动因、动量和动势才能够进入精确分析，所以静态思维和静态形式逻辑概念的严格追究，绝不表示它否认对对象的动态思索。把形式逻辑和辩证逻辑表述为一个是静态、一个是动态的这种说法，在动物知性逻辑状态也许成立，但是在人类的形式逻辑理性化整理和形式逻辑延续化发展的理想逻辑形态之中则不成立，须知静态研究问题是动态变量引申的基础。我希望大家听懂我这段话，从而明白辩证法过去那种狭隘的对形式逻辑的批评是不恰当的。

我把课讲到这儿。大家今天至少可以感觉到哲学思维的基础运行状态，它的追究方式以及辩证唯物主义的局限性。我们得理解西方哲学是从这样一个最基础的思境开端，从一个逻辑游戏开端，逐步导出人类思维模型的精致化分解。然后把这个思维模型不断雕琢，在这个抽象化的纯思维模型之中——跟务实和经验乃至实用没有任何关联——不断输入更大信息量，从而进行精密逻辑整顿，这个过程构成人类思想能力的潜质调动。这个潜质调动一方面表达为哲学思维脉络和逻辑学的研究，一方面表达为对对象和对象后面东西的追究以及精密逻辑模型的建构，最终实现哲科思维在科学时代的分科化展现，由此形成哲科思维体系。

今天的西哲课就讲到这里，明天继续。

下面留出互动时间，请各位同学参与讨论。

课后答疑

同学提问：东岳老师，我的问题是这样子，哲学是科学的前体，哲学又是对神学追问的追问，那请问哲学和神学之间的关系是什么样的?

东岳先生：我说哲学乃科学之母，那么我再说一句，神学乃哲学之母。因为神学是人类最原始阶段、信息量最小的终极追问。人类在非常原始的时代，数千年前，当他要问万物是怎么回事，世界为什么会存在这些问题的时候，最简洁、信息量最小、最直观的反应是什么？——创造一个或者多个人格神。所以罗素是这样表述的，他说神学和哲学都是终极追问，而哲学和科学都运用理性工具。神学是终极追问，关于宇宙的终极追问，只是它属于信息量极小的一个追问模型。当信息量增加，它在人类的智力呈现上就表达为怀疑，或者表达为惊异，于是后来就对神学这个简单模型产生疑问，追问神学只简单用“神”整顿这个宇宙的不足，追问神是怎样整顿这个宇宙的，比如毕达哥拉斯，比如牛顿。于是由此引出的下一步大信息量的思辨处理叫哲学，因此早期的哲学跟神学一直连在一起。不管在毕达哥拉斯，还是在苏格拉底，一直到牛顿，神学和哲学始终纠缠在一起。在很大程度上，哲学只是在为神学服务，这是人类思想史的一个基本脉络。

我提请大家注意，人类的思想史，如果用最简单的话总结，就是处理不断扩张的信息增量的过程，这就是人类文化史和思想史的最基本内涵。同时按照我的递弱代偿原理，越原始越低级的东西，越具有奠基性、决定性和稳定性。因此神学的稳定性不在于它的真理性，而在于它的原始性，因为越原始的东西越稳定。所以当我说某个东西稳定的时候，请记住，它等于我在说某个东西原始而落后。

好！大家还有什么问题？

同学提问：您最后总结的时候，因为前面也没怎么听懂，最后总结的时候也没记下来，能不能把最后总结的内容再说一遍？虽然再说一遍也不一定听得懂。

东岳先生：让我在脱离了刚才讲课思绪的情况下，重新整理后面的总结有点为难。所以大家听我的课的时候需要集中精力，尽量捉住其中每一句话。如果这节课你没有听懂，或者没有完全听懂，没关系，9月份以后我的全部讲课会上网，请在网上复习。

同学提问：老师您好！您提到的理想逻辑四定理，从简一律到排序律到消矛盾律到追本溯源律，感觉像是一个演动的循环。回归到简一律之后是不是就是进行了一次逻辑变革，然后开启了另外一个思想通道？

东岳先生：问题提得很好，但这个话题很深。我前面一再讲，知性逻辑的核心是同一律A=A，牢牢记住这句话。我再重复所谓A=A是什么？在复多对象中，单位时间只能依存一个对象，而不能让复多对象对这一个对象发生干扰，叫A=A。排中律、矛盾律等等都是对A=A不能有效维系的一种整顿，所以A=A同一律是知性逻辑的核心。那么理性逻辑处理的问题跟知性逻辑没有任何区别，仍然是解决依存问题。我们的感知不是为求真设定的，而是为求存设定的。因此人类的一切知识和智能都只是为了求存，在这一点上没有任何区别，唯一区别就是信息量的变化。由于世界是分化演化的，因此在宇宙发育的过程中，信息就是增量进程。那么随着信息量的增大，到理性逻辑阶段，它是一个更大信息量的非直观模型，也就是软性概念推理模型。它要完成的是什么？仍然要完成知性逻辑达成依存的那个同一效果，因此理想逻辑中的简一律就与知性逻辑中的同一律完全一样，是它的中心维系标的。它后面的所有各律都是“辅助律”，都只是为了促成简一律的落实，或是为了使同一律不至于发生动摇的一个软性处理序列。因此它们是同一回事，区别仅仅在于信息量的不同。理性逻辑在智力处理模式上发生变化，但它的标的没有任何变化。当我讲到这儿，我再说一个话题，那就是逻辑变革这个话题。如果我讲的这两个逻辑模型，你认为就把世界说完了，那你就理解错了。因为信息是不断增量的，我们总结的只是在低信息量和高信息量阶段的逻辑处理模型。但是逻辑处理模型即使相对固定，逻辑模型的内涵和样态却在不断变化。我举个例子，罗素作为一个数学功底极好的人，他曾经和怀特海合著了一本书。我建议数学功底扎实的同学可以读一读他这本书，书名叫《数学原理》。书中用数学的方式整顿人类日常使用逻辑和语言的粗疏状态。他认为只有在数学精密逻辑上整顿人类的思维模型，才能说明人类的思想和感知是一个什么状态。所以罗素完成了这本著作以后，他曾经很自豪地认为他把人类所有知识基础问题处理完了。因为如果把逻辑基础处理完毕，人类的一切知识都在这个逻辑模型上运行，那么人类以后就没有知识的疑惑了。

但是随后出现了一个人物，从根本上颠覆了罗素的这个结论，这就是爱因斯坦的好朋友，著名数学家哥德尔。哥德尔在纯数学上论证，他说在任何一个孤立的数论形式系统中，如果该系统在逻辑上是自洽的，它就一定是不完全的，或者说是不完备的，这叫哥德尔第一定理。他接着推导出哥德尔第二定理：反过来说，在任何一个孤立的数论形式系统中，如果一个逻辑系统是完备的或完全的，它就一定不能自洽。哥德尔的这两条定理，颠覆了罗素认为在逻辑基础上把逻辑学研究完备，知识问题就必然完备的结论。他的意思是说，人类的逻辑系统本身是有缺陷的，当逻辑达成内在自洽的时候，这个自洽系统下面一定有一个无法克服的漏洞；如果要填补这个漏洞，该自洽系统就无法实现。前者表述的是哥德尔第一定理，后者表述的是哥德尔第二定理。这个话说起来有点复杂，你得去研究相关逻辑学。但它说明一点，就是任何一个逻辑自洽的理论系统，它底下的那个无法完全的逻辑空洞，使得它永远处于即将被颠覆的状态。什么东西冒出来颠覆它？信息增量！因此逻辑模型完整，或者说逻辑学模型完整，绝不代表人类的思想模型从此不发生变革，这是一个非常复杂的问题，我只能表述到这种程度。

同学提问：东岳先生您好！就是关于最后讲的那一段，我能不能这么简单地理解：如果我想认识这个世界，我需要对它做一个分类，而这种分类不管我研究的是什么，其实是一种思考模型。那么这个模型是不是有道理呢？或者要研究的这件事是不是合理呢？其实就要看是否符合最后讲的那几个逻辑模型定律。比方说它要符合简一律、排序律或消矛盾律，这项研究结果可能才比较有道理。我不知道刚才最后一段您所讨论的事情，我可不可以简单这么理解？谢谢！

东岳先生：大致说得不错，但是这样不够。因为这只是对逻辑模型的，或者叫对逻辑学模型的纯粹抽象表述。而实际上你建立的任何一个思想模型，或者说你建立的任何一个理论，或者一个解释系统，它要求的是证明。也就是你必须在逻辑上一环一环地把它证明完毕，我指的是广义逻辑证明，广义逻辑是什么含义？我明天再讲，只不过这个证明过程必须符合我讲的理想逻辑四律。如果你只是大体上对应了四律，但是你在信息处理上没有完成精密逻辑证明，作为一个理论它还是可疑的。就是如果我们的感知不是真理,而且不含有真理判断,也就是我们的任何知识跟真理无缘，那么什么叫作“正确”？我们明天专门讨论这个话题。我希望当我明天讨论这个话题的时候，你能集中精力听明白，你今天这个问题才能得到回答。

同学提问：先生，最近在啃您的那本《物演通论》，这边有一个问题，既然存在度是自变量，代偿度是因变量，而且存在度不受代偿度的影响而一路下行，也就是说这个存在度不断弱化是第一因，同时这个代偿度受到存在度和存在阈所限。那对于某个物种来说，在某个阶段应该是有一个最大值，这也是您提到的，就像说老子在他的那个时代无法提出相对论的一个原因。按照这个理论，无论今天的人们如何追求发展和进步，也就是说，不管他们如何提高代偿度，都应该不会影响到人类的这个存在度，因为它有一个上限所致。那为什么您要提出来说我们现在要控制发展，不能完全以发展的眼光来看待我们的未来呢？

东岳先生：我没有说“存在度不受代偿度的影响”。我说存在度是自变量，代偿度是因变量。我先不说根据，我首先说这是一个局限表述。什么意思？你读到后面会发现，我讲代偿度和存在度是一回事，也就是代偿度的增益就是存在度衰变的实现方式，我在后面的段落专门强调了这句话。我刚才讲课的时候讲过，我说我们人类的识辨模型也就是我们的感知，是必须把外物的连续状态分解为片段状态，这是我们人类感知必需的一个主观设定，因为我们必须建立识辨依存反应。因此人类讨论任何问题，都会把一个问题表述成若干个概念来进行推演。这是无可奈何的事情，这是被人类的逻辑局限给定的规定，因此我希望你理解。

当我把存在度设定为自变量，把代偿度设定为因变量的时候，这是在人类逻辑的局限下进行精深分析的必须。因此我在后面表述：代偿度的增益是存在度衰减的实现方式。我为什么说存在度的衰变决定了代偿度的增量？是因为万物在没有任何属性代偿的时候，存在度达成最高满足值。这个话只有读过我的书的人知道它的含义。也就是在存在度最高的奇点状态，没有任何属性，如果属性增益是第一性的，那么我们就应该首先看见属性存在，然后才看见存在度。因此在逻辑极点上，属性无法作为根本变量。

但是，由于代偿度的增益是存在度衰变的唯一显现形态，因此我们讲到有关人类的后发性问题的时候，属性或者属性增益的表达，就一直出现在前台，而存在度发生在后台。这就是我们讨论问题越来越关注代偿问题的原因。因此，当我讲人类的能力不断提高，标志着人类的存在度被严重削弱的时候，我讲人类不能随便提高自己的代偿量，这样讲好像说代偿量的缩减可以提升存在度，道理好像反转过来了。实际上我是想告诉大家，不断地提升能力，是你存在状态趋于危化的指征。至于人类能不能缩减自己的代偿变量，你真正读懂我的书，应该是对它高度怀疑的。

同学提问：正好借着刚才那位先生的问题，我其实对"有限衍存区间"一直存在困惑。因为现在有一个说法，就是宇宙存在着有生命的星球，是一个很大概率的事件，有可能是上亿，有可能更多，不知道多少。在这种情况下，有这么多的星球都有生命，您为什么把人类作为衍存的最后一站？其实我当时在想，您可以把它作为其中一站，但它不一定是最后一站。因为我记得您在一个视频中说，如果外星人来了，您的这个哲学理论就崩塌了，但如果您给自己留一个口子，这个哲学就不一定崩塌。是什么让您如此自信或者如此确切地认为人类是最后一站？我就想了解这个。

东岳先生：这个问题我们在最后一天，第12天课中将会专门展开，我现在只说一点。做学术是不能玩弄机巧的，也就是当我论证一个定律或者定理的时候，我必须遵循严格的逻辑规定。如果我留一个口子，表面上我的学说可以永远不崩塌，但它一定失去精确性和严谨性。至于我说这个宇宙万物是在一个有限区间内衍存，人类是宇宙中存在度最弱的物种之一，人类的后向将很难有过多的发展余地，这些话是什么意思，我们最后一天课再讨论。我在这里只强调一点，一个学说、一个原理，它要能够成立，绝不在地球上成立，它必须在整个宇宙中成立。理论上外星人或天外高智生物可能无穷之多，可是为什么从未遇见？宇宙中大量存在比我们地球可能早发生几十亿年的行星，如果它有高智生物将会如何？大家想想，我们人类迄今文明不过上万年，有文字的文明才不过5000年，我们今天已经离玩完不远了，那么，在比我们早几十亿年以前发生的星球上，如果它有智性生命，如果它的发展没有边界，它今天应该早就已经可以跨越整个宇宙了，可为什么没有来到地球？学界把它叫大滤器，指有一个未知的大过滤器阻挡了星际穿越。什么是大过滤器？——递弱代偿原理是也。

也就是说，任何生物，包括高等智性生物，它的智能代偿达到一定的高度，标志着它的存在度趋近于零，这就是外星高智生物虽然可能数量极多，却终于不能来到地球的原因。

同学提问：今天讲课的时候，讲到说现在很多人是迷信科学，然后甚至成为“科学教”的教徒。像我们今天在座的朋友们大概都是“递弱代偿教”的教徒了。我们本着古希腊的这种追问的精神，一路反思。可以想象一下，从逻辑上去纯粹地推理一下，像递弱代偿这个原理，它可能的破溃之处在什么地方？它到底哪里会出现问题？我自己判断的可能性有两个地方：一个是它现在还没有一个详细的数学推理，将来可能会发展出一种新的科学出来；再一个就是，我们现在的信息量太少了，导致我们没法站在一个更高的维度，用一个俯视的眼光去看待这个问题。我真正的问题是说，王老师您是否足够伟大，能够跨越这种文化的遮蔽性，对自己的这个理论进行颠覆，也就是像李善友教授所说的那种跨向第二条S型曲线。谢谢！

东岳先生：你如果仔细读我的书，你会发现我在书中反复强调，我的学说绝不是真理。我如果要在逻辑上达成自洽，我就绝不承认我的学说是真理，它只是一个临时正确的逻辑模型。一切科学都只是一个临时正确的逻辑模型，一切学说、一切理论均是如此，我的学说也不例外。但是颠覆一个学说是需要条件的，不是你想颠覆就能颠覆的。牛顿的学说正确了200年，在爱因斯坦的学说出现以前，甚至麦克斯韦的场方程都出来了的时候，牛顿的学说还是无法颠覆。也就是说，任何一个学说被证伪，它是需要信息量发展条件的，因此我的学说绝不是真理。但今天你要证伪它，很难！而我本人寿命有限，如果我能活800年，那么我就去证伪它。可惜我死之前，证伪它的信息量还未必出现。所以我再强调一遍，我的学说不是真理，但它是与当今信息量相匹配的一个正确模型，它跟伟大不伟大没有关系，它只跟这个模型本身能否符合逻辑三洽有关系。至于“逻辑三洽”的问题，我们明天讨论。

同学提问：先生，请教一下，什么是知性？什么是理性？什么是感性？什么是逻辑？什么是定理、对象、现象、形态、有效？这两次课听完以后，我连什么是什么，什么是“是”都有点模糊了，到底有多少重要的哲学概念与我们习以为常的概念有不同之处？您可以说一下吗？谢谢！

东岳先生：我觉得你把课听出味道了。如果你觉得你过去所有的概念，也就是所谓自明的东西居然都成为问题，它标志着你进入哲学思境了。但是我确实无法在这一节课中，在这个问答中，把所有问题给你回答。因为即使你精读我的《物演通论》，你也只能得到一部分问题的回答，除非你用它做深刻的更大范围的推演。我在这里只对一个问题稍做说明：什么叫“对象”?什么叫“客体”？我们一般人一旦说对象，认为对象就是客体，认为这两者没有区别，其实大错而特错。客体是我们的主观感知规定性没有覆盖其上之前的那个存在物，即不在我们感知范围内的东西叫客体。客体被我们的感知所覆盖，或者说被我们的感知所扭曲，叫作对象。我举这一个例子，只是想告诉大家，任何一个基础概念，任何一个你认为没有问题的自明概念，其实都是需要证明的。如果你读我的《物演通论》，我在其中还会详论客体和对象之间的差别在哪里，分三项讨论。当然前提条件是你得有兴趣翻阅《物演通论》第二卷“精神哲学论”

的相关章节。但是我觉得你这样提问题非常之好，标志着你愿意对过去认为是“不成问题的问题”加以探究，进入这个状态，你的思想才得到舒展，你才会重新开始调动自己的智力活动，尽管人类大规模地调动智力活动正是人类的不幸所在。好！大家还有什么问题？

同学提问：先生，这个问题困惑我好几周了，我的困惑是关于还原论和整体论。我本身是学化学出身的，所以对还原论我一直都认为特别有道理，直到我大概在一个月之前开始研究并系统思考，发现整体论。还原论是一层一层解构，整体论又要去看每个元素之间的连接，看起来也很有道理，我又接触到了第一因。我特别想请教一下先生，“第一因”和“还原论”和“整体论”有什么关系吗？还是它们没关系？

东岳先生：你提出了一个很麻烦的问题。爱因斯坦相对论发表以后，他曾经和量子力学创始人之一的玻尔发生过一次重大争论，玻尔提出的是概率论，而爱因斯坦提出的是还原论或决定论。从量子力学角度看，事物是几率的；从爱因斯坦和既往科学与哲学的思路上看，万物是决定论的、是还原论的。这个问题在爱因斯坦和玻尔之间，在相对论和量子力学之间，争论迄今没有结束。就人类的思想史来看，因果论、还原论和决定论，在很大程度上表达着一个理论和思想的完成状态与成型状态。我不是说它是真理，但是涌现论、整体论、突现论等，在理论上通常表达为一项研究还没有完成，或者一个理论还没有完成。所以从某种程度上讲，今天看量子力学似乎暂时压倒了相对论，但实际上连薛定谔都承认量子力学尚未完成。所以你提的这个问题，我只能这样回答。

但是我想补充一句，不管是怎样的理论学说，在它的思想模型总轮廓上，所表达的都是人类的感知缺陷，而不是人类达成对真理的发现。这里关键的问题就是你的感知缺陷如果是必然的，那么你就不是去克服这个缺陷，而是在这个缺陷模型中实现文化维护效应，或者说实现理论模型的正确，而不在于实现它的真理性和无缺憾。我举一个例子，比如当我讲万物是衰变的时候，当我讲存在度是一个衰变量的时候，我却不能回答，为什么万物一开始就是衰变的。尽管我能够拿物理学上的熵增定律来表达我在物演理论中跟它的对应，但为什么熵是不断增大的，迄今也没有人能回答这个问题。那么随着信息量增加，这个问题的逻辑极点就会前移，这个问题就有可能化解，但即使这个问题化解了，下一个逻辑模型的局限边界仍然会形成。任何逻辑极点漂移的临界点就是又一个盲点，这就是哥德尔定律所要表达的那个空洞性缺陷。但即使证伪了一个理论，如果这个理论原本在大尺度上正确过，那么它所揭示的整个现象界，虽然在解释方式上发生变更，现象本身却不会消失。这就是任何曾经正确过的理论都具有极高的学术价值的原因。

同学提问：先生，刚刚有个听不懂的地方。我们讨论的形式逻辑、辩证逻辑还有理想逻辑应该都是严密逻辑体系，理想逻辑模型是不是您的创造？如果是的话，当今世界的逻辑模型还有哪些？这个理想逻辑模型在您的思想体系中的位置是怎样的？

东岳先生：关于逻辑学是一个非常复杂的话题，我们在这两天课中，我尽量避免逻辑学讨论。我今天下午不得不讨论一点儿知性逻辑和理想逻辑，实在是想把辩证法和基本逻辑问题说清所不得不谈的话题，明天我会避免这类太过繁难的话题。逻辑学是一门非常复杂的学问，它是用思想反过来追究思想本身的状态。亚里士多德最初创造的他所承认的逻辑仅指演绎逻辑，叫作“必然的导出”。以后逻辑学界逐步发现人类的逻辑形态远远超出演绎逻辑，因此归纳逻辑、辩证逻辑、数理逻辑、语义逻辑等逻辑学纷纷产生。我的学说，我在《物演通论》

第二卷“精神哲学论”里，只是对人类理性高端逻辑做了一个框架性的总结。我没有见过其他学者的同样表述，我只是比其他人对逻辑高端形态多做了一点接续形式逻辑的顺延性总结，仅此而已。但是你如果理解它，你至少就能明白人类广义逻辑，或者叫人类感知属性增益的方式。这些话是什么意思？你确实得去读《物演通论》。我们今天讲课，哲学的话题都是大家比较陌生的，而且我讲这些课是站在我的哲学偏角上，或者哲学高点上讨论，我只是希望给大家对西方狭义哲学究竟是什么做一个最基本的交代。它当然会给大家留出太多的问题，但是如果你听完这两天课，你从此读哲学书能读出一点味道，那这节课对你就已经具有很大的价值，收获很大了。因为读哲学书是非常困难的，它是纯逻辑推演，而且它使用和运行概念的方式不在我们日常生活和工作的范畴，因此哲学显得晦涩深奥。那么西方哲学为什么会讨论这些奇怪的问题？我是把这个最基础的东西给大家做一个交代，从而让大家找见哲学感，知道哲学思境的展开究竟面对的是什么问题，或者说人类把智慧发掘到极致调动状态会面对什么问题。所以大家不要在这节课上寻求真理，大家在这节课上要寻求真理的否定，这才是这节课的真正价值所在。

好！我们今天的课程到此结束。

四

西方哲学基础综述（下）

千古玄难:“知”与“在”的关系问题

我们昨天用了一天的时间，重点讲解了古希腊哲学起源的基本思想状态和哲学思维底蕴。从昨天的讲课中，大家应该能够明白，哲科思维是一个独特的思想体系。

我们今天把重点放在西方近代古典哲学所讨论的那些繁难问题上。

我说哲学思维是科学思维的底层逻辑，此话绝非虚言。请各位试想，欧几里得几何学的哲学逻辑延展，为人类开启了多么深远的思想通道。如果我们上中学的时候学习几何学，不是像现在这种应试方式，学生只顾埋头做一大堆演算题，而是追随欧几里得公理系统的逻辑脉络给学生讲课，那么，大家受到的教育和建立起来的思维方式及其思想模型，将会是一个怎样缜密的系统。

要知道，当年牛顿、爱因斯坦、莱布尼兹、斯宾诺莎、罗素等人都是在青少年阶段读到欧几里得的《几何原本》而深受震撼，从而开启了他们的哲科学术活动。

我讲这一点是想说明，哲学表面上看起来毫无用处，但它却是思想的底层铺垫。一个人的行为，一个人的思想，是受自己底层逻辑模型的规定的。这个东西决定着展现在你的认知表象中的世界图景。你的世界图景，你的世界模型，是你的思维模型的产物，而你的行为方式是在你的思维模型、世界模型，或者叫世界观模型上运行的。

请想想这种思维底层的训练，是一种怎样重要的功课。缺失了这个东西，仅讲应用层面的科学技术，会带来多大的遗憾和缺失。

好，我再谈一个问题。古希腊思绪的传播，除了阿拉伯文明曾经起到了一个传薪的作用，其实另外还有一路直接继承的途经，在这里做一个简单说明。

为什么西方在史学上把自己的文化之根追溯为古希腊—古罗马文化系统？是因为前者对后者的文化影响深刻而悠远。

古罗马经历了三个时代，

早期叫王政时代。所谓王政时代，最简单的理解，相当于氏族部落或部落联盟时代。古罗马的第二期叫罗马共和时代；到公元前后以凯撒为标志，古罗马才进入古罗马帝国时代。在古罗马建政的早、中期，也就是在罗马共和时代，古罗马的基本文化承接的是古希腊文化。所以罗马共和时代的基本思想氛围，甚至基本政治、社会形态都是希腊结构，包括它的两院民主制、贵族元老院、公民大会以及执政官、保民官的选举制度，等等。

之所以进入到帝国时代，是因为罗马共和国逐步扩张，逐步向亚平宁半岛也就是意大利半岛的北部推进，而意大利半岛北部地区处在适宜于农业发展的自然物候条件之下。一旦进入农业为主体的生存结构，共和制度就会散架，帝国时代随之来临。

由于这个缘故，罗马帝国在公元4世纪到5世纪分裂。后来，西罗马帝国灭亡，东罗马帝国迁至今天土耳其一带地方建立自己的首区。今天土耳其的著名古城伊斯坦布尔，当年叫君士坦丁堡，成为拜占庭帝国的中心。古希腊的一部分思想和文献就曾保存于此，这成为后来文艺复兴，古希腊思脉和文献得以重拾的第二个通道和来源。这个话题点到为止，意在补充说明农业文明的体制素质、古希腊文化的断裂之处以及文艺复兴的多源关系。

我们今天重点讲西方近代古典哲学探讨的基本问题，叫作“知”与“在”的关系问题。古典哲学从17世纪初叶以笛卡尔为肇端，历经18、19世纪，最终以黑格尔为标志而落幕。这个阶段，锤炼了科学思维的基本逻辑方法系统，而且更重要的是，它所探讨的问题，远远超出了古希腊的思境范围，也远远超出了一般科学视野的局限，因此为未来人类后科学时代的文化奠基，包括对科学的批判，建构了一个基本的思想武器系统。

因此，理解今天的课程，不仅对于你理解科学时代的基本精神会有帮助，而且对于科学系统的底层解构和未来后科学时代的基础建构，会起到某种启迪作用。

古希腊时代着力追问本体论，但他们在追问本体论过程中，始终不能扫除精神投射的背景。从毕达哥拉斯的数论系统，到柏拉图的理念论，到欧几里得的形论，本体的追问和精神的追问其实呈现为一个系统。直到亚里士多德形式逻辑的表达，使得精神问题的探讨成为一个重要的课题。在这个阶段，精神问题已经凸显，却没有走上前台。但是它已经暗含了一系列奇怪的问题，就是“知”与“在”混淆不清。因为当你说“在”的时候，你说的是感知中或投射在精神中的“在”，当你总结“在”、总结“实在”的时候，你发现你的任何指称和结论只不过是一个理念模型。

那么“知”与“在”的问题,处于这个混淆状态中不加分辨，却促成某种基础问题的显现。于是，从追问对象直思的本体论，到近代转化为追问精神反思的认识论，也就是对精神本身的规定性加以追究，这就是古典哲学的基本特征。

它涉及这样一些最基本的问题，几乎是常识性的问题，却极为繁难。比如，“知”是什么？“在”在何方？如何能够证明“在”？因为你做的证明都是逻辑证明，你怎么知道你的逻辑证明所指向的是“实在”。“知”的内涵是什么？“知”的动量是什么？“知”的扩延性怎样表达？诸如此类的基础性问题，构成近代古典哲学的重大课题和疑问。

那么，我们就再从古希腊说起。大家知道，古希腊最早提出“存在”这个概念的人是巴门尼德。爱利亚学派的巴门尼德，提出“存在”、“being（是论）”，同时提出“非存在”。

他所说的“非存在”是什么？哲学界意见纷纭。“存在”是指某种假象后面要追问的那个“是”的延伸，那么“非存在”也就是“非是”到底指什么，就构成了一个严重的疑问。所以巴门尼德的“非存在”，可以从不同角度解读，其中之一认为，它就是直观精神世界表象。因为古希腊追问的是这个虚假表象后面的“实在”，认为那个东西才是“存在”。巴门尼德的弟子芝诺做过四项著名的悖论推演，对什么是“存在”，包括什么是“一”、什么是“多”、什么是“动”、什么是“静”，换句话说，也就是对什么是“空间”、什么是“时间”，做出了一系列怪诞的推演论证。

我顺便提一个人物，此人实在令人惊叹，名字叫高尔吉亚。他居然在古希腊时代提出了著名三命题。他说第一，无物存在。没有物质存在，因为你所说的存在，都是表象或假象后面的理念。他接着又做了一个推论，他说即使有物存在，也无可认知。因为你的认识所达成的，只是虚象或现象。他接着做了第三层表述，他说即使有所认知，也无从言表。

他这三句话，恰好预判了西方哲学的三大进程。第一，本体论。到底“存在”是什么？有没有“存在”？第二，认识论。即使有“存在”，你如何确认？这恰好是第二阶段，西方古典哲学所探讨的认识论的核心难点所在。第三，就是当代或现代哲学的语义论转向。也就是认为，既然我们认知世界的方式是一个主观感知逻辑体系，这个逻辑体系的实现是以语言结构系统表达的，而语言结构系统有自己的内在规定性，这就导致语言的运行会超脱逻辑的牵绊，而走向自己独立的运行状态，从而导致对逻辑体系的扰动。这是当代哲学语义论转向所讨论的问题。

高尔吉亚在古希腊时代，居然预判了整个西方哲学史的走向和基本问题的提出，这确实令人十分惊诧。我们见不到高尔吉亚的整个论证过程，仅从高尔吉亚的这一段表述，我们就可以发现，在古希腊哲思的萌芽之中，包含着后来整个西方哲学演化的全部基因和种子，后续的哲学发展只不过是古希腊哲学思绪的延展和迭代。

而且我们还会发现，早在高尔吉亚那个时代，哲学就已经表达出越来越脱离“终极本原”追问的态势，也就是从追问世界的本原，不得不飘移到追问感知的状态；从追问感知的状态，不得不再飘移到追问语言的状态。这个进程，形成西方哲学逐步走向轻浮化、浅薄化的总趋势。这也就是为什么20世纪，著名哲学家海德格尔提出要返回古希腊重新追问存在的原因。

我们下面讲近代西方古典哲学第一人笛卡尔。笛卡尔，17世纪法国哲学家，也是著名数学家、物理学家、生理学家、机械论者。我们今天使用的坐标系，平面直角坐标系和斜角坐标系，就是笛卡尔的发明，故称其为笛卡尔坐标系。解析几何就是笛卡尔发明的。

我们由此可以看出，笛卡尔在自然科学和哲学方面的基本思想功力。我前面一再讲，哲学和科学是不分的，一旦分开、一旦脱离自然科学这个知识面，哲学根本无从探讨，哲学思路也根本无从展开，甚至你要想理解真正意义上的哲学，都会变得十分困难。

笛卡尔是法国人，法国当时还处在专制时代，距离法国大革命还有100多年时间。因此笛卡尔真正的学术生涯，是流落到荷兰以后展开的。

荷兰是西方最早完成资产阶级革命，建立资本主义制度的地方。它脱离西班牙统治时代，经过近乎50年左右的战争，在1609年完成尼德兰革命，这比英国1640年的资产阶级革命要早得多。

因此荷兰这个地方，在17世纪初叶或者上半叶，它的政治文化氛围相对宽松。这是笛卡尔作为法国人，流落到荷兰以后终于能够有所建树的原因之一。

对笛卡尔哲学最概括的说法叫“二元论”。所谓“二元论”，就是笛卡尔认为这个世界需要在两个方向上探讨。他说这个世界有“物质实体”，另有一个叫“心灵实体”。他说物质实体的属性是广延，所谓广延就是时间和空间。他说心灵实体的属性是思想。

然后笛卡尔讨论一个问题，他说我们所知见的世界，究竟是心灵实体的生发，还是物质实体的映照？他竟然从这样一个基本点出发，他说他发现自己做梦的时候，他的梦境是非常真实的，他在梦境中丝毫不能察觉自己的梦境是一场虚幻，等他醒来以后，他发现梦境只是梦境而已。于是他做了一个追问，他说我怎么知道我醒来的时候不是在另一重梦境之中呢？因此我们的感知本身的确证性是一个疑问。

我讲到这儿，大家应该立即联想起中国先秦时代庄子的一段记述，这就是著名典故“庄周梦蝶”。庄子在他的书中讲，他晚上做梦，梦见自己是蝴蝶，“栩栩然胡蝶也”，醒来以后发现自己变成了庄周，“蘧蘧然周也”。也就是他做梦的时候，他觉得他是活生生的、逼真的蝴蝶，醒来了他又发现他是逼真的、活生生的庄周。于是他发问，究竟是蝴蝶变成了庄周，还是庄周变成了蝴蝶？他已经搞不清自己是谁了。

“庄周梦蝶”这个典故，跟笛卡尔发起讨论“知与在”的开端，几乎完全一样。区别之处在于，庄周梦蝶作为一个有趣的调侃或机辩，就此戛然而止，再无下文；而笛卡尔却由此展开追问和质疑，竟要打探感知中的存在之底蕴。这就是层层追询、纵深考究和精密逻辑求证，与仅仅停留在问题表面上打旋，从而形成玄学体系的差别。

笛卡尔对自己的感知提出怀疑，深思之余难免引出一个很大的麻烦，正如他说，我要想证明任何东西是否存在都变得非常困难，因为既然我所谓的“在”都是发生在感知系统中的“在”，而我的感知系统本身却飘忽不定，难以确证，那么我怎么知道我对“在”的追问是有效而可靠的？于是他提出著名论断：我思故我在。

也就是说，笛卡尔认为，对于其他的外物追问，从此一概陷于茫然，我唯一能够确证的“在”，只有“我思”。就是我的思想在、我的怀疑精神在，我能够确证的“在”，只剩下这个东西了。这可以说是对“在”是什么的唯一一个非逻辑直证、唯一有效的直证。

大家注意，这句话很复杂。他说“我思故我在”，很多人把它理解为笛卡尔说“我思，所以我在、我的肉体在”。别搞错！笛卡尔讲“我思故我在”的关注点是“我思”，所以只能证明我的思想“在”。很多人把它理解为“我在”，包括我的肉体这个物质实体都“在”，这个理解是不对的。因为你读一下笛卡尔的原文，他所讨论的是我怎样证明我的思想“在”，以后我还能牵挂出我的身体“在”。

他专门讨论了一个叫松果腺的脑组织，位于丘脑附近。他说这个地方产生“心身交感”，然后才能连带出我的身体物质在。所以大家一定要注意，笛卡尔的“我思故我在”，这个“在”仅指“思”在，这是对“在”唯一有效的证明。

大家还要注意，笛卡尔的表述叫“我思故我在”，英文翻译把这个“故”也凸显出来，中文从英文的再译过程仍循此例，但其实这里没有推理关系，因此没有因果关系。“故”是“因为怎样，所以怎样”的含义，可见这个翻译是有问题的，或者说有可能笛卡尔的表述是有问题的。因为“我思”不是“我在”的原因，所以“故”这个字的存在是语病，他的表述应该是“我思我在”或“我思即我在”。

笛卡尔通过“我思我在”的这个有效证明，确证了思想在，但他又不能否认外部世界的存在，或者他在直感上无法排除外部世界的存在，于是他要经过一系列的逻辑推导逐步求证出外物存在。

“知”与“在”双双迷失

笛卡尔提出一个看法，他说我们的知识最核心的部分是“天赋观念”。然后他又说我们有两个获得知识的通道，一个叫作“感官得来的观念”，一个叫作“心灵制造的观念”。

笛卡尔的“天赋观念说”是遭到严厉批判的，因为在唯物反映论看来，“天赋观念说”完全是扯淡。后来康德有效的“先验论”证明，证明了笛卡尔没有伸展开来的“天赋观念”的合理性。

康德的“先验直观形式”和“先验逻辑形式”，其实是笛卡尔没有展开的天赋观念的证明版本，这表明笛卡尔在认识论问题上，或者说把“精神”或“知”作为一个独立问题来加以探讨的时候，他实际上已经触及了问题的某些根本深层，只是论证系统当时还无从展开。

那么，笛卡尔的二元论必然带出一个问题。请大家在纯逻辑上思考这个问题，不要在直观上讨论问题。我反复强调，我们人类运用思想，尤其到今天或者到文明中后期以降，你得尽可能摆脱感官，展开纯逻辑的思维方式。

为什么？请大家想想，我们的感官系统是干什么的？是我们当年生活在丛林中的基本认知方式和生存维护方式。比如你到非洲大草原，狮子、鬣狗、狼群、花豹围绕着你，这时候你凭什么生存？你凭耳聪目明。你的眼睛得非常明亮，大家知道，动物的视觉比我们敏锐得多，当你还没有看见动物的时候，动物早就看见你了，当你看见动物的时候，动物已经准备扑食你了；你的耳朵要能听见森林中细碎的声音，动物的潜伏行为可能对你构成威胁；你的嗅觉得在顺风方向甚至逆风方向，嗅到其他动物的气味，甚至嗅到同类个体的异味，否则求偶的行为甚至寻找食物的动机都无法落实。因此你在丛林中凭借什么生存？凭借感官，凭借感性的敏锐。

可是当你逐步超脱丛林采猎时代，生存情境随之大变。所谓文明时代，就是自然界不再给人类提供任何生存资料，人类的一切生活资料都得由人类自己制备。及至进入这个时代，人类的能力已经上升到整个生物食物链的顶端，人类已经不必把自己的主要精力投放于应付丛林中的威胁方面，而得把自己的主要精力投射在理解和改造这个世界之上。它会是一个什么过程？——感官退化过程！从而拓宽思绪茂盛的余地。这就是为什么我们今天的人类视力倾向模糊、听力总体退化、嗅觉基本消失的原因。

所以，当你进入不得不处理超大信息量的生存境界之时，你必须摆脱感官的束缚。你得在感性直觉之上的另一个层面运行自己的感知体系和精神体系，从而达成对更复杂生存条件的追索，这就是人类借助于哲科思维以求调动智能储备潜力的原因。

因此在这个基础上，当我们讲深奥哲学思绪的时候，请你始终注意摆脱直观的束缚，进入纯逻辑的理性思境。

那么笛卡尔开启的二元论，在逻辑上一定呈现一个问题：既然你只能证明你的“知”在，既然你所说的“在”都是“知”中的“在”，你并没有感知之外的另一条通道抵达外物，那么你凭什么说有外物存在？也就是笛卡尔的二元论，尽管从古典哲学启动上，第一次把精神作为一个对象，叫心灵实体，摆出来作为正面课题加以追究和探讨，但是它立即生成一个严重的麻烦，就是如果我们所说的“在”只是感知中的“在”，而感知是一个封闭通道，我们并没有感知之外的另外一个通道抵达外物，那么你凭什么说外物存在？你怎么知道你所说的“存在”不是纯粹的精神派生？这当然在纯逻辑上构成一个严重的疑窦。也就是说笛卡尔的“在”的证明是一个独断。

我一说“独断”这个词，大家就应该想起休谟。我展开的是古典哲学基本思绪的问题导向式讲课，因为只有用这样的方式，你才能明白他们的思脉怎样展开。

由此在笛卡尔“半唯物半唯心”的二元状态中，必然带出下一个明确的答案，这就是贝克莱的“主观唯心主义”。如果你不深研哲学，你会认为贝克莱完全是一个疯子。贝克莱当年提出他的学说的时候，即使在盛产哲思的西欧，也被普遍认定他是精神病人。贝克莱提出这样的讨论，他说我无法证明外物存在。基于笛卡尔提出的问题，基于对牛顿光学的了解，贝克莱直接提出“物是观念的集合”。既然笛卡尔的二元论只能证明“知”这一元，那么物质实体这一元就无从证明。如果我说你所谓的“在”都是感知中的“在”，请注意，不是笛卡尔而是我们所有人，你所说的“在”都是你感知中的“在”，请记住我说的这一句话。那么，你怎么知道你所说的外物存在，不是你的观念的集合？

因此贝克莱提出著名的三论断：物是观念的集合；存在就是被感知；对象和感觉原是同一种东西。贝克莱的表达非常极端，他完全否定有外部世界存在，但是在逻辑上成立。

因此贝克莱对“知”勾销“在”的证明，成为一个哲学上的有效命题，由此对英国经验主义者休谟构成严重冲击。休谟接触贝克莱的学说，才突然意识到，我们所谓的“知识”，居然是一个严重的空洞。我们根本不知道“知识”是什么，“知”的内涵是什么。因为我们一般都会认为，我们的知识是对外部对象的知识。可贝克莱有效证明，你所说的“知”跟外物无关，或者至少你不能证明与外物有关。

在古典哲学时代，大致分为两个派别，一个是以英国为代表的经验论派别；一个是以德国为代表的唯理论派别。所谓“经验论”，就是认为感知就是对外物的经验。所谓“唯理论”，就是在德国系列中表达为“哲学问题”或“知与在问题”的探讨，应该只是一个纯逻辑问题的证明过程。

休谟是彻底的经验论者，非常彻底。从经验论上讲，它的表层是唯物主义，就是我们一切知识来源于对外物的经验，或者说对外物的感知，这是典型的唯物主义。可大家注意，恰恰是典型的唯物主义，一定导出典型的唯心主义，两者是一回事，或者在逻辑推导上有某种必然联系。

此后休谟就提出了一系列问题。休谟说，既然我们的知识只不过是经验的产物，何以会有诸多非经验的要素广泛汇集于知识之中？大家知道，洛克曾经提出“白板论”，就是我们的精神像是一块白板，外物在白板上的投影和书写就构成我们精神的内容，就构成我们的知识体系，这是典型的唯物主义表述。在洛克的表述里，显然带出了一个严重的问题，就是他认为我们的感知是真空的孔道，感知是没有规定性的，这是“白板说”的实质，这显然是一个极为粗浅的看法，而且是明显错误的看法。

我昨天讲反思，讲感官、视觉、听觉的规定性以及归纳、演绎、逻辑等的格律性，你就知道感知不是空白、不是白板、不是真空的通道。那么即使坚持认为唯物论、白板论有一定道理，即使从休谟的经验论角度来追查，如果我们一切知识都是客观事物的经验性反映，敢问知识中的非经验要素来自何方？譬如休谟讨论了一个令人费解的问题：从特称判断中不能导出全称判断。

严格地讲，判断分单称判断、特称判断、全称判断。我在这里只做最简略的阐述。什么意思？我们经验中所看到的都是具象。我仍然拿马做例子，你在经验中直观上只能看见大马、小马、黄马、红马、公马、母马，你何曾看见过一匹不具有上述经验属性的“马”？“马”是一个概念抽象，“马”是一个全称判断，可在经验中并没有这样的“马”存在。

那么你的“马”是从哪儿来的？你的全称判断是从哪儿来的？因为我们人类的一切知识一定是建立在全称判断系列之上的。也就是我们要找见任何事物的普遍性，才能建构知识。请试想一下，你所说的每一句话里所包含的知识，哪一个是单称判断和特称判断？当你说马是一种动物的时候，从“马”这个概念到“动物”这个概念，都是全称判断，都是在经验中找不见的东西。你在经验中给我找一个动物，你只能找见具体的猴子、具体的马、具体的鳄鱼、具体的大象，你何曾能找见一个动物？“动物”是一个全称判断。

可就是这样一个几乎不构成知识的话语：“马是一种动物”，在经验中不成立。因此休谟论证，我们的一切知识和经验无关，我们经验获得的只是具象要素，而我们的知识是普遍要素，是全称判断的集合构成。

那么，在我们通常所谓的知识里，那些经验以外的东西是怎么得来、怎么建构的呢？

休谟接着在纯逻辑上再探讨一个问题，他说我们人类的一切知识是建立在因果律的思维链条上。大家想想，是不是一棵树之所以能长起来，是因为它有种子？种子是树的原因。一个人之所以能生出来，是因为他有母亲，母亲是他得以出生的原因。再如基因是一切生物性状或生物表型的原因。总而言之，你的一切知识建构在一个因果律的思维序列上。可你注意，你的经验里没有因果律，你的经验里只有你，只有你母亲，你的经验里只有树，只有种子。但你的经验里没有“种子就是树的前身”的全部过程，你所说的因果关系在经验中，尤其在特称判断的经验中不存在。

而人类的一切知识，是在因果论序列上建构的，这就使得休谟从纯唯物、纯经验的角度出发，反而否定了人类一切知识建构的基础。而他的否定和质疑，被称为“怀疑论哲学”，是有确切事实根据的。

休谟接着讨论，他问我们说的“因果”是什么？从经验上考察，它只是一个事物在时间和空间排序上的反复呈现。就是一个事物在时间、空间上总是在前面出现，随后发生另一个事物，于是你把这些事件之间的关系，非经验地、主观地设定为因果关系。但是这种设定是不成立的，因为这里有一个麻烦：你还没有搞清什么叫“时间”、什么叫“空间”？

请注意，这些我们认为是“当然”的东西，也就是所谓“自明”的东西，正是哲学家要追究的东西。休谟提出，如果我们所谓的因果联系本身在经验中并不直接呈现，而仅仅表达为在时空中前后排列的反复呈现，那么，我们就必须追问什么是时间和空间。如果这个问题我们探讨不清，非但因果律不成立，整个知识架构都会崩溃。而时间和空间是不是真实存在？它究竟是什么？它是一种精神现象呢？还是一个客观存在？休谟提出了一连串怀疑，这是非常彻底的怀疑论，但是它却建构在一个极为扎实的逻辑追问之中。

大家要知道，我们在日常生活中，因果之说大多是混乱的，因果关系是信口开河的，在经验中是浅层比附的。例如从时空关系上看，你可以这样表述，甚至古人确有这样的表述，说鸡叫是太阳升起的原因。每到拂晓4、5点钟鸡就叫了，鸡叫后太阳就升起来了。从时间排序上，鸡叫总在前面，这个因果关系成立吗？逻辑上你会觉得很可笑，可是在经验序列上成立。

罗素做了一个更有趣的比喻，他说一个人养了一群火鸡，每天按时来饲喂火鸡，在火鸡看来，这个主人就是食物的原因，可是它们没有想到，终有一天，主人提着一把猎枪或者一把刀来了……这就是为什么维特根斯坦会提出一个问题，休谟当年也提出这样的问题，说“太阳从东边升起”只是一个假设，因为你说“太阳从东边升起”是经验的产物，而且是归纳法的经验性产物，可归纳永远不能被穷尽，所以“太阳从东边升起”是一个假说，是一个不成立的假说。我们今天知道这个说法是对的，因为太阳在40亿年以后将会变成红巨星，它绝不会再从东边升起，它会当头落下，直到把地球熔解。是不是这样呢？所以休谟讨论的怀疑论，提出在经验层面上，我们永远不能获得知识，而且明确证明归纳法无效。

而我们人类的一切实在知识的确立，全都建立在归纳法基础上，这是显而易见的，因此整个人类的知识大厦全部垮塌了，因为休谟的证明有效，这就是“不可知论”的开端。因此休谟提出，此前对因果律，对全称判断，包括对普遍知识的建构，乃至“实在”本身是什么的探讨，全都不过是主观的独断。休谟的这一番论证，深刻震动了康德。

我们下面简略谈谈康德。

古典哲学的高峰及其遗留问题

伊曼努尔·康德，是西方近代古典哲学的最高峰。康德在40岁以前，从来没有太认真地研究过哲学。他在大学里教书，教的主要是自然科学课。他教学20余年以上，从来没有意识到知识本身居然是一个问题。他偶然读到休谟的著作，大受震动。他发现他讲了20年各类知识，而所谓“知识”居然本身就是一个漏洞，就是一个疑窦，就是一个根本性的困惑。这才促使康德开始深入思考知识究竟是什么，我们人类的认知是怎样建构的等一系列哲学问题。

他当然得从休谟提出的基本疑点开始，那就是什么是空间？什么是时间？因为休谟曾经论证，在经验上对空间和时间的感知无法明晰化，它只不过是事物连续发生的一个背景表象。康德因此追问，什么叫时间和空间，什么叫因果联系，什么叫全称判断，它们从哪里来，又怎样形成认知结构……经过反复思考，严密推证，终于成就了他的先验论哲学系统。

要讲康德，我们必须先讲三组词汇，或者三组概念。

第一，经验。请注意哲学上的“经验”和我们日常生活中使用“经验”一词略有不同。我们日常生活中所谓的“经验”，是指一般实务活动中的知识积累。“经验”的原意不是这个意思，它是指我们用感觉获知对象或者用感官获得对象要素。比如视觉、听觉、嗅觉、味觉、触觉之类。

第二，先验。什么叫“先验”？“经验以先”就被规定的东西，叫先验。也就是在你经验还没有发生以前，已经规定了你的“经验模式”和“经验系统”的那个东西，叫作“先验”。

第三，超验。指“超乎于经验界限”之外的那些追究，也就是只能借助于理性达成的非现象认识，它不像知性那样有具体的可经验对象，由此必然形成“理念”，这叫“超验”。

我先把这三个概念说清楚。休谟证明“经验”不能达成从特称判断到全称判断的导出。“经验”中没有因果联系的直接要素，归纳法不成立。那么康德当然就要讨论我们的“经验”是什么？我们联系“经验”的后面的那个作用力来自何方？我们的全称判断、因果判断，所有这些东西，也就是知识基础构架的东西在“经验”以外的什么地方？他提出“先验”！在你“经验以先”就被主观禀赋规定死了。好比我们的视觉只不过是感光，我们把光能感觉成光明，是一种“先验规定”；我们把波长错觉为颜色，是一种在我们张开眼睛以前就被规定死了的视觉模型。

要知道当年的康德没有这个信息量，他居然推导出我们的感知是有“先验规定性”的。就是在你“经验”发生以前，一个“规定经验的格律”或者“规定经验方式的平台”早已塑成。

然后他提出,时间和空间只不过是“先验直观形式”。请注意“形式”这个词,我一旦用这个词,大家立即要回到古希腊运用这个词的那个概念上去。也就是说,时间和空间是不是客观存在,我们无从讨论。

康德说,我只知道我的“经验”如果要发生,它必须有一个平台。这是我的语言,我不用康德的原话,因为说起来太拗口,为了大家现在便于理解,我改成现代语言。那么我的“感觉”和“经验”本身要发生,必须有一个载体,有一个平台,这个平台就是时间和空间,时间和空间是我们的“先验直观形式”。他说所谓因果联系,所谓全称判断,全来自于“先验的范畴规定”。

大家注意“范畴”这个词,在我们日常用语中跟“范围”似乎没有区别,可是在哲学上它是一个专用术语。最早提出“范畴”概念的人是亚里士多德,到康德进一步探讨。康德说,我们的全称判断和因果联系是在“先验范畴”上建构的。他分了4组12项范畴,我不一项一项展开,我只举一个例子。比如我说“小布什必然是美国总统”,你听了一定觉得大有问题。可是我如果说“2+2必然等于4”,你听了觉得毫无问题。世界上没有2这个东西,2是一个纯抽象符号;自然界也没有加法、乘法这类东西,可为什么我说2+2=4、2×2=4你没有疑问呢?

这就出自于纯逻辑的“范畴”,也就是“必然、偶然、或然”那一组先验范畴的派生,这个在先天逻辑模型中建构的“先于经验”的规定带给你如此一脉思维结果。所以你一听“小布什必然是美国总统”,你就会觉得有问题,问题在哪儿?在你的先验范畴中不能接受。2+2=4是世界上没有的,可在你的先验论范畴中它成立。康德接着推导,说你的逻辑形式和逻辑程序来自哪里?仍然来自“先验规定”,他把这个高于经验层面的逻辑规定另取一组概念,叫作“先验逻辑形式”。

我刚才讲时间、空间、经验,叫“先验直观形式”。你在逻辑上能够整理的所有东西,包括因果联系等,是“先验逻辑形式”。

换句话说，这是在“经验以先”就给定的“感知规定性”。他说“经验”只提供现象信息，并不直接提供现象信息背后的联系要素。因此我们感知的世界，永远是现象界。我们所说的存在，永远是感知中的现象体系。他说，那么“客观的物本身”在哪里？在彼岸！他取一个自撰词，叫“物自体”，也叫“自在之物”。他说我们的感知无可企及的那个客观世界本身，并不在我们的直接可感范围以内，它是超验的，这就是著名的“彼岸说”。

“现象界”和“物自体”就这样被划分开来，“不可知论”的证明由此达成。我前面讲过，西方文化界的主流思想是“不可知论”。大家想想，康德的学说是不是对人类知识是什么的最有效证明？你的知识是什么，不是外部世界的反映，外部世界只给你提供了一些零乱的信息，怎样整顿这些信息，却是你的主观规定性本身在你接受信息的“经验之先”就被定格了。这就是我前面讲，感知不是为求真而设定，而是为求存而设定。你的先验属性是被什么东西赋予的？是被生物进化过程中维护生存的适应性要求赋予的。

是不是这样呢？这在今天看来是一个非常简单的常识，可是在古典哲学时期，它是需要用致密的逻辑推导去一层一层加以证明的。

而且康德接着提出了一个更麻烦的问题，他说我们人类总有一种把自己的智慧或者理性加以极端调动的倾向。可是一旦你把自己的智慧或者理性调动到极致，你在思维结果上就总不免要去追求达成一个绝对的、不可分割的、无限且永恒的超验之“理念”。

大家想想，康德这个说法是非常到位的。我们一般人一定会认为这个世界的存在是绝对的。古希腊人认为在这个世界假象后面，一定有一个稳定的、不可分割的、永恒持续的“真存”。比如在牛顿时代，人们不自觉地就会认为万有引力定律是绝对的、是无限的、是涵盖一切的。到今天相对论时代，我们会认为爱因斯坦的学说及其宇宙论是绝对的、是包容一切的。人们总是在把自己的理性和智慧调动到极致的时候，追求达成一个圆满的、绝对的、无限的理念。

可康德讲，我们的“经验”永远是有限的，你的“经验”根本不在无限中展开，无限跟“经验”没有任何关系。请想想，你看到的都是具体的对象，你能看到无限的宇宙吗？你看到的是具体的人、具体的桌子、具体的星星、具体的太阳。你所看见的都是有限存在者，经验只在有限范围内展开，知性只在有限过程中运行。可调动理性达成极致追求的，却是无限和绝对。一切“经验”和“感知”只在相对系统中运行，却总是在最高理念和最高理性的调动上追求无限，这构成理性运用的重大弊端。

康德说，因此，人类一旦进入这种高度调动理性的状态，立即就会发生二律背反。所谓“二律背反”，就是不能兼容的矛盾性结论一概成立，结果最终导致根本知识的混乱。可见康德在那个时代就已经意识到，人类的感知、经验及其狭义逻辑，都是有弊端或者有局限的。而且人类把自己的理性调动到越高的程度，这个弊端和局限就展现得越为明显。

康德通过对休谟问题的反思，由以建立“先验论”认识系统，使人类第一次明确知道我们所说的知识究竟是什么。你所谓的“知识”绝不是外物的单纯反映，它是外部信息和你主观固有的感知规定性,或叫“先验规定格律”组合出来的一个系统。是不是这样呢？这个问题直到康德“先验论”证明完毕，人类才第一次知道人类的知识是什么、知识的架构是什么。如果你没有经过感知系统、思想系统、逻辑系统的调动和训练，你接受的不叫知识，只叫信息。如果你拿一个有漏洞的先验感知系统或先验逻辑系统整理信息，会出现什么局面可想而知。而人类的高端感知部分不在人类显性感知的表层，它只是一种潜能，需要后天调动其深层储备并加以长期训练，由此构成的信息处理系统所达成的“先验整理模型”，谓之“知识”。

因此，大家在这里一定要把“信息”和“知识”分开。我顺便纠正一个常见的误谈。人们说知识是无穷尽的，而我们的已知只是知识海洋中的一粟。庄子有一个表述，他说：“吾生也有涯，而知也无涯，以有涯随无涯，殆已。”他的意思是说，我的人生是有限的，而知识是无限的，以有限的人生去追求无限的知识，此乃不可能达成的目标。听起来这个话是大家都能接受的，错了！请记住知识是有限的，它是随着你的先验感知能度而建构的。而感知能力是一个逐步发生的东西，感知结构和感知能力发展到哪一个程度，知识才增进到哪一个程度。请千万不要把信息的无涯和知识的无涯搞混。而且信息是不是无涯、是不是无限，也是需要追溯和重探的。

什么叫信息？信息是存在的总和，是依据万物分化进程所产生的边际依存效应。也就是说，如果万物不分化，就没有信息。宇宙的弱演展开过程就是分化过程，分化过程就是信息生发过程。如果宇宙的演化是在一个有限衍存区间内实现，那么信息总量也一定是有限的。在这个有限的信息海洋中，任何一个人或者一个物种处理这些信息，其实不能也没有必要处理这个有限信息量的全部，他所处理的知识量一定是被其感知能力或先验逻辑给定的。因此，不但知识是有限的，信息也是有限的。因此说知识的海洋是无限的，我们的知识只是未知海洋中的一粟，这说法不对。

总之，理解知识是什么，理解知识和信息的关系，理解现象界和物自体的分离，理解对象和客体的概念区别，是我们在哲学逻辑上建立“有关知识的知识”之基础问题。

下面我再简单说两个话题。当康德提出，客体在彼岸，物自体在彼岸，我们的感知只漂浮于现象界，世界的本在是不可知的，这使得“知”与“在”之间被划出了一条不可逾越的鸿沟。大家要知道，对这条鸿沟有所认知应算是一个重大进步。因为在贝克莱和休谟那里，物质的存在已经被抽离了，知识如何可能也已经是疑问了，连“知”是什么都全然是一个空洞。所以发展到康德这里，可以说已经成就了一系列重大建树。然后康德讲，我们把智慧和理性调动到极致所达成的是二律背反，是一个不可调和的矛盾与悖谬。

黑格尔为了处理这个问题，建立了他的“精神现象学”系统。黑格尔从近代古典哲学乃至古希腊理念论中，已经明确意识到，我们人类所说的“客观对象”或“存在体系”，其实只是封闭于感知通道中的“精神存在”，因此，我们没有资格讨论感知以外有没有“存在”。这个问题在逻辑上是一个伪问题，根本用不着讨论。因此，他提出回到古希腊柏拉图的论题，他说这个世界的本源是一个“绝对精神”，用以取代或消解那个不可企及的外部“绝对存在”。所谓“绝对精神”，也叫“绝对理念”，我们换成一个浅显的阐释，就是你所说的世界永远是你精神界中的存在。这个东西你无法超脱，也无法打破其边缘限制。我们如果要了解一个东西，搞清它到底处于什么状态，我们就必须找见它的边界，然后对边界两端的条件加以比较，才能够分辨它的差异状态。可感知通道是完全封闭的，这个感知通道的边界你是打不开的，边界两端的条件比较注定根本无法进行。因此，你所说的世界永远是你的精神世界，此话一点都不错。

黑格尔据此提出“绝对精神”才是世界的本源，或者合理地讲，至少我们人类所说的世界永远只是一个打不开的“绝对精神”。在这一点上，黑格尔学说的核心成立。那么世界是什么？对象是什么？笛卡尔所谓的“物质实体”是什么？我们在直感上所说的“外部存在”是什么？康德划出的那一条鸿沟怎样消除？黑格尔由此端出最原始的辩证法，说外部对象只不过是“绝对精神”的“异化呈现”。A与B互相转化而又同一，你把这个“绝对精神”的外部转化或异化形态视之为对象，实际上它只是那个宰制一切的精神理念实体的派生映像。当你对它有所认识的时候，它又回归于绝对精神，这就是黑格尔惯用的“正、反、合之辩证法”论述。

黑格尔哲学的合理要素在哪里？在对感知封闭的确认，这是它的合理要素，也就是其唯心主义或曰唯理主义的那个核心提法成立，但恰恰是他所谓“绝对理念的异化呈现达成外部世界存在”的辩证表述纯属胡缠。这就是为什么我说真正读懂黑格尔，你会发现他的哲学的合理要素，恰恰是我们所要批判的靶标的原因。要理解黑格尔，必须读懂康德；要理解康德，必须读懂休谟；要理解休谟，必须读懂贝克莱；要理解贝克莱，必须读懂此前的二元论学说和笛卡尔；这是近代西方古典哲学的基本思想脉络。如此一路发展过来，到康德、到黑格尔，古典哲学中有关“知”与“在”的问题似乎已被处理完毕。

如果你确认康德是高点，“知”和“在”的问题就处理成一个不可知论的确定模型。如果你接受黑格尔的说法，“知”和“在”的二元对立关系便借助绝对精神而完全消解。“知”与“在”的根本问题，至此达成讨论终结。

我讲到这里大家一定是不满意的，因为显然更多的问题随之呈现。我们的“知”是从哪里来的？什么叫精神？精神的渊源何在？什么叫先验规定？为什么必须有先验规定？先验规定是被什么东西塑成的？如果我们的“知”只是精神封闭通道内部的主观设定，那么为什么我们会需要这种多余的无谓的“知”？还有一点，为什么我们的知识在实际运用中会行之有效？诸如此类的问题显然成为更严重的麻烦呈现。除非你闭眼无视这些疑问，你才能够说古典哲学的各项问题业已获得了完整答案。这也就是为什么到了19世纪末期，西方出现以克尔凯郭尔为代表的一系列现代哲学的萌芽。他们不再追究世界的本原和精神规定性，他们不再追问这些根本性问题，他们认为这些问题要么已经探讨完毕，要么根本无从探讨。于是他们回到对自我的追问，这就是典型的存在主义哲学，我说它是源之于迷雾，又走向更深的迷失。

大家知道，海德格尔的“此在”，其实表达的是“知的自我性”和“我的自知性”的问题转向。他既不追究“我”来自何方，他也不追究“知”出自哪里。他把一切事物的起点，设立在“我的定在”这个开端点和“我的定知”这个确定点上讨论。

“此在”这个词，在德国古典哲学中叫“定在”，它本来还是一个有疑问的概念。如今却在西方现代哲学中成为终极追问的起点，这显然是一个极大的倒退，尽管它在逃避难点或回避盲点的逻辑论证上表现出某种合理性。

回望古典哲学，“精神追问”和“认识论追问”成为一个必然的“自然追问”和“本体论追问”的后继问题，也就是说，“唯物地直面对象”必然引出“唯心地反思精神”的后续结果。这个追问进程建立了我们的“知识论”基础，建立了科学系统得以确立的基础，而且还建立了未来“后科学”系统，或者说“科学批判”系统的思想武器。尽管它是一个未完成的探求，却是人类当今科学时代的基本思脉追溯和未来超越科学时代的一个重要思想端口，理解这一点，至关重要。

“唯物、唯心、不可知论”各自的局限

我们前面谈了西方近代古典哲学的基本思路及其认识论框架。

我是用极为简捷也不够准确的粗略比拟方式讲这个课。但我希望大家能够听明白这些哲学家展开思路的证明方式，只有沿着这个线索，你才能理解西方哲学近代以来讨论问题的大体方法和思想内涵。

比如莱布尼兹提出“无窗单子论”，非常难以理解。什么是“无窗单子”？莱布尼兹讲，无机物和植物也有知识，叫作“微知识”。比如含羞草，它是一种植物，它的叶子能够感受到你的

触碰，你触碰它，草叶会立刻收缩，所以莱布尼兹的说法是不错的。不但植物是有感知的，无机物也是有感知的。请想想什么叫分子？不就是一个原子通过外壳层电子云能量，跟另外的原子所构成的一种电磁感应关系，或曰“电磁识辨关系”、“电磁结识关系”。这难道不是一种微感知吗？

莱布尼兹又说，动物有“感性灵魂”，这说法很准确。我们人类如果回到丛林中，你凭什么生存？凭感性，凭敏锐的视觉、听觉和嗅觉等等。所以他说动物有感性灵魂，这说法成立。他说人类的自我意识叫“理性灵魂”，这个表述也非常准确。当你脱离丛林进入思想构建的文明时代，你得把感性逐步洒脱，然后建立纯粹理性的逻辑思维，他把这个东西叫理性灵魂。他说，即便这样你仍然够不着事物的本原，因此他在最上面设定一个更高的精神总和，叫“上帝之智”。请注意，我一旦说上帝、说神，请回到苏格拉底视神为终极追问的寓所和通道这个思路上来。

那么，莱布尼兹讲“无窗单子”，讲的是什么？请回想古希腊的原子论，古希腊人推导出万物是由某一种或者若干种基本元素构成的，这个东西没有任何实践基础，属于纯逻辑推导。今天的物理学证明它是成立的，我们今天的整个世界构造是在原子物理学、粒子物理学上搭建的。但是到认识论阶段，我们所说的世界是我们感知通道中的封闭精神世界，原子论问题当然需要重新解释，于是莱布尼兹提出“单子论”，你可以这样理解：“物理原子”变成“心理原子”，或者“物质单子”变成“精神单子”。解读他的思想十分困难，你只有建构在西方古典哲学认识论问题的探讨上，才能理解他所谓的“单子”实际上是“精神原子论”，就是构建精神的基础元素。因为，如果我们所说的世界只是精神世界，那么精神世界的基本元素是什么？这当然是一个需要探讨的问题，此谓之“无窗单子”。所谓“无窗”，就是各单子之间是不沟通的。也就是植物的微知识、动物的感性灵魂、人类的理性灵魂，它们之间是不能沟通的。

但是它们却是内在和谐和一致的，也就是在最终的表象上是递进一致的，这叫“预定和谐论”。你如果听不明白古典哲学所探讨的存在与古希腊所探讨的存在的差别，莱布尼兹的书你就无法读懂。

我再举个例子，叔本华。大家读叔本华的书，一定觉得非常晦涩，他自己总结两句话：“世界是我的意志”；“世界是我的表象”。什么意思？为什么把叔本华的哲学叫“意志论”哲学？是因为叔本华发现任何人、任何生物、甚至任何无机物都有一种被驱动的意志，或者更准确地说，都是被某种统一增进且身不由己的内在意志所驱动的。我们的感知体系，也就是我们的世界表象，是在那个不能克制的意志欲求推动之下的继发性产物。

于是他说，一般哲学只限于研究感知和表象层面，而没有追究更深层的推动表象和感知运动的基层力量，它实际上就是求存意志。意志是你不能控制的，它却是你的一切主观能力得以推展的原动力。他说万物都有意志，只不过这个意志是在不断演运增大的。然后他说，康德扔在彼岸的那个物自体其实就是意志，他用意志的彼岸存在，驱动感知表象的此岸存在，由以化解康德现象界与物自体之间的鸿沟，他因此认为自己有重大的发现，且因此特别鄙视黑格尔处理康德问题的那套拙劣说教。显然，你只有理解康德，你才能理解叔本华，以及叔本华与黑格尔的纠葛。

叔本华的意志论展开了一个别开生面的讨论范式。他使得我们后面的美学探问，包括对美的本质的揭示，有了一个进行推证的逻辑先导。有关这个话题，请大家读我的《物演通论》第一百零四章以后各章节。

我想说明什么？就是人类在知识上、思境上的拓展，从古希腊追问本体，到近代古典哲学展开精神探讨和认识论分析，由此铺展和拓宽了人类精神世界的全貌。

我讲到这里，很容易给大家造成一个严重的误解，就是你会认为我是唯心主义者。别搞错！我一再讲明，唯心主义没有处理一个根本问题——心是什么？精神是什么？感知是什么？精神和感知从哪里来？它究竟是怎样运行的？它的发展动量是什么？它的运行规定性怎样塑成？这显然都是唯心主义不能回答的问题。

但你不能一味地批判唯心主义。因为唯心主义明确地回答了人类的精神构造和感知通道不是真空的，而是有规定性的这样一个重大课题。这就是为什么我说自笛卡尔以后,除极个别人，但凡是唯物主义者，即批判唯心主义的唯物主义者，其实早已沦为哲学外行——他们已经不知道这个时代的哲学家究竟在探讨什么问题。

但是我绝不是唯心主义者。请大家注意什么是唯物主义，它的早期呈现为对“心”的无意识，它根本不知道感知本身是有规定性的，感知本身居然是一个需要探究的对象和课题。这表达着唯物主义的极端幼稚，表达着人类运用智慧的初级阶段。请大家想想，一只狼看见一只羊，它会怀疑这个羊是精神的还是物质的吗？一个人不展开思索，他像动物一样停留在直感状态上，他一定是唯物的。对于普通人众及贩夫走卒，你问他这个世界是物质的还是精神的，他一定会笑你得了精神病。所以唯物主义表达为对精神和感知毫无认识，表达为对精神自有其规定这一事实毫无所知的盲目，这是唯物主义的初级阶段。但是唯物主义还有一个阶段，就是你只有深入探讨物演进程，你才能澄清“心”的渊源是什么？“精神现象”究竟是怎么回事？它为什么只是物的一种“属性”而不是实体？

关于这个问题,请大家读我的《物演通论》。我在讲什么？我在告诉大家我不是唯心主义者，虽然我对唯心主义给予高度评价，但我也不是唯物主义者，因为你得把“唯”这个字抠掉，物是包含感知和精神的，精神是物的属性，感知是物的感应属性代偿。这个话题我在后面的课程中会简略论述。

因此，请记住，唯物主义与唯心主义之争毫无意义。因为，早期的唯物主义者，比如古希腊自然哲学期，它根本就没有意识到有“心”这个问题存在，也就是它没有敌方，它不会形成争论。到唯心主义时代，你对精神规定性没有了解，你就没有资格指认对象，所以它也不用争，没有争论的前提，甚至是不屑一争。

如果我们要在“物和物的属性”，也就是感应属性之间讨论“心物问题”，那么它们完全是一回事。所以，唯物、唯心之争纯属无谓的争论，纯属各自对彼方深在内涵缺乏了解的表现。

我们再看不可知论。不可知论有一个前置问题，它没有回答，那就是何谓之“知”？所谓“不可知”，是在前提上默认了我们应该能获得真知。由于最终发现我们的知识是不能得真的，我们的“知”只漂浮在“现象面”，我们的“真”永远是我们先验感知形式的扭曲产物，因此，它认为“不可知”。但如果大家听懂我的课，我一再讲，“知”不是为求真设定的，而是为求存设定的。它原本就不是求取“主客符合之真”的，它是求存与求实的，所谓“求实”，就是求取“自然依存之实”，它跟求真没有任何关系。求真是一个妄谈，是一个全无意义的虚构。若然，则不可知论这个问题就化解掉了。因为，既然“知”不是求真，而是求存，而“知”的确达成了求存的代偿效果，怎么能说是“不可知”呢？

所以，我再重复一遍，不可知论的缺陷在于它默认了“知”是求真的妄想，这就是不可知论的毛病所在。我也在这里重申，我既不是唯心主义者，也不是典型的唯物主义者。因为我对唯心主义给予高度评价，但我同时认为唯心主义讨论问题没有触及根本，没有探询“心、感知以及精神总体的本源”；这个本源只能是“物”，尽管恰恰是此“物”或“物的衰变”导出了“心之属性”或“感知遮蔽”。而不可知论底下有一个虚妄的求真默认，抽掉这个默认也就无所谓“不可知”了。

这就是哲学上之三大派别的实际状况。你若站在另一个高点上俯瞰，它们之间的分歧就会被化解无余，甚而至于还会呈现出同为一个系统的演动关联态势。

“知”的动态发生学意义

我下面简单讲解一下“‘知’是什么”这个话题。

此处的论述以《物演通论》为参本，但是我尽量采用最简捷的方式，并且仍然着重讨论“知”与“在”的关系问题。笛卡尔说世界是二元的：物质实体的属性是广延，心灵实体的属性是思想。他把感知、精神即心灵实体与对象、客体即物质实体设定为在平行横轴上的二元对立关系，而且他的根据是“我思故我在”。可是，我如果做一个相反的命题，“我思故他在”或“我思他在”，这个命题也同样成立。请想想为什么会有“我思”？如果没有对象，如果你不是相对存在，如果你就是绝对存在，你需要“思”吗？你需要“有所感知”吗？

假定世界是“一”，存在是“一”，比如奇点状态，宇宙处于尚未分化以前的最原始存态，这个时候万物就是“一”，独此一体，别无他存。其结果是什么？是这个奇点能量存态没有任何属性可言，因此物理学上把它称为“奇点”。

什么叫“奇点”？意思就是说它没有任何可感知的属性，或者说它没有任何属性。因为我们的感知只是对物的属性的感知。如果一个物没有属性，这个物就无从感知。在此情况下，你用任何方式，包括物理方式、数学方式和其他科学仪器介入方式，都无法从它上面得到任何可以观察或言说的要素，也就是它没有任何属性可以呈现。

奇点是存在度最高的状态，在这个无需代偿的点上，属性根本不会发生。而物的演化是一个弱化衰变进程，当物衰变的同时，弱化就是分化，或者在我的书中表述为：弱化=分化=残化。存在是“一”，逐步分化为存在是“多”，此谓之“万物”。任何“多”都是“一”的分有，或者说是“存在是一”的残体。任何残化了的部分，总有一种回归合一的内在冲动，由此促成感应属性发生，也就是它只有借助于感应属性，才能达成自己丢失的残体部分之识辨与回归，这叫“依存”或“依存结构”。

属性种类很多，最基本的属性是广延属性。所谓“广延属性”，就是指时间和空间属性。大家知道按照现代宇宙论，奇点状态是没有时间和空间的。再下来则为“感应属性”，比如最初分化的质子和电子，那么电子要与质子回归合一，用什么方式进行？它必须借助自己的负电荷属性去耦合质子的正电荷属性，这在物理学上叫作电磁感应。它其实就是后来“感知属性”的前体。这是由于物质存在度越高的时候，属性发生量越低；物质存在度越低的时候，属性代偿量越高。

我们从这样的关系里可以发现，最初的奇点反而是稳定程度最高的存在状态。它因此规定了一个基本的存在阈值，叫作“存在阈普适常量”。如果没有这个作为常量的阈值规定，那么物质存在度的衰减，就没有必要达成属性发生的递补增益关系。（具体内容参见《物演通论》之相关章节。）

感应属性的发展进程和增益过程，最终形成感知属性之代偿，这就是人类的精神渊源或精神来源。

可见，精神不是一个独立的存在实体，笛卡尔的表述错误。因为如果“我思故我在”是一个证明，就有一个问题没有回答，为什么会有“我思”？“我思”一定是因为“我在”发生了问题，一定是因为有“他在”，而“我”跟“他在”不可分割，“我”与“他在”是一个必定的依存联系，“我思”才能够发生。所以反证同样成立——“我思故他在”。换作莱布尼兹的话讲，就是从“微知识、感性灵魂、理性灵魂”一脉增进，最终达成这样一个精神发育的路线：万物的演化进程就是感应属性的增益进程。

存在度的衰减是一个自变量，代偿度的增益是一个因变量，二者呈反比函数关系。所谓“代偿”就是“属性代偿”或“属性增益”。属性的种类很多，比如“广延属性”，就是时空属性；比如“感应属性”，后来发展为感知属性；比如“能动属性”，后来发展成自由属性；比如“结构属性”，后来发展出社会结构。早期的物质结构极为简单。最原始的奇点没有结构，分化才导致依存的需要和结构的达成。所以越高级的存在形式，结构状态越复杂。它们都是随着存在度衰变进程而相应发生的代偿增益产物。

如果我们只关注感应属性，这就是精神哲学得以展开的基本样貌。从这里就可以看出，感知是有上下限度规定的，也就是感知并不是随意的。比如一个电子感应一个质子，它的感知能力在物理学上叫感应，表达为极为低下、极为微弱的状态，它只能感应到一个正电荷。而且有关感知的局限性，也就是不能“真感”的局限性，在感应属性最初发生的一瞬间就已经展现。例如电子感应质子，大家知道一个电子围绕一个质子运转，这就是化学元素周期表上的第一号元素——氢。电子感应质子，它永远不知道质子的其他要素，比如它不会知道质子的质量、质子的形状、质子的颜色，它只能用它的主观感应属性，也就是一个负电荷去感应质子的对应可感属性，也就是那个正电荷。而且，它连那个正电荷都不能“真感”，因为它在“感”的那一瞬间，负电荷就耦合了正电荷，达成的是电中性。

我这样讲，如果你还没有听明白，那么我进入分子阶段再讨论。

我们先讨论一个关键概念，什么叫作“主体”？主体是什么？主体就是镜像式的客体。在原始阶段，残化了的任一方，你都可以把它设定为主体，那么它的彼方，就是客体；但反过来，当你把它的彼方设定为主体的时候，它自身就是客体。

可见主体是什么？主体在原始状态就是客体系统的可换位状态，这就是主体的本源。

所以，从根本上看，我们人类只不过是客观世界中不能抽离的一个客体分子。也所以，科学把自己孤悬在外，假定自己跟客体无关，外置自身而作为观察者，这本身就注定了科学的麻烦。

好，回到分子阶段讨论。比如酸和碱。假如一个酸分子被你设定为主体，对应的把碱分子设定为客体，当然你也可以反过来设定。那么酸分子以其酸根作为感应属性，它并不能感知整个碱分子的分子结构，只能感应碱分子的碱基部分。而且它得出的感知成果绝不是碱，而是酸与碱碰撞耦合之一瞬间所达成的盐，酸碱中和反应的产物是盐。因此如果你能够询问“酸”:“‘碱’是什么”？它的回答一定不是“碱”，而是“盐”。也就是感知的一瞬间，你的主观感知属性一定是对客体可感对应属性的耦合扭曲，由此才能达成感应者之间的依存关系，是不是这样？而且你的感知限度是你并不求全知，就像电子用不着知道质子的质量、形状、颜色等要素。它只要知道对象的正电荷，甚至把对象的正电荷扭曲为电中性，它的感知已经满足了。

满足什么？满足电子与质子之间的稳定依存关系。是不是这样？这叫“知”，这叫“知”的原始感应规定。请记住我们人体整个精神系统、神经系统的最基础架构是什么？是电磁感应！也就是细胞膜跨膜电位、生物电冲动，即传入神经的电脉冲，然后在视中枢、听中枢等脑中枢内对这个电磁感应系统的整顿。是不是这样？它是我们一切精神活动的最基层，我在前面把它表述为无意识基层。我们只不过是在这个基层上，一步一步地在上面叠加代偿架构。

大约5亿年前，扁形动物出现视觉，以后出现神经网，以后出现神经节，它是神经中枢的前体。再往后出现下中枢，继而是上中枢，最后发生高级脑皮层。这样一个演化叠加的过程，才构成从原子分子的“感应”，到扁形动物的“感性”，到脊椎动物的“知性”，到人类前额叶皮层的“理性”。

也就是说，自然物演结构中的感应属性增益进程，在我们人体的神经组织架构或精神感知系统中层层实现，一步都不曾缺失。它在最基本点上注定了你的感知本身不是求真，而是求得依存反应，或者说是达成依存结构。因此即便发展到人类的后衍感知阶段，你仍然受此规定。

在康德的学说中，“精神”仍然未能找见其源头，在整个西方哲学认识论中也从来没有找见“知”或“知识”的源头，甚至此前的笛卡尔认为心灵实体是与物质实体等价对应的一个存在体系。而我们今天可以在这个模型中，非常清楚地看到世界只有一个系统，“精神”只不过是物演系统的属性增益产物。而且康德不能解释，为什么我们的感知只能停留在现象界。

什么叫作“现象”？感应属性耦合而已！也就是你的感知不是平白发生的，你的感知来自于物演系列的主体感应属性之延展——从电子的负电荷属性到酸分子的酸根属性，再到人类的感知属性——你是用你的主观感应属性去耦合对象的对应可感属性，而耦合过程就是扭曲过程。因为扭曲过程所达成的结果正是依存实现，因此它满足了感知求存效应，这就是“现象”的来源。由于感知只是属性耦合，因此属性之外的派生载体永远不在感知可以追究的范畴之内，此谓之“物自体”。这就是康德哲学中那个不可逾越的彼岸得以发生的原委。至此，是不是这些问题得到了明确的回应？

而且我们会发现，感知是有上下限度的。也就是当你的存在度很高的时候，你的感应属性或感知度一定是很低的；当你的存在度很低的时候，你的感应属性，这个时候发展为感知属性，其量度一定是相应增益的，也就是你的感知能力表现为很高强。要知道，这个过程是被规定死的。你绝不可能看到一条会做四则运算的鱼，你也绝不可能看到一只会做微积分的猴子。为什么？因为这个感知增量或感应属性增量跟它的存在（度）状态不匹配。

我举一个最简单的例子。蚊子在秋季繁殖的时候需要吮吸动物或人体的血液，此时它会不顾死活地发动群体性攻击，以达成生存延续之效。因为雌蚊只有吸取动物的血浆，才能备足繁殖的营养和能量。由于蚊子的存在度偏高，产卵量很大，所以它的感知属性保持在较低的状态。也就是当它进攻人、吸你血的时候，它是奋不顾身的。如果你处在防御状态，10只蚊子进攻你，可能只有一两只蚊子能吸到血，另外八九只都被你拍死了。从人类的角度看，蚊子很盲目、很愚蠢，它完全无能计算此项行为的损益比例。

反观我们正常人，假设你在任何经济操作中，亏损量始终大于收益量，持续进行的结果，你一定灭亡。是因为你的存在度太低了，你的感知算计能力必须很高，你才能维系自己微弱的生存。蚊子的存在度偏高，繁殖量极大，它每次排卵数百粒之多，而它的繁殖期很短。如果它具备人那样的感知能力，发现自己的成功概率不到50%而退缩，蚊子早就灭绝了，它恰恰因为其个体的愚蠢而保证了种群的有效延续。可见低感知度是一种保护效应，高感知度反而是一种危存效应。

精神渊源：感应属性增益

我们现在回头来看，请回想我讲这节课刚开端的部分，我讲了罗素说过的一句话，他问智慧是什么？你怎么知道智慧不是一种精炼的愚蠢呢？

如果你听懂我前面的讲课，你就会明白智慧其实真是一种精炼的愚蠢，标志着你处于存在度极低的不良危存状态。在这个思路系统上，我们就可以清楚地解释“知”的上下限度。它的下限被你的存在度所决定，它的上限被你的代偿度所决定，也就是被你的求存满足常量阈值所限定，这就是我们的感知动势。换言之，我们的知识不是一个随意进取量，而是一个自然规定量。我们在这个理论模型中，既找到了精神的源头，也找到了精神的动量，还找到了精神运作的基本规定。

这就好比生物学研究，你要想探查生命的基本状态，你拿人体作为标本是很困难的。你得返回到哪里？返回到细胞学的层面上去。这就像今天人类做基因工程，在实验室中，全是用最原始的单细胞生物，比如大肠杆菌来做研究。因为在最简单的模型上，表达着最复杂的所有属性的潜存形式和规定要素。

同样地，我们要想解剖精神，返回到它的原始生发点上去做探求，它会呈现为非常简约却又非常明晰的状态。所有存在论和认识论之间的矛盾，所有哲学深层问题的答案，由此得以深刻揭示。

我在这里只做了“感应属性增益”这个最简单的理论模型陈述。我想说什么？——“知”的程度受限于“在”的程度！你的“能知”是你“能在”的状态的属性表达。然后你的“能知状态”和“能知规定性”决定了你的“所知形态”和“所知内涵”，这就是精神现象的根本原因，或者说是今日之大信息量下的精神存在模型。所以当我讲“感知”的时候，我是把它分为“感应、感性、知性、理性”的渐进步骤来做全系统表达的。

所以大家要注意，在人的精神层次或精神层累中，我们所谓的感性、知性等都已经不纯粹了。因为我们所说的这类东西是在理性笼罩下的总体状态。从发生学上讲，最初有感应的时候没有感性。比如电子和质子，比如酸根和碱基，它们是没有感官的，是没有感性这个东西的，是纯粹的感应。最初发生的感性，比如扁形动物只有视觉，而且它的视觉只能看见它的依存物，此外的东西全都看不见，这叫纯粹的感性。这个时候它没有知性,因为它的对象是单一的,或者它的视觉对象是单一的,因此它没有面对复多对象判别求断的必要，这叫纯粹感性。

然后到脊索动物和脊椎动物，随着万物不断分化，对象变得复多化，于是呈现知性判断反应，或曰判别求断反应，这是纯粹知性，没有理性。这个时候理性尚未露头。然后到人类的理性，当人类的理性迭代发生的时候，他再说知性、感性乃至感应，其实早已不能纯粹。他说的感性其实已经杂入了知性，他说的知性其实已经混入了理性，也就是在感应、感性、知性、理性的全序列上，你已经无法把它做单纯剥离。所以在人类使用感知的时候，感应、感性、知性、理性做不到纯粹感应、纯粹感性、纯粹知性、纯粹理性，因为你已经剥离不出来了。它们是一个无级变量，或是没有区隔的连续增量。康德为了探讨这个问题，不自觉地使用了《纯粹理性批判》这样的书名，力求尽可能探讨纯粹的知性、理性是怎么回事，结果陷入重重困境。

当人类处于存在度极低，依存对象的分化量极大，大到在实物状态上加以判别求断已无从进行，不得不在逻辑概念上大规模、大数量化地进行虚演推理，也叫虚拟推理，这个时候标志着你已进入理性状态。而越高端的理性，越表达为扬弃或舍弃感性素材的状态，我把它叫作理想逻辑，也就是力争达到纯粹理性。但由于越高端的东西是代偿增量越大的载体，因此它一定处于越飘摇的状态。因为它是存在度降低的属性代偿。存在度越低的状态，是越失稳的状态，因此代偿度越高的状态，也一定是越失稳的状态。这就是我在讲课中,一再重复一句话——“越原始、越低级的东西，越具有奠基性、决定性和稳定性”的道理所在。

我们在感知层面上也会非常清楚地看到这一点。感应属性之初态在我们无法调动的潜意识或无意识之下。大家看感性，感性一定比知性稳定得多。我们看植物总是绿色的，其实绿色是一个假象，只不过是一个光波长的错觉。可是我们看植物永远是绿色的，在感性上它绝不会变化。甚至在猴子以前，动物视觉就已经看植物是绿色的了，这从来没有变化过。即使我们今天意识到，绿色只不过是某段光波长的错觉，树叶仍然呈现为绿色，理性一点都不能改变感性。

可是当我们进入知性，也就是对任何一个绿色的东西进行判别求断，审视它与我们的依存关系的时候，比如在一片绿树叶中，寻觅一个青苹果，这个时候你要做出判断，找见并确定它是否能够食用，就成为一个非常动荡的状态。青苹果也许长熟了，也许没长熟，没有长熟的青苹果吃起来是苦涩的。我前面讲过，不是它客观上是苦涩的，而是它在没有长熟的时候，需要保护内部尚未成熟的种子。它之所以后来长成圆润香甜的形态，是为了让动物去吞食它，然后动物不能消化内部的苹果核，通过排出粪便帮它播散种子。所以在它没有长熟的时候，它一定把自己表达为一种对动物具有毒害作用的不适味觉，这就是我们吃没有长熟的青苹果会觉得非常苦涩的原因。而且你吃了它是会受到损伤的，因为其代谢中间产物含有包括亚硝酸盐在内的诸多不良活性物质。

于是当你处在一片绿色植被之中，选择哪一个对象是当下必需的依存物的时候，这个知性判断过程是一个动荡状态，是一个不能确定的，或者很难确定的状态。它跟我们看它为绿色的纯感性知觉，所表现的稳定度是完全不同的。而到理性阶段，当我们讲为什么植物会发生，为什么植物会生长，为什么植物会进化，这已经成为理性逻辑推导的产物，于是它从此没有任何稳定性可言。古代我们说这是神的缔造；中世纪西方说这是因为里面有某种神秘莫测的活化素、生命素；后来被植物学家做刚性分类；后来被达尔文说成间变进化的产物；再后来又被孟德尔说成是遗传因子的规定……；不一而足，急遽转换。也就是在理性模型上，它是一个不断变构的不稳定状态。

总之我们会发现，在我们的感知属性代偿层面上，它仍然表达着越底层越稳定，越高层越动荡的动势，而原因就出于这种规律的制约。这也就是为什么，凡属高明的哲学家，比如康德，他在没有这个信息量、没有这个理论模型的情况下，居然早在数百年前就已经推断，纯粹理性的高度发扬会带出二律背反的不恰当理念。再看休谟说过的一句名言："理性只不过是激情的奴仆而已"。也就是我们在日常生活中会发现，我们的低层感知，比如情绪，它实际上是知性的一种表达，它左右着我们的理性，而不是我们的理性左右着知性。

高明的哲人早在数百年前已经对人类高度使用智慧提出质疑，因此我们会听见从休谟、康德到罗素的种种调侃高智理性的声音。所以要想知道精神是什么？感知是什么？精神的规定性是什么？甚至对象是什么？客体是什么？主体是什么？你都得在一个更大信息量的模型建构中重新探讨。但这些模型建构的前提是人类此前数千年之先哲们探讨的逻辑路径和逻辑台阶铺垫的结果，没有这些成果，我们后面的所有探索无由发生。所以我得说明，即使发展到西方古典哲学乃至现代哲学阶段，人类关于哲学问题的探讨远未穷尽。说"哲学终结了"这句话，是对哲学问题必随信息增量而继续呈现的道理毫无所知的表现。

而且我也要在这里声明，我现在讲课的许多内容，你在我的著作中是见不到的。因为我没有必要重复前人已经讨论过的问题，我只在前人研讨所遗留下来的问题上进行纵深探问。因此我的学说只不过是对一个全新的基本原理的证明，而且这个证明系统贯穿"自然存在"、"精神存在"和"社会存在"三大领域，这是此前没有任何人能做到的，即用一个原理贯通三大系统。须知我们所说的宇宙存在总系统永远超不出这三块，而一般科学只专注于自然存在。

那么如果我的这个模型要想建立，它就必须在此前哲人所讨论过的问题基础上逐步展开。因此我做系统证明的时候，我绝不把前人处理过了的问题再度讨论，我只埋头做新型原理证明，在这个单线索证明的过程中，走到哪里牵涉出相关问题，仅作此项问题的由来及其解决方式的点评。我以这样的方式，把整个系统证明完毕，同时把哲学史予以拆解，并临机给出点状评述，这就是我那本《物演通论》的论述结构。读起来非常困难的原因，就在于你必须了解此前先哲讨论过的问题处于什么状态，以及遗留下了什么漏洞。而这些问题，我却又不再加以复述。况且它后面还有当代整个自然科学新增信息量的提取，这就使得它的阅读难度偏高。但如果看明白它，其实只是一个极简单的基本原理。我在这里顺便通过本轮讲课，说明西方近代古典哲学达到的高度，呈现其所讨论的问题，并简述这些问题的新模型解决形态。

“逻辑”的定义及其形成路径

今天上午，我们大致梳理了西方近代古典哲学接续古希腊哲学思绪所进行的认识论探问层次。那么今天下午，我们讨论一些其他相关问题，它虽然不够系统，属于专题阐释，但能厘清某些常见的概念混乱，可能对于我们就诸多重大问题的错误认识起到纠偏作用。

我们首先讨论“逻辑”。“逻辑”这个概念最早在古希腊并不明确，表达为“逻各斯”（logos），意思是“言词与秩序的总括”。大家听这个单词的涵义，其实就是指某种“主、客无分的规律”。当人们随后认识到感知对象和感知本身的关系，虽然可能是一回事，但尚需分别探查的时候，“逻各斯”的概念才逐步得以分化引申，“逻辑”（logic）之谓由此而生。

最早使用“逻辑”这个概念的是亚里士多德，但是他用的不是这个词符。这个单词是后来从拉丁文“逻各斯”转化过来的。亚里士多德给了逻辑一个定义，叫作“必然地导出”。也就是当年亚里士多德所承认的逻辑仅指演绎逻辑，即如果给出大前提，再给出小前提，结论是必定的、唯一的。他把这个东西视为逻辑。

根据我们探讨整个认识论的层次，以及后来逻辑学的扩延性发展，我们今天知道，“逻辑”包含着两重意义：一个是思维推理的“必然导出”，一个是感知序列的“先验规定”。我们通常所说的“逻辑”仅指“思维逻辑”或者叫“理性思维逻辑”。也就是说，我们过去的“逻辑”概念仅仅表达在“理性推理”这个思维阶段。

那么这里就有一个问题：理性逻辑与知性、感性乃至更底层的感应之间，其贯通接续关系究竟是什么？这个问题过去从未被探讨，也无从探讨。而且既往的哲学家，包括康德，包括黑格尔，包括当代逻辑学家，所有学者都认为逻辑、理性，甚至感性、知性、理性的总和，只有人类具备，他们把这个东西称作理智、称作智慧、称作精神，视为人类所独享。

但到20世纪，随着自然科学的发展，我们今天已经非常清楚，人类的感知系统是在生物进化的漫长过程中逐步造就的。而且我们会发现，理性逻辑的基础是知性逻辑，形式逻辑就是动物知性逻辑的理性表达，我前面讲过这一点。

再深问一层，知性逻辑的基础是什么？——是感性逻辑！我们过去一旦说感官、感觉、感性，绝不会让它和逻辑联系在一起。可是我们今天知道，它只是隐藏在我们潜意识底层或潜意识后面的一个格律化整顿机制或程式化识辨序列，它当然也应叫作“逻辑”，因为它也符合“必然地导出”之定义。我举一个例子，我们今天给电脑只是输入了0和1的大量数码，可是电脑会给我们呈现出来十分逼真的动态图像。比如你可以玩电子游戏，你在这个虚拟的足球场上可以踢足球，你可以开汽车，场面鲜活而真切。可你给它输入的是什么？你给它输入的是一系列0和1的数字信息元素。那么请大家想想，我们的感性是什么？外界给我们输入的只是光量子，这是对视觉而言；对听觉而言，它给我们只是输入了振动波；对嗅觉味觉而言，它给我们输入的只是某些分子，对我们身体有利或不利的分子。但为什么我们却能把它整顿成一系列具体而逼真的表象？很明显，在视中枢、听中枢以及整个感知中枢中，它一定底下有一个我们不能调动的逻辑整理系统，就像电脑里装有一套常人无法调动的基础操作系统一样，也就是按照某种程序或格律对这些信息进行整顿的系统，这个整顿的结果才是我们的感性表象。

因此，即使我们今天把它调动不出来，找不见它的具体的格律表达方式，但我们可以肯定，它后面有一个“先验整顿格律”或“先天程式规定”，于是我们尽可以把它视为“感性逻辑”以及“知性逻辑”。我相信，随着人类知识量和信息量的进一步增大，这些东西最终会被整理出来。若然，则会显现出一个完整贯通的逻辑通道。

严格地讲，感性下面还有一层，那就是“电磁感应逻辑”。比如电子以其负电荷辨识质子的正电荷，它的这个反应方式也是按照某种固定的格律进行的，我们又可以将其称为“感应逻辑”。对于这样一个从简到繁、由表及里的全程逻辑通道，我把它命名为“广义逻辑”。相应地，我把既往所谓的思维逻辑或理性逻辑，改称为“狭义逻辑”。

在此之前，人们只关注狭义逻辑，尚未意识到还有一个广义逻辑需要探讨。然而，无视或忽略广义逻辑必会引发一系列问题，比如逻辑的来源是什么？感知或逻辑的演化过程是怎样展开的？既然感知非真，何以感知有效？既然理性逻辑常常否定感性经验，那么感性经验生活与理性狭义逻辑各自成立的根据是什么？最后，先验感知通道或广义逻辑序列为何能够以及如何达成依赖模型的实在依存？诸如此类的问题，单凭研究狭义逻辑及其理性模型是绝难回答的。

在这个广义逻辑的通道中，越原始越低级的逻辑层次，它的逻辑结构和逻辑格律一定越简单；代偿度越高的上层逻辑形态，它的逻辑结构和逻辑格律一定越复杂。这与物质实体结构的演化进程完全一致。也就是在物演序列上，我们会发现物演结构是一个不断叠加累续的进程。粒子结构上面叠加原子结构；原子继续分化组合，这就是分子结构；分子结构继续组分，这就是基因结构或细胞结构；细胞继续残化整合而形成多细胞有机体，这叫机体结构；机体结构在其体外层面上的继续残化组合所形成的结构，这就是社会结构。

我们会发现，物质实体结构是一个从简单到复杂的叠加累续过程。那么与此同时，感应属性增益也随之匹配性展开，亦即从简单到复杂，从低级到高级，发生相应的结构代偿和属性代偿之同位延展，由以达成逐层识辨的有效依存。——这就是整个感应层次、感知通道或者广义逻辑得以发生的渊源。

为什么有必要导出广义逻辑的概念？我们后面会另行讨论，我在这里先粗略谈一下当今生物学研究方面所能提供的某些实证。我说过，我讲这节课尽可能用直观的或者科学的方式表述，以便于大家更容易理解。

我们看一看当代生物学专门针对生物感知反应或生物逻辑序列的发生学研究。我前面讲过电磁感应、分子布朗运动、细胞膜上的受体反应，这些不再多说。我们下面就谈谈神经反应系统，包括亚神经反应系统的感应代偿增量状态在生物学实验上的直观表现。我们讨论这个问题,是为了说明既往哲学家把“感知”、“逻辑”这些东西，认为乃人类所独有，是一种多么狭隘的眼光，从而也导致他们对这些问题的认知产生严重偏差。

要知道，最原始的生物——单细胞生物，就已经具备了某种感知能力，它在生物实验上表达为动趋反应。我举一个例子，比如一个厌氧单细胞，也就是它的生存不需要氧气，生物学家对这样的单细胞做实验。这些单细胞都是水生生物，生物学家给水中滴入一个氧气气泡，所有单细胞会不断游移，最终全都远离这个氧气泡，这叫作“动趋反应”。也就是，在单细胞阶段，它还没有感官，更没有神经，它仅有细胞膜上的受体反应，它就已经能够在依存识辨方面产生最初级的定向运动。

再下来是所谓“趋性”。我仍然举例说明，比如细胞的趋光性。大家知道，所有细胞包括单细胞生物以及所有生命体，它的能量来源归根结底都是太阳能。那么异养型生物，包括我们人类，其实采集的所有食物，只不过是太阳能的积聚。太阳能量集中在自养型植物上，动物吃植物，人类又去吃动物，归根结底所食入的全是太阳能。由于地球表面的能量主要来自太阳能，因此所有的原始单细胞都有某种趋光反应，也就是追逐光源而生存的自发反应，这个反应叫“生物趋光性”。它甚至表达为昆虫的“灯蛾扑火”现象。它也形成“眼睛”的进化基础，也就是“眼睛”这么复杂的器官，其实是原始单细胞趋光性在漫长的上亿年时间中逐步发展出来的一个多细胞感光结构。

这种趋光性，从38亿年前的原始单细胞一直延续到今天，非常之顽固。比如新生儿刚刚睁开眼睛，如果你给家里挂一个灯泡，他躺在摇篮里，你会发现他的眼睛始终盯着灯泡，这是原始生物趋光性在人类身上的表达。因此，你要特别注意，养育婴儿时，家里所用灯具的亮度一定要偏低一些，否则过强的灯光会造成婴儿视觉损伤。

趋性反应种类很多，比如植物表达的负趋地性，也就是它总是逆反地心引力生长，因此叫作“负趋地性”。你把一棵树扳倒，只要它还活着，这棵树后面的枝丫又拐回来垂直生长，这叫负趋地性。植物根系总是朝下生长，属于“趋地性”。这些原始趋性在整个生物系统中表达得极为牢固，诸此趋光性、趋地性、负趋地性等等，这都是趋性反应的表现。

再往后叫“反射”，这已经是神经弧出现以后的较高级反应状态了。所谓“反射”，就是以感受器为开端，比如我们从感官获得信息，形成生物电，通过传入神经抵达中枢，中枢处理完后再通过传出神经，以电脉冲的方式传导给效应器，比如胳膊、比如腿，使之有所动作。这样一个从感受器到神经中枢，经过信息整理，而后输出为一个行为效果的过程，叫作反射弧，这已经形成神经网络系统的智化反应状态了。

再下来叫“本能”。大家知道，动物是有多种本能的。所谓“本能”，就是指某些先天具备的下意识行为能力。达尔文在他的《物种起源》一书中，专门描述了动物本能，其中提及的某些本能是非常复杂的。比如在《本能》一章中的《特种本能》小节里，讨论了蜜蜂建巢，那个六棱形巢穴是空间比例最大、材料消耗最小的一种建筑结构。如果用数学计算，是需要非常复杂的一系列方程才能推导出来的结果。可是蜜蜂用不着做数学，它仅靠本能就足以把自家蜂巢建成最节省材料、容积率最大，还特别稳固的居室结构。这种模块化的先验行为反应，叫作本能。我们人类在大多数情况下，基本体智反应仍然被本能所驱动。发展到这个阶段，超越感性的知性已然显现。

接下来谓之“动机”。动机行为标志着自主意识渐次萌生，也就是你已经有设定目标的行为规划了。再往后就发展到“意识自由”或“意志自由”。我们会发现，在生物38亿年的演化过程中，感知能度的不断提高，是一个循序渐进、一脉传承的过程。

而且大家还要知道，既往认为，“智慧”这个东西只有人类具备，“学习能力”只有人类具备，这又完全搞错了。当代生物学研究发现，“学习”行为居然早在5亿年前的软体动物身上就已经发生。比如章鱼，生物学家制备两张卡片，黄色的和白色的，然后不断地让章鱼在这两个卡片中做选择，一旦黄色卡片出现就给以电击，一旦白色卡片出现就投放食物。章鱼经过至少24次电击以后，从此见到黄色卡片就闪避退缩，见到白色卡片就前往取食。这表明，在软体动物这个低级水生生物阶段，学习现象已经出现。

再比如，让蜗牛这样原始的腹足纲物种走迷宫。设计一个简单的迷宫，置蜗牛于其中，最初，蜗牛是绕不出去的，但在反复训练之下，最终蜗牛可以一次走出那个迷宫，这表明蜗牛已经具备学习能力。

达尔文当年乘坐贝格尔舰环球考察，走到太平洋中南区域著名的加拉帕戈斯群岛。他在这个群岛上发现，同样的地雀却出现了不同的叫声。他观察到的异样情况还有很多，包括鸟喙的形状也有轻微的差异，这些经历导致他发现了“间变物种”，从而推翻“物种是由上帝创世给定的”这个错误观念。达尔文意识到，在这个群岛的不同岛屿之间，距离虽然很近，同一种鸟类居然发出不同的叫声，由此证实这些鸟的叫声是后天学习得来的。再举一个例子，生物学家做一个实验，让一种叫碛鹏的鸟出生以后，就脱离亲本，由人工饲养，那么它天然的叫声是非常难听的。可是如果让这个鸟伴随父母生长，那么它成年后的叫声就是婉转悦耳的。此足以说明这种鸟的叫声是学习得来的。它只有用婉转的叫声才能引诱异性，属于求偶学习过程。

这些例证表明，“学习”能力绝不仅仅是人类所独有，而是非常原始的低等动物就已经具备了。生物学家逐步研究“学习现象”在生物进化中的增长过程，把它总结为如下情形：最原始最简单的学习叫“惯化学习”。所谓“惯化学习”，就是学会对反复发生的无关刺激不予反应，以节约体能。最典型的例子就是用音叉给蜘蛛做实验。一个爬在蛛网上的蜘蛛，你用音叉发出噪音，蜘蛛起初是十分惊慌的，可是如果你让这个音叉的噪音不断呈现，蜘蛛最终对这个噪音不再做任何无谓的反应。这表明蜘蛛已经通过学习适应了这种环境，这叫惯化学习，是很低级、很原始的初步学习。

再下来是“印随学习”。它指记忆能力渐增，并对日后行为产生指导作用。我举一个例子，一只小鸭子刚刚生出来，生物学家就把它和母本脱离。小鸭子一睁开眼睛，假定看到的第一个对象是一个纸糊的绿盒子，生物学家不断地牵动这个绿盒子，小鸭子就总会是跟着这个绿盒子运动。那么，等到这只鸭子长大，它始终不认母亲，甚至直到求偶的时候，它的异性对象都必须被扣在绿盒子里，它才产生兴趣，这叫印随学习。大家知道，这个东西对我们人类也有很深刻的影响，例如“第一印象”。我们人类通常对第一次感知某件事物所建立的印象是最顽固的，即使这个印象是虚假的或错误的，以后要纠正它都变得非常困难。这实际上是原始“印随学习”在人类智能中的沉淀。

继续发展则成“联系学习”，也就是被若干相互关联的刺激诱发，形成预备反应程序。它的典型表现就是条件反射。我一说“条件反射”，大家就应该想起苏联生物学家巴甫洛夫所做的那个著名实验。给狗喂食，每次投食以前先行摇动铃声，如此反复刺激，最终你只需摇铃，哪怕随后不给食物，狗的唾液和胃肠消化液都会开始分泌，这叫条件反射，属于联系学习的一种。

其后是“试错学习”，也就是通过行为效果的体验，反复调整自身行为方式。比如各类走迷宫的实验。

再后是“洞察学习”，也就是依据既往经验，达成处理当前陌生事态的能力和方法。比如给动物前面安置一块透明玻璃板，玻璃板后面放上食物，那么一般低等动物会不断地冲撞玻璃板，但是稍微高级一点的动物只需冲撞几次，类人猿黑猩猩仅仅用手触摸一下，它就搞明白了，会绕到玻璃板后面去取食，这叫洞察学习。

最后进入“推理思维”，也就是借助概念和一般原则，来应付寓意复杂的具体境遇和问题。到这里，理性崭露头角。也就是说，我们会发现，无论是感知能力的递升，还是学习行为的扩展，都是在生物进化的过程中逐步发生的产物。

可见人类的感知能力，或者说人类的智慧禀赋，绝不是人类独有的，也绝不是人间突然生发的，而是整个物演序列的感应属性增益之结果。

逻辑变革的成因

下面我们来谈谈，广义逻辑究竟要处理什么问题？

如前所述，我们的感知只是我们对事物达成的主观认识，说到底它只是一个思想模型，或者叫逻辑模型，并不是事物的真实反映。那么，它为什么会有效？也就是我们的感知为什么可以达成某种行为效果？而且信息量越大，这种感知代偿的功能似乎也就越强，为什么？是因为我们的"认知模型"在广义逻辑跟外界的沟通上是一个完整的通道。因此，根据这个"模型"，也就是依赖这个"模型"，我们就可以形成与"外部实在"的有效对接。

只有把"广义逻辑通洽"与外部事物的关系，在"模型依赖的知识论"上说清楚，我们才能搞明白为什么我们的"感知非真而有效"这个问题。而且我们还有一个问题需要阐明，那就是逻辑变革。

也就是我们的感知过程，最终达成的是一个逻辑模型——把广义逻辑模型抽象为狭义逻辑模型，即一般所谓的理论模型或学说体系。但无论如何它都不是对客观世界的真实反映，而只不过是先验地处理外部信息的一个主观构造。那么我们的这些个逻辑模型，为什么总是不断翻新、不断变革呢？

大家知道，我们的"认知世界"并不固定，我们对事物的认识是不断变化的，我们通过不断改变认知模型，提升我们的文明进程。我举例子，我们人类的宇宙观，最少发生过五次大改变。最早是"盖天说"，即天圆地方说，认为大地是一个平板，天空像一个穹隆扣在大地上，这是人类最早的宇宙观。想想原始部落民，站在自己的部落门口看待大地、看待宇宙，他在感性直观上建立的宇宙观，当然是盖天说。这个盖天说的宇宙观，跟什么匹配？跟当年采集狩猎生存方式匹配，跟当年小范围领地化生存相匹配。随后进入“地心说”，当地心说出现的时候，它所需要的信息量变大。在托勒密的理论模型笼罩之下，它有效维系西方农业文明长达1400年。再下来，是哥白尼的“日心说”，开启了科学时代的大门。随后是牛顿的“绝对时空说”，撬动了第一次产业革命的契机；最后，爱因斯坦的“相对论”以及由相对论奠基的“现代宇宙论”，擎起了爱因斯坦时代，眼下的核时代、电子时代，甚至所谓的信息时代，都在这个基础上发生。

我们发现，我们的逻辑模型，包括“宇宙观模型”，都是在不断变革的。大家要知道，逻辑模型变革表明什么？表明我们的宇宙观绝不是客观世界的真实反映，它只是一个主观逻辑模型。这个道理应该很清楚。仅就太阳系而言，太阳系要发生任何重大变化，至少需要90～100亿年，太阳系今天已经存在了50亿年。大约在40～50亿年以后，今天的太阳才会接近于耗完自己内在的氢核聚变能量，进入红巨星乃至白矮星状态，太阳系的整个格局才会发生重大改观。可是我们关于宇宙观的理论模型，仅在短短3000年间就至少发生了五次大改变，这说明什么？说明我们的宇宙观不是客观世界的反映。如果我们的宇宙观是客观世界的真实反映，它就应该稳定50～100亿年而不发生任何变革。

既然我们的宇宙观逻辑变革引领了人类文明的不断扩展，那么逻辑变革的状态是什么？动因是什么？这是我们首先要探究的问题，这又涉及广义逻辑。

大家注意，我们讲广义逻辑有两种状态：第一是广义逻辑通洽，或曰广义逻辑自洽；第二是广义逻辑失洽。

所谓“广义逻辑通洽”或者“广义逻辑自洽”，就是在理性、知性、感性各层面上，在逻辑内部结构上，不发生冲突和龃龉，这就是一个问题得到解决和确认的状态；反之，当信息量进一步增大，原有的广义逻辑不能维系通洽状态，发生了内在的矛盾与断裂，我们把这叫作“广义逻辑失洽”，由此必然带来新一轮逻辑变革。

我给大家举例子。关于托勒密的学说——地心说，我们今天知道是错误的，可在当年，托勒密的学说代表全人类天文学最高水平，它是一个非常复杂的逻辑工程。在希腊原文上，它的标题叫《数学汇编十三卷》，书中对天体运动做了非常复杂的论述。要知道，用地心说来探察“天轮运动”是非常困难的，因为行星和地球原本是围绕着太阳运行的。现在你要让地球作为中心，太阳和所有的星体，包括恒星和行星，都围绕地球运动，你要把它整顿成一个完整自洽的模型，其难度可想而知。

那么托勒密怎么办呢？他竟然要把天轮分成两层：本轮和均轮。大家想想，行星运动是个何等复杂的运动，它们绕着太阳（当时认为是绕着地球），各自在不同轨道和不同圆周上以不同速度共同运行。所以你用肉眼观察，当年可以直接看见的五大行星——金、木、水、火、土，这些行星的运行，站在地球上看，居然是不规则的，是忽前忽后、忽左忽右的。以地球为中心，要把它们在这样的动态形式下总结出一个规律状态，难度实在非同小可。

可是为什么托勒密的地心说竟然确立达上千年之久？是因为它跟我们的底层逻辑——低端逻辑、感性逻辑相符！因为我们眼睁睁地看着太阳从东边升起，从西边落下，在我们的感觉上，显然是太阳围着地球转，因此托勒密的地心说，从感性逻辑延展到理性逻辑的模型上，他必须找见两者之间的匹配关系，他只有把这两者的匹配打通，这个学说才能被认可，这叫广义逻辑自洽。

我如果这样讲还没有说服大家，或者你还没太听明白，我就再举一个例子。要知道，在托勒密之前数百年，公元前3世纪古希腊出现了一个著名学者，名叫阿利斯塔克。他居然在那个时候，就已经提出日心说，可是却被淹没在历史之中。为什么？因为如果是日心说，那么就一定是地动说，也就是地球一定要运动的。如果是地动状态，而且是大尺度的绕日运动，则在当时，立刻会发生广义逻辑序列或广义逻辑各层级不能匹配的现象。

大家想想，我们看任何一个物体，如果那个物体是静止的，而观察者是运动的，那么该物体的相对位置一定是不固定的。你让三点成一线，假若设定两个静止参照点，而你是一个游移的动点，那这三点一线的关系就会不断地摇晃，是不是这样？可是站在地球上看恒星，它居然是永远不动的。当年这个问题是无法解释的，因为如果地动，恒星在天穹上的位置就不能守恒。直到近代伽利略之后，光行差和恒星视差这些理论问题得到解决，才把这个疑惑消解。

大家再想，它还面临一个难题。我们且不说地球是个球体，自转运动带来的麻烦，我们还不讨论这个问题。在当年没有引力理论的情况下，如果地球是自转的，那么人不是掉落下去了吗？我们姑且还不讨论这个问题，我们只设想地球公转运动所必然造成的困惑。按照当年的日心说，可以做一个大致的轨道计算，地球的运动速度应该也是非常高的，日行约4万公里。这样的运动速度，你抛起一个球，怎么可能站在原地又能接到这个球呢？地球如此运动的结果，这个球一定跑到远处去了，可是我们确实在地球上，是能把垂直高抛的球接回到手上来的。这个问题当年无法处理，直到牛顿用“惯性力”这个概念说明以后，才得以解决。也就是说，阿利斯塔克当年提出日心说，在狭义逻辑上即使摆成一个理论格局，在广义逻辑也就是在感性校验上却不匹配、不自洽，于是阿利斯塔克的学说被埋没在历史中。

我在讲什么？广义逻辑自洽是一个理论、一个学说或一个思想模型，达成当时平衡的、正确的、可被接受的基本条件。我们由此可以看出广义逻辑自身状态的重要性。然而随着信息量的增加，原本显得融洽自足的广义逻辑就会出现内在矛盾。这个时候，标志着原有的理论模型破溃，这叫“逻辑变革引领人类文明发展”。那么，究竟是什么力量导致逻辑变革不断发生呢？无非是信息增量罢了。

我在前面一再讲，宇宙万物的发展过程就是信息增量过程，这个自然进程在人类文明历史中继续表达。因此人类文明程度越低，处理的信息量越低，文明程度越高，处理的信息量也越高。

所谓“逻辑变革”，就是自然信息代偿递增的一个产物。当信息量增大到一定程度，此前低信息量整顿的模型不能容纳新发生的信息量，那个原有的逻辑思想模型就会随即破溃。

最简单的例子，大家看牛顿。牛顿的学说被反复证明是真理，它竟然能够有效预测行星的运行。牛顿的学说最初出现的时候，物理学教授大多都读不懂，因为数学方程微积分是他自己独到的发明。牛顿的学说后来逐步被接受，被人们惊呼为“像神一样发现了自然律”，它的预测准确度高到这样的程度——预言了海王星的存在。起初，随着望远镜的发展，人们找到了一颗新行星即天王星，这是金、木、水、火、土之外的第一颗肉眼看不到的行星被发现，但是天王星的运行轨道却不符合牛顿力学的计算结果。这个时候，人们不说牛顿力学错了，说天王星运行错了。按照牛顿力学的计算，有学者认为，外围另一个轨道上有某个尚未观察到的行星干扰了天王星的运行，于是人们事先按牛顿的力学理论计算出那颗星体应该存在的轨道和质量。随着望远镜的继续发展，数十年后果然准确地找见了这颗星，它就是著名的海王星。

牛顿的学说就这样反复被证明是真理，可是牛顿的学说只能处理宏观事件，宏观物体运动可以拿引力来解释。到微观现象展现，也就是有了微观世界的新增信息量，比如法拉第发现电磁感应现象，麦克斯韦做出电磁场方程，这时微观世界的运动拿引力无论如何无法解释。因为引力相关于质量，极大的物体才会显现引力，在物理学四大作用力中它是一个最弱的力。大家想，诺大一个地球所具有的引力，居然抵挡不住一小块磁铁所具有的电磁力，当然这个说法不准确。你把一串钥匙扔在地上，你拿磁铁可以把这串钥匙提起到地面以上，引力就如此之微弱。这样微弱的力，怎么能够解释微观世界的粒子运动呢？因此牛顿的学说，在这个新信息量之下完全不能匹配，牛顿学说随之崩溃，爱因斯坦的相对论应运而生。相对论的出现，是因为它用重新调整时空关系的方式，可以有效地通解宏观世界运动和微观世界运动的统一作用原理，这叫逻辑变革，这叫原有逻辑模型随信息增量而发生破溃和更迭。

所以，我们只有在广义逻辑系统自洽和失洽的不断运行中，在逻辑变革随着感知信息量的自发增大过程中，才能理解人类知识进展和知识翻新的含义。

好，我讲到这里，大家应该对人类的整体知识状况和整体认知格局，大致有了一个哪怕是模糊的感受。下面我们讨论一些边缘性问题。

我们讨论一下什么是“真理”。“真理”这个词汇被广泛使用，这个观念也非常诱人。追求真理，历来是人类的梦想，或者被认为是人类精神的动能。但是，大家如果听懂我前面的课，就应该明白，“求真”是一个在认识论深层上很难达成的结果。那么我们通常所说的“真理”、我们通常的“真理观”是什么样子的呢？我们大致可以分为如下五项。

我们通常所说的最有意义的“真理”，指“符合论真理观”。所谓“符合论”，就是指你的主观感知与客观对象完全相符，这就是我们通常意义上的真理，也是最普遍的真理观。此乃值得深究的第一项“真理”概念。

下面四项其实不重要，所以我只稍微列举一下，不再多说。

第二项是“自洽论”，就是只要在理论上能够圆融自洽，那么就叫真理。这显然是不行的，因为任何人都可以对自己所要说的任何东西，达成一个非精密逻辑的自圆学说或自圆解释体系，所以自洽论显然不成立。

第三项是“实用论”。所谓“实用论”，它典型的表达在实用哲学上，也就是认为能够有实践效果的学说就是真理。但这个东西为什么不成立？我们后面会讨论。

第四项是“公约论”，也就是任何意见，只要得到绝大多数的人公认，就算得真理。但实际上这是群氓哲学，因为真理历来掌握在少数人手里，“公约论”很容易批驳。

最后第五项叫作“直观论”，就是眼见为实之论。

这些我们都不用再讲，我们现在只讨论“符合论”意义上的真理。我前面一再讲过，我们的感知不是求真的，在我们接受外部信息的一瞬间，我们就必须在感官上把外部信息扭曲。把光量子感受为明亮，把光波长感受为颜色，把振动波能量感受为或错觉为轰然作响的声音，等等，因此我们的感知本身绝不给我们提供真相。而我们在直感上面架构的思维逻辑——狭义逻辑，也不能纠正这个偏狭。它恰恰是在感性提供的扭曲素材建构之上，进一步经过先验主观思维格律的再次整顿，因此它一定是扭曲之上的再一次简约化扭曲。

因此，从感知模型上讲，我们不可能获得真理。大家要注意，“真”和“理”这两个字本身就放不到一起。所谓“真”，一定是你的感觉、你的逻辑，也就是你的“理”，没有施加在上面的那个本真。所谓“理”，就是你的感知属性覆盖在上面，对本真加以扭曲才获得信息并形成逻辑理脉。所以有“真”就无“理”，有“理”就无“真”，“真理”这个词不成立！这就像“客观”这个词不成立一样，你要“观”它，就一定不是“客”，它一旦是

"客"，就一定不被你"观"，所以这个词汇本身就不成立。因此大家要注意，我们所谓的"真理"这个观念，应该从我们的知识体系或认知体系中剔除。

那么我们下面接着处理一个问题，这就是检验真理的标准。

大家都很熟悉，在中国有一句很著名的话："实践是检验真理的唯一标准。"这就是实用论哲学或者实践论哲学必然导出的结论。但是，实践究竟能不能检验真理，这是一个需要琢磨的问题。因为我们发现，在真正的西方哲学中，我们见不到这样的表述。斯宾诺莎和黑格尔曾经有过一个关于真理尺度的表述，他们这样说："真理的尺度就是真理本身。"这句话相当于说"真理就是真理"！这是一个重言式陈述，是一个同语反复，谓语所给丝毫不比主语所问要多出来什么，所以这应该是一个无效的回答。

但为什么作为哲学家的他们，会给出这样一个同语反复的表述？是因为实践不能检验真理！

我在这里只是探讨纯哲学问题，我们不涉及政治问题。中国当年提出实践是检验真理的标准，是由于邓小平改革遇到障碍，不得不用这样一个哲学方式，寻求对既往理论框架和政治格局的突破与变革。这跟我今天要讨论的问题没有任何关系，我讨论这一问题也不针对那个政治争论，我们现在只就纯学术、纯哲学方面略加探询。

大家想想，真理能否被实践检验？为什么斯宾诺莎和黑格尔要说，真理的尺度就是真理本身？我仍然拿蝙蝠做例子，蝙蝠作为一个跟我们人类感知模式完全不同的物种，它以超声回波的雷达反应方式捕捉外物，捕捉对象。而我们人类主体80%的信息量来自于视觉，也就是我们以感光方式建立世界表象。如果我们和蝙蝠处于同一个山洞中，仅因为我们各自的感知模式不一样，这个山洞给蝙蝠和我们人类提供的表象，一定是不同的。那么实践能检验出谁对谁错吗？要知道蝙蝠的感知模型及其感知表象，在实践中是非常有效的。它可以在一个蚊虫高速飞行的状态下，自身也高速运动，然后通过雷达式的超声回波，准确地捕捉这只小昆虫，其准确程度不亚于我们人类射出一颗导弹，打下一架飞机。如果实践检验有效则为真理，那么蝙蝠有真理，可蝙蝠的真理跟我们人类的世界图景完全不同，而我们人类用视觉建立起来的表象，行为也同样有效，那么哪个是真理呢？可见实践不能检验真理！或者说，实践不能检验感知！

因为一切实践和一切活动，都是在一个感知平台上被给定、被塑型的，谓之“感知平台上的不自觉‘认真’”。也就是你根本不自觉地认其为“真”，根本意识不到竟然还有必要对感知前后或感知本身去分辨真伪，此乃一种完全被蒙蔽的正常态。换言之，你不会自觉到你的感知是“失真”的。如果不经过反思，那么你不会觉察到自己的感官与思维实际上都是对于对象的扭曲。说到底，我们的一切行为、一切实践，全是在不自觉认“真”的“非真感知平台”上进行的，于是你的实践行为和你的感知方式之间一定是天然匹配的，因此，实践是不可能检验真理的。我想这个逻辑关系应该非常清楚，一言以蔽之：实践检验真理无效！

但是，我们会发现一个很明显的现象，就是当一个学说，在广义逻辑上自洽，具有实践指导意义，且反复证明其有效的时候，反而恰恰是这个真理即将破溃的表征。也就是说，实践不但不能检验真理,反而只能检验真理的破溃！我还举“地心说”的例子，数千年的西方农业文明，都建立在地心说之上，甚至中国的“盖天说”，都曾有效地指导中国的农业文明。视觉上看，太阳分明绕着地球转，在实践和经验操作的层面上，你怎样检验，它都是对的，都是正确无误的，而且铁证如山。可是当你反复检验它没有问题的时候，意味着它行将破溃了。

我另举一个例子，亚里士多德在古希腊时代就对“自由落体”这个问题做过探讨。他按照常识，按照实践的方式证明，一个重的物体和一个轻的物体同时坠落，重的物体一定先落地。这个观点如果你实际操作，是绝不会错的。你拿一块石头，拿一片纸，同时抛下，石头一定先落地，在实践上反复检验绝不会出错。这个东西怎么突破的呢？伽利略居然是用一个纯粹的理想逻辑实验，就把它推翻了。大家知道伽利略的这个逻辑实验，叫作“归谬法”。他在纯逻辑上推导，倘若重的东西下落速度快，而轻的东西下落速度慢，那么把轻重两个东西捆绑在一起，会出现什么局面？从道理上讲，轻重两个东西绑在一起，重量更大，应该下落速度更快；但从另一面讲，轻的东西下落速度慢，如果把轻重两个东西绑在一起，轻的东西就会拖累重的东西，使之减速。因此在逻辑上，两者相互矛盾，不能自洽。由此伽利略仅在纯逻辑设想中就已经确定，轻重东西的下落速度必定是一样的！他随后只做了一番斜坡实验，就把这个问题处理完了。他根本用不着跑到比萨斜塔上，抛下大小两个铁球，这件事情在科学史上根本就不存在，完全是杜撰，是一个传奇故事。它说明什么？一个在经验上和实践中反复检验没有问题的“真理”，其实隐含着行将破溃的预兆。所以，实践非但不能检验真理，反而只能检验真理的破溃！这是我们在纯哲学上讨论这个问题所能得出的唯一结论。

“真理”的动势

下面讨论一下真理的趋势。我们在一般情况下总会说这样一句话：人类在认识的长河中是逐步从相对真理逼近于绝对真理的。也就是说,我们的感知是越来越逼真的。这在日常经验上，或者一般思想史讲述上，几乎是一个常识。我们会发现越高级的理论似乎越准确，越能够纠正此前的失误。因此无论在常识上、直感上抑或学术上，普遍认为人类的认知发展趋势是日益奔向真理而去的。

可是大家注意，如果我前面之所讲能够得到确证，就是我们的感知不是真空的孔道，我们的感知是凭借自己的主观感知属性，去捕捉客体的对应可感属性，由以耦合而成其扭曲表象或失真之知。如果这个说法成立，则无论感知或感应处于哪个阶段，情形都不会改善。即便是在物理感应那个阶段，电子感应质子也是靠它的负电荷属性，而不是一无所凭；即使在酸碱分子阶段，酸感知碱也不是靠真空，而是靠它的酸根感应分子的碱基。因此，你不可能用自身的虚无去感受对方，你的感知过程是借用自己的主观属性（简称“主观性”），或叫主观感应属性，或叫代偿增益的感知属性，去捕捉对象的对应可感属性。比如你的眼睛只是感光器官，也就是只具有主观感光属性，于是你只能感受外部物体的对应发光或反光属性。这在物理学上、在感官生理学上，都可以清楚地验证。那么，如果我们的感知是通过自己的主观感知属性捕捉信息和处理信息，叫作先验感知形式或先验感知规定，又何来“客观认知”或“客观真理”呢？

而且，我们会发现，在物演进程乃至生物进化过程中，你的知识增量是通过你的感知属性增益而达成的。比如电子的感应属性极为单薄，只有负电荷，于是它所采集的信息量也就极低，只有正电荷或电中性；分子的感应属性也很微弱，于是它只能拿酸根去感应碱基，结果感应成盐；到扁形动物，它只有视觉；到脊椎动物，它产生了五官和低级中枢……也就是说，我们会发现在物演的进程中，感应属性及其增益而成的感知属性是不断膨胀的，你之所以处理的信息量越来越大，前提条件是你的主观感知属性在增大。如果这一点成立，那么从逻辑关系上讲，你的感知量越大，你处理的信息量越大，你的知识形态越先进，则一定是由于附加在你的感知中的主观要素越多，感知耦合越变态，也就是感知扭曲度越大。

是不是这样呢？在逻辑上我们只能得出这个结论。依此推导，感应或感知发展过程一定是一个“符合论”意义上的认识逼真性越来越低的进程，或者用我在《物演通论》第二卷“精神哲学论”中的表述，叫作“信息量增大而含真量递减”。因为你的信息量越大，一定标志着你的主观感知属性量越大，耦合和扭曲对象的成分越多。因此，我们的感知一定不是越来越逼近于本真，而一定反而是越来越远离于本真。这在逻辑上是自洽的，是前后通融的。它跟一个什么现象匹配呢？跟我们人类的知识有效度亦即知识被证伪的速度越来越快相匹配。

大家知道我们的知识越发展，它被证明是错了的速度就越快。今天信息时代，有人说每10年知识就翻新一遍。这话什么意思？10年以前的知识全错！这说明越高级的知识模型、思想模型、理论模型，其实含真量越低，因此动荡度越高。这和我前面讲越原始的感应层级越稳定，越高级的感知层级越飘摇完全是一致的。

所以，我们从纯哲学和纯理性的角度，如果要推导真理的发展方式和发展趋势，就会发现我们的感知进程是越来越茫然化的，或者感知失真率是趋向于不断增高的。这从精神层面以及认识论角度，再度表达着人类文明进程的危机化趋势。

我们下面讨论另一个问题，什么叫作“正确”？因为既然我们的知识与真理无缘，也就是我们的任何知识学说，包括科学体系都不含有真理判断，那么我们怎样检验一个思想模型、一个学说、一个理论是“适当”或者叫作“正确”呢？我不知道用哪一个词更精准，因为我们日常使用的词是“正确”，也许用“适当”、“适宜”这些词更好。它的内涵跟它是不是真理无关，而跟你的存在度与代偿度是否匹配相关，或者换成书面语：你的代偿增补量是否可以达至存在度递失量的存在阈满足值。我们把这个东西叫作“有效代偿之知”或“感知的有效代偿态”。总之，还是那句话：一切知识和一切感知不为求真，只为求实或求存。存之动荡，知亦飘摇；知之飘摇，存亦动荡；二者互为表里。

那么我们用什么东西来判断它“适当”或者“正确”？我在哲学上设定了三项指标，谓之“逻辑三洽”。请注意，当我讲这个部分的时候，你应回想我开课时就说“证明，仅指逻辑证明”这句话的含义。

一个学说、一个思想模型“适当”和“正确”的第一指标是“自洽”。它分两个层面来讲：第一，狭义逻辑自洽。也就是在你的理性逻辑上，你的理论和学说在经历逻辑证明的过程中不发生自相矛盾。比如我刚才讲到的伽利略归谬法，指出亚里士多德的自由落体常识在狭义逻辑上不能自洽，因此将其颠覆。第二，广义逻辑自洽。就是不但在理论层面、理性层面不发生矛盾，而且要和整个感知通道，即知性逻辑和感性逻辑相匹配。我刚才讲到阿利斯塔克的“日心论”不获承认，就是因为广义逻辑不能自洽，在感性层面上、基础逻辑层面上不能与“地动说”相容，于是尽管它实际上是不错的，但是它在当年不表达为“正确”，不被接受。这叫逻辑自洽。

第二项指标，“他洽”。所谓“他洽”，就是对于当前尚且未予否证的其他学说，不能与之发生矛盾，除非有足够的证据推翻它。我举个例子，我前面讲唯物反映论不成立。因为如果唯物反映论成立，那么如今的物理学、光学、波长与色觉的关系以及感官生理学等都必须被颠覆。也许这些东西将来看有可能是错的，但如果你眼下无能否证它，那么你的学说就必须与之匹配，这叫他洽。

我再举个例子，爱因斯坦的学说问世，不能完全否证牛顿学说在宏观领域的适当和正确，因此爱因斯坦在狭义相对论建立起来以后，他必须接着研究广义相对论，也就是他必须处理引力和时空弯曲理论的匹配关系。他把这个问题解决好，相对论才成立。另一个例子是关于牛顿的学说。我前面讲，把牛顿力学用在天王星和海王星上非常精确，可是用这个理论系统计算水星进动现象，怎么算都算不准。水星是距离太阳最近的一颗行星，由于水星有自转运动，由此引起的旋进动势会带来水星轨道的某种偏转，这叫“水星进动”。也就是水星进动在百年周期内会发生1度33分20秒的一个进动角动量。可是用牛顿的引力学说和经典力学来计算，总有43.11秒之差存在，始终找不见精确对应值。于是有学者按照当年研究天王星与海王星的方式，说在水星附近一定还有某个尚未发现的小行星，干扰了水星的运动，可无论怎样都找不到。这个问题直到爱因斯坦相对论出现，用爱因斯坦相对论计算“水星进动”居然分毫不差，非常准确。它说明什么？说明牛顿经典力学只不过是爱因斯坦相对论的近似值，也就是爱因斯坦相对论对牛顿力学的“覆盖和他洽”完全实现，于是爱因斯坦相对论成立。

第三项指标，“续洽”。所谓“续洽”，特指接纳和涵容新增信息量的状态。也就是对于新出现的信息增量，它比原有的逻辑模型要能够更好地加以容纳。大家在这里要注意一点，哲学和科学上的理论思想模型是非常严格的，精确到不允许随便调整的程度。而且它必须具有普解性，也就是它所对应的相关问题不能出现任何反例。如果出现任一反例，你的学说即宣告崩溃，此时你不能用调整自己学说的方式去处理与对象失洽的问题。倘若我们动不动就微调自己的理论模型，然后说它放之四海而皆准，这种做法是非常荒唐的。所以，哲科思想模型是非常严格的，到科学精确阶段还更为严格，这就是科学的可爱之处。它要接受严格的检验，经得起不断的批判和冲击。那么当信息量增大的时候，原有的模型必须继续保持精确格局，而且要能够容纳这些信息量，这个模型才会表达为“继续适当”或“继续正确”，否则它立即崩溃，这叫续洽。

比如我前面讲牛顿的学说，它在宏观领域用引力解释所有问题有效，可它无法处理19世纪以后出现的微观世界运动。这个新增信息量和新现象，它完全无法处理，于是牛顿学说随即退化为“背景参考”。大家要知道牛顿学说是有很多问题的，我在这里举一个例子：牛顿当年讲引力是所有力的源泉，可是引力，比如太阳对行星、对地球的吸引，这个力是通过什么传导的？是通过什么媒介传递的？这个超距作用怎样实现？牛顿无法回答。因此，牛顿按当年的说法，假定所谓的宇宙真空中充满着一种物质叫“以太”，他说是以太充作了引力的传递媒介。可是以太未能找见，所以牛顿曾经留有一段话，说他自己的学说可能是十分荒谬的。显然牛顿当年就意识到这个问题，如果找不见以太，引力学说有严重缺陷。科学家想尽办法就是找不见以太，我们今天知道真空不存在，因为所谓真空里面也含着大量的能量波，所谓“真空”之境，其实是一个能量波动的海洋，但它不是以太。物理学界和科学界始终找不见“以太”，因此牛顿学说底层有一个重大的漏洞得不到弥补，以至于牛顿本人惶惶不安。

直到爱因斯坦学说出现，证明引力其实不过是空间曲率的一个呈现方式，只要调整时空关系，根本不需要以太这个东西，以太完全是一个多余的概念，从此物理学界不必再探求以太是否存在。我们由此可以看出，新信息、新现象的发生，原有模型不能容纳，不能与之续洽，是一个多么狼狈的局面。这是“正确”的又一项重要指标。

我再举例子，看达尔文学说，他讲越高级的物种其适应能力越强，越具有生存优势，叫“最适者生存”（survival of the fittest）。这是达尔文的原话。可是达尔文本人当年没有发现一个现象，就是越高级的物种，也就是适应能力越强的物种，灭绝速度反而越快，这跟达尔文“适者生存”的研究结论完全不匹配。而且，我们过去认为，人类越进步、越发展，一定越具有生存优势。从20世纪60年代以后，人们突然发现，我们越发展，进步程度越高，反而危机越深重，人类面临越来越重大的整体生存危机，这跟既往的进化论、进步论完全不能相容。这些新信息、新现象的出现，使得原有的生物进化论模型和人文进步论模型发生失洽，于是才有了我的“递弱代偿原理”，它既能解释“进化适应现象”究竟是怎么回事——适应能力变强是“代偿增益”的表达，又能有效解释物种越进化死灭速度越快的内在原因，还能有效解释人类文明越发展危机程度越高的这个新现象，因此我的学说符合逻辑三洽。

我在这里只想说明一点，什么叫理论的“正确”？什么叫“非真逻辑模型的适当”？它必须符合逻辑三洽！大家要注意，“适当”或“正确”只是为了回答“感知非真”这个话题，这在我们人类的文明史上其实有各种各样非常生动的表现。我给大家再举个例子，早在公元前3世纪，古希腊出现了一个哲学家，此人名叫埃拉托色尼，他竟然在2200多年前就已经相当精确的测算了地球的圆周，也就是地球的最大周长。大家知道地球圆周有两个数字，一个是赤道圆周 40076公里，一个是子午线圆周，也就是径向圆周 40004公里，这是今天的精确测量值。公元前3世纪，埃拉托色尼在尼罗河偏上游一个叫阿斯旺的地方，也就是埃及南部，于春分时节竖一个标杆测量日影线。大家知道春分和秋分这两个时令，是太阳直射点刚好落在赤道的那一刻。埃拉托色尼于春分时节在阿斯旺立一个标杆，并派他的同事在尼罗河下游埃及北部的亚历山大里亚城设一个标杆，同时测量日影长度。由于阿斯旺贴近赤道，而亚历山大里亚城远离赤道，两地在正午时分测量的日影长度不同。把这个日影长度差测算出来，然后进行精密的数学计算，埃拉托色尼当时竟然非常准确地算出了地球的圆周长将近4万公里，跟今天的数值差距极小。

要知道，托勒密当年在他建立的地心说模型中，也曾经给出了地球的圆周长，但却是一个误差巨大的数值，计算结果是18000希腊里。一个希腊里相当于0.1517公里，请你乘一下，0.1517乘以18000是多少？地球圆周居然只有几千公里，这是一个严重的错误。可是，当年托勒密的地心说在总体上广义逻辑通洽。

1492年，哥伦布做出了一个荒诞的决定。他依据托勒密的地心说，知道地球是一个球体。那么既然地球是一个球体，从欧洲去东方印度就用不着朝东走，完全可以朝西走，南辕北辙也可以到达。而且，如果朝东走，从西欧要到达印度得顺着非洲西海岸南下，然后绕过风浪极大的好望角，再进入印度洋，走一个非常曲折的漫漫长途才能抵达印度，路途遥远，海况条件又十分复杂。哥伦布设想，我朝西走，只需越过大西洋，就应该能够到达印度，而且距离更短，因为托勒密计量的地球非常之小。哥伦布据此算了一下，显然要比前人绕过好望角的经历近得多。如果哥伦布当年知道埃拉托色尼的那个正确计算，想必会被吓坏，断然不敢如此远航。大家知道他只有3条吨位很小的木船，随行成员87人，居然走了70天。他原来预计应该十几天就到达，可是死活到不了，全船人员一片悲观，由于淡水、食料等必需物资预备不足，几乎陷入绝境。哥伦布最后要求再坚持片刻，终于发现哥斯达黎加群岛海岸。这个极端的冒险导致新大陆被发现。哥伦布根本不知道他登上了新大陆，直到临死前，他都认为他到了印度，因此他把当地土著人叫印度人，这就是“印第安人”（Indian）这个称呼的来源。

我在这里想说什么？想进一步阐明什么是“正确”。那个时代的错误才可谓“正确”！假如埃拉托色尼的测算结果在当时被哥伦布所了解，或者，假如哥伦布当时知道托勒密的计算是错误的，这一场重大的启动西方蓝色文明的事件将会延宕甚至消失。它说明“正确”不是求真，“正确”甚至是一种谬误在恰当时段的表达，“正确”只不过是与生存形势的相互匹配，或者毋宁说是维系生存的代偿满足状态，这个东西叫作“正确”。这就是一切感知的衍存适配关系或生存维护效应。

“科学”的内质

我们下面讨论最后一个问题——什么是科学？以这个问题作为本节课的收尾篇章。

今天是科学时代，所有人都会认为自己对“科学是什么”非常了解。可实际上我前面一再讲，哲学乃科学之母，如果你不对哲学的根基，也就是科学的底蕴有真正的了解，你其实根本不知道科学是什么。我们通常意义上所说的科学，是指在经验上可以达成实证的那个东西。从经验、从客观出发达成理论，然后再由经验和实践验证，因此科学也叫实证科学，或者在哲学上叫实证主义。

但是即使在盛产科学和哲学的西方，“科学是什么”其实也一直找不见定义。直到上个世纪，西方出现一位专门研究科学的哲学家，此人名字叫卡尔·波普尔，这门哲学叫“科学哲学”。卡尔·波普尔第一次给科学下了一个定义，语惊四座，简称“证伪主义”。什么意思呢？“证伪”这个词是“证明”的反义词，所谓“证伪主义”，就是凡是能够证明是错了的学问才叫科学。

我再重复一遍，波普尔讲，“科学”乃是“能够被证伪的学问”之称谓。这跟我们通常意义上所理解的“科学是真理，至少是相对真理，而且无疑是客观规律”完全相反。请大家听懂我前面的课，我们人类所有的知识，只不过是一个先验封闭感知模型，我们所说的规律永远都是主观规律，怎么会是客观规律呢？波普尔做出论述，他说科学绝不是实证有效就叫科学。他说你先看一下非科学，比如神学或哲学，你是很难证伪它的。请问，有谁能够证明上帝存在，或者证伪上帝存在呢？你既不能证明上帝存在，你也不能予以证伪，说上帝不存在，由于它不能被证伪，因此它是非科学。而给你带来“神学证明感”的，无非是信神的人用种种幻觉般的证据来证明上帝存在，比如他甚至能看见神迹，能体验天启，这倒是经得起实证的，但你就是不能证伪它，因此它不是科学。

再看哲学，它一般也很难被证伪。比如你能证明唯物主义错了吗？或者你能证明唯心主义错了吗？你无法证伪它！因为你拿出来的证据本身正是你应该予以证明的对象。如果你持有唯物主义观念，那么你拿出来的任何一个证据都有效；反过来，如果你持有唯心主义理念，你拿出来的任何一个证据也同样有效，譬如足可证明任何对象都是观念的派生。总之，你所提供的证据正是需要你证明的东西，因此其实统统无效。你既不能确定地证明，你也根本无法证伪，因此它仍然不算科学。

可是纵观科学史，但凡是科学理论，最终证明都是错的。卡尔·波普尔为此专门引述了科学史的发展过程，我用他的方式做一个转述，当然不完全准确。托勒密可算是人类历史上第一个严谨的科学家，他建立的地心说模型精确而有效，指导西方农业文明持续1400年以上，它被反复证明正确而有效，结果今天完全沦为科学史上的笑谈。

再看哥白尼的日心说，要知道它最初纯粹是一个猜想模型。哥白尼所在的16世纪，文艺复兴已然发起，古希腊文献已经被翻译。哥白尼作为一个教士，年轻的时候曾经到意大利旅行和留学，意大利当时尚未统一，分裂为各个城邦共和国，比如威尼斯共和国、佛罗伦萨共和国、米兰共和国等等，那个碎片化的政治结构构成当时文艺复兴的社会摇篮。哥白尼在意大利接触到了托勒密的地心说学说体系及其数学模型，经过仔细研究，发现托勒密的学说有诸多破绽，而且计算过于复杂，天轮设计重叠累赘。他设想——他仅仅是假设或猜想，因为他没有任何证据——如果把太阳放在中间，让地球和所有星辰都围绕太阳运转，那么托勒密的整个天文数学体系可以明显给以简化，而且原有的逻辑模型系统中不够缜密的诸多破绽也很容易得到弥补，于是建立日心说。

大家要知道，哥白尼当年建立日心说是没有任何证据的，几乎和我前面提到的阿利斯塔克在古希腊时代建立日心说所面临的尴尬局面相似。这就是为什么哥白尼直到临死以前，作为波兰人的他，著作都出版不了。他最终委托一位朋友，到当年分裂成数百个小邦国的德意志（当时德意志还只是一个地理名词，根本不能算是一个统一的国家政体），在那个地方找了一个机会偷偷出版了。据说哥白尼临死以前看到了他的著作样书，欣然瞑目。哥白尼死后五十年，布鲁诺支持他的学说，被宗教裁判所烧死在太阳广场，万民欢呼。哥白尼死后七八十年，伽利略晚年发表了隐约支持哥白尼日心说的意见，被宗教裁判所判为软禁，而当时的学界一片宁静，几乎毫无抗议之声。为什么？因为哥白尼的学说没有任何得力证据。直到哥白尼死后近百年，由于望远镜的发展，从伽利略首先发现金星盈亏，随后又有光行差和恒星视差的理论建树，哥白尼的学说才得到确证。

我讲这一段典故，是为了让大家理解科学是什么，它是先建立一个思想模型的猜想结构，而不是实践出真知。哥白尼的学说问世以后，仅过二三百年就证明其学说主体基本上都错了。要知道哥白尼当时认为太阳是宇宙的中心，我们今天知道太阳连银河系的中心都不是；哥白尼认为所有行星围绕太阳运行的轨道都是正圆形，我们今天知道没有正圆形轨道，所有的行星轨道都是椭圆形。哥白尼的学说在数百年后就显现出重大纰漏，总体上是错的，只在太阳系以内部分成立。

我们再看牛顿。我前面讲过牛顿经典力学出现，当年可以精确预测尚未观察到的行星，可是理论上的这个“正确”居然只维持了200余年，就被爱因斯坦的相对论挤到后排座去了。因此，爱因斯坦宣布，他的学说只是一个“短命的过渡”。要知道爱因斯坦学说有一个前提条件和假设，光速是绝对速度，也就是宇宙中任何东西的运行速度不可能超过光速。诸如此类的很多问题迄今已面临重大挑战，这是科学界目前正在为超越爱因斯坦学说做出种种努力的原因。

那么我们现在再看，科学竟至于全都是错的，而且越错越快，也就是被证伪的速度越来越快。这标志着科学理论的含真量越来越低！这个含真量越来越低，证伪速度越来越快，且反复被证明是不断出错的学术系统，才叫“科学”。这跟我们通常所认为的科学是客观真理、是客观规律完全是不同的认知。

波普尔接着讲，他说一般人认为，人类的知识模型是建立在“从观察到理论”这样一个过程之中。可事实上，科学恰恰相反，它是“从理论到观察”，它是“猜测与反驳”。即先建立理论模型，然后才在实验室里或者在实际观察中逐一求证。所以，科学行为是典型的哲学纯逻辑思脉的延续。波普尔把它表述为“问题（P1）——试探性理论（TT）——消除错误（EE）——新的问题（P2）”，也就是启动于问题的提出；接着进行试探性理论建构或曰思想模型建构；然后着力消除错误；最终因出现新问题而被颠覆。他把这个思维序列所达成的认知成果叫作科学，这是迄今为止我们见到的最好的一个，或者相对来说最好的一个关于科学的定义。

我讲这一点，是想打破大家对科学的迷信。我们中国人今天处在崇信“科学教”的状态之中，这是因为我们对科学本身跟哲学的关系以及对人类感知的底层结构缺乏了解的表现。这里的问题在于，究竟是（客观）事实引导逻辑，还是（先验）逻辑引导事实？有人说这是“先有鸡还是先有蛋”的无谓纠缠，我看未必如斯。

波普尔把世界分成三层，他所谓的“世界一”，就是我们所说的客观物质世界；“世界二”指我们的精神层面和感知状态；“世界三”就是我们的思想内容与知识体系。这里的关键问题在于“世界二”的部分，也就是你的感知规定、意识状态、思想模型，你得琢磨清楚，否则你就永远搞不明白“世界一”与“世界三”之间的关系。

波普尔对科学的这个定义当然并不圆满。我们暂且搁置这个话题，把它放在本课的最后面再行讨论。

我们现在简单看一下科学与技术的分野。我在第一天讲课的时候就曾强调，中国文化叫技艺文化——技术和艺术文化形态；西方文化叫哲科思维——哲学和科学思维方式；这两者是完全不同的。须知技术和科学是两码事，直到近代科学时代以后，基础科学和应用科学最终结合为或者发展为一个庞大的混响体系，我们才把“科学”与“技术”可以统合起来讨论。在中古时代以前，科学和技术完全是两个思想通道，技术是实践在前，然后找一个理论把它贯通起来；哲学和科学相反，是思想建模在前，然后才开设一个实验室用实践经验来检验，所以科学与技术是截然不同的思维方式，请各位务必分得清楚。

比较一下科学与技术的区别：技术是硬态操作试错法，科学是软态逻辑试错法。因为技术是面临一个对象或问题，反复不断地在实操行为层面上试错，由此达成技术成果。比如中国的四大发明，指南针不是理论建模在前，那个时候的中国人，并不知道地球磁极对恒磁铁所造成的影响，他们只是偶然发现把恒磁铁悬浮起来，它总是指向南北两端，这完全是一个经验产物；火药，是炼金术士们为了炼就长生不老丹，往炉子里盲目地尝试加入各种东西，然后发生意外爆炸的产物；造纸术和活字印刷，是工匠们在日常生产活动中的发明，它们都跟建立理论逻辑模型完全不是一个行为序列，这叫技术。因此在古代，当人类尚未进入科学时代以前，基于人口数量庞大和社会需求复杂，中国成为技术大国，在技术领域发展超前，但是到科学时代它却不免快速衰落，为什么？因为科学是软态逻辑试错法，它先在思想模型即科学逻辑上达成一个结果，用演绎法可以扫平相关所有各方面的试错效果。因此科学使技术加速化，前者（科学逻辑）使技术扩大化，后者（软态试错）使技术加速化，因为软态逻辑实验当然要比硬态对象试错来得方便得多；同时科学使技术精细化，因为思想建模是精密逻辑的体现，因此能够达成缜密推演式的技术发展；科学又使技术系统化，也就是从内涵到外延都表现出广泛联系状态。这就使得近代以降，一个荒蛮的、刚刚脱离黑暗中世纪的西方，自科学时代来临之际快速在世界上崛起。

所以大家一定要明白，科学和技术是两码事，科学时代奠基在上千年哲学锤炼的基础之上。在科学史上一直存在一种现象，可谓之“逻辑比事实更真实”。我一说这话，有人就会说，这是狂妄的唯心主义叫嚣，我见到网上这样批判我。请大家注意这句话在哲学和科学上的含义。我前面一再讲，我们的所有观念,只不过是先验感知形式的产物。我们的感知是有规定性的，我们的知识源自于我们对外部对象施以加工处理的主观过程。这就是为什么维特根斯坦在他的《逻辑哲学论》中开篇就讲一句话，他说：“世界是事实的总和，而不是事物的总和。”什么意思？就是我们人类所说的世界，是逻辑事实的总和，而不是客观事物的总和。因为我们所说的任何“事物”，实际上早已是我们感知模型中的“事实”再现罢了。

黑格尔说过一句名言：“凡是现实的都是合乎理性的，凡是合乎理性的都是现实的。”大家注意这句话曾经不是这样的完整表述方式。我们平日所讲的，或者在课堂上听到的，通常是这样的说法：“凡是现存的都是合理的，凡是合理的都是现存的。”这很容易造成误解，因为我们所说的“合理”是一个很宽泛的概念。注意黑格尔的原话：“凡是现实的都是合乎理性的，凡是合乎理性的都是现实的。”什么意思？我们所谓的“现实”，都是“逻辑模型上的现实”，或是“经过理性整顿的现实”，这叫“凡是‘现实’的都是合乎‘理性’的”。

我这样讲大家可能还没听明白，我再举一个例子。16世纪丹麦出现一个著名天文学家，此人名叫第谷。第谷是当年望远镜没有发现之前最优秀、最杰出的天文学家，他用肉眼观察天象持续20年以上。丹麦皇室因为他的巨大贡献，专门在一个叫汶岛的地方，为他建立当时世界上最大的天文观象台。第谷这个人非常辛勤刻苦，他每天晚上严密地观测天象，把肉眼所能观察的数千颗星，包括行星运行的细微变化，全都做了详细的记录，他居然能够观察到行星运行轨道的8分差。大家注意，一圈

（圆周角）是360度，1度再分60分，1分再分60秒，他竟然能观察到0.13度的8分差，精确测绘行星运行轨道的如此细微之差别。可是由于第谷怀揣的是地心说的理念，他倒是想对地心说有所矫正，所以实际上第谷缔造了一个日心说与地心说的混合模型：所有行星都是围绕太阳运转的，然后太阳带着行星围绕地球旋转。他做了这样一个混合模型，但归根结底是地心说——地球不动，以免出现地动说的困境。由于他胸怀中蕴藏的是托勒密地心说的基本理念，他观察20年星象，自以为会在天文学上有重大建树，直到临死以前还哀叹"多么希望能有伟大的发现"，结果却终于落空。

第谷晚年收了一个关门弟子，就是开普勒。开普勒那时很年轻，20岁出头，做第谷的关门弟子仅一年多，第谷就逝世了。开普勒曾经接触过哥白尼的日心说理念，请注意仅仅是日心说理念，然后当他打开第谷的星象记录，随即明确发现第谷的观察可以有效证明哥白尼的日心说成立，只有行星的8分差问题没法解释。这个时候开普勒意识到，这8分差有可能表达着行星运行轨道不是正圆形，哥白尼出错了！可是他没有任何现成的数学模型可用。他偶然间在图书馆查索到公元前200多年阿波罗尼（也叫阿波罗尼奥斯）的《圆锥曲线论》。

我下面简单说一下阿波罗尼。阿波罗尼是古希腊著名哲学家、博物学家或者说科学家。阿波罗尼当年把圆锥体不同剖面的所有数学模型都做完了。大家知道，一个圆锥体，做平行切面是正圆形，做有倾角切面是椭圆形。阿波罗尼当年把圆锥曲线各种模型的数学方程全部研究完成，他根本不知道这个东西有什么用处。开普勒偶然发现了这篇文论，他把阿波罗尼的圆锥曲线中的椭圆数学模型直接抛在天空中，居然恰好就是行星的运行轨道。要知道行星的运行轨道在椭圆形模型内是很复杂的，因为从椭圆形中心看，行星椭圆形运行必有一个近日点和一个远日点，行星运行到近日点其速度加快，运行到远日点则速度减慢，单位时间中它所扫描的椭圆形扇形面积总是均等。这个怪异的数学模型，阿波罗尼当年证明完毕，根本不知道有什么用处，结果开普勒把这个数学模型直接扔在天上，恰好就是行星的运行轨道，分毫不错。这件事情让当代大哲怀特海惊呼："物质尚未出现，精神早已先行"，爱因斯坦也曾经为此发表评论，说"逻辑和思辨引导事实。"

好了，我讲完这个典故，请大家回想我前面援引黑格尔的那句话"凡是现实的都是合乎理性的，凡是合乎理性的都是现实的"，也就是"逻辑比事实更真实"。什么意思？我们所说的世界是我们的逻辑模型塑造体。我说到这儿，大家还应该回想一个东西——理念论。是理念为真，还是事实为真？我们一般人会认为事实在前，理念在后。错了！应该是理念在前，事实在后。你若抱着地心说的理念，就是第谷的天文事实，你若抱着哥白尼的日心说理念，就是开普勒的天文事实。开普勒因此被称为"天体立法者"，以表彰他能够精确计算任何行星运行的精确位置。这说明什么？——逻辑比事实更真实！它表达的是人类认知模型和我们所指谓的世界模型的对应关系。即使缔造一个逻辑模型的时候，还不知道它会在哪里落实为事实，它都终将实现为事实。我提请大家注意理解，这个系统叫"科学"，叫"知识体系"，叫"世界观"和"宇宙观模型"。

那么我下面得讨论一个问题，为什么所有的科学理论最终却要拿经验来检验，叫作实验观察。也就是最高端的精密逻辑模型，最终却要用最低端的眼见为实来检验，尽管眼见不为实，却要用它来检验，因此把科学也叫实证科学。我前面讲过，实证和证明是两回事。证明是指广义逻辑证明和狭义逻辑精密建模，实证仅指底层感性逻辑验证，所以这是两个概念。但问题是，既然逻辑比事实更真实，为什么要用低端感性逻辑检验它？请大家注意理解我前面反复讲过的两点：第一，人类的感知跟外部世界的沟通，是经由广义逻辑自洽这个通道实现的，因此如果你的理论在高端狭义逻辑上达成，但在广义逻辑的底层未能验证，则表明整个广义逻辑通道还没有打通。第二，越原始、越底层的东西，越具有奠基性、决定性和稳定性。就是这个递弱代偿原理的规定，使得任何高端逻辑精密模型最终却必须借助最粗疏的底层感性实验观察来验证，这就是“科学”在表面上呈现出悖反形态的原因。

所以，我们可以讲“逻辑比事实更真实”，但你不能讲“逻辑比事实更可靠”。这里的逻辑指狭义逻辑，就是你不能讲理性比感性更可靠，因为越低端的东西越具有稳定性。大家要理解这段话，须得贯通我的整个讲课内容才行。

知识创新的逻辑路径

那么我们下面再讨论一个问题：波普尔给科学作出的“证伪主义”定义，对不对呢？粗略一看似乎成立，但其实不对。为什么不对？因为如果不限于科学视野，如果我们把认知现象的边界扩大，也就是拉大尺度重审认知发生史，则情形立即为之一变。我们会发现一个现象：越原始的认知，越难以被证伪；越高端的认知，证伪速度越快。这跟科学无关，从神学、哲学到科学，全系列都是如此。

你不能说神学不可被证伪，它只是很难被证伪，稳定度极高。你也不能说此前的哲学不能被证伪，同样只是证伪难度偏高。比如你读一下我的《物演通论》。我说神是可以被证伪的，因为神的代偿量太大，属性和能力太高，谓之“全知、全能、全善”，因此他不可能在我们的前端，更不可能是宇宙万物的创世起点，他只会在我们的身后。所以赫拉利《未来简史》这本书的原名叫《从智人到神人》，堪称表述精当。同样地，哲学上过去的定论也不是不能被证伪，比如唯物主义、唯心主义、不可知论等。听懂我前面的课，就知道它们是可以被证伪的，它们不能在广义逻辑上通洽的，也未能做到他洽。只是哲学的证伪比科学的证伪更难，需要更多的信息量，需要大于一般科学的信息量，仅此而已。

而且我们还可以把尺度再拉大。我前面已经讲过，感应比感性稳定，感性比知性稳定，知性又比理性稳定，即使在无机物以及动物阶段都是如此。倘若我们把整个认知发生史，也就是把感应属性增益的物演全程拉开，不要只局限于人类认知史，则会发现越低级、越原始的认知方式一定越稳固。比如电子和质子之间的电磁感应，肯定是最稳定的，比在感性上看所有的植物或树叶的那段光波长呈现为绿色还要稳定。因此，证伪主义在大尺度上表现为一切认知成果越高端则越飘摇的自然总趋势。

如果是这样，证伪主义就不仅仅是科学阶段的定义，而是整个认知史的定义。因此把证伪主义作为科学的定义不成立，是不是这样？因为“定义”，是指你所讨论的概念其内涵与外延之“明确边界”被框定。所以波普尔的证伪主义不能只作为科学的定义，倒是可以作为一切认知史的“失稳趋势”的表达。由于波普尔对基本哲学问题的探求深度不够，因此他当年已经发现科学的正确率在下降，按理说，顺着这个逻辑推演，他应该得出人类的认知含真量是越来越低的、越来越远离本真的结论。可他最终仍然旧调重弹，说科学的发展过程是越来越逼近于真理的，从而造成重大的逻辑混乱。

我下面给出一个也不能算是精确的“科学”定义。它没有出现在我的书中，因为我在书中不敢轻言，因为它不够精确，也不够精炼，我只在讲课中给以粗略陈述。“科学”是什么？第一，是逻辑模型。理论上呈现为狭义逻辑模型，也就是哲学逻辑游戏的延展产物，总体上呈现为广义逻辑模型，也就是所谓的实证科学。第二，是分科之学。由于其高度抽象化和缜密精确化，因此可以接纳不断扩容的更大信息量，即当信息量扩充到一定程度，单凭任何个人的精力无法整顿其全部信息之总和，于是人类不得不以分工的方式，分科研究这个逻辑知识系统的各个支脉，是为分科之学。第三，是高度动荡的认知阶段。由于是人类知识的高端集成，达到理性逻辑的高级阶段，因此是迄今为止最失稳的自然感应模型。这就是波普尔所说的凡是能够证明是错了的学问就叫科学的原因。简言之，逻辑模型表达科学非真；分科之学表达科学残化；动荡状态表达科学危局。它的基本特征可用三点加以概括：逻辑模型在先；精确缜密形态；高度可证伪性；这个知识系统叫作“科学”。

我姑且用这样最简略的方式把科学做一个基本总结。由于科学只是一个具体人文现象，故而不在我终极研究的探讨范围。但是我的《物演通论》之精神哲学第二卷，讨论了整个感应属性或认知进程是怎样代偿展开的，其中当然包含着对科学本质及其发展趋势的说明。我在这里只是做一个非精确的课堂概述。

下面我们讨论知识创新的逻辑路径。

你只有了解了科学知识以及人类的一切文化成果究竟是怎么回事，包括其思想运作形态，以及跟世界的对应关系，把这些东西搞清楚，你才有可能建立新知，你才有可能进行思想创新。因此当我们把哲学认识论的课程讲到这个地方，便可以就知识体系的创新方法说一点话，主要是指出它的逻辑路径。我下面用比较直观的方式讨论：

第一，切勿相信此前的任何科学理论是真理，反倒要确认它是距离真理最远的东西，正等待你来重塑它的泥胎金身。就是说你首先要确认科学不是真理，试想一下，如果你确认科学就是真理，面对既往的科学教条，你敬畏都来不及，还怎么敢去批判创新？所以请牢牢记住，不光是科学，人类的一切学问都跟真理无缘，这是创新的第一项最基本的背景意识要求。

第二，你不要指望自己能发现什么根基永固的真理。根基不固恰好说明你的发现属于科学范畴，而不属于伪科学的糟粕。因为科学是那个错得最快的东西。因此当你建立一个理论模型的时候，你不要指望建立一个永恒的、稳定的真理系统。不抱这个奢望，不立这么高的要求，创新才有可能成为一个现实目标。

第三，回避休谟问题。也就是说，归纳法不成立，不要一味搜集和归纳正在研究的课题素材。因为归纳法不能证明、只能证伪，因为可予归纳的素材永远无法穷尽。如果你不断地搜罗事实，不断地搜罗归纳要素，那么这将是一个无边无际的工作量。所以黑格尔说过一句名言："博学绝不是真理！"即任何一个好的理论，它跟博学没有关系，跟你搜集的事实总量没有关系。

请大家看科学史，人类最重大的科学发现多是出自年轻人。譬如开普勒，二三十岁成为天空立法者；再看牛顿，大学还没有毕业，由于黑死病流行不得不休学回家，二十多岁在家里初建平方反比定律。什么是"平方反比定律"？我再复述：引力与两个物体质量的乘积成正比，与两个物体距离的平方成反比。只不过牛顿当年没有想到，这是一个重大突破，他认为这是一个很平凡、很简单的现象，没当回事。直到四十岁左右，他在剑桥大学任教，有一次和一群学者喝酒喝高了，有一个名叫罗伯特·胡克的院士给牛顿讲，说我有一个重大发现——"平方反比定律"！牛顿说扯淡，这东西我二十多岁就知道了，这算什么重大发现。争辩者大为恼火，说有种你给我证明出来，牛顿为这场争论返回去写出了《自然哲学的数学原理》。这场酒不喝高，牛顿力学会消失。这当然只是一个坊间流传的故事，不必当真。我想讲什么？牛顿发现他的学说核心时只有二十多岁。

同样，爱因斯坦提出"狭义相对论"的时候，不到三十岁，是个典型的"民科"，在伯尔尼专利局当个小职员。狭义相对论的论文发表出来，几乎没有人能看懂。十年以后，爱因斯坦三十多岁，“广义相对论”也完成。此后，他下半辈子几十年想研究“统一场论”，把物理学上的四大作用力统一，最终失败。年龄成长了，知识增多了，什么也做不成了。什么意思？博学绝不是真理。二三十岁的开普勒，二十多岁的牛顿，二十多岁的爱因斯坦，他们比起当时的物理学老教授，知识量要差多少？五六十岁的大学物理学教授满处都是，车载斗量，可有几人缔造了全新的知识模型？所以记住博学绝不是真理，不要无边无际地搜索资料、归纳素材，那不叫研究，那种做法是对人类思想史完全缺乏了解的愚蠢表现。

第四，明察康德问题。也就是在基本逻辑前提下做演绎性假设与证明，即猜想与建模。想想我前面讲，哥白尼的理论建模是不需要先有事实的，它只需要富有勇气的严谨猜想，需要一个思虑周密的新理念之演绎。

第五，保持好奇心。这个话说起来很平凡，可大家一定要知道，它太难了。因为我前面讲过，一个人年长成熟的标志正是丢失好奇心。什么叫保持好奇心？——保持童心是也！因为只有儿童才会多有惊异，才会对万事万物产生好奇，才会不厌其烦地追问。一个人到了中年，不由自主地就会丧失好奇心，变成思想僵化、成见深重的载体。所以保持好奇心，说来简单，做来极难，它会让你显得有些幼稚，甚至有些怪诞。我记着我到四十多岁的时候，偶然碰见了一个十至二十年没见过的童年时代的邻居小朋友，这时他跟我都已经年过不惑了。我们坐在一起喝酒聊天，喝完酒他跟我说一句话，他说你这人都这么一把年纪了，怎么还是个青瓜蛋子，到现在还全然是学生心理，就没长熟嘛。可这个状态恰恰是我能做学问的优势所在。因此请各位记住，保持好奇心实际上就是阻滞精神生长或延缓精神老化，这在生物学上叫作“幼态持续”，难度颇高。

第六，发挥想象力。听明白什么含义，我们所说的世界永远是我们主观缔造的思想模型，不是客观世界的本真反映，因此具备想象力才具备知识创建力，这叫“异想天开”。大家想想，如果我们的感知是本真反映，你还有什么想象的余地？人类还需要思想干什么？思想的价值就在于我们得不到本真，我们必须永远用猜想去模拟或虚拟本真，感知过程就是层层虚拟过程。要知道VR虚拟技术绝不是今天突发的现象，宇宙认知史就是虚拟迭代史。想想电子对质子达成的那个电中性，是不是一个虚拟？想想酸根对碱基达成的那个盐的印象，是不是一个虚拟？想想你把光能量转化成视觉明亮，是不是一个虚拟？想想你把波长变成颜色或声音是不是一个虚拟？想想你建立的逻辑模型，只不过是打不开的那个宇宙表壳的模仿和猜想，是不是又一层虚拟？

宇宙认知史就是虚拟发展史，VR现象其实不过是虚拟迭代的当今形态而已。既然我们的一切知识都是虚拟，那么虚拟需要的是什么？当然首先是想象力！人类文明就是在这个异想天开的想象力系统上展开的，所以发挥和调动想象力在知识创新上至关重要。但是我有必要补充一句话：异想天开，保持想象虚构和假设建模能力，绝不意味着胡思乱想，它后面有一个严格的要求，那就是精密逻辑证明。如果你做不到后半段，前面的想象力纯属瞎扯，名曰“虚妄”！

第七，恪守严谨性。在学术和思想上最遭反感、最忌讳的就是缺失严谨，而严谨即指精密逻辑证明。

第八，只要在逻辑上成立，或者说只要逻辑自洽而圆融，一般就不用担心该假说得不到验证。那是后人的事业，你已大功告成。你只要建立了一个经过严谨证明的逻辑模型，它将来就是事实，即使在你的有生之年不能被验证。就像阿波罗尼提出圆锥曲线，要隔将近2000年才得到验证和落实，这尽管是阿波罗尼的遗憾，却是人类的收获。

上述八条，我称其为“知识创新的逻辑路径”。领悟它的前提条件在于，理解哲学思绪的整个系统，理解这两天课程所涉问题的精髓。

我们最后讨论一个问题，也算是整个西哲课的小结。大家听我这节课，很容易产生一个错觉，好像我高度赞赏西方哲科思维体系，而着意贬低中国技艺文化及其粗率逻辑体系。别搞错！我再说一遍，我不讲好与坏，只讲所以然。我只想告诉大家不同文明缔造的思维方式，是怎样发生的？是什么形态？以什么方式展开？以什么方式运行？以什么方式纵深？最终将达成怎样的思想后果？这里面没有好坏、对错之评价。因为正是科学技术给人类带来巨大灾难，我们今天面临的重大危机都是人类智能潜力过度调动的恶果。

请记住我在前面讲，哲学叫“爱智”。“爱智”是什么？——人类智能储备的过度调动。而我当时就讲，任何功能储备的过度调动都是损害性的。那么我现在来诠释这一点。当人类把自己的哲科思维能力充分调动的时候，它到今天展现为人类整体生存的巨大危机，给人类未来前途带来巨大阴霾，成为人类必须尽快处理的十分棘手的困境和难题。因此我说，既往的思想家、哲学家、科学家不是人类的功臣，而是人类的灾星。而且我说，科学时代行将终结，后科学时代正在扑面而来。因为科学已经带来如下两重效应：

第一，越来越难以贯通整个广义逻辑。到爱因斯坦行文之时，科学界惊呼，理论物理学已是“理论的天堂，实验的地狱”。而到今天，对超弦理论、M理论、多重宇宙理论、平行宇宙理论等这些科学上的创新学说居然全都无法做基础验证，成为飘散在空中的奇谈怪论。这标志着科学越来越虚无缥缈和玄学化，标志着学术思维的高层失稳态达到极致，也标志着科学作为一门显学行将结束。

第二，人类今天已经无法承受科学缔造的结果，它已给人类铸成了巨大的灾难性基础和毁灭性力量。而任何文化一定是对其载体具备维护效应方得存在，因此我说，科学时代行将结束了，后科学时代很快扑面而来。我们因此可以预料，科学时代是人类思维范式中最短命的一个阶段。神学时代，近万年；哲学时代，两三千年；科学时代从哥白尼算起，迄今不过短短数百年，就行将结束了。而且我们可以想象，到后科学时代，那个时候的人们回望今天的科学时代，一定会觉得我们极端可笑——怎么会相信那些乱七八糟的东西?!就像我们今天看古代跳大神的巫师，觉得十分可笑一样。要知道，当年的巫师相当于今天的科学院院士。

不过必须承认，后科学时代一定是处理更大信息量的时代。因为我们没有退路可走，按照物演定律，世界的运行是在信息增量的代偿过程中展开的。因此后科学时代一定是产生更大信息量的时代，只不过对于如何处理这些信息量，将会采取与今天科学时代完全不同的方式。在科学时代，但凡见到能够整顿成理论模型的信息增量，立即加以建模验证。而在后科学时代，要对超大信息量具有筛选与鉴别的能力，要能够确定更大信息量所带来的实际文化效应的远期预判，这是科学根本做不到的。

人类自有文明史以来，总是把能够有效处理当前问题的任何知识一概视为伟大建树，可它的远期效果是什么？我们根本无从判定，因为信息量不足！

未来的信息量将会使我们对任何一种知识模型的远期效果做出清晰预判，从而达成对其危害效应的杜绝。因此它一定是信息增量过程的继续，而不是原有演化路径的反动。换言之，后科学时代一定得纠正并消除今日科学带来的灾难性效应，而且它的先导部分，仍然将以哲学前瞻的方式展开和推动，因为我前面讲过，哲学是科学前瞻，它是在信息量不足的情况下，提前探讨后发问题。哲学的这种前瞻性功能，将在后科学时代继续表达，只不过所表达的成果不再是科学前瞻，而是后科学前瞻。这就是未来哲学对未来后科学时代之文化再造继续发挥重大功能的思路导向作用，这也是我们今天科学时代的人有必要继续保持哲学前瞻性探究精神的意义所在。

课后答疑

同学提问：大家好！我的问题就一句话，就是您是如何学习的？因为我发现整个课堂内容中，各种观点非常繁多，数据量非常大，信息量非常大，而且你所举的数据都非常的精确，经常到小数点后一位、两位。此外逻辑又清晰，架构又缜密，以致我产生了一种奇怪的担心，尤其是你在放慢语速的时候去举一些数据，一些比较长的外国人名的时候，担心你是不是忘了或者说不下来，或者会不会临时编一个数据，因为数据太多。每次到这种时候我就会留意记下来，回头自己去上网查，结果是，百度告诉我，您都是对的。这过程中我不停地替您捏把汗，但是后来证明都是瞎操心，这不禁让我更加好奇，您的学习方式是什么样子？思维方式是什么样子？以至于能达到如此高的精度、深度以及广度。再说一句就是，俗话说“授人以鱼不如授人以渔”，在此其实我有点贪心，就是鱼和熊掌我都想要，希望先生解答一下。谢谢！

东岳先生：我这两天讲课就是授人以渔，我就在讲思想方式。我一再讲我的课是无用的，因为它只讲底层思想的运行。至于你觉得我的知识量，或者信息量，或者记忆量很大，其实我一点都不比常人聪明，所有的人是一样聪明的。因为我们所有的人是一个物种，我们所有人的基因差别居然不到0.1%，所以每一个人的智能差别微乎其微。只不过各人把自己使用智慧的方向，或者把自己整个智力的聚焦程度不同而已。大多数人都把精力和智力分散在广泛的事务中，而个别人会把智力和精力集中在一个点上。这就好比一片巴掌大的阳光晒在手面上，你几乎感觉不到热度，但是你用巴掌大的一个放大镜，把这片阳光聚焦在一个点上，它可以引燃下面的纸。这说明什么？能量聚焦在一个点上和分散在一个面上，效果是全然不同的。所以如果你觉得我讲课知识量很大，你问我怎么学习，那么我只能给你说一句话：做一个寂寞而愚蠢的蛀书虫。

同学提问：东岳先生，根据你刚才所做的小结，我提出两点猜想。第一个猜想是代偿量等于存在量乘以代偿速度的平方，因为这就像质量和能量是一回事一样；第二个猜想，刚才你讲科学未来可能造成重重危机，我想人类大可不必为此担心，就算有一天人类不存在了，大不了打回原子。既然人类过去是从原子到猴子演化过来的，那么打回原子之后，照样可以由原子再到猴子，再演变到人，就相当于人类睡了一觉，比如说睡了一亿年，或睡了多少亿年。谢谢先生！

东岳先生：关于第一个问题，你得首先精读《物演通论》，你把它真正读懂，然后建模和证明。所以你现在给我提问题的这个方式不成立，必须做精密逻辑证明。如果你能把你的那个平方证明做出来，我将顶礼膜拜。第二个问题，从个人角度，生死确实不重要，活长一点，活短一点，没有什么价值，没有什么要紧的差别。但是要知道,万物包括人类有一种求存的本性，这跟你是不是愿意牺牲自己没有关系，因此人类的宿性中会有恐惧，人类生存处境再艰难，人都怕死。怕死不是因为活得好，而是因为本性规定，万物都在求存。请记住不仅仅是人和生命在求存,万物都在求存。理解这句话的意思,要读懂《物演通论》。求存不是好不好的问题，而是必须，而是必然。因此我探讨的问题，不是有生就有死的问题，而是在下一级文明危世中如何求存的基础理论。求存不是表面上情愿不情愿的问题，求存是必须和必然的自发内在要求。

同学提问：先生您好！刚才您说到对哲学继续追问，也就是说，未来的哲学才能引导后科学时代，而您在今天上午提到过，哲学思绪的发展有一个趋势，就是浅薄化，从最开始追问世界本原，转移到追问感知的状态以及语言的状态等，趋势是明显浅薄化，那这里面是不是有矛盾？如果我们期待未来的哲学指导后科学时代，那么后科学时代会不会比科学时代还要短暂、还要不稳定呢？谢谢！

东岳先生：你提的第一个问题是建立在你默认西方哲学代表未来的基础上，而我一再告诉你，西方文化不代表未来。西方哲学今天的浅薄化趋势标志着西方文化正在衰落。你的第二个问题，我可以给你很明确的回答，后科学时代一定比科学时代更短命，更不稳定，尽管它想追求稳定。

同学提问：我想问一下先生，今天您讲的西方哲学的理论延续，是不是您递弱代偿理论的出发点？还是您从诸多的现象，比如说一草一木的枯荣，或者说中国的先秦诸子百家，以及人类社会的变化，来建构您的学说？您觉得哪一方面对递弱代偿理论可能会贡献得多一些？谢谢！

东岳先生：这个话题我不太能说得清楚，或者说我对你的问题没有能够很好理解。我只能说任何思想，都不是点滴素材归纳的产物。递弱代偿原理的证明过程，捎带着处理此前东西方思想家和哲学家所提出和遗留的问题，但这不是我著作的总导向，我的著作只为证明递弱代偿原理。至于问东西方思想何者对此产生的启迪作用更大，我也很难估量。

同学提问：先生，像牛顿还有爱因斯坦在提出他们理论的时候，他们是带着诚惶诚恐，并没有很自信。比如说牛顿要引一个所谓的“以太”概念来自洽。但我感觉先生说到您的理论的时候，相对来说还是比较自信的，比如您昨天说到您的理论被推翻，除非能活上800年才可以看到。

东岳先生：好！我回答你的问题。我在前面讲课的时候提过，网上曾经有人说，我的书不是哲学书，是科学书。这个说法的起因就是我的表述方式含有笛卡尔坐标示意图，有一个最粗浅、最简单的函数数学模型，但我代不进去参数。我专门讲，罗素说哲学是科学之前瞻，是信息量不足时预先探讨的非确定形态，所以说它是哲学，我引不进去参数，恰恰证明它是哲学。

而且我认为当前的人要引入这个参数，恐怕尚待时日，因为信息量不够。要知道牛顿的引力常数，当年都引不出来。你查一下牛顿著作，他后面乘的那个引力常数，是空在那儿的，没有数据。牛顿学说创立大约70年以后，一个叫卡文迪许的人，最终才把这个常数填补进去。这说明什么？即使科学建立一个相对精确的模型，常常还面临信息量不足的系数空缺。

至于我对我的理论很自信这一点，你读我的书才知道我是自信还是不太自信。当我说牛顿和爱因斯坦不完全自信的时候，我并没有否定他们对自己的学说也有自信的一面。我举另一个人的例子，达尔文。达尔文《物种起源》这本书发表以后，整个欧洲学界、民间、上流社会、宗教界，全都持否定态度，因为达尔文的学说严重地冲击了基督教主流文化，以至于达尔文对他的儿子讲：我的余生将活在人们的唾骂之中。达尔文儿子后来在回忆录中记录了这一段，但他说，父亲又告诉他：我的学说，我坚信成立，它将普行人间。这说明什么？达尔文对他的学说也很自信，尽管不是真理。

同学提问：先生您好！我请教两个实用的问题。您在知识创新上建议我们多做思维训练，而狭义的思维训练是运行在人类的语言上面的。对于像我这样没有经过系统哲学训练的人，在概念的严谨性上该如何去打磨？第二个问题，如果语言的严谨在翻译成汉语时会进一步受到损害，您是否建议我们去读一些外文的原著？谢谢！

东岳先生：我觉得思维训练取决于你读什么书。牢牢记住，读书是什么？读书是和作者对话。如果你读的是印刷垃圾，那么就相当于你和垃圾人对话；如果你读的是思想大师的经典著作，就相当于你和思想大师对话。意大利文艺复兴时期，出现一个人物叫马基雅维利，创作了《君主论》。他罢官以后，白天务农，晚上净身沐浴，穿上正装，正襟危坐才开始读书。为什么？他觉得读书就是与先哲对话，因此他非常恭谨和严肃，他表达的是读书的状态。因此，读书必须有所选择，必须读那种能让你思绪纵深，甚至让你感觉困苦的书。如果你读书只为寻求愉悦感，如果你读书是快速阅览，你就达不到思维训练的效果。精读一本好书，就像读数学书一样，只有借助于这样的阅读才能够进行精密逻辑训练。至于文字本身，不管是英文、拉丁文、西班牙文、德文或中文，任何一种文字就其精确性而言，都是有问题的，这就是莱布尼茨所讲必须创立普通符号的原因。怎样运用自己的母语达至熟练、达至精准，需要对语言学、修辞学进行长期的锤炼。任何新学说的建立都需要新概念，对于新概念，原有的词汇不足以表达，因此不得不生造词，或者改变借用词的内涵，这都是巨大的语言功夫，同样需要训练。这跟外语或者中文无关，把自己现在能够掌握的语言精炼化运用是最起码的要求。

同学提问：东岳老师您好！上午您提到一个概念叫“含真量”，您认为新的理论因为包含的信息量更大，所以说可能会带来的认知扭曲就更多，因此含真量会更低。但是下午又提到说，新的理论会对之前的理论进行“他洽”，那至少说明新的理论是要把之前理论的正确性包含于其中的。这两个概念，我想稍微请您再讲得更细一些，可能我理解不一定那么透。另外，您举的例子里边很多都是偏向自然科学的，那么像社会学或者是心理学等等，您认为算是科学吗？还是说它们是介于科学与哲学之间的？谢谢！

东岳先生：你提两个问题。第一个问题是关于“含真量”的概念。我一旦讲新的理论模型要覆盖和他洽原有理论，在我们既往的思维方式和哲学成见中立即就会产生一种错觉，认为它更逼真，含真量更高。可你注意，可能我在讲课上，语言发挥不到那个缜密程度，你读我的书，“信息增量”和“含真减量”

是一个过程，是一回事。你所感觉到的那个逼真，其实只是信息增量，对旧理论的他洽和覆盖，其实是更大信息量的覆盖，它并不包含“真”这个东西的增值，这是两个概念。什么意思请去读书！仅听课是不行的。我希望这个讲课成为读书的导论。

再者，严格意义上的科学，是指精密逻辑达到数学级别，且能够在实验室中加以实证的东西。社会学、心理学等到底算不算科学？至少在严格意义上，我很难说它是科学。请问你怎么把心理学放到实验室中？请问你怎么把社会放到实验室中？它们确实也可以进行非精确的验证，我们在科学这个概念上通常误认为能够实际检验就算科学，我说过神学也能拿实践检验，这个外延太宽泛了。所以为了更精当，为了举例更有说服力，我不引用那些模棱两可的所谓科学，尽量使用较为严谨的自然科学。尽管在临场发挥上，我不敢保证表述精确。

同学提问：东岳先生，在昨天说哲学起源的时候，狭义哲学只产生在古希腊，是一群大号儿童玩弄的纯逻辑游戏。我的问题是，这个看起来只产生在古希腊（的现象），为什么又是人类早期文明摇篮中的必然产物？我想请您再讲一下为什么是必然，谢谢！

东岳先生：这个问题在直观层面上是无法讲清的。“必然”这个概念究竟是什么含义？你得读《物演通论》。我讲课中说狭义哲学必然出现，是指在深层理论上感应属性的代偿增益必然发生。它在人类历史上具体发生在或者偶然显现在哪一个点上，你很难在现象层面上划定一个必然结构或必然路径。请记住，探讨所有问题，直观层面论说无效，我们必须进入逻辑深层，才能给以缜密证明。所以我再次强调，讲课只是导引，而不是缜密表达。

五

孔儒的文化渊源

开题序语

我们今天讲孔子。

孔子及其儒学，几乎就是中国传统思想文化的灵魂与标杆，统领中国主流意识形态长达两千余年之久。这种情形，除非宗教，我们在世界上任何其他地方绝难见到。

但是孔子的学说，相较老子而言，显得浅薄而直白，因为孔子关心的是现实社会政治问题，而老子关心的是终极问题。

我给大家举例子。孔子学说的核心其实就八个字："君君臣臣，父父子子。"四组叠字里的第一个字是名词，第二个字是动词，意思是说：君要像个君，臣要像个臣，父要像个父，子要像个子。孔子的学说，就是这样的平白直叙。他还讲："觚不觚，觚哉！觚哉！""觚"是商末周初的一种青铜酒器，最初制作的时候是六角形，到春秋末期，可能有人创新，把它改成圆形或八角形了，于是孔子哀叹："觚啊，觚啊，你已经不像觚了！"在《论语》文本中，我们甚至会见到这样的说法："食不语，寝不言。"意思是说，吃饭的时候不要说话，睡觉的时候不要说话。请大家听听，这像不像老妈子训孩子的话？

我们讲孔子的学说浅薄而直白，这绝非是我一个人的看法。

大家要知道，明末清初，当时西方耶稣会传教士来到中国，他们一方面带入西方文化，另一方面也把中国古代典籍翻译成西文介绍到欧洲。当时的欧洲大哲黑格尔，见到孔子的文本，大失所望。我们听听黑格尔对孔子文本的评论，黑格尔讲："我们看到孔子和他的弟子们的谈话，里面所讲的是一种常识道德，这种常识道德我们在哪里都找得到，在哪一个民族里都找得到，可能还要好些，这是毫无出色之点的东西……可以断言，为了保持孔子的名声，假使他的书从来不曾有过翻译，那倒是更好的事。"黑格尔说,孔子的书里只不过充斥着"老辣的道德教训"，这是他的原话。他觉得孔子的书还不如不要翻译，翻译了反而有损孔子的光辉形象。

黑格尔这样说的缘由是什么呢？在中世纪，或者在欧洲近代前后，西方当时处在宗教压抑状态。那个时候，西方人知道东方有一个以德治国的帝国，它的管理模式是以人伦道统来建立社会秩序的，这比起西方基督教神权压抑人性显得温和得多，因此对东方颇为羡慕，再加上当时一些不真切的传说，认为东方极其富庶，于是那时的某些西方哲人和文化学者曾把中国视为东方的天堂。譬如近代以后的西方大哲莱布尼兹、伏尔泰等人，都曾经给中国文化以极高的评价，甚至是错误的评价，我们后面的课程会涉及这些内容。因此，当黑格尔读到孔子文本以后，他大失所望，发现孔子文本极为浅薄。

那么，说孔子文本浅薄，黑格尔的这个看法对不对呢？他是有道理的，至少说对了一半。大家不妨找出古罗马社会学家兼演说家，一个名叫西塞罗的人，他的《西塞罗演说集》，各位抽空读一读，他讨论政治、法律、道德、人伦、社会制度等各方面的问题,其精彩深刻的程度,孔子的学说根本无法与之相比。而西塞罗其人无论在当时或今天看来，在西方文化界大抵算不得一个哲人，所以黑格尔的评价是有道理的。

那么，我们为什么讲黑格尔对孔子的评价只说对了一半呢？是因为黑格尔读不懂孔子！我在前面课里讲过，文化绝不是花里胡哨的东西，它是一种生存结构的反映。黑格尔理解不了东方生存结构及其文化适配关系，因此他读不懂孔子学说的要义。

为此，我做一个说明。我们今天讲课，基本上不讲孔子文本。因为孔子文本十分直白、十分浅显。今天任何一个初中生，如果他找一本文白对照的《论语》，从字面上讲，我可以肯定没有任何中学生读不懂。但是要想真正理解孔子学说的内在精神及其文化含义，只停留在文本上是决然不行的。因此我们今天的讲座名称叫"孔儒的文化渊源"，也就是着重讲解孔子学说和孔子文本背后的更深层的东西。

孔子的学说浅薄而直白，从现代角度看，其中只有"人伦之谈"，而没有"格物致知"，也就是没有知识体系，他何以竟能成为中国帝制时代主流文化的大成至圣先师？也就是说，孔子作为中国文人士大夫的文化总导师，其影响何以会持续两千多年之久？再者，孔子的志向在于"治国平天下"，而不在于"治学求知识"，何以历代中国旧文人竟不能感觉到儒学的平淡乏味和苍白无聊？

我们今天的课程，就是要回答这些问题。也就是要考察孔子学说的成因何在？它的文化效用何在？它对今天的中国社会乃至人类文明还有什么意义？

孔子生活的时代背景

我们先看孔子生活的时代背景。

孔子生活在周代。大家知道，中国的周代，发生于公元前11世纪，持续到公元前3世纪，时长达八百年左右，是中国历史上最长命的一个王朝。我前面讲过，越原始的社会构型越稳定，封建制度就发生在中国的周代。

大家还要注意一个问题，我们今天一讲“封建”，就认为中国从古迄今，从周代或者从秦始皇统一中国以来，一直到辛亥革命，统称为“封建时代”，这犯了一个很严重的错误。要知道，中国的封建时代仅限于周代八百年。所谓“封建”之谓，最早出现在中国第一本书也就是《尚书》之中，什么叫“封建”？“分封建制”才叫封建。这与当年武王克商之后的实际政治处境有关。我前面讲老子课的时候讲过，商代是“氏族部落邦联制”，武王克商以后，把他的血亲和重臣七十一人分封在中原周边以屏护中央，这个分封体制才叫作“封建制度”。当时各封国都有自己完全独立的治权，也就是有完全独立的内政权、外交权，甚至有自己独立的军队，这叫封建制度。

至公元前221年，秦始皇统一中国，他最大的政治举措就是推广建立郡县制。所谓“郡县制”，就是打掉各封建王国，包括各分立部落，然后由中央朝廷向地方委派命官，这叫中央集权制度，政治学上叫作“君主专制制度”，它恰好是封建制度的剋星。也就是说，秦始皇统一中国之时，中国的封建制度即宣告结束。

那么，中国近代为什么会发生如此严重的史学错误？这与当年日本文人惯用中文有关。在明治维新前后，日本学者主要使用的是中文，他们翻译了欧洲历史，而欧洲史基本上经历的是氏族部落制、封建制，然后是资本主义制度。于是以日本人翻译的西方历史作为参本，当时中国的留学生，包括郭沫若在内，就把中国社会也照搬为封建制度。再加上中国近代辛亥革命以后，实际上所有的后任统治者都倾向于重拾集权制度，因此也更愿意在主流文化上放任此说。这是造成中国史学上一直把帝国君主专制时代统称为封建时代的主要原因。

周代八百年，封建社会形态稳定完好只发生在前期三百年左右，史称西周。在这个阶段，封建制度规整，周天子权威确立，被孔子称为“天下有道，则礼乐征伐自天子出”。所谓“礼乐征伐”，礼指国家政治法统，乐指国家大型祭祀活动及其乐章，征伐指国家派兵打仗，这三件大事由周天子说了算。随后西周封建机制逐渐趋于崩塌，以周幽王千金一笑失天下、周平王东迁河南洛邑为标志，西周时代正告结束，周王朝的第二阶段由此开张，史称东周。东周又被分为前后两个时代，前三百年左右称为春秋时代，后二百五十多年左右称为战国时代。东周时封建制度开始糜烂，周天子权威沦落，被孔子称为“天下无道，则礼乐征伐自诸侯出”，这就是东周时代的局面。

我们下面再回到“封建制度”这个话题上。中国的封建制度在周代末期被消灭，那么为什么我们将其视之为当时最先进的一种社会制度呢？是因为，相对于氏族部落邦联制，它建立了相对统一的社会管理体系。你今天看封建制度很落后，可你想想，古人最初建立一个大区域的统治系统，他怎么建立？他只能用封建方式建立。这就好比各位企业家，你早期创业的时候，找什么人做自己的合作伙伴？你一定找自己的亲戚和朋友，因为你对他们最了解，对他们的人品考察最省力，跟他们达成合作关系的成本最低。因此你早期一定建立的是家族公司或者亲朋公司，尽管这种公司结构随着企业发展到某种规模以上，会成为一个障碍，但在早期一定是成本最低、信任度最高、最稳定的一个结构，这就是封建制度的合理性所在。

封建制度有一个特点，由于各封建诸侯国享有完整治权，因此整个社会结构保持着一种对中枢权力的制约力量。大家要注意，这对近代资本主义社会的发生是一个重要的温床。什么意思？由于中国在公元前3世纪过早地消灭了封建制度，使得中国在宋代以后，尽管出现工商业文明的萌芽，就当时世界发展状况而言达到最高水准，但中国永远不可能产生资产阶级革命，也不可能缔造资本主义自由市场经济，一个很重要的原因，就是因为中国过早的消灭了封建社会体制。

我给大家举个例子。早在1640年英国资产阶级革命以前四百多年，即公元1215年，英国发生了一场著名的政治运动，史称“自由大宪章运动”。所谓“大宪章”是什么？实际上是英国各封建领主联合其他社会各阶层，跟当时的英王签了一纸协议，该协议严格限制王权。文件共六十三条，其中规定英王只有宣战权和外交权，其他所有治权基本上归属于各封建领主，甚至英王的税收权都不完整，税收必须跟封建领主协商，由此建立了世界历史上最早的“王在法下”的道统观念和政治习俗，这才最终铺垫了英国资产阶级得以发展壮大的社会基础。

大家知道，在资本主义社会以前，资产阶级相当于平民，叫第三等级。那时的欧洲权贵，第一贵族或第一等级是僧侣，他们控制人的精神，具有对基督教的解释权，所以他们社会地位最高；第二等级是贵族，他们世卿世禄，取世袭制，掌握国家政权；第三等级就是平民老百姓。而当时资产阶级作为第三等级，由于各封建领主更关心自己的经济税源收益，因此他们不压抑资产阶级或者平民老百姓的经商活动，尤其是各封建领地之间的统治薄弱区，更成为助长第三等级经商和阶级意识萌发的空白地区，这造成资产阶级逐步壮大，最终成为发动资产阶级革命和建立资本主义制度的社会力量所在。

由于中国过早消灭了封建体制，皇权势力极大，而社会主流意识形态又不能在分立的文化摇荡中被疏散，导致中国近代，或者说宋朝以后上千年，无法发育培植真正的近代思想文化体系和政治结构新生力量。

中国的封建制度到东周时代逐步紊乱，社会纽带趋于松懈，史家据此把东周分别称为春秋时代和战国时代。我解释一下什么叫“春秋”。有学者提出大约在远古时代，人类还没有建立明确的四季关系，认为一年就是春秋两季。这还不是主要的，最重要的是，《春秋》乃孔子所在国鲁国国史的书名。传说中，由于孔子晚年重新编修过《春秋》，于是就把《春秋》这部书所记载的时段，即从鲁隐公元年到鲁哀公二十七年这二百五十五年，总称为春秋时代。这个话什么意思呢？要知道在先秦时代，各国都录有自己的国史，绝非仅鲁国独具。比如晋国国史的书名叫《乘》，因此你如果在古书上见到“乘”或“史乘”，你就要知道，它是指晋国国史。再比如楚国也有自己的国史，书名叫《梼杌》，因此你如果在古书上见到“梼”（táo）或者“杌”（wù）两个字中的任何一个，你都要知道，这是指楚国国史。

那么为什么会用孔子所在之鲁国的国史书名《春秋》来标定这个时代呢？是因为孔子用“微言大义”的方式——所谓“微言大义”，就是用很少的语言，注入文本以重大的道德伦理含义或价值观含义，也叫“春秋笔法”——重新修订了《春秋》这部书。我举个例子，比如在《春秋》原书中记载某大臣弑君，也就是谋杀了国君，孔子认为，此属以下犯上，大逆不道，于是他就将该书中原来称呼这个弑君者的官号改为直呼其名。要知道，在古代对一个人的尊称是称呼他的官号，其次称呼字，而直呼其名是对一个人的不敬。孔子只将官号改为直呼其名，就表达了他对这件事情的愤慨，这叫微言大义。

由于孔子编修过这部《春秋》，其中就注入了他的整个价值观体系。到汉代以后，孔子学说变为国教，甚至竟然出现“春秋断狱”的局面。因为古代的法律制定相当粗疏，法条细节缺失，判案的时候经常会感到依据不足，于是行政长官进行法审的时候，如果找不见具体的法律文本参考，就以《春秋》价值观作为判案准则，可见《春秋》这部书对中国后世的影响何其之大。

更重要的是，此后的文人，把春秋时代世界各国（大家注意，我前面讲过，凡是涉及远古时代，我只要说世界各国，均指东亚中原世界各国。因为那个时候，中国人只知道东亚这个地方，认其为整个世界）发生的任何事件都用《春秋》来纪年。比如晋国发生某件大事，他不依照晋国的史书《乘》来纪年，却会说鲁昭公多少年，晋国发生了什么事。由于后人总是用鲁国《春秋》这部书的纪年法作为这一个时段的纪年标志，因此后世把这三百年左右的时段称为“春秋时代”。

孔子出生在春秋时代晚期，此刻天下大乱，朝野动荡已久。其间彰显于社会前台的两类重大事件，最充分地表征着当时政治体系紊乱的严重情状：

第一，灭国现象不断发生，也就是各诸侯国互相兼并。大家要知道，春秋之初，仅中原周边或华夏区域，诸侯封国竟达一百八十之众。武王最初只分封了七十一国，以后各代周天子继续加封，遂使封建诸侯国数量与日俱增。不仅如此，各封建诸侯国君也照例往下再分，这些分封的地域取名叫作“采邑”，也就是各封建诸侯国君给他的重臣和血亲继续往下分封，这种层层分封的采邑封地竟达上千之多。大家可以想想，在当年的中原和中原周边的“华夏之地”（我前面讲过“华”，指关中地区，以华山为标志；“夏”与“下”同音，指黄河下游）这样一片范围内政治割据不断进行，竟达逾百诸侯国和上千封建采邑，可见其地缘碎片化局面业已发展到了什么程度。在这种情况下，如果周天子权威沦落，各封建主自行其是，灭国和兼并事件就会不断发生，这是第一种社会变故。

第二，弑君事件不断发生，也就是诸侯国君被谋杀的事情不断发生。根据《春秋》《左传》《国语》《史记》等古史记录，仅在春秋时代，各国发生弑君事件居然达四十三起之多。要知道，一国首脑被谋杀，是不得了的政治灾害。比如1963年美国总统肯尼迪被刺杀，美国社会政治动荡若干年。像这样重大的政治事件，竟然在短短二百五十多年间就发生四十三起之多。

近代有学者调查统计发现，弑君者的身份绝大多数是公子、公孙和卿大夫。所谓公子、公孙，就是君王的血亲；所谓卿大夫，当年是世卿世禄制度，官位是世袭的，而世袭者都是贵族，亦即仍然都是君王的血亲。两者总和起来，居然高达谋杀发动者77%的比例。其次，以弑君的动机来看，公室成员篡位而弑君的占51%，卿大夫与国君争权而弑君的占14%，总和下来占65%。以弑君事件的直接原因来看，经过长期策划的占44%，由于偶然事件引起的占35%，原因不明的占21%，也就是说，精心策划的谋杀占将近一半，不明原因或突发事件都能造成弑君结果的也占一半，可见当时弑君现象成为一个怎样轻易而普遍的政治业态。

从发生弑君事件的次数来看，第一名晋国和齐国并列，二百多年间都发生八起；第二名郑国，发生五起；第三名就是孔子所在的礼仪之邦鲁国，居然也发生四起之多。我们由此可以看出，到春秋时代，封建制度已经崩坏到何种程度，可谓天下大乱、群雄蜂起，这是孔子生活的总体时代背景。

《论语》中提到孔子的一个弟子，叫仪封人，他给自己的老师所处的时代做了一个点睛式的说明。我先讲一下谁是仪封人。孔子五十五岁被罢官以后，由于其著名弟子子路的两位内兄，也就是子路妻子的两位哥哥，在卫国做高官，因此孔子很快受到卫国邀请。于是孔子周游列国十三年，最早前往的就是卫国，而且在卫国逗留时间最长，居然三进三出。由于孔子在卫国长期办学，因此在卫国收纳了很多弟子，其中就有这个仪封人。所谓“仪封人”，就是卫国仪地采邑的封建主。他在《论语》中留下一段话，足以说明孔子生活时代的境况，他说：“天下之无道也久矣，天将以夫子为木铎。”意思是说，天下大乱已经很长时间了，老天让孔子来作为人世的警钟。我解释一下木铎是什么——木制的响器之谓，包括古代铸造的青铜钟，中间用来摆动敲击的那个木舌头也叫木铎。总之就是说，他的老师孔夫子终将成为乱世之警钟。

我们从这里可以看出，孔子生活的时代天下纷乱。前些年有人在中国主流媒体上讲《论语》，讲《论语》心得，把它讲成幸福生活之类，这当然全都是胡掰了。

孔子时代的社会转型

我们下面再来看一下，先秦时代孔子生活背景的更纵深内容。

我首先解释什么叫先秦时代，它是中国史学上非常重要的一个术语。所谓“先秦时代”，就是指公元前221年秦始皇统一中国以前，往前历数三百五十年以上，这段时间统称为先秦时代。那么，先秦时代在中国历史上为什么格外重要？是因为，它开启了中国文明史上的第一次社会大转型。

此前我们上中学、上大学，学历史讲到先秦时代，老师通常这样说：先秦时代是王权贵族制向王权专制制度的演进，是封建奴隶制向土地私有制的演进。这种讲法你根本听不明白先秦时代究竟是一个怎样的社会历史形势，因此，我在这里换一个表述：先秦时代，是中国自有文明史以来的第一次社会大转型。要知道，中国数千年文明史，仅有过两次社会大转型。第二次社会大转型的起点，就是1840年鸦片战争，迄今一百七十年过去，第二次社会大转型还没有完成。

我们先来看看第二次社会大转型的局面。中国社会的第二次社会大转型怎么转？从农业文明向工商业文明转型，从君主专制制度向共和制度转型，它的起始标志是1840年鸦片战争。大家看看，从鸦片战争到今天，一百七十年有余，我们中国社会极度动荡、快速运转，表现为一个怎样的情形。

我先列举一下，在这一百七十年间中国社会都动荡到什么程度，发生了多少重大事件：1840年，第一次鸦片战争；1856年到1860年，第二次鸦片战争；1851年到1864年，太平天国运动；1861年开始洋务运动；1884年，中法战争；1894年，中日甲午海战；1899年，戊戌变法；1911年，辛亥革命，然后袁世凯执政；1916年，袁世凯死亡，中国进入北洋军阀乱政，长达十一年；从1921年到1927年，第一次国共合作，北伐战争，史称第一次国内革命战争；接着国共两党分裂；再接着抗日战争、国共两党第二次合作；再下来国共两党第二次分裂，中国发生剧烈内战；之后进入毛泽东时代；再之后就是邓小平改革……我们会发现，在这短短一百七十年时间里，我们中国社会不断地折腾，折腾个什么？——进行第二次社会大转型！这就是为什么我要说，这个时代将是中国历史上第二次出现最伟大的思想家、政治家、经济家、社会活动家的一个巨变时代。我当然指的不是到现在为止，而是再往后历数上百年，中国第二次社会大转型才能完成。也就是说，迄今中国的第二次社会大转型还没有完成。

那么，我们现在回望先秦时代——中国社会第一次大转型。先秦时代的中国社会怎么转型呢？它是从半成熟的农业文明向完全成熟的农业文明转进，甚至农业文明中开始出现工商业文明萌芽的转进；它是从氏族部落邦联制向封建制度转型，紧接着又向君主专制制度转型。由于它是中国历史上第一次社会大转型，因此社会动荡、人才辈出，中国传统文化的整个奠基期在此完成，导致中国后世两千年的社会结构被完全塑成。

我们下面就从经济、政治、文化三方面来看一下，先秦时代第一次社会大转型究竟是怎样进行的。

先看经济领域。先秦时代生产力快速发展，农耕技术有所提高，农业文明趋向于成熟化，青铜器早已普遍使用，在农耕工具之中铁器也正在逐步推广。大家知道，人类的农业文明虽然发生在八千年乃至一万年前，但在早期数千年的农业文明摸索过程中，采猎生存方式仍然是主型，农业耕种仍然只是人类生活资料来源的一个辅助部分。

当农业生产发展到一定规模，土地开垦的范围越来越大，森林被推及远方，此时人类才会从采猎生存方式完全归化于农耕文明。因此，农耕文明的真正成熟，需要人口大规模发展，土地大规模垦殖，林木大规模破坏，采猎活动无从进行，只有到这个时候，农业文明才能趋于稳定。因此，它历经数千年之久，也就是直至周代，农业文明才逐步构成中原人生活的主流方式。

不仅如此，在春秋时代，中国的农业文明中出现了工商业文明的萌芽。大家知道，农业文明发展到一定程度，由于农业生产工具的多样化和人们生活的丰富化，相当种类的产品倾向专业化制作。早期非农业产品的制作是由农夫自己完成的，比如盖房子、织布，甚至制陶，但是随着分工的进一步发展，随着人们生活进一步复杂化，大量的东西农夫无法制备，比如更先进的陶器生产，比如青铜的冶炼、农具的加工，所有这些就会造成分工过程在农业文明中逐渐出现。分工现象，也就是有人不再务农，而只专业制造某种为他人使用的产品，我们把这种不供自己使用、只作为彼此交换的物资，叫作商品。

商品一旦出现，交换活动随之发生。大家可以想象，人类早年的交换活动是物物交换，因为商品种类非常之少。那么如果商品种类不断增加，你所能拿出来交换的物品对方并不需要，而对方需要的物品你手里却没有，于是就需要某种统一的交换媒介和交换尺度，即所谓“一般等价物”，也就是能对任何商品做出价值衡量的商品，这就是货币。因此，货币的出现，标志着人类分化，或者说社会分工，或者说商品经济发达到相当程度。大家要知道，在中国先秦时代，货币已经出现，早期是贝币、刀币，这标志着中国农业经济大规模成熟，商品经济萌芽普遍发生。

下面再看政治形态。周天子权威沦落，原有的封建社会之纽带松懈。不仅如此，各诸侯国坐大，兼并活动不断发生，灭国事件层出不穷，国际战争愈演愈烈。不仅如此，这居然引发了重大的社会阶级形态变革。

我举个例子。春秋时代的晋国国君被四大重臣架空，这就是著名的韩、赵、魏、智四家。后来韩、赵、魏三家联合起来灭掉了智家，并主政晋国。这个时候，赵家出现了一个著名政治人物叫赵无恤，史称赵襄子，此人做了一件震动天下的大事，他宣布解放赵地所有奴隶，并赠送土地三十亩，同时他向中原世界各国公布，任何奴隶如果从他国逃往赵地，一律解除奴隶身份并赠送土地。要知道，赵襄子的这个举动使得中国大地上的奴隶制度迅速瓦解。为什么？因为“民为贵”的思想是典型的封建意识。这句话什么意思呢？众所周知，孟子说过一段名言：“民为贵，社稷次之，君为轻。”很多人把它视为孟子有民主思想，这完全理解错了。孟子从来没有民主思想，中国文化史上也从来没有过民主思想，“民为贵”是典型的封建思想。什么意思呢？就是对任何一个封建领主来说，他的最大利益不在于封地面积的大小，而在于封地上户口的多少、人口的多少。因为户口数越多、人口数越多，税基就越大，税收收益就越丰厚，这叫“民为贵”。因此中国古代所有官制都可通称为百户侯、千户侯、万户侯等，拿户口数说话，就是这个原因。

大家想想，赵襄子解放奴隶，他得到什么？得到了“民”。他因此收获两项重大利益：第一，劳动力资源；第二，兵员。这就导致周边各国各地，但凡不同时解放奴隶者，他的国民或居民就会逃空，于是奴隶制度在中国大地上快速土崩瓦解。要知道，这件事情表达着中国社会的极度早熟，也表达着中国社会在先秦时代的转型过程极端激烈。

我再举例子。我们都知道在欧洲大地上，比如法国，它于1789年就已发动资产阶级革命，但从17世纪开始直到18、19世纪，欧洲大地上一直保留着残酷的奴隶制度。贩卖黑奴，早期是从非洲贩运到欧洲的，以后美国南部由于大规模垦殖和耕种棉花等农作物，劳动力严重不足，贩卖黑奴的路线才从欧洲转向北美。我们再看俄罗斯，及至19世纪，它已经被马克思称为“欧洲警察”，也就是俄罗斯已经相当强大，在欧洲说话极具分量。自彼得大帝开始，俄罗斯向欧洲学习以后，其发展速度和强盛程度大幅提升，以至被欧洲各国视为劲敌，可是俄罗斯直到1861年才废除农奴制度。最后再看美国，可谓先进国家的典范，却在19世纪中叶还发生南北战争，即为奴隶制而陷于内战。

回顾中国，早在公元前六、七世纪的时候，中国奴隶制就已经全面崩溃。大家注意，我们所说的奴隶制并不指家仆，中国的家仆现象一直延续到很晚的时间，甚至到宋代还存在。我们所说的奴隶制不是指这个层面，而是指在生产领域保留奴隶制，这个东西在中国很早就已经解体了，它表达的是中国先秦时代的剧变与早熟。

我们下面再看文化方面。中国先秦时代是中国传统文化的真正奠基期，甚至是完成期。我前面讲过，自公元前221年秦始皇统一中国之后，中国的国学文化可以说再没有任何重大建树，除了东汉中期佛教传入中土，但这件事着实算不上是自家的荣光。

那么先秦时代，中国传统文化和国学思想体系的奠基，是以怎样的方式进行的呢？首先要知道，人类早年的文化从氏族部落时代就已经开始发生。人类最早期的文化叫“巫文化”。“巫”这个字，上面一横代表天，下面一横代表地，中间一竖代表沟通天地的人，这个字就是“巫”。巫，是人类在氏族部落时代最重要的文化代表。

我前面讲过，你今天看巫，都是些跳大神的、不入眼的人物，可他们当年相当于今天的科学院院士。而且早年的巫都是女巫，原因是人类早期血缘社会都是母系社会，女性社会地位极高。再加上由于女性的直感和直觉远比男性为好，就像男性的逻辑思维能力略比女性为优一样，所以，在男人看来，女性似乎有第六感官，能够跟天地沟通，用灵魂、用直觉跟天地沟通。因此，早年的巫都是女巫。随着社会历史的发展，族群男权化结构发生，出现男巫。大家注意，在巫的旁边画一个大眼睛，这个字念觋（xí），表达的是男巫。我为什么说是画一只大眼睛，因为看见的“见”这个字，在甲骨文中就是画一只大眼睛，然后底下画一个人，一个人扛着一个大眼睛，（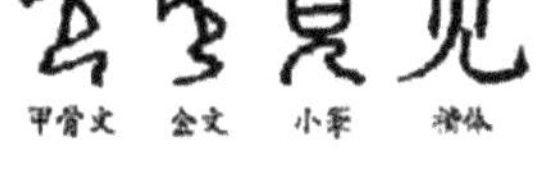
）这个字就是见。它表明，

男性巫师已经不能用直感和灵魂直接跟天地沟通，而必须眼睛看见才算数，男巫已经远比女巫的水平大大降低了。

我们下面再看，从“巫”“觋”逐步转化而形成“儒”。我们先看一下甲骨文中的“儒”这个字。我前面讲过，“大”这个字是正面立相的人，那如果在正面人像的旁边画上雨点，这个字就是甲骨文中的“儒”。以后到金文，人们把分散在侧面的水点，集中到上面形成雨字头，然后在底下画一个正面直立的人，这个字就是金文中的“儒”（

），也就是今天需要的“需”这个字的含义，以后加一个单立人偏旁，转注为“儒”。

大家从这个字形变化上可以看出什么呢？所谓“儒”，其实是古代巫师在祭祀天地、祭祀祖先以前，净身沐浴、以表虔诚的一个动作，它说明儒是巫的变体。那么，早年的儒，我们把它叫作“古儒”。古儒的代表人物就是老子。这也就是为什么在中国古史研究上，学界一致承认，诸子百家其实是对古儒老子思想在不同角度上的解读。或者说得更准确些，是先秦时代社会转型之际，以及人类生活复杂化以后，人们对古儒集中关注的问题，渐次展开分化探讨和专业论述的这个过程，是为诸子百家之渊源。

我们由此可以看出，先秦时代其实就是中国传统文化完全成型的时代。因为从大观上看，中国后来两千多年的文化主干不外乎都是儒学文化的变态延展。

文明历史的演进方式

我从经济、政治、文化三个领域，来表述先秦时代第一次社会大转型的奠基状态。我这样讲可能还不足以让大家真正感受先秦时代的摇荡状态，尤其是它的变动方向，那么我们下面从更直观的角度，再来对它加以剖析。

第一，对外兼并战争不断，而且越来越血腥。这句话什么意思呢？大家要知道人类在文明化以前是从来没有战争的，所有动物之间也是从来没有战争的。动物之间发生同种争斗，一般仅出现在发情期，即雄性动物争夺雌性生殖资源。它是个体化的斗争，绝不会形成集团化的战争。而且所有动物发生这样的种内斗争，一定是点到为止的。比如雄性动物争夺雌性资源，一旦一方战败，另一方绝不会穷追不舍，更不会致对方于死命。所以，在所有动物中，它的个体性争斗，是非常克制的，是有限度的。唯独人类文明化以后，开始出现种内集团化的残忍杀戮。

而且，这个文明化的内部战争的发生、同种之间的大规模自相残杀，是随着文明的发展而不断趋向于激烈化和暴烈化的。起初，氏族部落后期开始出现战争，打一仗死几个人、几十个人就是不得了的事件。因为早期氏族部落的每一个社会群团也不过就几十个人，顶多上百个人。但是随后就出现部族战争，比如黄帝、炎帝、蚩尤三大部族打成一片，这就是中国远古著名的阪泉之战、涿鹿之战的传说。随后，商灭掉夏、周灭掉商，再后便是一百多个封国开始互相兼并。

要知道在春秋时代打仗，一次下来死几百人就算大战争，史书上就给以专文记述。而且春秋时代打仗，都是讲礼制的。《左传》载有“不重伤，不禽二毛，不鼓不成列”，这段话什么意思？它说春秋时代打仗，如果把敌军打败了，绝不追击，这叫“不重伤”，不造成第二次伤害；所谓“不禽（禽通擒）二毛”，就是不抓对方长着黑白相间头发的老年人作为俘虏；所谓“不鼓不成列”，指古代打仗敲鼓是进攻，鸣锣是收兵，在对方战斗集团没有形成阵列以前，绝不偷袭敌军，这叫“不鼓不成列”。所以，春秋时代打仗几乎从来不用狡诈之术。尽管《孙子兵法》成书于春秋末期，但它真正得到大规模使用，是在战国时代以后。

因此，相对于战国而言，春秋时代的战争烈度非常之低。

而到战国时代，打一仗死几千人、上万人，史书记载不绝。仅是秦赵“长平之战”，秦国战将白起一次活埋赵军俘虏就达四十万人以上。到此还没有结束，直到20世纪人类已经高度文明，居然发生两次世界大战。第一次世界大战战场直接死亡人数一千二百万以上。仅是德法边境一个小小的凡尔登小镇，机枪火炮之下，就让欧洲青年抛尸一百万具以上。紧接着第二次世界大战，战场直接死亡人数五千万人以上，间接死亡人数二点五个亿，这就是人类文明的情状。

我就很奇怪了，我们人类总是把人群中最坏的分子说成他有兽性，这简直是对兽性的诬蔑，实际上应该把野兽中最坏的个体比喻为它有人性才对。我们可以看到文明发展的过程就是人性不断败坏的过程，而且就是人类自相残杀之烈度越来越高的进程。

第二，对内政变不断发生，且自上而下层层糜烂。什么意思呢？我前面讲封建时代行将结束，封建体制日渐松弛，周天子权威沦落，到此并没有结束。紧接着架空了周天子的各诸侯国君，又被他的重臣所架空。比如我前面提到晋国国君，被韩、赵、魏三家架空。比如孔子所在国鲁国国君，被三桓（huán）架空。哪三桓？季孙氏、孟孙氏、叔孙氏。到此还没有结束，那些架空了国君的重臣，竟然又被他的家臣所架空。大家读《论语》会不断见到两个人的名字，一个叫阳虎，也叫阳货，一个叫公山不狃(niǔ)，这两个人是谁呢？是架空了鲁国国君的三桓之首季孙氏的家臣，他们又把季孙氏架空。

我们由此可以看出，封建社会进展至春秋末期，它已经糜烂到何等程度。一个政治制度、一个社会结构，如果它上层摇荡，随之感染下层，整个社会逐级糜烂到基层，行政运作陷于紊乱，标志着这个政治结构行将结束，标志着一个社会政治形态即将发生改变。周代创设的封建制度，是人类文明史上第一个最稳定的巨型社会体系，到春秋时代也不过建立四五百年就已经呈现剧烈动荡之势，它标志着社会结构稳定度在快速下降。

第三，人心不古，世风日下。大家注意我说的这八个字，是中国古人对人类道德趋势的描述。我们今天都认为人类文明程度越高，他的道德水准就一定越高，可这个看法和古人的讲法完全相反。古人讲“世风日下”，是说人类的道德水准是一路降低的。谁说得对呢？古人说得对！大家知道，人类在远古时代从来没有法律这个东西，即没有严刑峻法，那个时代叫“以德治国”。要知道法制社会只产生了三千年左右，直立人存在上百万年，或者说氏族社会存在了上百万年，人类从来不用法制手段管理族群，不用暴力的严刑峻法来管控人事。他用什么方式？用柔和的、弥散性的道德体系来维持社会稳定。表明什么？——表明人类社会文明程度越低，社会稳定度越高，社会柔和度越高，社会暴力层面的彰显度越低。

大家看孔子说过的一段话 ：“道之以政，齐之以刑，民免而无耻 ；道之以德，齐之以礼，有耻且格。”这句话什么意思呢？他说如果你用政治和刑罚的方式来管理社会，人们为了逃避法律的制裁就会不碰触法律，这叫“民免”——免除法律的制裁。但是凡属法律没有禁止的事情，再缺德人们都敢干，这叫“民免而无耻”。我们今天就是“民免而无耻”的时代。孔子又讲“道之以德，齐之以礼”，就是你以德治国、以礼治国，而不是以法治国，然则“有耻且格”。就是人们都有羞耻心，都不会做败德的事情，于是整个社会井井有条、格格有序，这叫“有耻且格”。孔子在讲，法制社会的出现是人类道德崩坏的产物，孔子用词叫“礼坏乐崩”。

所以我建议大家，千万不要赞美法制社会，因为法制社会是人类道德沦丧的产物，是道德纽带已经不足以维系社会稳定，人们不得不用暴力的方式来管控人类群体的进步乱象。

如果我这样讲还不足以说服大家，你不妨看看过去扛着背包进入深山老林里去旅游的人，那时他如果走累了，走渴了，走饿了，他让当地山民给他煮一碗水，做一碗饭，当地人会拿最好的东西招待他。他过后要给人家付钱，多数山民是不好意思接受的。可随着文明之风刮入偏僻之地，他们全变成农家乐了，巴不得把你口袋里的钱掏空，尽管这是合法的。

我在讲人类的道德随着文明程度的发展，它一定是趋向于崩坏的，人类的纯朴性一定随着文明的发展而逐步消失。为什么？因为社会生活越来越复杂、越来越狡诈、越来越败坏，以纯朴守德之心维持生存已经不可能了。这标志着文明进程就是人性败坏的进程。

第四，每有进步，都伴之以社会的动荡化和民生的紧张化。这句话是什么意思呢？人们一般认为，社会文明程度越高，社会就越稳定。可实际上我前面在老子课上就讲过，社会越进步、越发展，社会的稳定度一定越丢失。人类在非农业文明，也就是采猎生存阶段，稳定生活了上百万年；农业文明存续了一万年；而工商业文明出现仅三四百年，今天正在被信息文明或者生物文明取而代之。这是从宏观格局着眼。

从微观层面上看，社会结构的稳定度也在不断降低。我举个例子，比如2001年的9·11事件，恐怖分子只不过炸掉了两三座大楼，整个国际政治动荡十余年，到今天反恐战争还没有结束。要是在远古时代，你一次毁掉、烧掉几百座房屋或者宫殿，你对整个地球人类的生存有什么影响？什么影响都没有！所以我们会发现，人类文明程度越高，社会的稳定度就越低，动荡度就越高。我再举例子，今天生活在城镇的人，甚至生活在农村的人，如果断水断电，你马上就会变成热锅上的蚂蚁，正常生活根本无法进行。可在远古时代人类没有电，所有人都沿河而居，也永远不会断水。它标志着人类社会生活越复杂、文明度越高，社会生活的动荡度越高，社会生活的脆弱性越高。

不仅如此，我们还会发现，人类社会生活的紧张度也在不断提高。比方说，人类农业文明一年只忙一两个月，因为古代黄河流域一年只种一季庄稼，只有在播种期和收获期这两个月是农忙时节，其他十个月基本上都是农闲时间。因此古人过年，过四十五天。而今天你过年，只过六七天。平常所有的人，包括夫妇两个人每天上班，天天小跑着上班。要知道古人，一个男人在外面工作，也就是一个男人种田，种数十亩、近百亩土地，粗放耕作，足以养活七八口人。古人没有避孕技术，结婚以后不停地生孩子，生十个八个都是平常事，就算活一半，四五个孩子，加上上面两个老人，一个男人养活七八口人根本不成问题。女人只在家里忙于带孩子、管老人，就已经占据了她的全部时间。所以古代一个男人在外工作足以养活七八口人是不争的事实。那时候多生一个孩子叫“多摆一双筷子”而已，根本不构成任何负担。可是今天，不但夫妇两个人整天奔忙，而且养一个孩子已造成中等收入家庭都难以承担的费用。《华商报》曾经统计，说现在把一个孩子从幼儿园养活到大学毕业、研究生毕业，没有上百万元是很难实现的。所以我很诧异，现在常听人讲，说我们今天的物质生活大大丰富了。请注意，这不叫“物质生活丰富”了，这叫“生存成本提高”了，别把概念搞错！

可能有人会说，古人没有汽车、没有电视。可你要知道，你今天有汽车，它是你的生活必需品，你没有汽车连上班都成问题，甚至菜都买不回家。你说没有电视总该可以吧，是可以，可是你这个艰苦朴素的优良品种一定会因为找不见老婆而断子绝孙。所以我再强调一遍，这叫生存成本提高了，不叫物质生活丰富了。

更为严重的是，你今天的生存安全感还在一路丧失。我举一个例子，古人是物物交换，起初根本没有通胀。到后来以重金属作为货币，即使在歉收年节，粮食涨价也不过两三倍。可我们今天使用的钱是什么？是纸币，是假钱，叫作“钞票”。这种东西最大的特点是什么？——通货膨胀。它在正常年份每年通货膨胀2%到3%，也就是每十五年，购买力下降一半。更重要的是，它动辄发生恶性通胀。看实例，第一次世界大战结束，德国战败，在魏玛共和期间，短短两三年里，德国马克通货膨胀八万倍。1948年到1949年民国政府行将崩溃，它的法币和金元券在一年时间里，通货膨胀三万倍。直到1991年苏联解体，苏联卢布一夕之间，通货膨胀一万两千倍。原先1卢布换3美元，短短几天时间变成4000卢布换1美元。我们就拿通货膨胀一万倍来计算，它是个什么含义？一个千万富翁，一夜之间变成不到1000块钱的穷光蛋！这就是为什么今天即使是百万富翁、千万富翁、亿万富翁，他都没有安全感，他得拿自己的钱去干什么？去投资。投到哪儿？汇率、房产、股市、期货，这些东西是什么？是一个每分每秒都在不断振荡的曲线。请大家想想，你把你的身心抛洒在这条每分每秒都让你心惊肉跳的曲线上，你还有什么幸福可言？！

这就是为什么，古人从来用不着编制幸福指数。人类一定是缺什么才喊什么。你今天是因为丢失了那个幸福感，处在极度的焦虑之中和不安定之中，因此你才得编制幸福指数。请大家注意听我在讲什么？我在讲一个表面上看是对文明发展的相反评价。现代人对文明进步给予高度评价，原因是什么？是因为他不知道古人的生活状态，生活安宁状态和生活幸福状态。古人生活是非常悠闲的，是非常宁静的，是绝无“处处时时身陷焦虑”的那份安宁感。而悠闲是幸福的三大基础要素之一，你连悠闲都丢掉了，你还有什么幸福可言。

今天对于文明，我们之所以总是给出误判，是因为文明已经长成一株枝繁叶茂的大树。今天的人讲文明，相当于盲人摸象，相当于一叶障目。什么意思？你指着文明大树的一枝一叶，说这就叫“文明”，可谁都看不清文明的全貌，因此才会对文明做出进步论的误判。为什么古代贤哲对文明都是持以批判态度的，从老子到孔子到佛陀。你仔细想想佛教讲什么？讲“戒、定、慧”。它要干什么？——戒除文明的纷扰，摆脱文明的苦难，认清文明的本质。

为什么古人对文明都是批判态度？是因为古人处于俯瞰文明的特定境遇。那时文明才是一棵矮小的树苗，他当然能看清文明整体的全貌，并且能看清文明增长的趋势。他们眼睁睁地看着，文明进步的过程就是人性败坏和人类生活灾难化的进程，因此他们对文明大多取负面评价和警惕心态。这就是先秦时代中国先贤们的基本社会观。

我们由此可以看出，先秦时代的文化塑成状态及其总是倾向于达成保守论的原因。我们也由此可以看出，先秦时代对中国文化基本思想格调的奠定作用和有序规范。它标志着一束深刻的眼光存留在其中，它同时为中国后来两千多年的稳定生存夯实了基础。这就是先秦时代作为第一次社会大转型，对中国文化和社会生活的基本构造力所在。这也就是孔子生活的历史背景状态和文化生发状态。

幼稚文明的老成现象

我们下面讨论中国传统文化的两个特异现象。

在我们中国人看来，国家统一为大国体制是正常的，分裂为小国状态是异常的。而且中国早在2000多年前，就已经出现了“天下观”。孔子讲“修身齐家治国平天下”，老子在他的书中也不断地运用“天下”这个概念。大家要知道，在远古时代出现大国稳定体制是非常罕见的，它才是一个非常态，而不是正常态。

看看欧洲，它跟中国国土面积差不多，迄今分裂为几十个小国，搞了个欧盟还摇摇晃晃。中国早在远古时代，也就是公元前11世纪开始，尤其是到公元前3世纪，就渐渐出现相对稳定的大国体制，这种情况是很特异的，是非同寻常的。我给大家举例子，比如在环地中海文明区域，早在公元前4世纪曾经出现过一个大国体制，这就是亚历山大帝国。可是亚历山大大帝仅活了三十二三岁，他刚一逝世，亚历山大帝国立即崩解。环地中海地区还有一个大国——古罗马，它虽然存在时间较长，但它真正作为一个雄强稳定的大国现身，也仅仅闪耀了几百年，到公元5世纪，西罗马帝国就骤然灭亡了。

唯独在东亚，老早出现一个稳定的大国体制，从周王室统辖中原到中华各朝帝国，足足延续数千年而不坠，这是一个非常奇怪的现象。我称它为“幼稚文明的老成现象”。

什么意思呢？大家知道中国是最典型的农业文明体制，农业文明是人类的第一茬文明，也就是人类文明最原始、最幼稚的形态。可是这个最幼稚的文明却处处表达出老态，这叫幼稚文明的老成现象。

我举例子，宏观上，中国早在三千年或两千多年前就已出现大国体制，并早在公元前3世纪统一文字。反观欧洲，上个世纪，曾经有人想统一欧洲文字，搞“世界语”，结果以失败告终。而且中国早在公元元年前后，就出现科举制，到隋唐时代大体成熟。西汉早年叫“举孝廉”，也叫“察举制度”，到隋唐以后叫“科举制度”。什么叫作“科举制度”？即在平民阶层中选拔社会管理者，它相当于我们今天所说的公务员考试制度。

以文化史的发展效果衡量，你说科举制度有很多问题，此言不错。它使得所有文人只读“四书五经”，只关心“学而优则仕”，所有文人全都挤在读书做官这一条独木桥上，几乎没有任何文人关心自然学问题，导致中国文化后来严重偏废，这是事实。但是换一个角度看，它却是人类最早出现的文官考试选拔制度。要知道人类在远古时代，全都历行世卿世禄制度，也就是作为社会管理者的各层官员全都来自于世袭继承。我举例子，

1789年法国资产阶级大革命，但直到革命成功以后将近半个世纪，1830年法国绝大多数官位还是世袭制度。1830年以后，法国才逐步健全公务员考试选拔制度。我们从宏观上可以发现中国社会极度老成、极度早熟。

还不仅表现在宏观上，而且表现在微观细节上。比如西方文化讲“性”，爱呀爱呀爱个没完；中国文化讲“食”，吃呀吃呀吃个没完。不过大家得仔细想想，什么人关心性的问题？年轻人一定更关心性的问题，若为吃一顿饭耽搁他谈恋爱，这顿饭他是宁可不吃的。什么人关心吃的问题？老年人，床上的事弄不动了，才只好讲吃。食文化是典型的老年文化。

我们再看，即使是食文化，中国食品酸辣刺激，而西方食品甜淡油润，它天然就符合儿童的口味。带过孩子的人都知道，你在家里天天给他做中国菜，孩子是不爱吃的。你偶然领他到麦当劳、肯德基去一趟，他从此把你赖上了。为什么？因为西方食品天然就是按照孩子的口味设计的。请想想什么人需要酸辣刺激的食品？老年人，舌头上的味蕾感受器退化了，不是酸辣刺激的食品就不足以使他开胃。因此即使是中国的食文化也偏向于老年人。

我们再看，西方人性情率真，而中国人城府高垒。在西方，说假话是个不得了的大事，如果你在法庭上说假话叫伪证罪，你得承担刑事责任。在中国人眼里，西方人都是些青瓜蛋子，即使到成年，他们也直来直去从不绕弯。反观中国人城府高垒，改革开放初年，西方经济团体到中国来跟国内企业家谈判，寒暄虚套两三个小时，西方人摸不着头脑，不知道中国人想干什么。中国有一句民间谚语：“逢人只说三分话，未可全抛一片心。”意思就是说，讲话七分保留着，即便你听到的那三分话，还基本上都是假话。那么大家想想什么人性情率真？孩子一定性情率真。带过孩子的人都知道，你经常从五六岁孩子的口中听到非常深刻的话，让大人很吃惊。其实不是深刻，他只不过是说了一点真话，而我们已经早就不说真话了，因此才会有语出惊人之感。那么什么人城府高垒？成年人！老年人！他们历尽沧桑，受尽磨难，不得不把自己越包裹越紧，所以中国人在性情上也是一派老态。

大家再看，西方文化倾向竞争，而中国文化强调和谐。不过你得想想，什么人喜欢竞争？孩子们一定喜欢竞争。你给小孩子买一个玩具，是他独自玩的，他玩两三个小时，就给你扔到一边了。你让他参加竞争性游戏，他乐此不疲。这就是为什么今天足球运动、篮球运动，这些竞争性很强的竞技运动成为世界上最大的体育产业的原因。什么人喜欢和谐？老年人，他争不动了，只好讲和谐，所以它骨子里仍然表达着极度老成的状态。

我们再看，西方文化倾向于朝前看，而中国文化倾向于朝后看。最典型的就表现在东西方学者做学术的状态。大家要知道西方文化叫批判学术，我们今天做学术的人都无例外地受到了这种西方学术风格的浸染。所谓批判学术，就是对于你所研究的问题，对前人在这个领域的论述横挑鼻子竖挑眼，说他这也不是，那也不是，然后另外建立自己的理论模型，这是典型的批判学术。

那么中国文化怎么做呢？反过来朝后看，全都是翻故纸堆。这就是为什么我讲，中国早就已经没有国学大师了。你如果现在见到国学大师，不外乎两种情况，第一、你搞错了；第二、他是个骗子。比如有人说季羡林是国学大师，季羡林本人都不敢承认，因为季羡林不是研究国学的，他是研究东方外语的一个小语种的专家。他研究什么？研究吐火罗文。"吐火罗文"是什么？远古时代北印度阿富汗周边一些原始部族的古文。再下来，你只要见到国学大师，他一定是骗子。为什么？因为国学的基本规范，建国以后甚至民国以后，国人再都没有受过这种训练。

那么做国学的基本方式是什么呢？全都是向后看，翻故纸堆。它有三项训练不可或缺。

第一是“训诂”。什么叫训诂？我不说它的学术含义，我说简单一点，就像我们第一天讲课，讲甲金文，也就是要把中国每一个方块字，找见它不同时代的含义以及不同时代的流变。如果你不能对每一个中国文字找见它的古远含义和流变进程，你就无法解读古代经典。你解读古书，你用今天的中文来解读，基本上都是误读。这叫训诂，在干什么？翻故纸堆。

第二是“考据”。什么是考据？你可不敢把它理解成考古学。考古学是近代从西方传入中国的，中国自古从来没有考古学，因为中国古人认为挖祖先的坟墓是一个最缺德的事情。因此，中国古代只有盗墓贼，绝没有考古学。那么什么叫考据呢？就是一个学者面对他所要研究的问题，必须把前人对这个问题的全部研究资料都搜罗到位，这叫考据学。他在干什么？朝后看，翻故纸堆。

第三是“注疏”。大家先看“注”，什么含义？你不仅要在考据上把相关资料全部找齐，你还得把前人在书的留白处对书中考据文献的注文都找到位，这叫注。所谓“疏”，是后世文人对前辈文人注文的注文，你也得搜罗到位。他在干什么？全都在翻故纸堆。这就是中国现在早就没有了国学大师的原因，因为这种朝后看的学术训练方式，早就已经在我们的教育界废止消失了。

那么什么人倾向于朝前看？年轻人一定总是朝前看的。什么人倾向于朝后看？老年人、中年人倾向于朝后看。所以，如果有朝一日，你总是回忆自己当年有多么了不起，它标志着你老了。

“大一统”与“僵老化”之成因

中国传统文化是人类历史上第一茬最幼稚文明的完整保留，

可是它却在远古时代就已经显现出老成或僵化的特征，这是非常奇怪的文化现象。为什么会发生这种情况呢？我们下面就把中外学者，包括20世纪英国著名历史学家汤因比、美国哈佛大学著名汉学教授费正清，以及包括黄仁宇在内的诸多华裔学者对中国传统文化的研究做一个归类，总结为六条，给大家做一个基本交代，以便于进一步了解中国文化以及孔子思想得以塑成的自然条件和社会土壤。

第一，黄土疏松肥沃，随黄河冲击而广被中原，易于开展原始农耕。这一部分我在第一天课程中已经讲过，不再重复。

第二，中原是地球上仅有的三大原始农耕基地，但是这个地方气候怪异，它每年的降雨几乎全部集中在夏末秋初那三个月之间，导致旱涝灾害频仍。民国时期有一位著名学者叫姚善友，写过一本书叫《图书集成》，其中考察了民国往前历数2270年间史书上记载的重大旱情、涝灾以及其他天灾。统计下来发现，在这2000多年里，史书上记载的重大旱灾1392次，重大水灾1621次，这其中还没有计算虫灾或蝗灾等，平均每年发生灾情1.33次。这就是为什么中国在春秋时代，各家虽然互为敌国却互借粮食的原因。

我举个例子。比如秦穆公时代，晋国发生重大旱灾，于是晋君向秦国借粮，秦穆公慨然应允。大家首先要知道，秦晋两国历来是敌国。因为晋国地处秦国的东面，秦国东出函谷关，逐鹿中原，面临的第一大障碍就是晋国。所以现在有一个成语叫“秦晋之好”，你可千万不敢弄错，把它误解为秦晋两国关系良好。它是因两国关系极度紧张，不得不以和亲的方式缓解紧张关系，是谓“秦晋之好”。因此，“秦晋之好”的原本词义是指没有爱情的政治联姻。时隔若干年后，秦国发生巨大灾情，向晋国借粮，这个时候晋国的国君换成了晋惠公，晋惠公这个人真是一个混球，他不但不向秦国借粮，反而认为秦国这时候最为衰弱，举兵进犯秦国。于是秦穆公率领老秦民跟晋国打了一场著名的大战，史称韩原之战，把晋军打得大败，竟然活捉了晋惠公。我为什么给大家讲这个战例，就是想告诉各位，在中原大地上，尽管它是农业文明的重要生发地，却灾害频仍。大家分立为小国，谁都无法安宁生存。

第三，黄河凶险之至。这句话什么意思？要知道我们的古文明也被称作黄河文明，因为中原文明是中华文明的开端。但是，黄河却是世界上最凶险的一条河流。地球上的所有河流，其绝大多数的泥沙含量一般不超过5%。即使是地球上泥沙含量第二大的河流，南美的亚马逊河，它的泥沙含量在雨季也不超过12%。可是黄河的泥沙含量平均在42%到63%之间，真正是舀一碗黄河水就有半碗泥沙。那么黄河流经中原地区,水流变缓，泥沙沉降，当地文明人被迫开始在黄河两岸筑堤，结果导致黄河河床不断抬高。到汉代，黄河河床高过地平7米以上，到宋代达19～20米以上，真正是一条天上悬河，成为挂在中华民族头上的一把“达摩克利斯之剑”。大家想想如果各自分裂为小国，你怎么治理黄河？你独自治理是全然无效的。你的上游不治理，你治理有什么用？他不但不治理，还专门掘开河堤淹你，兵法上有讲“水淹七军”呢。因此黄河成为逼迫中华文明和中华民族大一统的一把利器。

我举个例子。秦始皇统一天下，派30万大军进攻魏国。他的主战将王贲，就是原先那个著名秦将王翦的儿子，率领30万大军久围魏国首都大梁，三个月攻不下来，王贲怎么办？掘开黄河堤坝，淹掉大梁，魏国立即投降。它说明什么？说明大家分立为小国，沿黄河发展根本无法正常生存。

第四，游牧生态与农业生态截然分明而又彼此毗邻。这句话什么意思？我们讲东亚大地是一块封闭地域，但是在这片东亚大地上却分布着两种文明形态，这就是农业文明和游牧业文明。自古以来，北疆游牧文明就构成华夏农业文明的重大威胁。大家首先记住一点，中国的长城绝不是秦始皇修建的，它是在春秋战国时代，由各北疆分立小国分头修建的，比如燕国、赵国、秦国分头修建了长城。秦始皇统一天下以后，只不过把这些片断的长城连接起来了而已。也就是说，长城在建造以前没有经过任何人的统一设计，可是奇怪的是，它居然和15英寸等雨线刚好对齐。

我解释一下什么是15英寸雨量线，或者叫15英寸等雨线。15英寸雨量相当于年降雨量380毫米到400毫米。而年降雨量低于400毫米的地方很难发展农业；年降雨量低于250毫米的地方，一般只能长草，发展游牧业；年降雨量低于100毫米的地方，一般会荒漠化或变成沙漠。这个年降雨量400毫米的分界线，居然和长城刚好重叠。它说明什么？说明长城是两种文明冲突的阻隔线。

而且长城是全球人类远古时代最巨大的一个土木工程，它偏偏出现在东亚。这说明什么？说明东亚地区两种文明的冲突极为剧烈！大家知道，先秦时代的匈奴民族始终侵扰北疆各国，直到西汉，又对汉王朝构成重大威胁。尔后是唐代的突厥，宋代的金、辽、西夏、蒙古，一直到清代的女真人，也就是满人，中原不断受到外族的侵袭，都是北疆游牧民族的冲击。

大家还要注意，“谁落后谁挨打”这个讲法是很成问题的。你把历史拉开一个长卷，除了近代15世纪以后，才是“谁落后谁挨打”。这是因为出现了一个更暴烈的文明，叫科学时代。在此之前数千年，人类历来是“谁先进谁挨打”。比如周灭掉了商，商是中原唯一有文字文化的部族，《周书》记载“唯殷先人有典有册”，周是连文字都没有的蛮族，它却灭掉了文明程度最高的商。到战国时代，具有西戎风格的蛮秦灭掉了文明五国。然后看唐代，它是鲜卑人建立的政权，要知道李世民身上大约有四分之三的鲜卑裔血统，是他们父子建立了大唐帝国。再下来，蒙古人建立了中国的元朝。请记住鲁迅说过一句话：“成吉思汗不是我们的汗。”也就是在宋代的时候，蒙古不属于中国，是典型的外族侵略。元朝统治89年，中国人老老实实做了一次“亡国奴”。元朝把国人分为四等:第一等，蒙古人;第二等，色目人，主要指先前征服的中亚人、西亚人或者欧洲白人;第三等，汉人;第四等，南人，即南方人，因为江南最后被占据。中国人全体长期被奴役。再往后，到1644年明末，20余万女真人——把老太太、小孩子都加上只有20多万人，而中国人口当时在1亿左右——他们居然轻而易举地打掉中国，突入关内建立了满清政权。

不仅中国如此，西方照样。大家想想，古希腊被谁灭掉了?被它北边的马其顿蛮族灭掉了。大家再想想，古罗马帝国被谁灭掉了?被欧洲南下的日尔曼蛮族和西哥特蛮族灭掉了。可见，你把历史长轴拉开，人类在远古乃至中古时代，历来是“谁先进谁挨打”。为什么?因为农业文明的人骑不到马背上。要知道马镫这个东西，直到东汉初期才开始在全世界普及。远古时代骑马两脚是悬空的，一个人把自己主要的精力和体力都用在驾驭马匹，两腿紧夹马腹，两手紧抓马鬃，尚且不能稳妥掌控，马一旦快跑或跳跃，人立即被甩下来，摔成骨折，躺在床上一百天动不了。而游牧民族的人从小就骑在马背上放牧，两腿夹紧马腹，两手腾空挥刀舞剑，由此建立了他们的骑兵体系。

在近代以前，骑兵历来是步兵的克星，因为骑兵机动性极强。而中国古代农业文明是没有骑兵的，只有车兵。所以你读古书，它上面讲一国军力强盛，用什么词形容?用“千乘之国”“万乘之国”来形容。所谓“乘”(shèng)，就是一辆战车，外加十几个到七十几个步卒。三个重甲士站在车上，其余轻甲士跟在车后，叫一乘。而我在前边讲过，古代的车辆是一根木轴穿两个轮子，两侧轮子转动始终一致，所以它不能快速拐弯，机动性较差。骑兵因此成为陆地集群作战中最强有力的一种形式。

骑兵在什么时候才衰落?直到第二次世界大战初期，闪电战、立体战出现，天上飞机横行、地上机枪扫射、火炮遍地开花，才把骑兵打趴下。1939年9月1日，希特勒进攻波兰，波兰一支上万人的骑兵部队被快速歼灭，骑兵战术至此才退出历史舞台。可见在古代社会，农业文明动辄受到游牧文明的冲击袭扰，而且基本上不是对手,实属正常。这就是为什么这两种文明的冲突，历来被中国视为严重外患和基本国情的原因。

我再举一个例子。孔子的弟子们曾经坐在一起非议管仲。大家都很熟悉，管仲是春秋五霸第一霸齐桓公的宰相。那么，孔子的弟子为什么非议管仲呢？是因为他们认定管仲有严重的道德缺陷。中国古代秉承的道德观念，是好女不二嫁，好士不二主。就是一个好女人，一辈子不嫁两个男人，一个好士子、好男人,一辈子不服侍两个主子。管仲在辅佐齐桓公姜小白之前，齐桓公跟他的哥哥公子纠争夺王位，管仲是公子纠的老师，管仲的朋友鲍叔牙是姜小白的老师。争夺王位的过程中，公子纠失败，姜小白登基，按理说管仲应该自杀，至少应该流亡，他却去跟他的敌人齐桓公姜小白当宰相。所以孔子的弟子认为管仲有严重的道德缺陷，这个看法是没错的。

可孔子怎么说呢？《论语》中留下一句话："微管仲，吾其披发左衽矣。"大家先看"微"这个字。画一个长头发的老人，如果在这个老人下面，画一个表意搀扶动作的孩子，这个字就是甲骨文的"孝"（

）；画一个长头发的老人，如果在它的旁边画一只手，手里拿一个棍子，这个字就是"微"（

）。"微"的原意是什么？击打老人的意思！跟"孝"这个字刚好相反。那么"微管仲"是什么意思？"微"是批评的含义。大家知道我们今天还有一个成语，叫"颇有微词"，就是我对你有批评的话要说。孔子讲，如果你们批评管仲，那么我就披发左衽。什么叫"披发左衽"？中国古代认为，身体发肤受之父母，不得毁伤。所有人，包括男人、女人都不能剪头发。一生不剪发,随着年龄的增长头发势必越来越长，因此所有文明人不得不束发。根据性别、社会地位的不同，束发的形式不同。野蛮人是把头发披下去的，今天女孩子把头发披下去是学野蛮人的做法。什么叫“左衽”？我们今天穿的服装叫西服，纽扣都在中间，要知道东亚古时，纽扣是在衣服两边的，文明人纽扣在右边，野蛮人纽扣在左边。孔子的意思是说，如果你们批评管仲，我就“披发左衽”，做野蛮人。

孔子为什么不允许他的弟子批评管仲？是因为管仲身为齐桓公的宰相，他给齐国建立了一个基本国策叫作“尊王攘夷”。要知道春秋时代，各分立国家展开灭国战争，互相兼并，这个时候齐国是春秋第一霸主，力量最大，它也灭一些小国。但是在管仲主政下，他建立的基本国策却是“尊王”，也就是大家团结在周天子的周边，团结起来干什么？攘夷！抵御外族侵略！我举例子。匈奴人进攻燕国，管仲居然派齐军帮助燕国抵抗匈奴。大家知道燕国是齐国最重要的地缘威胁，它处在齐国北边，燕赵之士极具战斗力。及至战国时代，燕国在乐毅将军的率领下，曾经灭掉齐国七十二城，几乎导致齐国覆亡，这才有了著名的“田单救齐”的故事。可见齐国跟燕国的关系何其紧张。可是管仲却带兵帮助燕国抵御匈奴。匈奴进攻曹国、邢国，管仲不但派兵援助，而且帮助他们复国重建。由于管仲九次共约诸侯召开盟会，让大家团结起来抵御蛮族侵略，这才导致北疆匈奴人没有灭掉中华文明微弱的嫩芽。大家想想，当年的中原文明仅仅局限于一小片地域，如果没有管仲，中华文明可能早就被消灭了。

我举一个例子。我在讲西哲课的时候，给大家摆过古希腊地图。古希腊可是一个大希腊联盟，包括小亚细亚，包括希腊半岛，包括亚平宁半岛也就是意大利半岛的南端。希腊盟邦那个时候十分强大，它居然两次打败世界第一帝国——波斯帝国。两次希波战争，希腊都是胜方。如此强大的古希腊，却被马其顿蛮族灭掉了。而当年的中原文明十分微弱，如果不是管仲，那么中华民族早像古希腊一样消灭于历史烟尘之中了。这就是孔子为什么给管仲以极高评价，居然用了这样八个字："九合诸侯，一匡天下。"我在告诉各位，在中原这片地方，大家分立为小国，根本无法抵御游牧文明的冲击。文明的冲突这个问题是很难对付的。

我们再看第五条，中国是一个农业大国，但它的可耕地面积却十分狭小。高山、沙漠、沼泽、湖泊占去国土总面积的将近90%，可耕地面积只占10%稍多一点。民国时期，政府有关部门调研，中国可耕地面积占中国国土总面积10.4%；今天中共国土资源部调研，可耕地面积只占10.6%稍多。这是一个什么概念？我举两个例子。印度国土面积大约只占中国国土总面积的三分之一，可它的可耕地面积居然比中国大60%到70%，也就是说中国如果养活13亿人口，那么印度足足可以养活20亿人口。再看美国，国土面积跟中国相仿，可它的可耕地面积竟占国土面积40%以上，如果中国可以养活13亿人口，美国足足养活50亿人口。可美国今天说，它只有3亿人口都显得太多了。不仅如此，中国不光可耕地面积极低，而且中国人生起孩子来没完没了，生育能力极强，尽管他的文化不讲性。这实在不是因为中国人好这一口，而是由于生物钟。

这话是什么意思？中国古人占据了地球北半球最好的一片区域，叫中纬度地带。美国近代强盛，也跟美国占据了刚好跟中国对面的美洲中纬度地带有关。中纬度地段是最适合于生物繁育的区域，这也就是为什么地球上生物质量最大的分布带都在中纬度地段的原因。中纬度地段光照量适宜，温度适中。要知道我们人类的生理运转节律是被太阳规定的，这叫"生物钟"。也就是说，我们的生理运转节点是跟着太阳走的。生物钟大致在人体视中枢的周边，它调理着人体生理运转的时间节点。比如我们所有人一天24小时血压最高的时段，出现在凌晨四点到上午十点，这也就是为什么晚年发生心血管意外，百分之七八十都发生在这个时段的原因。这是因为我们人类是从4亿年陆生生物的昼行动物进化而来的。大家知道老鼠、猫头鹰是夜行动物，但绝大多数动物是昼行动物。我们人类是昼行动物变异而来的，于是人类的生理节律就会跟太阳光照度的强弱变化取得适配。在中纬度地区，夏天太阳升起的时间是四五点钟，因此古人历来遵循这样的作息原则，叫“日出而作，日没而息”。早上四五点起来就开始干活了，晚上七八点就睡觉了，每天足足睡八小时，生物钟就是这样调节的。亿万年来，早上四五点起床，从古生物进化的过程中就这样。那么此时血压增高为什么？为了增加供血量，增加肌肉爆发力，这叫生物钟。

讲到这里我顺便说一句，我们今天讲科学技术是双刃剑，有好的一面，有不好的一面。但是我说科学技术是单刃刀，只有坏的一面，只砍掉了我们人类的生存气数。我举个例子，爱迪生发明灯泡，总该没有副作用吧，可是自从他发明灯泡，我们人类从此不按时作息了，全都过了夜生活了。甚至整晚看电视，看电视是什么？不就是看一个彩色灯泡嘛。结果把所有人的生物钟搅乱！这是人类今天出现上万种新疾病，发生大量无法治疗的恶性疾病的重要基础原因之一。我们回到本话题上，由于中纬度地区生物钟适宜，所以中纬度地区动物植物的生育能力极强，繁殖能效甚高，因此中国人口自古占世界人口总量的20%到25%。

我再举个例子。我认识的一位老教师，他的一个朋友在上世纪50年代曾经做过苏联专家的翻译和助理。此人所服务的这一对苏联专家是年轻夫妇，在苏联结婚三年，生不了一个孩子，以为自己有不孕症或者不育症（女性叫不孕症，男性叫不育症）。1955年来到中国，1959年撤离回国，在中国待了五年，竟然前后连续生了三个孩子。临走以前给这位翻译讲，说你们中国真是生孩子的福地。大家想想，中国可耕地面积相对狭小，而人口繁殖能力超强，由此带来一个严重的麻烦，就是人际关系和资源关系格外紧张。

最后来看第六条，东亚地形封闭。我在前面就一再讲，中国所处的东亚这片地区，它的北面是西伯利亚高寒冻土地带；

西面是帕米尔高原；西南面乃青藏高原；南面为横断山脉，古人根本无法翻越；而东面又是浩瀚的太平洋；它是一个全封闭地貌。这个封闭地貌就导致在远古时代,交通通讯不发达的时候,外族人或者外族文化要想侵入中国非常之难。这在某种程度上隔离了中华文明和其他文明的交往，从而构成中华文明独自发育、精雕细琢的老成格局。我前面讲过文化是具有遮蔽效应的,文化只有在交流状态中才会突破自身。

我们下面做小结：上述第一项条件，是中华文明格外早熟的原因，也就是中原平原成为人类仅有的三块原始农耕基地之一，因此中国农业文明发育较早且倾向早熟；上述二、三、四项条件，也就是气候怪异，灾害频仍；黄河凶险，分立为小国不能治理;游牧文明和农业文明冲突剧烈,分立为小国无法抵御;这三项因素导致中国必须早早建立大国体制。这就是为什么中国在先秦时代就出现“天下观”的原因，也就是中国为什么远古时代就构成大国稳定体制的原因。上述第五项条件，即可耕地面积狭小，而人口繁殖能力偏高，导致人际关系和资源关系格外紧张，这是造成中国传统文化格外关注人伦社会问题而偏废自然学的主要原因。上述第六项条件,也就是中国的封闭地貌,是中国文化在缺乏交流的状态下，独自精雕细琢数千年，终于把一个原始幼稚文明塑造成一脉过度成熟乃至老化僵化文化的原因。

我们只有理解上面这些大环境、大背景、大土壤，我们才能理解中国传统文化的基本素质，也才能理解孔子儒家文化的真实内涵。

原始文化的三大要素

我们下面谈一些跟孔子个人相关的话题。在谈这个话题以前，我们首先要建立一个观念，那就是在人类远古文化中有三大要素不可或缺。哪三大要素？第一，求治的要素；第二，启蒙的要素；第三，教规的要素。什么意思？我一项一项解释。

首先大家要建立一个观念，人类社会不是人类自主缔造的，人类社会是从生物社会中增长出来的。此前所有社会学家、哲学家，包括马克思在内，他们都认为“社会”这个东西，只为人类所独有，“社会”完全是人类缔造的。这个看法，今天已经不成立了。上世纪后半叶，西方生物学界发现，所有生物都生活在社会群团之中，人类社会是从生物社会以及动物社会中增长出来的，这就是著名的“社会生物学”。这个新学科的立论依据及其内容环节，我们今天没有时间详细讲解，我只想告诉大家，不要认为社会系统是人类缔造的产物。“社会”是一个自然结构，它已经持续存在并演化发展了38亿年，人类社会只不过是生物社会的终末晚近衍存形态而已。

人类社会一旦发生，它立即走向失序。为什么？请大家想想，生物社会是怎样构成的？生物社会或者动物社会是其社会个员在体质层面上发生分化和残化，故此必须代偿性建立残残互补的生机结构，我们把这个东西叫作生物社会系统或动物社会结构。

我举一个例子。生物学家研究膜翅目社会，什么叫“膜翅目社会”？简单说就是蜜蜂、蚂蚁社会。大家看一下膜翅目社会、昆虫社会、动物社会，它们是怎样运行的？蜜蜂社群中有蜂王，其实它不叫蜂王，它在生物学上叫雌蜂，整个蜜蜂社会中，只有雌蜂具有雌性生殖能力。由于所有的生命体都是围绕着“性增殖”这个中轴运转的，因此，人类把蜜蜂社群中仅有的这一只雌蜂称作蜂王。雌蜂的体格是普通蜜蜂的五倍，寿命是其十倍，它居然每天多则可以排卵上千粒，比它的体重还大。由于它是蜜蜂社会的增殖中枢，因此构成社会运转的核心。它完全就是一个雌性生殖器官，它残化到这种程度，竟然没有任何其他生存能力。

蜜蜂社会中最大的群量叫工蜂，属于雌性器官没有得到发育的雌蜂类别。它们长着长长的口器，赋有轻盈的身体和飞舞能力极强的翅膀，腿上丛生密集的腿毛，而且腿毛还构成奇特的花粉篮，采得的花粉可以放在腿毛构成的花粉篮中带回巢穴。所以工蜂完全就是一个采蜜工具，它天生就是一架残化的、不具有生殖能力的采蜜机器。蜜蜂社会中还有一个小群量叫雄峰，它们在飞舞过程中跟雌蜂交配，一旦交配完毕，立即壮烈“殉国”，它们简直就是一个会飞舞的雄性生殖器官。

在蚂蚁社会中还有一个阶层叫兵蚁，它们长着厚厚的铠甲，生物学上称为几丁质，嘴上长着大大的螯钳，以至于头部太重，身体运动平衡都难以把持。它们什么功能都没有，什么事也干不了，只起一个作用，为蚂蚁群落守门或参与蚂蚁群团的战争。我在讲什么？我在告诉大家，所有生物社会和动物社会，其社会成员在体质上是残化的，或者说是借助于体质残化来建构生机重组的社会体系的，因此它的社会结构是永远稳定的。它不可能在尚未出现明显变异或变种之前发生社会阶层或结构变革，因此社会形态超稳定。

所谓人类文明是什么？就是文明人类建立社会结构，已经不靠体质层面的残化补合，人类所有个员在体质上都是大致相等的，都是两个肩膀扛一个脑袋，其间仅有两性之差别。因此，人类早年叫性结构社会，叫亲缘社会，人类给自己起了另外一个名字，叫氏族社会。那么一旦超越血缘氏族社会，进入文明社会，人类靠什么来进行社会组合呢？靠智质残化。从体质残化到智质残化是一脉进程，也就是靠智能的发育来分工、分化，在此基础上施以残化互补，从而建立后续晚级社会结构。

既然我们每一个人在体质层面都是相似的和平等的，那么每一个人自然就不会甘心居于社会下层，每一个人都想跻身于上流社会。因此社会一旦文明化，一旦出现性结构约束的缓解和释放，人类社会立即趋向于紊乱化。这就是为什么人类文明社会早年的原始文化第一要素都缺少不了“求治”的概念和“求治”的追求，就是必须达成社会治理和社会安定的这项诉求。

第二是启蒙的要素。我在前面课上讲过，所谓文明化社会，其实就是被逐出伊甸园的过程，谓之失乐园。也就是说，自然界不再给人类提供任何生存资料，人类的所有生活资料，都必须靠人类自己制备。我们今天吃的、穿的、用的，甚至我们今天见到的水果，全都是人工培育的，在自然界里都是不存在的，或者都是以现在看来无法使用的原始野生状态存在的。由于人类的所有生存资料必须靠人类开发智力自行制备，人类方具有微弱的社会存在的资格或自然生存的资格，因此人类文明社会一开始，它的原始文化诉求里必须有一项，叫启蒙调动人类的智慧。这就是人类文化第二大诉求得以形成的原因。

第三是教规的要素。什么意思呢？我前面讲，人类体质性状类同而平等，因此如果每一个人按照自己的意愿去社会上活动，则所有人都会倾向于朝某一个方位运行。而社会结构却要把人们另行排布在不同的结构层级上，因此人类就必须给自己的社会群体和人民大众分别划出定位生存的规范。请大家想想，凭什么你来制定社会规则，让我遵循？我来制定社会规范，要你遵守行不行？也就是说，所有的人既然是平等的，那么从理论上讲，就没有任何人具有为全体人类、为各个群团建立社会规则的起码条件，亦即根本没有这个资格！因此自古以来，人类必须缔造高于人世的主，这就是神学和宗教在人类早期文化中分量极重的原因。因为只有高于人类的“主”，才有给人间制定社会规范的资格和条件，这叫教规的元素。

值得注意的是，在人类原始各族群中，要么没有开化，没有形成原始文化体系，但凡开化者，这三大文化诉求的每一项是由不同的人分担的。比如求治的要素，由政治家和法老承担，法老是古埃及的国君；启蒙的要素，由哲人和博物学家承担，博物学是科学的前身；教规的要素，由教主和僧侣承担。唯独在中国，这三大原始文化要素由一人承担，我们把这种人叫圣人，他的典型代表就是孔丘。因此才说：西方有哲人，没有圣人；东方有圣人，没有哲人。

14世纪前叶，有一次元文宗迎接从古天竺国来到中土的高僧大德，他就问身边随行的一个汉人大臣陆春：你们汉人为什么遵从那个土得掉渣的儒学，却远离如此华贵的佛学？我前面讲过，佛教是最尊贵、哲学韵味最深厚、逻辑体系最缜密的一门宗教。那么，陆春给了他一个非常好的回答，陆春讲：佛教是金，道教是玉，而儒教是稻粮，人生可以没有金玉，却不能须臾失去稻粮。这就是儒家学说的定位。换言之，儒家学说表面上看十分浅薄，而骨子里却处在本土文化与其生存结构相匹配的最佳状态之中。我前面讲过，文化不在于它是否花里胡哨、是否光彩照人，而在于它必须是生存结构的适配体系。

我们下面看一下孔子《论语》的整体结构。你要想真正读懂《论语》，请记住人类原始文化之三大要素不可或缺。第一、求治的要素。因此孔子学说最重要的部分就是求治，谓之“兴周礼，倡王道，好梦周公，将初周之礼制理论化”。大家知道，孔子说他经常梦见周公，他的学说的核心，是要对当时春秋时代的社会进行改造。他的政治理想是恢复古制，尊贤爱民。因此，他总是希冀能够恢复西周早年的“周礼有序”状态、“天下有道”状态，这叫“兴周礼，倡王道”。孔子之所以好梦周公，因为周公旦是“制礼作乐”的西周第一任宰相，也就是为周朝建立国家政治法统的那个人。因此孔子学说的首要内容是求治的部分，他把周公旦制礼作乐的政治操作理论化，而任何东西只有理论化以后，才能持久而致密地得到贯彻执行，这就是孔子学说在政治社会学上极具力道的原因。

孔子在《八佾》篇中讲：“周监于二代，郁郁乎文哉！吾从周。”什么意思？他说周代的政治社会文化借鉴了夏、商两代的积淀，因此其文化传承极为深厚而茂盛，故我追随周文化，是谓“吾从周”。

孔子又在《为政》篇中讲："为政以德，譬如北辰居其所而众星共之。"他主张以德治国。他说,如果你有了以德治国的宗旨，那么就相当于你找见了天上的北极星，所有星辰都是围绕着北极星运转的。可见他的政治诉求极为高拔。他在书中铺陈了治国平天下的核心政治理念及其社会实治功能，使之成为秦汉以后中国主流文化的法理基础与道统中轴。因此我们讲，他真正做到了"一介布衣，胸怀天下，不自量力，遂成圣人"的境界。这是他的学说的第一部分。

孔子学说的第二部分就是启蒙的要素，谓之"办私学，行教化，有教无类，开中国'士'之先风"。孔子最早办私学，而且面向民众办学，所谓"有教无类"，就是不分阶级或阶层等级，所有人都可以在他那里接受教育，由此开创了冯友兰所说的"国士之风"。大家注意,中国的"士"别有韵致！中国社会讲究"士、农、工、商"，"士"的社会地位极高。在西方"士"都是武士，所以你读一下塞万提斯的《堂·吉诃德》，它实际上讲什么？讲欧洲武士阶层及其武士文化的败落与衰微。但是中国的"士"主要都指文士，而中国的文士是由儒家开创和培养的。中国的文士掌握着中国社会意识形态两千年的解释权，同时构成中国科举制度打造官僚体系统治社会的中坚力量。

孔子办私学之事，也将注重教育的习俗逐步弥散到民间，起到了让中国社会上下各阶层全面启蒙开智的作用。我们看孔子在《论语》中自述："默而识之，学而不厌，诲人不倦，何有于我哉？"他说，我默默地有所认知，学习从不厌烦，教书育人也从来不知疲倦，具备了这些东西，我还有什么其他要求呢？

孔子的弟子颜回，曾经在《论语》中留下一段话。他说："仰之弥高，钻之弥坚，瞻之在前，忽焉在后。夫子循循然善诱人，博我以文，约我以礼，欲罢不能。"大家注意，这是学生对老师的评价。他说，我看老师，永远看不见他的高度 。中国有一个成语，叫高山仰止，就是说，你站在山下面，把脖子都快拧断了，你都看不见山顶，此谓仰止。颜回又说，对于老师的学问，钻之弥坚。就是我想弄通老师的学问，却永远钻研不透，我一会儿觉得他的学问意境已显，一会儿又觉得他要讨论的问题另有深意。“夫子循循然善诱人”，不断地给我们讲解；“博我以文”，使得我有了文化；“约我以礼”，使得我有了规矩，懂得了社会规范；“欲罢不能”，就是我终生追随老师，永远都离不开他。由此可见孔子的教学魅力。因此我们讲“一介寒士，面向庶民，蔚然文风，遂成先师”。这是孔子《论语》的第二部分，即启蒙的要素。

第三部分是教规的要素。孔子学说讲“君子之道”、讲“八门”：格物、致知、诚意、正心、修身、齐家、治国、平天下。其核心是修身。要想理解孔子的思想，关键在于理解孔子学说中的六个字，我们先讲三个字。第一，礼。我前面讲过，“礼”不是指礼貌、礼节，而是国家政治法统到民间礼仪礼节的总和。周公旦制礼作乐，所以孔子学说的核心叫“克己复礼”——克尽自己之所能，回归西周早年周公旦制礼作乐的美好时代。这是他学说和思想的核心，甚至是他的政治纲领。

第二个字，仁。一般学者都把它解释为“从人从二”，意思是，两个以上的人在一起，大家要相互与人为善。这个解法对不对呢？不对！因为这里的“二”字在甲骨文中，它其实是“上”，（板书）先画一个案台，然后在上面摆一件东西，这个字是“上”。我们在甲骨文中也见过这个字，（板书）画一个案台，下面摆一件东西，这个字就是“下”。我们在甲骨文中还见过这个字，（板书）像一个除号，这个字叫“上下”，由于要发两个音节，所以后来被淘汰。

请注意“仁”这个字是什么？许慎都解释错了。东汉时期，中国第一个著名语言学家、古文字学家许慎，在他的《说文解字》里都把它说成“从人从二”。因为许慎当年只能见到金文，甲骨文是1899年以后才发掘出来的。这个字符的图案是“从人从上”，它的意思是“上等人要爱护下等人”，此谓之“仁”。孔子在论语中讲“仁”，有一百多种讲法，核心叫“仁者爱人”。因此大家要特别注意，孔子学说绝不讲平等！孔子学说是典型的贵族学说，叫“礼有尊卑”。由于古代的时候，社会管理者全都是贵族，而且是贵族世袭，因此他认为要想让天下稳定，上等人就必须爱护下等人,这个概念叫作“仁”。所谓君子之道的“君子”，是指有道德的贵族。所以孔子把人分为三等：第一叫“圣人”，就是身居至高权位而又有隆德的人；第二叫“仁人”，就是具有某种社会地位和治理能力，而又具备较高道德素养的人；第三叫“君子”，就是普通贵族，或者有心追求贵族道德精神的人。所以孔子的“仁”是讲“上等人要爱护下等人”，这一点大家首先要理解。

孔子学说的第三个字，恕。请注意这个字，我们大多数人是在“宽恕”这个复合词上理解它，这样不行。你得看懂这个字形，乃“心如”之合，将心比心的意思。用孔子的原话：“己所不欲，勿施于人”，是谓之“恕”。

孔子学说另外还有三个重点字，我们后面讲，叫“孝、忠、知”。这里简单谈一下“知”和“智”，知识的“知”和智力的“智”，在中国古代是通假字，可互换使用。那么“知”是指启蒙教育，开化智力。“孝”和“忠”是什么含义？我们以后再讲。

礼、仁、恕，这三个字是理解孔子学说非常重要的基础。仁，我前面讲过最核心的意思是“爱人”（仁者爱人）；恕，孔子原话表述“己所不欲，勿施于人”。翻遍所有的宗教读本，《圣经》《古兰经》《佛经》等，在这些宗教文献中，你无需借助于字词转译，就能见到近乎同样的表述。它说明什么？说明孔子文本的第三部分就是教规部分。

要知道孔子活着的时候是十分狼狈的，根本没有尊崇地位。比如《史记》中记载了这样一段典故，说孔子周游列国十三年的时候，有一次来到郑国，在郑国都城的东门和自己的弟子走失了。他的著名弟子子贡就去寻找老师，结果碰见一人，问他说，你要找的那位先生，是不是“其颡似尧，其项类皋陶，其肩类子产，然自要（腰）以下不及禹三寸，累累若丧家之狗。”这句话的意思是说，你要找的那个人，是不是脑门看起来有点像尧，脖子有点像皋陶，肩膀有点像那个最早立法的子产，腰则短了三寸，此人看起来像个丧家狗，你是不是要找这样狼狈的那个人？子贡回去后就以实告孔子，说别人形容你是丧家狗。大家知道孔子是怎么回答的吗？《史记》原文记载：“形状，末也。而谓似丧家之狗，然哉！然哉！”意思是说，所描述的长相不一定确切，但说我像一条丧家狗实在是恰如其分的。

孔子为什么当年如此之狼狈，三四百年以后却居然被祭上圣坛，号称“素王”，以至于所有皇帝都要给他的牌位磕头？是因为人类原始文化中不能缺失教规的元素，这是孔子最终被祭上圣坛的原因。所以大家读《论语》，你想读懂它，关键在于你得理解人类原始文化不可或缺的那三大要素。你把这些个东西读明白了，你才能真正领悟孔子学说的整体内涵。圣人之教集三大原始文化要素于一身，这就是儒家学说的分量所在，也就是儒家学说统治中国主流文化，像宗教一样牢固持续两千多年而不溃散的原因。

孔子身世简介

我今天上午讲过，我说早就已经没有国学大师了，大家听我这个课，不要当作国学来听，把它作为人类整体文化或人类思想史的一个分支来听才相宜。我不是国学研究者，我研究的是哲学。我的讲课内容传统文化偏多一点，是因为它跟我们大家比较有亲切感，比较容易贯通大家的思想。整个十二天讲座，其实涉及的内容很多，除了中国传统文化以外，还有西方哲学、印度佛学、人体哲理、人类文明的趋势与危机等等。这个课实际上是什么？是文化人类学的别样解读，或者说是对人类文化系统或者人类文明现象的另一种注解。大家听我的课，务请围绕这个轴心展开思路。

我们下面讲孔子身世。孔子的出生地和居留地主要在鲁国。鲁国是周公旦的封国，鲁国第一任国君是周公旦的长子伯禽。我们前面讲过，周公旦作为西周第一任宰相，制礼作乐，奠定了西周的整个国家法统。因此在鲁国，礼制文化极盛，周礼文献厚藏，被称为“周典章之藏地，周礼乐之胜地”。这是孔子作为鲁国人，能够把周礼文化系统化、理论化，最终形成独到的中国农业文明之思想主轴的原因。

司马迁在《史记·孔子世家》中，对孔子的身世作了非常详细的叙述，达1万多字，讲得颇为具体，比起写老子不到700字，以至于搞不清老子是谁，文本格局全然不同。因此，关于孔子身世，我讲得粗略一点，只做一个梗概介绍。

其实孔子原本不是鲁国人，孔子的祖上是宋国人。孔子的远祖叫弗父何，是宋愍公的嫡长子，也就是说，他有继承宋国君位的资格，运气不好没有当上。孔子的七世祖叫孔父嘉，在孔子家系中社会地位最高，因为他曾经做过宋国的大司马，相当于国防部长，位列正卿执宰。那么，孔家的孔姓，就是从孔父嘉的字孔父中抠出来的，这个字后来便成了孔门的姓。

孔父嘉做大司马期间，曾经率领宋国军队打过一场著名的大败仗，结果被宰相所杀。有史书记载，说孔父嘉遇害，是因为老婆长得十分妖艳，宰相早就觊觎他的夫人了。可见一个男人娶老婆太漂亮是一件非常危险的事情。那么孔父嘉被杀以后，孔家地位开始沦落，到孔子四世祖，也就是高祖叫防叔，已然离开宋国，迁居到鲁国防地定居。到孔子的父亲孔纥，也称叔梁纥，进而沦落为一介武士。所以孔子家系是个破落贵族，而且是漂流到鲁国的破落贵族。

《史记》记载："纥与颜氏女野合而生孔子，祷于尼丘得孔子。"这句话被很多人，包括很多学者，解读为孔子是一个私生子，这个说法是有问题的。当年鲁国的首都在今天山东曲阜附近，曲阜的周边有一座山叫尼丘山。据说他的父母在尼丘山野合生了孔子，所以孔子的名字叫丘，字叫仲尼，仲是老二的意思，名和字里有尼丘二字，就是纪念这座山。那么"野合"究竟是什么含义？它绝不是指像今天这样的婚外非法性行为，它在古代是一种合法的性行为。远古时代，成年男女但凡没有配偶或者丧偶者，在春季的时候，比如阴历二月二或三月三举行庙会，白天是庙会祈祷活动，晚上都可以在那里野合。要知道，这个制度在中国古代如此，在世界各地古代都是如此，甚至在中国近现代，我们在农村腹地仍然见到过这种现象。它是什么情况？它是人类早年对偶婚制的一种补充。因为对偶婚制是人类文明化以后才发生的一个不符合人性的别致产物。

所有生物都是群婚制，人类在文明化以前也是群婚制。群婚制绝不会造成生殖资源浪费，但是对偶婚制却不然。比如年轻夫妇，刚结婚不久，有一方就死掉了，生殖资源浪费；比如富人，在古代可以妻妾成群，而大量的穷人却找不见老婆，生殖资源浪费；比如夫妇两个人整天在一起，最终审美疲劳，生殖资源浪费。人类初现对偶婚制之时，人口增长速度极慢，生殖效率或繁衍数量曾是一个重大问题。因此，野合也就成了婚外的合法性行为，它是一个合理地补充性资源和生殖资源的必要方式。

我举个例子。一般人都会认为，鸟类中的鸳鸯是严格的对偶婚制，因此古代给新婚夫妇送礼品，最常见的都是一对绣着鸳鸯的枕套。可生物学家研究发现，雄性鸳鸯中有51%，瞒着它老婆在外面偷情。大家想想，雄性鸳鸯总不能对着石头偷情，可见，雌性鸳鸯也好不到哪里去。它说明什么？说明所有生物都是群婚制，没有真正的对偶婚制。在生物群体里，对婚姻或者对配偶的忠诚程度，取决于它育后的难度，也就是养育孩子的难度越大，雌雄两性为伴的忠诚度就会偏高一点，但它绝不是对偶婚制。而生物学家研究，曾经在非洲有过一种绿猴，体量很小的一种灵长目动物，由于它们倒是比较严格的对偶婚制，很快就灭绝了。可见当年的野合，是为使生殖资源不至于遭到浪费的一个婚外合法性行为，这一点我们有必要澄清。

据考证，孔子的父亲跟他的母亲颜氏女野合的时候，孔子父亲已经65岁以上，而孔子的母亲大约只有十七八岁，因此孔子出生仅三年，他的父亲就逝世了。孔子从小跟他母亲在一起生活，孔子的母亲颜徵在是一个贫贱女子，因此，孔子一直跟她母亲生活在贫民区。孔子自己讲“吾少也贱,故多能鄙事”（见《论语·子罕》），就是说我一出生就很下贱，多能做一些他人不屑于干的卑下的工作。

直到孔子长到17岁这一年，他母亲病逝。《史记》上记录孔子小时候有一个玩伴，长大以后做了挽车夫，也就是给人赶马车，这个孩子的母亲是孔母的邻居，告诉孔子说，你的父亲是贵族孔纥。孔子大吃一惊，他第一次知道，他居然是贵族血胤。于是，孔子在他17岁这一年做了两件震动鲁国的大事。

第一，他跑到防地这个地方，挖开他父亲的坟墓，把他母亲跟他父亲合葬了。一个平民小子，居然敢去挖贵族的坟墓，简直是冒天下之大不韪；第二，这一年，架空了鲁国国君三桓之首的季孙氏，召开飨宴贵族的一个宴会，季孙氏为什么要飨宴整个鲁国贵族？是因为我前面讲过，鲁国是周公旦的封国，鲁国的贵族其实都是周公旦的后裔，也就是说，他们全是血亲关系。季孙氏每年飨宴贵族，其实是联络亲情，维系统治阶级的内部团结。孔子自认为他也是贵族出身，于是也去赴宴，结果被我前面提到的那个季孙氏的家奴阳虎，挡在门外羞辱一番。这件事情对孔子终生造成严重的精神刺激。我为什么要给大家讲这一段？是想告诉大家，孔子特别看重他的贵族身份，而且孔子文化是典型的贵族文化，绝不讲平等，这一点大家一定要清楚。

孔子15岁而志于学。到30岁这一年,孔子自己表述叫“三十而立”，为什么呢？是在他30岁左右，季孙氏当时的家长叫季平子，认为孔子还有点能耐，于是把孔子引为他的家臣。孔子最初给季平子做委吏，相当于一个管库房的小官；以后做乘田，也就是管牲口的，相当于弼马温；再后来做过小司空，也就是代为管理家族工程。不长时间里，他就跟季平子失和，于是辞职周游列国，浪迹齐、宋、陈、蔡等国，最终返回鲁国。这是孔子第一次周游列国。

孔子最初被承认算得一个非凡的人才，是我们前面提到三桓之一的孟孙氏。这时候，出来了一个人物叫孟厘子（民国时候有个著名学者阎若璩，考证此孟厘子正是亚圣孟轲的高祖），就给他的儿子讲，说孔子这个人出身高贵，断非平凡之辈，我死了以后，你们一定要拜孔子为师。于是孟厘子的小儿子，名叫南宫敬叔（有学者认为，他可能就是孔子所谓“弟子三千贤人七十二”，贤人中那个叫南宫容的学生），就拜孔子为师。由于他出身高贵，于是引荐孔子跟当时的鲁国国君鲁昭公相识。鉴于孔子好研周礼，便建议鲁昭公委派孔子到东周首都洛邑去考察礼乐文化。于是鲁昭公给孔子赐一乘车、两匹马和一个驾车奴，由南宫敬叔陪伴，在孔子34岁这一年，来到洛邑。这就是《史记·老子韩非列传》中记录“孔子适周，将问礼于老聃”这段经历的出处。据考察，孔子当年从作为周王室图书馆资料管理员的老子手里,获得《诗》《书》《礼》,也就是《诗经》《尚书》和《礼经》这些文献，作为他后来研究和教学的基本素材。

孔子受鲁昭公聘请，开始逐步进入政界。他早期实际上是做司祭，主持丧葬和祭祀之礼的傧相，时人称其为“相”“胥”或“需”（即“儒”），也就是鲁宗社之礼官和学官。所谓礼官，就是为鲁国国君操持礼仪活动；所谓学官，就是要给鲁国国君宗室子弟办学。由于他的这个特殊的官方身份，因此他才能够整理典籍，研究鲁史，传习礼教，聚徒讲学，由此开始了他的教育生涯。所以大家注意，孔子的办学履历不是无端发生的。

孔子35岁时鲁国发生内乱，也就是季平子和鲁昭公因为斗鸡的原因而发生争执。鲁昭公派军队攻打季孙氏，于是季孙氏、孟孙氏、叔孙氏三桓联合起来，把鲁昭公打得大败。鲁昭公只好逃亡齐国，孔子后来就追随鲁昭公来到齐国，这是孔子第二次流亡。

孔子来到齐国，本来有被齐景公重用的可能，后来却没有实现。鲁昭公最终死于齐国，孔子40岁左右怏怏然返回鲁国。这个时候，他已经没有官方身份，但是却有了聚徒讲学的名望和经验，于是开始面向社会办学。他办学的方式叫“有教无类”，也就是不仅接纳贵族生源，而且收留平民子弟，由此兴起民办教育的大格局。

直到50岁左右，孔子被鲁定公重用，这就是孔子一生仅有的五年为官经历的开始。孔子之所以能被鲁定公延聘，是因为孔子办学形成了强大的势力，鲁定公早已被三桓架空，希望借助孔子学团的影响来平衡三桓对他的压制。而三桓这个时候又被他们的家臣架空，也需要孔子的这股社会力量来维持自己的权力失衡，孔子由此走入鲁国官场。

据《史记》记载，孔子在鲁国为官，做了三件大事。

第一是夹谷之会，也就是齐国召鲁国开盟会。齐远比鲁强大，齐君打算借这次盟会之机，假手莱族小国的野蛮人绑架鲁国国君。孔子发现以后，据理力争，义正辞严，他说你们齐国，曾经出过管仲，主张尊王攘夷，你今天反而援引夷人来绑架鲁国国君，也未免太出格、太可耻了。最终孔子在外交上跟齐国国君达成协议，表示鲁国愿意结好于齐，如果齐国将来发生战事，鲁方出兵三百乘追随之。但有一个条件，得换回齐国曾经占据鲁国的一部分田地和土地，这就是著名的“汶阳三田”。从这件事情里，我们可以看出孔子的外交能力不俗。

第二是诛鲁大夫乱政者少正卯。少正卯乃鲁国贵族出身，也是官场同僚。这个人能言会道，具有极高的感召力，而且同样在外面办学，据说他办学的规模不亚于孔子，曾经导致孔门三盈三虚，就是曾经三次吸引孔子的学生大量流失，甚至迹近黉舍冷落。孔子做宰相期间，借故诛杀少正卯。我们不知道当时的情况究竟是怎么回事，有学者认为，此属假公济私，杀少正卯以剪除自己的竞争对手。

第三是隳三都。什么意思呢？就是当年的三桓季孙氏、孟孙氏、叔孙氏，他们各有自己的领地与城桓。按照周礼规定，“臣无藏甲，大夫毋百雉之城”。可是礼制早已废弛，三桓实际建立的城域远比周礼规定的要大得多，于是孔子决定将其捣毁。他这样做何以未被三桓阻挠？是因为三桓里有两桓——季孙氏和叔孙氏——的城桓已经被他们的家臣所占据，因此起先得到支持，孔子就此与三桓的家臣展开了一场破城之战。初战不利，几成危局，殃及鲁君，多亏孔子镇定指挥、调度有方，最后击败了家臣的反叛队伍，转危为安，平毁费邑。但由于孟孙氏的掣肘，此项隳三都的事业终至半途而废。这里显示，孔子指挥战争的能力也相当杰出。

就其从政简历来看，孔子的行政操作能力算得优良。中国古代文士特别看重一个人的实操能力，而不单纯看重学术素养。要知道，孔子在社会政治实务上的能力远高于中国后来的著名文人，比如王阳明、曾国藩之辈。这两个人都只有战事英明的特征和故事，而孔子在政治、经济、军事、外交、教育等多方面均表现优长。所以孔子堪称实务之高手，此乃孔子被后世文人士大夫奉为导师的重要原因。

孔子至此威望日隆，名震四方，以至于令齐国有不安之感。齐君给鲁定公馈赠美女80人、骏马120匹，收买鲁定公辞退孔子。另外孔子对鲁定公也监督极严，众所周知，孔子有四句名言：“非礼勿视、非礼勿听、非礼勿言、非礼勿动”，搞得鲁定公大受拘束。再加上这个时候三桓的家臣已被平定，三桓也不再需要来自朝野的其他助力，于是孔子在政坛上失势。

其实孔子当年涉足鲁国政界之初，就不得不巴结三桓，比如他曾经委派自己的著名弟子子路去季孙氏那里做家臣。到鲁定公十二年,鲁国举行春社大祭,这是国家大事,《左传》有言“国之大事，在祀与戎”，就是对于国家来说，最重要的事只有两件，一是祭祀，此属意识形态宣示；另一个就是军事，谓之戎。那么像春社大祭这样的国政活动，都不邀请孔子参加；春社大祭完毕，君臣要分享祭祀供奉的胙肉，也不见赐予孔子。孔子很知趣，明白他已经不被当权者所欣赏，于是辞官告退。从此带领他最著名的弟子颜回、子路、子贡、冉有、子游等，开始周游列国，另谋出路。

由于孔子此时已经名扬天下，因此孔子希望借助于自身声望去说服各个诸侯国君，实现他自己的政治抱负，最终以失败而告终。周游列国十三年以后，孔子大约已经68岁，才得重返鲁国。这个时候，鲁国的主政者是季孙氏家族的继承人季康子。季康子起初并不甘愿请孔子回来，因为担心孔子威望太高，有碍于他实施国政。他先邀请孔子的两位弟子冉求和樊须回国，时逢齐军进犯鲁境，在冉求、樊须的协助下鲁国勉强获胜，此后冉求反复恳请季康子召回孔子，说孔夫子是我的老师，其才能远在我之上，季康子这才不得不以国师身份把孔子请回鲁国。

孔子归鲁，不问政事。冉求跟季康子沆瀣一气，提高税赋，聚敛于民，遭孔子反对。冉求登门说服孔子，望获支持，孔子驳斥曰：“周公之典在，若欲苟而行之，又何访焉！”就是说有周公的礼制摆在那里，你硬要胡作非为，何必跑来问我。而后对他的弟子们讲：“非吾徒也！小子鸣鼓而攻之，可也！”公然号召众弟子批评和抵制冉求之所为。此后孔子闭门谢客，于垂暮之年而删《诗》《书》、订《礼》《乐》、修《春秋》、序《周易》。至鲁哀公十五年前后，孔子的弟子颜回、宰我、子路以及孔子的儿子孔鲤相继亡故，这给孔子造成严重的精神打击。鲁哀公十六年，孔子逝世，享年七十二三岁。

我这样粗线条地讲述孔子身世，大家可以看出什么？——孔子不是一个纯粹的文化人，孔子首先是一个务实者。我们通常所说的文人思想家，基本上都是务虚者，甘守寂寞，闭门造车，大抵不参与社会实务，比如老子、比如古希腊多数哲学家、比如牛顿、康德、达尔文、爱因斯坦等。因为，务实者务不了虚，务虚者务不了实，这也就是为什么孔子学说显得相当苍白和平淡的原因之一。

纵观孔子生平，青年求知、中年办学、壮年做官，直到晚年周游列国十三年，仍欲拜见说服各诸侯国君以求从政，直到68岁之风烛残年，才回到鲁国静心治学，七十二三岁驾鹤西去。可见孔子真正潜心做学问的时间是非常之少的，因此才说他首先是一个实务家，而且是一个非常执着的实务家。

孔子生平特征

一般人只知道孔子办学规模极大，弟子三千，贤人七十二。可是有一位当代老学究刘起釪先生另有高见，他是民国时代著名史学家——疑古学派的开山鼻祖顾颉刚的关门弟子。我先简单说一下顾颉刚，顾颉刚在民国时代开创“疑古学派”，他认为，古书上记载的东西大多都是任意杜撰的，越是上古史，可疑度越高。于是在民国时代，中国史学界分两派：一派叫疑古学派，怀疑的“疑”；一派叫泥古学派，泥土的“泥”，也就是一味拘泥于中国古代历史文献的记载与考据治学。这两派争论很大，迄无定论，顾颉刚就是疑古学派的开山者。他晚年收了一个关门弟子，叫刘起釪。刘起釪老先生一直活到建国以后很长时间，晚年在笔谈中曾经讨论过一个问题，他说孔子当年办学，相当于办了一所丧仪技校或丧葬公司，而且生意红火。这个说法听起来有点唐突，但实际上很有道理。

孔子当年聚众讲学，声势浩大，可谓桃李遍天下。而且这些弟子中有相当一部分是终生追随孔子的，这跟老子只带流水弟子的隐士风格完全不同。老子的弟子不得追随老子，有问题来问，问完立即走人。孔子的弟子数量庞大，而且多有不离不弃者。我举例子，孔子著名弟子颜渊，也叫颜回，他的父亲名叫颜路，两代人追随孔子；再比如曾子（曾参），他的父亲名叫曾皙，也是两代人追随孔子。大家想想，孔子以如此规模持续办学，等于成立了一所体量庞然的大学校，试问它的经济平衡怎么维持？要知道，孔子收取的学费很低，谓之“束脩以上，未尝无诲”。古代的学费叫作“束脩”，什么叫束脩？一吊熏肉而已。交这么一丁点儿学费，孔子就说，我从来未曾失教于他们。

看看今天的民办大学，全都是企业家而非教育家在办，为什么？经济平衡无法落实。所有国立公办大学，地方政府、中央政府每年给它数亿、数十亿资金，它还要收取高额的学费，尚且很难维持大学的经济平衡。孔子学团巨大、久聚不散、学费极低，又没有政府补助，它怎么维持经济平衡？中国有一个成语“登堂入室”，今天已经完全变味了，这个词的原意是指孔子带弟子的方式，前面还有两个字“及门”，全称乃为“及门、登堂、入室”。什么意思？最好的弟子才能入室跟老师讨论，听老师讲课，这叫入室弟子；另外大量的弟子站在堂廊之间，等入室弟子出去传达，这叫登堂弟子；还有一群更可怜的弟子，在院落门外站着，再由厅堂弟子出去转达，这叫及门弟子。

如此之大的一个学团，经费开支自成难题。鲁国当时不过百万人口稍多，孔子居然弟子三千，相当于现在办了一所在校生数十万的大学，他怎么维持经济平衡？大家再想一个问题：孔子收弟子，号称弟子三千、贤人七十二。什么叫弟子三千？什么叫贤人七十二？所谓弟子三千，就是普通百姓家的贫寒子弟；所谓贤人七十二，就是贵族子弟。我在前面讲过，古代是世卿世禄制度，即世袭制度，平民子弟读书再好，也不可能做官。所谓“学而优则仕”，只对贵族子弟有效，这叫贤人七十二。那么，三千平民老百姓子弟为什么要跟着孔子学习呢？他学得再好也做不了官，他学什么？学一门谋生手艺。而当年最大的谋生手艺是什么？——丧葬、埋人。所以孔子曾经给他的著名弟子子夏说过一句话：“汝为君子儒，无为小人儒。”说你是君子儒，莫要干小人儒的事。可见，孔子很清楚地把他的弟子分出两类：一类是贵族子弟的“君子儒”；一类是平民子弟的“小人儒”。君子儒，学而优则仕；小人儒，学一门手艺谋生。而当年最吃香的手艺是什么？——打理繁琐的丧葬仪式。要知道，古人的平均寿命只有不到39岁，死人的事是不断发生的。那个时候生育量很大，死亡量也很大，古人原本就把丧葬礼仪弄得极其复杂，孔子又把丧葬文化的复杂过程进一步理论化，导致普通老百姓家里死了人，不找孔子及其门生，死尸都埋不到土里去。因此，孔子学团生意红火。

老子在他的《道德经》里创建了一个词汇，叫“出生入死”。今天这个成语的含义已经变成视死如归的意思了，其实完全搞错了。老子说“出生入死”的含义是，人一生出来就朝死地里跑，这叫“出生入死”。我们怎么知道它是这个含义呢？因为老子随后就追加了一段注释文字，他说：“出生入死。生之徒十有三；死之徒十有三；人之生，动之于死地亦十有三。”（见《道德经》第五十章）他说人一出生就往死地里跑（“出生入死”），真正生下来能成活的，十个里面只有三个（“生之徒十有三”）；然后说“死之徒十有三”，就是刚一生下来，十个孩子就有三个孩子死掉了，因为古代没有无菌消毒观念，剪断脐带常致破伤风感染，十分之三夭折；本来还有三个应该能够存活，但他们却又“动之于死地”，什么意思？文明人要在社会上争功名，比如参军打仗，比如好勇斗狠，这叫“动之于死地”。所以古人寿命极短，死亡事故高发，因此丧葬活动就非常频繁，同时丧葬过程又格外复杂，于是孔门生意兴隆。

我再举个例子。你翻开《论语》第一段话，有一句叫“学而时习之，不亦说（悦）乎”，我们过去怎么解释呢？说边学习边复习，所以很快乐。搞错了！谁复习会快乐？复习是个最枯燥的事情。是把“习”这个字解读错了。大家看看“习”这个字的甲骨文（

），它上面画一对鸟的翅膀，底下画一个目标符号，这个字就是繁体“習”字的来源。它是什么含义呢？是指小鸟刚刚长到羽翼丰满的时候，由老鸟带领它练习飞行，指定一个目标练习飞行，此谓之“習”。可见“习”这个字是什么意思？实习、见习的意思。所以孔子讲“学而时习之，不亦说乎”，是指边学习边实习、边埋人边挣钱，所以不亦乐乎。

除此之外，我们还有其他证据。我前面讲，孔子来到齐国，曾经被齐国国君齐景公看好，景公认为孔子是个人才，于是想重用孔子，结果被当朝宰相晏婴（史称晏子，是先秦诸子百家之一子）阻止。晏婴为什么要阻挡此事？《史记》上记录了晏婴一段话，说孔儒之流“崇丧遂哀，破产厚葬，不可以为俗”。说孔子这个人，特别善于把丧葬礼仪做得很复杂，以至于普通老百姓家里死了人，埋一个人会把全家都搞破产，国君你想富国强兵，他给你把家家都搞破产了，你怎么富国强兵？这是后来齐景公最终没有重用孔子的原因。

我们再看一个例证。孔学当年的一个重要对立面就是墨家。墨子曾经提出儒家学说有四项弊端“足以丧天下”，其中之一项是：“厚葬久丧，重为棺椁，多为衣衾，送死若徙，三年哭泣，扶然后起，杖然后行，耳无闻，目无见，此足以丧天下。”意思是说，儒家学说有意将丧葬文化繁琐化，埋个人历时长久，厚葬耗财，棺材必须两层，一层棺、一层椁；衣服被褥都要陪葬，送死过程犹如长途远徙；葬礼三年哭泣不止，年轻人不扶都站不起来，不给个拐杖都走不了路；送葬期间，相关人等耳无所闻、目无所见，任何其他事项都只好弃之不顾。墨子讲“此足以丧天下”。显然，墨子也认为孔子当年把丧葬文化搞得太过火，而且通行鲁国、殃及天下，是一个足以祸害人寰的劣迹。我们由此可以看出，说孔子当年办学，相当于办了一个丧仪技校或丧葬公司，如今看来此议成立。

我的意思不是讲孔子存心想发财，孔子绝不是一个求利之徒。但孔子聚众开办大型学团，他必须解决经济平衡问题。而且他的学生中绝大多数是小人儒，读书再好也不可能有为官的前程，凭什么死命追随他？我们通过这番考据注释，只为推证刘起釪老先生的说法至少具有某种程度的合理性。

我们再看另一个方面。但凡研究孔子的学者都一致承认，孔子是中国历史上第一个创建在野党，并最终取得执政地位的政治人物，这一点学界是没有争议的。孔子曾经留下豪言："苟有用我者，期月而已可也，三年有成。”期月就是一周年的意思，哪个国君要是肯重用我，我只需一年时间就可以让其国家富强，三年就可以恢复东周秩序。可见孔子的志向如他所说："如有用我者，吾其为东周乎”，这才是他的人生目标。

那么孔子办学，相当于办了一个组织严密的在野党，而且最终取得执政地位，这在中国历史上是绝无仅有的一例。大家要知道，在古代，学团转化为政团是十分常见的事情。因为古时人们没有结社自由，唯一可以结社的方式就是组成学团，因此古代学团通常会在不经意间转化成政团。我举例子，比如墨家。我们下次讲课，题目之一是“诸子百家辑要”，内容会涉及墨家，我现在只谈其一点。说起来，墨家的基本理论或重要主张里有一项叫“非攻”，即强烈反对战争。但是由于墨家学团主要代表手工商业者，所以缔造攻城器械的能力只有墨家弟子具备，于是墨家学团在战国初中期，都是一个特别突出的参战型政团组织。墨家学团后来形成强大的军事辅助力量，有形容为“赴汤蹈刃，死不旋踵”，就是让该学团成员去赴汤蹈火参与战争，没有任何一个人转一下脚后跟逃跑，这是墨家的情形。

东方如此，西方照样。古希腊著名哲学家毕达哥拉斯，我前面在讲西方哲学的时候，提起过他和他的学团曾经主持古希腊城邦克罗顿的政权长达20年以上，据说毕达哥拉斯就是在一场激烈的政争中枉然丧命的。可见在古代，中外皆然，学团很容易转化为政团。

值得一提的是，孔子的这个政系学团，它是有自己的政治纲领的，它的政治纲领叫“克己复礼”；它是有自己的价值理念的，它的价值理念就是“仁义礼智信”和“君子之道”；它甚至是有自己的组织原则的，叫作“一日为师，终生为父”。因此他的这个政治团体的力量非常之大。《韩非子》记载“儒分为八”，就是说孔子死后，儒家学团也就是儒家政团分裂为八块，但是仍然保持巨大的社会政治力量，这就是为什么秦始皇要焚书坑儒的原因之一。

你仔细读一下《史记》，妄言欺骗秦始皇的人不是儒生，全是方士，那么秦始皇为什么要活埋数百个文弱儒生呢？是因为儒家政团系统对秦帝国的政治权力构成威胁。大家再想，汉代为什么立孔子为国师、立儒学为国教呢？说起来，刘邦简直就是一个流氓，他最瞧不起儒者之流。史书明文记载，刘邦惯于羞辱儒生，那时的儒生总是戴一顶特殊形状的帽子，刘邦会见人家，常常摘下对方的儒帽，大咧咧地当庭给里面撒尿，这就是“尿溺儒冠”的著名典故。可正是这位汉高祖,当年周游到鲁国旧地，居然又是史上第一个祭拜孔子的皇帝，而汉武帝最终立儒学为国教，为什么？就是因为当年反秦战争的时候，儒家各个政团组织始终构成一股坚挺的反秦暗潮。

我们再回到鲁定公时代。我前面讲过，鲁君被三桓架空，三桓又被其家臣架空，孔子之所以能走上执政地位，是因为上面这些执政者的权力结构倾斜失衡，不得不借助于孔子的在野党势力加以护持，这是孔子能受邀登入庙堂的原因。这一点大家务必要理解。

那么孔子在50岁左右被封官，第一年出任中都宰。什么叫中都宰？就是中等城市的市长。据说他做得风生水起，成绩斐然，史书记载“四方皆则之”，“则”是模仿、效法的意思，即以他为榜样，四面八方都得学习孔市长的管理方式。随后升任司空，也就是鲁国工程部部长；再后升任大司寇，相当于今天的最高法院院长；史录“定公十四年，由大司寇行摄相事”，一径平步青云，终至最高法院院长兼国务院总理。

那么，我们下面可以对孔子的生平做一个总结。我说孔子兼从教、从商、从政于一体，一石三鸟，处处得手，况乎无不达到极致，可谓身手不凡。这句话什么意思呢？对于任何一个人而言，且不说你把这三件事情——从教、从商、从政——都做到极致，你只要做成这其中的一件，你都必定是名垂青史的伟人。比如你从教，创立了类似于美国的哈佛大学，哈佛大学是民办大学，比美国建国还早，在美国文化教育的奠基方面起到很大作用；你从商，超过乔布斯，超过比尔盖茨；你从政，一路做到国务院总理。要知道，中国古代文人做官，你最高只能做到宰相，你总不能做国君、当皇帝吧？因为国君和皇帝是血统传位，因此，中国旧时的文人士大夫永远只会梦想“出将入相”。

请大家看，孔子之于办学，弟子三千、贤人七十二，相对鲁国百万人口来说，相当于现在办起了一个在校生几十万的大学校，而且有教无类，开启民智，拓深礼教，规约士风，对中国文化的影响远大于哈佛大学对美国文化的影响；他从商，在远古时代就已发展成三千人之众的大商团；他从政，竟然做到一人之下、万人之上的宰相、总理这一级，真可谓身手不凡。

中国传统文化，对于虚学之探求，对于纯思想、纯学术之考究，其实历来比较轻视；对实学、治学看得极重，身体力行，孔子本人就是如此。他讲“立德、立功、立言”，即所谓“三不朽”，摆在第一位的是立德，立德并非嘴上说说而已；第二位是立功，就是投入实务操作，经世济民之类；第三位才是立言，才是做文章、做学问。所以，孔子的思想及学说，虽然是他最终得以传于万世的立身之基，然而他平生奔波于各类社会实务，且乐此不疲，挺拔出众，事事都能做到极致，在这一点上，他也真可算是中国文人学以致用的楷模与师表。

因此，我建议各位同学闲暇之时读一点《论语》，它对于你投身实务工作具有极高的参考价值。须知《论语》是一个最干练的实务者，积其一生之经验和体会所记录下来的心得感悟。这也就是为什么宋朝开国宰相赵普敢说这样一句惊世名言：“半部《论语》治天下”。

关于孔子生平，我们就简单讲到这儿。

孔子学说的实质与体系

前面我们讲了孔子文化或者中国传统文化得以发生的整个背景和土壤。我们后来很粗略地讲述了孔子的身世。我们现在进入这节课的核心部分——孔子学说的实质是什么？

我前面一开课就讲孔子学说的核心八字：“君君臣臣，父父子子。”我这样讲其实大家是听不明白的。孔子学说的核心究竟是什么？孔子文化的顽强收束力来自何方？我现在用一句话做总结：孔子用人类最原始的血缘社会纽带，来整顿超血缘、失稳定的文明社会结构，这就是孔子学说的核心与力道所在。

什么意思呢？我前面一再讲，按照递弱代偿原理，越原始、越低级的东西越具有奠基性、决定性和稳定性。请大家牢牢记住这句话并且深刻理解这句话。那么孔子学说的核心是什么？它是以人类最原始的、跟动物社会形态相似的血缘纽带，用来整顿超血缘文明社会的紊乱体系和动荡结构。由于他使用了一个最底层、最稳定的前在系统来整顿和加固一个渐松弛、失稳定的后发系统，因此导致他的学说力量极具强度，从而构成中国社会2000余年保守稳定的思想基石。

我们下面展开这个话题。我前面讲过，人类社会是从动物血缘社会中增长过来的。所以人类史前上百万年，生活在跟动物社会结构没有任何区别的血缘氏族社会群团之中。因此，人类早年的潜行文化及其结社方式都跟血缘联系息息相关。

大家知道，人类最早期的一个文化现象叫作图腾。它是美国18世纪末一位著名学者龙格，通过印第安人的语音翻译所派生的一个单词。什么是"图腾"？就是上古人类把自然物质，比如动物、植物、山山水水、雷鸣电闪等视为自己的血缘先祖，然后把它做成符号，示之于众，此谓图腾。因为人类早年都生活在血缘社会中，因此他们要寻找自己血缘的根脉，一直把它探寻到超乎人类的自然物之中，这个过程造就了初始的图腾文化。

中国古代也不例外，大家回想一下司马迁，为什么他的《史记》对中国文化影响极大？是因为它给中华民族制定了一个血缘道统。你翻开《史记》第一篇是什么？——《五帝本纪》。讲什么？讲所有中国人都是黄帝、炎帝的后裔，把所有中国人编排成一个血亲同源系统。西晋皇甫谧在《帝王世纪》中记载："神农氏，姜姓也，母曰任姒，……游华阳，有神龙首，感生炎帝。"什么意思呢？说炎帝神农氏，他的母亲名叫任姒，有一次游历华阳之地，偶遇神龙，结果感孕而生炎帝。这是典型的动物图腾，"龙的传人"之说由此兴起。

大家再看，《史记·殷本纪》中记载："殷契，母曰简狄，……见玄鸟堕其卵，简狄取吞之，因孕生契。"契是殷商的创始人，他的母亲曾看见一只黑色的鸟，叫玄鸟。我们今天不知道这个玄鸟指什么，有学者认为可能是乌鸦。他的母亲找见了一枚乌鸦蛋吃下去，怀孕生下来的孩子就是契。古书上记载的这个时代，叫图腾时代，它以虚构部族血缘祖先为其特征，是人类上古文化的一个重要阶段。

中国的血缘世系文化观念一直保留到近现代。它在初周时期以礼制文化的形态张扬开来，随后孔子又把这个远古时代的血缘生存结构条理化。大家知道人类从氏族联盟，这叫部落；部落之间再联盟，这叫部落联盟；然后部落联盟再往上合并，这就是国家雏形；这种不断扩张的联系过程是个什么意味？是一个血缘结构逐步被稀释、被冲淡的过程。因为只有本氏族的人才有血缘关系，氏族一旦联盟成部落，部落内部的整体血缘关系就已经冲淡了，部落联盟再往上一层一层联合，血缘关系就会越来越淡薄。随着血缘关系越来越淡化，随着社会族群越来越叠加化，文明社会的结构纽带就会越来越松懈，亦即血亲族群原有的内构张力就会逐渐消失，社会运动至此倾向于紊乱化。孔子用最原始的血缘纽带,重新解释和编织超血缘社会结构，从而造成农耕文明社会体制的极度稳定。

反观古希腊是个什么局面？古希腊文化源自公元前1000年至公元前600年，其地理物候条件不利于开展农业文明，却特别适宜于沿着地中海周边从事商贸活动。一旦普遍经商，每一个人必须脱离血缘家族的束缚，变成个性化的自由单子，因为携家带口是无法远途经商的。于是固有的血缘结构被打散，于是他们不得不建立以神祇和法律为人际关系之中介的契约社会系统。再看印度文化是什么？它是用血缘组织来烘托宗教，让宗教强化血缘，这就是印度的种姓制度。

请注意这三者的区别：印度文化是宗教居前，血缘其次，法律殿后；古希腊文化是法律（契约）领先，宗教（多神教）居中，血缘关系近乎消解；中国文化是血缘（家族）居先起奠基作用，法律（礼制）居中起辅导作用，神祇（祖先神）居后起统合作用。所以中国的法律叫宗法制度，中国的神灵都是曾经的活人。

可见中国文化的血缘沉淀何其深厚。所以我们说，中国的农业文化结构以及孔子思想体系，是动物亲缘社会和人类氏族社会之原始文化的直接延续。它不像古希腊文化得逐步打掉动物血缘结构和人类氏族结构，重新缔造一个契约社会关系。它也不像印度文化得缔造一系列强有力的神灵，这就是印度的婆罗门教，借以固化种姓阶层。中国是直接接续动物血缘以及原始人类血缘系统，然后直接在此系统上建立自己的超血缘文明社会结构，所以它跟动物社会一脉相承，其间没有任何断裂。显然，中国处于最原始的底层。那么血缘社会的人际关系是怎样表现的呢？孔子很准确地把它阐释为“爱有差等”。什么意思？我今天上午提到社会生物学，就是20世纪中叶生物学家发现，所有动物都生活在生物社会群团之中。社会生物学家发现所有动物的情感，它们的爱的分布状况是有差别的，是跟其血缘亲疏级别或曰亲缘关系指数保持对等的。比如，父母爱儿女是最强烈的，兄弟姐妹之间其次。严格地讲，父母跟儿女只有50%的基因同型率，因为父亲贡献自身基因的50%，母亲贡献50%，所以每一个孩子的基因结构跟父母在血缘上只有50%的遗传关系。而兄弟姐妹之间，基因同型率也是50%。那么，为什么父母爱儿女远大于儿女爱父母，也远大于兄弟姐妹之间相爱的程度呢？是因为爱的施加只有达成这种不对称位阶的匹配关系，也就是只有父母爱儿女的心偏重一些，物种才能得以传承。因为，任何后生动物的幼崽必须得到长辈的格外呵护，否则它活不下来。于是，在情感上父母对儿女投放的比例最重，而后就是儿女之间，即兄弟姐妹之间感情其次，然后才是堂兄表弟，再下来才是其他远亲和外人。在这样的一个情感梯度系统之中，爱当然是有差别的。也就是在生物的血缘结构中，甚至在你的基因组型中，你的爱心绝不是均等分布的，这叫爱有差等。

然后孔子把“爱有差等”进一步延展，叫作“礼有尊卑”。我先讲一下“礼”，我前面提起过，周公旦制礼作乐，什么叫“礼”？中国古代文献上形容“礼”只用五个字，谓之“尊尊而亲亲”。注意，第一个字是动词，第二个字是名词。所谓“尊尊”，就是“尊重有尊位者”；所谓“亲亲”，就是“亲爱有亲缘关系者”，这就是礼制的实质内涵。这个话其实应该反过来讲，说成“亲亲而尊尊”更合适。因为所有动物，包括人类早年都处在血缘社会之中，它（或他）一定首先是“亲亲”——即“亲爱有亲缘关系者”。随着物种进化，出现了越来越明显的长幼序列之差别；再随着人类文明社会的发展，又出现了阶级差别，于是你才得显示“尊尊”——即“尊重有尊位者”。

须知血缘结构是不可变易、不可克服的。比如你再能干，你也不能把你父亲变成你儿子。你在父亲面前永远是儿子，这个关系是铁定的，是先天配位的，这叫“尊尊”，这叫“尊卑有序”，它是不能改变的。所以孔子学说按照血缘结构建立了符合人伦、符合人性、符合生物性本质的“爱有差等，礼有尊卑”。不难看出，中国的礼制文化，是动物血缘生存结构的人世间翻版，或者说是动物血缘生存结构的理性化表达，我们把这种“尊尊而亲亲”或“亲亲而尊尊”的血缘有序结构的文化反映形态叫作“礼制”。孔子把周公的礼制实操变成了一个理论体系，这个东西叫儒学。这就是儒学的思想核心，所以中国传统文化特别讲究宗法关系。

大家注意“宗法”这个专用词，我们读中国史书经常见“宗法”二字，它跟现代意义上的“法律”是完全不同的。所谓“宗法”，“宗族关系之法则”是也。看一下“宗”这个字的甲金文（

），先画一个房子，其下画一个T型祭祀台，祭祀台上摆放的牺牲在滴血，这就是“宗”字的形意，特指“祭祀先祖之所为”。就是在血缘结构中建立的尊卑有序关系叫宗法，它绝不是一般意义上的法律体系，我们把这种血缘结构内部的有序层级关系，叫作“宗法结构”或“宗法关系”。孔子把周公旦的礼制理论化、伦理化、系统化，比如三纲、五常、五伦等。所谓“三纲”是指“君为臣纲，父为子纲，夫为妻纲”，它全是血缘关系或泛血缘关系。所谓“五常”是指“仁、义、礼、智、信”，它同样都是在宗法关系中、在血缘关系中讲述的。所谓“五伦”是指“君臣、父子、兄弟、夫妻、朋友”，前四者大都是血缘关系或血缘传续纽带，后者最终还要被纳入泛血缘结构之中。

我们继续看，宗法讲究的全是血缘结构，谓之“父慈子孝、兄友弟恭、夫唱妇随、君恩臣忠”等等。我前面讲，理解孔子学说最重要六个字，礼、仁、恕、知、孝和忠，我今天早上讲了四个字，下面重点讲后两个字。为什么孔子的学说被总结为“以孝治天下”？是因为“孝”表达的是血缘结构。由于孔子最终要把整个社会编排成一个“泛血缘大家庭”，因此“忠君”就相当于“孝父”,所以“忠”和“孝”是以血缘结构联系在一起的，这就是“忠孝文化”的来源。“孝”为什么比“忠”更重要？是因为只有“孝”的血缘结构建立起来，“忠”这个问题才具有了可以讨论的基础。

因此中国古代的国家观念是很奇怪的。大家先听“国家”这个词，“国”只不过是“家”的放大。请注意西方“国家”词义跟我们中国这个词的含义完全不同，没有任何血缘成分或者家族成分在里边。西语中用三个单词表示“国”或“国家”,第一，nation，它的含义是民族；第二，country，它的含义是地理范围；第三个词是state，它的含义是政府机构和社会机构。这三个用来形容国家的词项，其中没有任何一个指向血缘关系，须知“民族”是一个文化学概念。

而中国的“国家”这个词汇，就是“家”的放大叫作“国”。所以中国人特别看重的不是“国家”，而是另外两个东西，一个叫“社稷”,一个叫“家族”。中国社会有一个词叫作“社稷江山”，“社”是什么？实际上是土神祭祀的含义；“稷”实际上是百谷之神的含义。社稷代表的是土地和粮食这两样东西，即土地神和谷神，对这两样东西的祭祀谓之“社稷”。它表达的是农业文明的生存基础，而不是表达国家政体的特定形态。而且，土地与粮食，家有之，国才有，对任何人来说，家有都比国有更重要。这是第一点。所以，中国使用“社稷”这个词代表国家和国政的含义，它的内质其实主要指向分散型小农经济的生存结构，跟我们现代所理解的民族国家之含义是不一样的。

再者，中国人看待家族远重于看待国家，先有家后有国，家族先于国族，所以中国最重的词汇都是跟家族有关的。比如“光宗耀祖”、“光大门楣”，说你做了一件事使你很了不起、很光耀，光耀谁？不是光耀国家，而是光耀祖宗。所以中国人把家族看得极重，而对国家实际看得很淡。这就是为什么近代以来常见人说中华民族是一盘散沙，没有国家观念，因为人们最看重的是家族观念，以至于中国文化里有两样东西分量很重，一个叫谱牒学，一个叫宗法观。

我们先看一下所谓“谱牒学”讲什么。对于家族而言最重要的东西是什么？家谱！研究家谱，这个叫谱牒学。中国人活着最看重的是家族关系，以及自身在家谱中的位序；死了最看重的是什么？丧葬中的五服排序。这都表达的是中国对血缘结构看得何其之重。中国的血缘次序是高祖、曾祖、祖，也就是爷爷，然后父、子、孙、重孙、玄孙，每一个人在社会中的地位是由你的血缘位格确定的。

在中国传统社会中，男性血缘重于婚姻，女性婚姻重于血缘。什么意思？中国古代男人，他最重要的是在家族中的血缘地位，夫妻关系是并不重要的，妻子只不过是一件衬衣，随时可以换掉，可以休掉。但是对于女人来说，婚姻关系重于血缘。为什么？因为女人必须嫁出去，嫁到别人家去，叫“嫁出去的女儿泼出去的水”，所以女儿是不进入自己家谱的，她得跟着男人，跟着丈夫的家谱传承。所以中国古代，女性出嫁以后的婚姻关系才是她的社会地位的保障，这就是为什么中国女性古代必须生儿子，不生儿子是一个不得了的悲惨之事。如果她不生儿子只生女儿，或者不能生育，她永远进不了夫家的谱牒，她在夫家就是一个不存在的人。所以中国古代女性生了儿子满月以后，她一定抱着儿子满村子乱转。干什么？示威游行，宣告她在家族中的社会地位确立。干什么？维持血缘结构中的社会地位。

大家再看，放大到家族以外的社会，叫“宗法结构的权力金字塔”。大家注意这个权力结构：最高一层是天子，他是全民的父，叫作君父；往下是一层一层的，其次皇太子，地位和诸侯齐平；皇长孙地位和大夫齐平；皇重长孙地位和士齐平；皇玄长孙地位和庶民齐平。大家注意这段话的含义，它讲贵族血缘结构等同于社会地位结构与宗法权力结构（见图左），就是你在血缘层级中的地位标志着你的社会阶级地位。（课件图片）

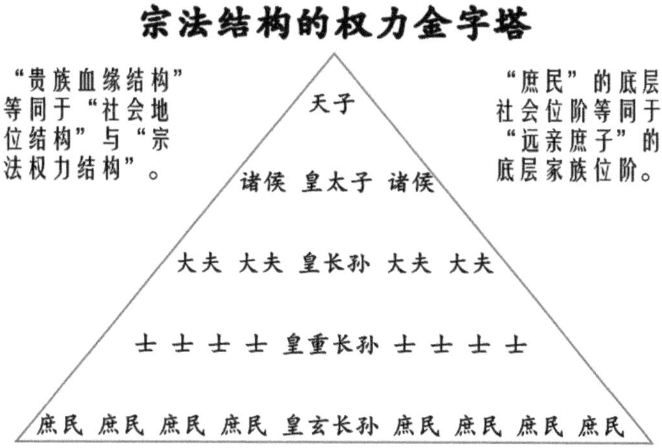

再看图右这句话：庶民的底层社会位阶等同于远亲庶子的底层家族位阶。请注意，“庶”这个字是一个典型的血缘用词。中国血缘词汇有两个，一个是“嫡”，一个是“庶”。什么叫嫡？大老婆正妻生的孩子谓之“嫡出”。什么叫庶？小老婆、如夫人、妾生的孩子谓之“庶出”。中国古代权力继承和财产继承，第一继承人是嫡长子，庶子甚至没有任何继承权。说蒋介石的军队里有嫡系部队与杂牌军之分，所谓“嫡系”就是血缘位阶最高、最亲近的部队，借用的都是这个血缘词汇。

请大家想想把人民叫“庶民”，这是什么意思？它暗含着人民都是君王小老婆的孩子这个含义，它暗含着所有的社会人际关系和政治结构关系是一个血亲结构的含义，所以中国的谱牒学是非常重要的，它是宗法关系的基础表达。

中国传统文化讲“五服”，含义很复杂。它既指“宾服”，譬如古代王畿外围地域的臣服关系；又指“服式”，譬如古代天子、诸侯、卿、大夫、士的五等衣着样式。但它最常用的，是丧葬活动中根据亲疏关系所穿着的五种丧服。就是根据家族血缘关系的亲近程度，在葬礼上穿不同的丧服，行不同的丧礼。这五种服式称作“斩衰、齐衰、大功、小功、缌麻”。好，我们下面看看五服关系的亲缘结构排布。

				高祖父母				
			曾祖姑	曾祖父母	曾叔伯祖父母			
		族祖姑	祖姑	祖父母	叔伯祖父母	族叔伯祖父母		
	族姑	堂姑	姑母	父母	叔伯父母	堂叔伯父母	族叔伯父母	
族姐妹	再从姐妹	堂姐妹	姐妹	妻子	兄弟夫妇	堂兄弟夫妇	再从兄弟夫妇	族兄弟夫妇
	再从侄女	堂侄女	侄女	儿子儿媳	侄子侄媳	堂侄夫妇	再从侄夫妇	
		堂侄孙女	侄孙女	孙子孙媳	侄孙夫妇	堂侄孙夫妇		
			侄曾孙女	曾孙曾孙媳	侄曾孙夫妇			
				玄孙玄孙媳				

五服关系网络图示

我想在农村待过的人对这个系统应该很熟悉。也就是一旦出现丧葬活动，五服之内的人根据不同的礼仪程序参与丧葬活动。学界把五服排列成一个表：大家看它的中心，由本人夫妻核心出发，往上，是父母、祖父母、曾祖父母、高祖父母，往上走四层，加中心点是五；往下，是儿子儿媳、孙子孙媳、曾孙曾孙媳、玄孙玄孙媳，加中心点也是五；往右，是兄弟夫妇、堂兄弟夫妇，再从兄弟夫妇、族兄弟夫妇；往左，是姐妹、堂姐妹、再从姐妹、族姐妹。在这个结构系统中，我们假定，一个方块里只有五个人，一个小核心家庭只有五个人，你把这几十个方块计算完，总共至少200多人。然后每一个小方块再建立这样一系五服结构，大家想想是不是天下所有的人都是亲戚关系。所以中国古代就出现一种别致的血统观念，使得奠基于此的血缘礼制格局表现得极端复杂，也极端泛化。

我举一个例子。中文里形容亲戚的名词数量竟达300多种，现在很少有人能把这些名词搞清楚，而西方文字中形容亲戚的名词一般只有70余种，最多不超过140种。比如英语中“uncle”这个单词，它代表中文的“伯父、叔父、舅父、姑父、姨父”这五种关系，英文只用uncle这一个词就足够了，可在中国表述起来非常复杂。所以中国的“仁”这个概念很不一般，孔子的“仁”是什么？孟子做过一个很好的诠释，他说：“仁之实，事亲是也。”仁，我们一般理解为仁者爱人，孟子理解得更深刻，他说服侍亲人、孝悌并举就是仁，在血缘结构中建立互爱互助关系就是“仁”。

而且在中国，社会结构虽然逐步超血缘发展，但是在传统文化里却把一切人际关系泛血缘化。最简单的例子，就是我们所有人带自己的孩子出门，看见跟你同龄的人，就让孩子叫叔叔阿姨。其实他们既不是孩子的叔，也不是孩子的姨；见到年龄更长的人就叫爷爷奶奶，其实他们既不是孩子的爷，也不是孩子的奶；同龄人开口就兄、弟、姐、妹相称，尽管他们之间其实没有任何血缘关系；示好于人的方式，自古以来不外乎义结金兰、拜把兄弟；这些东西都是泛血缘文化的体现，也就是在社会活动中倾向于把非血缘人际关系一律扩展为血缘亲族关系。

我前面讲过，《史记》在中国政治文化道统的建设上，就起到了把中华民族说成一个血缘族系的作用，这才使它得以光大于中国历史，光大于中国文化。所以你会在孔孟的书中见到种种泛血缘语境的表述，比如子夏说“四海之内皆兄弟”；再比如孟子说：“老吾老以及人之老，幼吾幼以及人之幼”，意思是，我赡养自家老人，也关照其他老人，我抚养自家孩子，也关照其他孩子，因为所有国人都是同一血脉。将这种虚拟的血缘联系不断扩展，不断泛化，就构成整个华夏民族的社会关系及其政治结构，此谓之“泛血缘”观念。

再往下是“拟血缘”，也就是把血缘联系推及宇宙万物，说我们人类跟宇宙万物都有血缘关系。我举例子，比如在《孟子·尽心上》中讲："亲亲而仁民，仁民而爱物。"意思是说，亲近与自己有血亲关系的人，接着（就会）仁爱人民，因为人民也跟你有泛血缘的亲族关系；"仁民而爱物"，你有了泛血缘式的仁爱之心，则你最终对宇宙万物都会有亲爱之感，因为万物也跟你有某种可比拟为血缘关系的亲情联系。二程中的程颢说过一句话："仁者，以天地万物为一体，莫非己也。"他说"仁"这个东西本来是"事亲"之用的，但实际上人与天地万物构成一体，尽可视同亲缘而不见外。他把血缘关系拟化到整个自然界中去了。王阳明说："夫仁者，天地之心。天地万物，本吾一体者也。"他说"仁者"是什么？是天地的心，天地万物跟我是一体存在。然后张载提出"民胞物与"，这个词什么意思？——"与民同胞，与物同类"之谓也！就是所有的人民都与我是血缘同胞关系，"同胞"这个词本来就是血缘词汇，你在外国书里绝见不到把本国人叫作同胞的；然后"与物同类"，也就是视外物都是自己血缘系统中的一个组成部分。由此通融从自我到家族，再到泛血缘的整个社会，最终达致拟血缘的天地万物，从而构成从人世观（社会观）到宇宙观（自然观）之大体，即以血缘关系为中轴，建立整个世界观体系。

大家看上面这张图，它清晰地表达出中国儒家宗法世界观的总体模型。其中心是"自我"；然后是"血缘宗族"；再外面一圈是"泛血缘国家"，也就是华夏国民都是我的血亲；最外面一圈是"拟血缘（之）万物"，也就是自然界都跟我是同类；从而达成人生观、社会观乃至宇宙观的统一。

儒家学说至此终于将中国整个世界观的核心基础全部奠定。朱熹曾经引用一个亭联："天不生仲尼，万古如长夜。"说如果老天爷不降生孔子，人类就会长期处在非文明的黑暗之中。宋代学者张载说过一句名言："为天地立心，为生民立命，为往圣继绝学，为万世开太平。"所谓"为天地立心"，就是人只不过是天地万物的心灵，它们是一体存在；然后"为生民立命"，只有把血缘道统建构起来，人民的生存才有了安定的保障和基础；"为往圣继绝学"，也就是一定要把宗法礼制的"往圣之学"传承下去，只有这个结构最稳定、最系统、最亲切也最仁厚，因此才可以说"为万世开太平"。

这就是儒家学说的分量所在。说到底，儒学是一个紧密而庞大的世界观体系，包罗万象，无所不能。它根本用不着鬼神，它根本用不着神学存在。所以孔子讲："未能事人，焉能事鬼""未知生，焉知死""敬鬼神而远之"。所以中国文化跟宗教无关，但你不能说中国文化没有宗教。它用不着脱离人类自身血缘关系的超拔之神，它只要在自己的血缘祖先里设定神位，就足以建构完整的世界观和宇宙观，这就是远古中国"无神文化"以及"人文关怀"等独到观念的来源。

"人文"这个词在过去是相对于"神权"而言的。所以，说中国自古就是人文主义文化，其实是因为它的农业生存结构完好地保留了血缘纽带，然后儒家学说又把这种血缘关系普泛化、根基化，从而使得"神"根本没有立足之点。而且它有情有义，有血有肉，沟通至深，缠绵无尽，既温情脉脉，又纠葛连连。中国的儒家学说堪称"既合情又合理"，我们今天的法治社会合理不合情。即使你的亲戚违法了，即使你的父亲或儿子违法了，你也不能包庇他，否则同坐。中国古代一切人际关系都被置于血缘结构之中，而血缘结构是你的天性，是你的动物性的表达，你的动物性、你的天性就是"爱有差等"的。我按照这个"爱有差等"建立尊卑结构，因为你的血缘结构就是尊卑结构，你的爷爷一定比父亲位高而尊贵，父亲一定比儿子位高而尊贵，儿孙处于血缘序列的卑下层级，这是必然的。所以它是发乎情合乎理，谓之“发乎情，止乎礼”，也就是说它既合情又合理，既符合人性又符合礼制，故而它极为稳固。

由此造成中国社会有如下几个特点：第一，养儿而无尽头。大家知道西方人即便是百万富翁，孩子养到18岁就不再管他，上大学他得自己去贷款缴学费。中国即使是清贫之家，养孩子都是个没完没了的过程，不仅成年后的学费家长得替子女一交到底，连结婚、买房、买车你都得管，甚至儿子的儿子你都得帮着抚养，这种养儿没有尽头的情形，实际上是原始血亲社会文化的继续表达。在进入工商业文明的今天，它显然已经不相宜了，却是中国社会一个根深蒂固的传统习俗。第二，往来无契约。在真正的中国文化氛围中，是没有契约关系的。比如你在农村，你的一个亲戚向你所办的公司借钱，你是不敢让他打借条的，否则他立即跟你翻脸，他认为契约关系是对血缘关系的侮辱和不信任。第三，认人不认理。只要相互之间有血缘关系就必须加以偏袒，无论他做错了什么事，先包庇下来再说，不然你在家族里根本无法立足。

而且，中国社会极端的容忍、温情、恋家、孝敬，中国社会堪称温情脉脉，人际关系非常粘滞，人们很难从理性上把人际关系、血缘关系拨开。它的这一面，恰恰就是另一面的来源，那就是懦弱、奴性、私德、虚伪。大家想，在远古社会，或者在中古社会，每个人都生活在自己的血缘群团中，一个村子就是一个家族。你一个青年人，安敢有任何脱轨的行为？你没有丝毫挪动的余地，因为整个家族都在制约你、调教你、压迫你，这使得禁锢在其中的个体只能表现得极为懦弱、极为容忍，久而久之奴性养成，长辈说的话你是一点都不能提出异议的，更不能反抗，因为“爱有差等、礼有尊卑”。因此中国人有私德而没有公德，所谓私德就是血亲之德，我在血缘族群中是非常守规矩的人，可一旦走出这个圈子，尽可在社会上狂诞放肆、胡作非为。所以我们经常见到这样的罪犯，你回到他村子里去调查，满村人都说他是好孩子，出了这个村落他就无法无天。因为中国自古只有血缘道统，没有超血缘道德，用今天的眼光看，就是只有私德，没有公德。由于人们处在血缘结构的强大压迫之下，所以任何超血缘情愫的表达，任何超亲族社群的感受，都一概无从发生，一切批评之意、反抗之意，都被压抑摧毁于萌芽状态之中，结果导致人们不得不以极端虚伪的方式来应付内外各种社会际遇。

由此也缔造了人治、集权、自闭和内斗。试问，在血缘结构中，你敢讲法律面前人人平等吗？你敢讲自由民主吗？你敢说你的父亲是暴君吗？你敢说君父皇权不仁慈吗？所以，它一定是一个人治结构，然后泛化开来，它也一定只能建立一个全社会的极权结构。借用鲁迅的讥讽："若是老子说话，当然无所不可，儿子有话，却在未说之前早已错了。"换言之，极权状态是血缘文化延展开来的必然表达。然后也就不难理解它自闭而擅长内斗的素质，因为它的所有社会行为都建立在血缘或泛血缘结构之上，所以它的任何争斗过程都是封闭进行的，谓之"家丑不可外扬"，从而形成一种极为诡异的依恋和自残关系。

中国社会奠基于儒家血缘礼制文化，繁文缛节，制约紧密，以至于皇帝都常常被士大夫阶层所架空。中国的官僚系统，宰相以下的文官体系，通过科举制度征召上来，由于儒家学说非常之繁复，以至于皇帝不具有解释能力，必须通过文士终生学习，进而组成一个群体才能够通解它，于是中国的官僚系统形成强大的共识集团，具有不可替代的发言权，就像西方僧侣对上帝的圣义具有解释权一样，皇帝和官僚之间异常复杂的纠葛关系即由此而来。足见中国的礼教文化和儒家学说何其庞杂而沉重。

孔子思想的历史合理性

对于前面所讲的儒家文化的核心，我不厌其烦地再重复一遍：儒家学说就是用最原始、最底层、最稳定的人类血缘结构，维系和重组超血缘社会紊乱结构的秩序，从而形成了僵化固守的思想维稳体系和社会结构纽带。由于越原始的东西，越具有奠基性、决定性和稳定性，因此，孔子的学说以最原始的血缘形态构成最强韧的人伦学说体系，并达成世所罕见的超稳定社会成效。这是孔子学说的核心，请大家务必理解。

我们下面对孔子学说做一些评议。

大家想想，为什么中国社会成为世界上把血缘结构维系得最稳固、最长久的一个范例？为什么唯独它会形成别具一格的儒家宗法礼教文化？是因为中国社会，我在前面讲课就讲过，它是最典型、最纯粹、最老成的农业文明体系。人类的农业文明，就发生在氏族部落时代，就发生在血缘社会时代。而在每一亩地上，大家必须协同起来，精耕细作，方得温饱。这是农业文明的基本特点。而血缘族群结构，是构成这个稳定协作的最现成又最有利的方式。再加上地理条件和农业生态的封闭格局，造成血缘文化的一脉延续，中间没有断点。

而在古希腊，我在第一节课人类文化起源上就讲，由于它的自然物候条件不足以在人口暴涨的时候，以农业文明方式维系族群生存，而它借助地中海的狭小海道，可以进行物资交换，可以在北非尼罗河流域和中东两河流域换取粮食，商业活动在农业结构不能维系的基础上过早爆发。而商业结构无法以血缘族群方式履行，于是早在荷马时代，也就是公元前10世纪以前，它的血缘人际联系就被打散。到公元前6世纪，它的血缘社群结构迹近消失，百分之七八十的人已经离开希腊原住地，而散布在整个环地中海周边。因此，他们每一个人都变成了自由单子，各人之间已经没有血缘联络。于是，他们得造出“神”来，作为人类维系自身社会关系的中介。由此，它的神学得以发展、法理契约得以发展、哲科理念得以发展，它的城邦政治结构也随之发生相应的变革。

最典型的就是，公元前6世纪发生在雅典的“梭伦变法”。梭伦出任首席执政官，他做出了重大的改革。他以执政官的身份，作为仲裁者，在贵族和平民的利益间寻找平衡。他用新法废除了贵族在政治上的世袭特权，确立了“公民”和“公民权利”这样的文化概念。接着，又确立了“公民大会”这样的政治制度。虽然并不完全公平，把公民按财产的多寡，分为四个等级，各自的权利并不平等，但是，他第一次平衡了各派利益之间的关系，使得所有自由民在利益上有了协商和让步的余地，由此建立起“契约社会”，也就是不成文法的“法治社会”。这个东西后来被古罗马继承，至公元前5世纪，古罗马就出现了“十二铜表法”。

十二铜表法的制定过程，并不由执政官垄断，而是在贵族中选取五个代表，再从平民中选取五个代表，组成十人制宪会议来制定法律。其中在第九表之“公法”中有一条规定：“不得为任何个人的利益制定特别的法律”，从而确立了“法律面前人人平等”的基本理念。也就是人与神是不平等的，但是在神之下，所有人是平等的。

他们为什么要建立这个以“神”为最高中介，以“法”为社会纽带的制衡结构？是因为血缘联络消失，人际关系不通过契约协商的方式就无法维系。所以大家一定要注意，西方的这个思想体系、文化体系、法制体系、民主社会体系，它是生存结构的产物，就像中国的血缘家族宗法体系和忠孝体系，它也不是某人一时冲动凭空缔造的文化观念，而是农业文明和工商业文明所达成的生存结构之不同，自发产生的不同文化构型。由此就出现了两个完全不同的关于“人民”的概念，这就是“家人”和“公民”的区别。

在中国，自古迄今都没有“公民”概念。我们所有人都只是“家人、族人或国人”，你只是家族或家国之血缘纽带中的一个成员。孔子给曾子说过一句话：“参乎，吾道一以贯之。”即是说，我的整个理论，其实就是一个基本核心与一条贯通线索，这叫“一以贯之”。曾子出来，其他学生问曾子，老师讲这话究竟是什么含义？曾子做了一个总结，他说：“夫子之道，忠恕而已矣。”夫子的学说，无非“忠恕”之概括。什么意思？站在平民人际关系上，做到“推己及人”，为人忠诚而宽恕；提到社会政治结构上，就变成“与君忠恕”，也就是忠于君父，而且君王所犯的任何错误，你都要宽恕和容忍。由此，从家人演至整个社会，达成一体贯彻，亦即社会结构仍然是家人结构，谓之“家国情怀”。

“家人”和“公民”的区别是什么？“家人”不讲平等，因为“爱有差等，礼有尊卑”。但它也相应产生另外一个结果，不允许竞争，压抑竞争。因为在血缘结构内，不平等是铁定的，是生物性本源规定。在这个结构中，你永远无法竞争，你总不可能通过竞争，把父亲变成儿子吧。而“公民”是什么？是一个在上帝之下、在神灵之下，相互平等的人际关系。而一旦人人平等，社会系统就会分化。怎么分化？通过竞争！于是形成一个平等竞争结构。这两者是全然不同的，其社会学内涵有重大区别。

那么，我们现在谈一下竞争结构。生物社群结构面临两种竞争，第一是“种间竞争”，第二是“种内竞争”。种间竞争就是不同物种之间的竞争关系，这一点不用多讲。达尔文为什么在他的《物种起源》一书的前言中特别感谢马尔萨斯？是因为马尔萨斯的人口论里，第一次揭示了同类物种人类内部的竞争结构，由此启发达尔文认识到物种之间的竞争不仅有种间竞争，尤其要关注种内竞争。所谓“种间竞争”，就是狼吃羊的那种竞争；所谓“种内竞争”，就是狼与狼之间的竞争。种间竞争是天演序列，谁都没法克服。而且，种间竞争对物种不构成根本危害，它反而是物种生态食物链平衡的一个自然系统。但是种内竞争就截然不同了！由于大家是同一个物种，各自具备同等的竞争力，禀赋同样锐利的爪牙，一旦竞争起来，就会呈现为持久、激烈、且在任何一个角落都无从躲藏的生死战场，形成生物生存的最大压力。而且这种明战暗斗又是无可避免的，它也同样源自物存素性，因此构成任何物种内部最大的危机。这也就是为什么能力越低的原始物种，它的生存状态反而越稳定，死灭速度越慢，因为它能力偏低，种内竞争的烈度也就偏低；食物链越顶层的高等物种，灭绝速度越快，是因为它的能力过强，它在种间竞争似乎有优势，但它在种内竞争上，造成极严重的伤害，从而使得它的生存危机大大加重。

孔子学说在远古时代不自觉地发现，人类面临的最重大问题是种内竞争之困扰。借助于现代科学的发展，我们才能看明白，孔子当年反复强调“和为贵”的重要性，它相当于主张“种内和谐”。人类是能力极强大的物种，如果人类不能化解自己的种内竞争，不能形成种内的协调制约关系，那么人类就会给自己造成巨大的麻烦。因为人类已经处在所有生物食物链的最顶端，他不太面临种间竞争问题，他所面临的一切灾难都来自于种内竞争。这就是为什么我们发现在人类社会的文明发展史上，“人祸逐步取代天灾”是一条铁律！因为人类能力的不断提高，必然导致人类种内竞争越来越恶化，从而给整体人类生存构成巨大威胁。

大家再看，孔子的学说核心是“克己复礼”，也就是站在东周末期，却要倒退到周公旦“制礼作乐”的西周初年，它显然是反动的，是要维护封建制度的。我在前面讲过，秦始皇统一中国建立的是君主专制制度，彻底打掉了封建制度，为什么在这之后，反而孔子学说被抬高到国教地位？是因为即使孔子本来是想保全封建社会，但是由于他的克制种内竞争的学说力度极高，在君主专制时代，也能够借以建立稳定的尊卑有序体系，从而有效地压抑东亚农业文明的社会竞争。这就是孔子学说虽然在秦汉制度变形之后，完全是被歪曲施行，绝非孔子“吾从周”的固有理念，却构成中国文化2000年思想基石的原因。这都是大家要特别注意理解的。

但是各位也要明白，用孔子“尊卑有序”的方式，用社会不平等的方式，寻求今天人类内部竞争的重新整合，显然已经过时。因此，孔子的学说衰败了，因此，近代打倒孔家店的口号响彻云霄。但孔子学说所关注的基层问题，却是人类迄今面临的越来越严重的困境。孔子学说因此构成今天乃至人类未来文明再造的基底层参考系。

我们下面再另外讨论一个问题，就是孔子思想的历史合理性。孔子以原始血缘结构,维系超血缘农耕文明社会的稳固发展，而今天全球进入工商业文明时代，孔子学说过时了。我们从20世纪初叶开始，猛烈批判孔子学说是有道理的，但是你要想真正有效地批判和厘清儒家学说，前提条件是必须理解它。要知道孔子当年的思想和学说体系，是维护东亚农业文明社会结构的有效系统，这叫孔子思想的历史合理性。

我给大家举例子。儒家文化主张守制三年，也就是父母死了，儿女要守孝三年。这个制度在我们今天看来，简直太荒唐了。因为，古代人平均寿命只有39岁左右，活到十六七岁才开始活明白，真正明白活人只有二十多年。父母又不可能同一天死，父亲死，在坟边扎个草庐，守孝三年;母亲死，又扎个草庐，再守孝三年。好不容易有二十年明白人生,六年都用来守坟去了，这件事看起来实在是太荒唐了。可为什么它在中国古代是一项重要的、通行的、而且我说是最符合人性的宗法制度？是因为人类的感情受到深度挫伤，至少需要三年才能平复。

现代人一般遭受的最严重的感情挫伤是什么？只有一条，失恋！恋爱这件事情很奇怪，你让它顺利进展，他们热乎不到哪里去；你给它中间设置一点儿障碍，比如父母不同意之类，两个人会爱得死去活来。然后，你在他们相爱到最炽热时把它折断，这叫失恋，后果非常可怕。他们会受到深刻的感情挫伤，以至于可能发生殉情，就是有人会为此而自杀。就算没有自杀，至少三年找不见对象，这叫“曾经沧海难为水”。

古人跟自己的父母关系十分切近，它跟今天孩子与父母的关系完全不同。今天孩子才两三岁，你就把孩子扔到托儿所了，甚至刚出生，你就把他扔给爷爷奶奶了。孩子不睡觉的时间，一径脱离父母的关照。托儿所、小学、中学、大学，他清醒的时间，基本不跟父母在一起。不仅如此，父母居然还做老师的帮凶。老师逼着孩子读书，孩子已经够苦的了，孩子不爱读书才是正常的，你见过哪个猴子抱着一本书坐在树上读来着？未料父母比老师还凶恶，打着闹着让孩子读书，所以今天的孩子不把父母视为敌人，你就算烧高香了。

可是古代不同，古时的孩子跟父母分分秒秒在一起。父母不仅要养孩子，还要教孩子，此谓“教养”。父母与孩子从来不分离。大家看“教”这个字，它在甲金文里，上面画两个形同打叉的禁绝符号，底下画一个孩子，旁边画一只手，手里拿着个小木棒（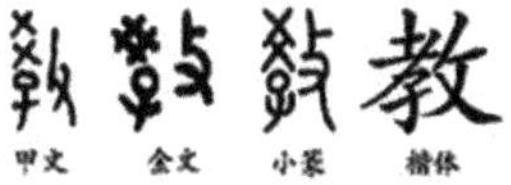

）。什么是“教”？——告诫孩子不可以干什么！教导孩子做什么有危险！所以古代的“教”，绝不是今天的满堂灌，给你讲知识，解公式，灌得你头昏眼花，逼得你生不如死。古代的“教”是手扶着孩子，告诉他不要做什么事情。因为古代人们生活在丛林之中，危机四伏，各种野兽都可能侵害孩子。因此，古代的“教”是非常柔和的，是只为保护孩子的。

请大家想想，古人跟自己的父母天天生活在一起，吃喝拉撒、无微不至，耳提面命、教养柔和，数十年下来情意笃深，骨肉相连。突然，有一天父母死亡，孩子受到的心理和感情挫伤，远比今天情人或恋人的那个短促失恋要严重得多。所以，他三年期间心智混乱，什么也干不成，还不如扎个草庐给父母守孝。因此，当年它是最符合人性的一项礼制。

要知道中国政治学上有一个词汇叫“夺情”，什么叫“夺情”？皇帝的股肱大臣，人家父母死了，按道理皇帝应该给人家放三年丧假，但皇帝离不开这个重臣，于是只给他两三个月时间，就要求他回来工作，这叫“夺情”。换句话说，即使是贵为天子，也轻易不敢干这种违背人性的事情，这叫三年守制。

实际上，为父母守坟三年，这不是孔子的规定。它是古人跟父母感情关系的一种直接体现，是贵族及民间早有的习俗，孔子只不过把它条理化、伦常化了而已。它当年是最符合人性的一项规定，你不理解这一点，你就理解不了孔子文化。在今天看来，那些严重悖理的说教，其实当年是最合乎人性的温情流淌。

我再举个例子。孔子讲究“男女大防”,孟子把它表述为“男女授受不亲”。我们近代拼命地批判孔孟的这一条，说它严重妨碍了青年男女的自由恋爱，造成了一系列恋爱悲剧，比如梁山伯与祝英台之类。可是你得想想古人为什么要讲男女大防呢?须知不但中国人讲，全世界各地均无例外。西方在中世纪的时候，男女提防是非常严格的，以至于桌子腿都要用棉布包裹起来，免得你看见桌子腿就想起女人大腿。甚至给女性——成年未婚的女孩或者丈夫外出的妻子——戴贞洁锁，用铁做的一个三角裤衩，把她的阴部锁起来。

他们为什么会为这等小事如此紧张？古人为什么要对男女大防如此严苛？是因为那个时候人类都生活在自己的血缘族群之中。请大家想想，在一个血缘群团里，如果你自由恋爱，会是什么结果？你爱的一定是自己的妹妹、哥哥、表妹、堂兄，甚至叔叔、姨姨、舅舅，你一定乱伦！这就是为什么自古讲“媒妁之言父母之命”？是因为只有媒妁和父母才能够分辨，哪一个人跟你的儿子或女儿没有近亲关系，婚配结合而不至于发生乱伦。

那么为什么乱伦问题特别重要，一定要严加防范呢？是因为所有动物都必须禁绝乱伦。大家也许看过前些年播放的一部美国电影《狮子王》，竟然把它演成哈姆雷特了。剧情是说狮子王的弟弟，也就是小狮子的叔叔为了篡夺王位，害死了狮子王，然后将小狮子逐出群外。但生物学家研究发现，即使小狮子的父亲狮子王活着，它在小狮子性成熟那一天，也一定把雄性小狮子咬得血淋淋的赶到族外。干什么？防止乱伦！大家一定要知道，在所有动物中，它的子代长到性成熟那一天，两性中必有一方要被父亲赶出门外，驱离族群。比如狮子社会、猴子社会，在雄性性成熟那一天，雄性后代要被赶走。比如野马社会，雌性小马性成熟那一天，会被父亲咬得血淋淋的赶出族群。

为什么所有动物都要防止乱伦？请大家看一下生物系统的基因结构。我们人类的绝大多数疾病都是遗传病，连感冒都有14%的遗传度。从表面上看，感冒是病毒感染引起的，但一场流感过来，为什么有人罹患，有人无碍？为什么有人病重，有人微恙？是因为各人的先天免疫素质不同，因此感冒的遗传度为14%。但绝大多数疾病的遗传度高达百分之六七十，也就是遗传因素占主导。我们在临床上经常会看到，一个疾病，你这一代出现了，追查家族史，父母那一代没有，然后再往上寻访，发现爷爷奶奶那一代人里有同样的病例，这叫隔代遗传。为什么会如此？先看生物的DNA双螺旋结构。它是这样一种组合（板书），它的这一侧长链叫作主位基因，另一侧叫作对位基因，总称“等位基因”。两路基因排成长链，扭转起来就是基因的双螺旋结构。

大家首先要明白，生物界里所有的高等物种，它的后发基因都是畸变病害基因（这个话题到“人体哲理”课中再详谈）。为什么会出现隔代遗传？就是因为所有的进化基因都是病害基因，如果此刻的对位基因与主位基因完全一致（AA或aa），这叫纯合子组态；如果对位基因和主位基因不一致（Aa或aA），这叫杂合子组态；只有当这个病害基因保持纯合子关系，该疾病才会显发，临床上称其为“隐性遗传病”。如果父母一方具有某个病害基因，但是他们的基因结构却是杂合子关系，那么虽然这个病害基因会被遗传下去，自身却不显发为病态，这叫

“隐性携带者”。这就是隔代遗传发生的原因。

为什么所有动物都禁绝乱伦，都尊奉乱伦禁忌的行为原则？是因为你跟有血亲关系的人发生婚配，由于血亲之间基因同型率偏高，发生纯合子组态的几率大大提高，也就是调动出隐性遗传病的概率大大提高。在长时段的生物进化过程中，凡是没有乱伦禁忌之本能素质的物种，都会因为家系血统中潜涵的所有隐性与显性遗传病均在族群中大量爆发而快速灭绝。可见，孔子学说当年提出男女大防，实际上是不自觉地维护了中华民族的血统安全。

为什么到今天你可以自由恋爱了？是因为今天社会高度超血缘化了，你在托儿所、小学、中学、大学，你遇见自己直系血亲的概率连1%都没有，因此你可以自由恋爱，甚至可以性解放，它绝不会造成乱伦，至少造成这种乱伦发生的几率已经非常之低了。

请大家再想，如果在远古社会自由恋爱，它会是一个什么局面？普遍的乱伦状态就会发生。我在讲什么？我在告诉大家，你要想理解孔子学说，你就必须回到他那个时代，他的学说在当时所处的那个时代是非常合理的，是维护人类生存的文化适配系统。

孔子学说宅心仁厚，至少其初衷大体如此。孔子也十分儒雅，被他的弟子形容为“温良恭俭让”。在《孟子·梁惠王上》中，我们会见到孔子唯一发粗口的一句骂人话：“始作俑者，其无后乎。”什么意思？当年的贵族把普通老百姓，尤其把奴隶根本就不当作人看，春秋末期的中原各国还保留有殉葬制度，君王或贵族死了，常会批量宰杀奴仆以供陪葬，孔子对此极为反感。他不但忿然反对殉葬，他看到有人把泥俑做成人样代为陪葬，都大为恼怒，认为这是对人的不尊重，是对殉葬制度的留恋，因此他说“初始创作人俑者，应将断子绝孙”。心性温良的孔子居然发出这样的粗口，我们由此可以看出孔子的仁厚之心。所以大家一定要理解，孔子文化在其当年的每一处点滴言行之中，都有维护人类生存的善意与效能。

“重德”文化的参考意义

孔子文化的核心是什么？——守德！“修身、齐家、治国、平天下”，“修身”在第一位。第二位是“齐家”，我前面讲过，在传统观念里，家族先于国体，齐家以后才谈得上治国，“治国”（指诸侯封国）不是目的，“平天下”才是，故有“天下观”（追求“大道为公，天下大同”）。孔子为什么把“修身”放在最底层？因为重德文化，是一个生存维护体系，是社会存续的基础。孔子重德到什么程度？他讲“见贤思齐焉，见不贤而内自省也”。什么意思？他说我看到一个人很守德，那么我立即就要向他学习，跟他对齐，这叫“见贤思齐”；他说我看见一个人做了败德的事情，我马上就要反省，我身上有没有这种劣根性，这叫“见不贤而内自省也”。孔子守德到什么程度？“慎独”的程度。也就是独自一人，也严守道德底线。当然“慎独”这个词，有很多种解法。

今日之人类道德沦丧，人性败坏。我前面讲过，今天是“民免而无耻”的时代，法律禁止的我都不碰触，以免被追究，但凡是法律不禁止的，再缺德的事我都敢干。今天人类之所以还遵行道德，是把它作为一种装潢、一种装饰，这是第一；第二，是把它作为一个策略。什么叫策略？就是我在这个场合下，之所以恪守道德，是因为不守道德会给我带来更大的损害。如果是这样一种策略性运用，那么也就意味着，倘若我在某个场合不遵守道德，能获得更大的利益，我会立即抛弃道德。这就是人类今天的状况，这也就是法制社会必须出现的原因。

孔子为什么格外重视道德？我们下面就来探讨这个问题。我前面一再讲，中国传统文化是对人类最原始的第一茬文明——即农业文明文化系统的精雕细琢和完好保留，因此它代表人类最底层的思绪。而我又说，越底层的东西，越具有奠基性、决定性和稳定性。当我们探讨中国传统文化最基本的质素时，特别要理解一样东西，那就是它一定具有维护生存之文化诸要素中分量最重的相关内涵。什么是道德？它是“生存之规定”，或者说是“维护生存之规定”。什么是法律？它是“社会之纽带”，或者说是“维护社会秩序之纽带”，这两者的轻重是全然不同的。

我先解释为什么孔子所关心的重德、守德问题是生存之规定。人类学家在20世纪初叶做田野考察，那个时候，中国的云南、非洲和印度尼西亚等地，还存留着大量的原始氏族社会群落。所谓“田野考察”，是人类学的一种治学方法，就是要跟自己考察的社会人群长期建立同吃同住的紧密关系，以便进行深入其间的学术研究，这叫田野考察。人类学家到原始氏族社会中做田野考察，跟他们同吃同住数年之久，结果发现原始氏族社会只遵奉两项道德。第一，乱伦禁忌，即不得乱伦。我前面讲过，乱伦禁忌是生存之规定，但凡任何一个物种违背乱伦禁忌，物种会快速灭绝。第二，不食同类，即不得吃人。

大家最近在各网站上经常看见原始食人族的报导。请注意了，那是网络上和舆论界的噱头，食人族在人类原始氏族社会中是非常罕见的。人类原始社会，它的最重要的两项道德，一个是不得乱伦，一个就是不得吃人。为什么不得吃人？是因为所有生物物种都不食同类。在生物种系里，吃同类的现象是非常罕见的。比如螳螂在交配的时候，雌性螳螂会吃掉雄性螳螂，这种情况少之又少，它只是一个特殊的生育方式。这个话题说起来有点复杂，我们今天不讨论。

就生物总体而言，99%的生物都不会发生同类相食的事件。为什么？是因为任何致病微生物、病毒或者致病菌，不交叉感染不同物种作为宿主。这句话什么意思？我举一个例子，人的结核菌不感染牛，牛的结核菌不感染人，于是医学界就把人身上的结核菌抽取出来，加以培养，之后注射给牛，由于牛这个宿主对人结核菌不易感，于是在牛体内把它培养260代以上。在不易感的宿主中，该微生物的致病毒力会逐代下降，此后再把牛体内的人结核菌抽取出来，直接注射给人，这叫减毒活疫苗。

我在讲什么？我在告诉大家，致病微生物不交叉物种作为宿主，也就是不同时感染不同的物种。我们今天看到的猪流感、禽流感，是由于这类病毒发生了严重变异，它开始侵犯其他物种，比如，侵犯人，但它对猪类和禽类的致病率立即下降。好了，我讲到这儿，已经讲明为什么所有生物不食同类。因为吃同类会造成某类病毒或者细菌在本种群内大规模感染，从而形成持续性瘟疫。也就是不断吃同类的物种，它在长期的生物发展过程中会由于瘟疫的不断爆发而快速灭绝。因此，自然选择一定只把那些遇见同类的肉就感到恶心的物种保留下来，而会把贪吃同类的物种淘汰掉。

大家听明白，道德是什么？——生存之规定！这就是道德的分量。我在前面讲过，人类文明的过程，就是道德逐步失范的过程。我这样讲，可能有很多人不同意。他们觉得，很明显，文明进步程度越高的国家，民众的道德水准通常也越高。请注意，这是浮面之见！我们一般人对社会、对现实的评价，我把它叫作“情境评价”。我说你今天生存成本越来越高了，而不是物质越来越丰富了；我说你生活越来越不稳定了，你焦虑感越来越重了，你不是越来越幸福了，而是越来越不幸了。如果你觉得我说的是反话，是因为你陷入情境评价的局限之中不能自拔。你站在你今天无法超脱的生存结构中，你站在你当下已经高度适应的生存境遇中，回望古代俗世生活的清贫寡淡，回味被历史偏见放大了的社会灾难，你觉得你无法欣赏它、适应它，你觉得那时的生存状态比现在更糟糕、更恶劣，这种看法是挂一漏万的，这种评价是没有意义的。因为你自己狭隘的主观情境,成为了你的虚妄的评价尺度。那么,什么是有效评价呢?——找见“终极尺度”并给出“终极评价”!也就是超脱自身主观情境的遮蔽,深入到生存规定的底层,此谓之“大尺度的终极评价”。

为什么越高级的物种,灭绝速度越快?为什么文明越发展,人类的总体存境越紧张、社会危机越严重?你拉开一个大尺度,做出整个物演序列的分析,做出全体生物进化的比较,你才能完成这个终极评价,你才能说清古今社会发展究竟是有幸还是不幸。换言之,找见终极评价的尺度,才是建构人类文化和人类学术最根本的要义。我举个例子,从表面细节上看,我们人类如今好像变得很温和、很友好了,可大家要知道,从总体文化倾向上看,我们的文明与文化其实变得越来越恶毒了。比如近现代史评,常把荼毒天下者视为造史英豪。古时的中国,像商鞅、秦始皇、曹操这些人在主流文化界的评价是很差的,因为他们凶狠残暴、祸害民命,而在今天的政治评价里,他们居然都变成了值得表彰和效仿的历史正面人物。

我再举例子,人类古代贫富悬殊程度极低。农业文明初期,所有的人是不可能发大财的。每个人体力相当,社会总人口很少,凭自己的体力开垦土地,一家可以种植百亩左右,粗放耕作,谁也富不到哪里去。那个时候,人们不被调动贪欲,不追求过分财富。而到了资本主义时代,能敛巨财者被万众艳羡,尽管他必然挤压绝大多数人陷于赤贫。这是人类经济生活的大劫难,其基本状态倾向于越来越恶化。

人类古代做兵器者,他本人是很惭愧的。老子在他的文本中说过一段话,大意是“代司杀者自斫”,怎么讲?只有天地之道,才具有生杀予夺之权,人没有屠杀别人的权力,这叫“代司杀者”。老子说,代天道司杀者,你一定不免会割伤自己。可见,人类古代天然具有护生观念,因此,古代造兵器的人,他是很惭愧的,他是不敢把自己的职业当作一种荣耀来宣扬的。可大家知道今天世界各国,制造原子弹、氢弹和导弹的人,被奉为民族英雄。也就是我们在大节上会看见，人类文明的发展过程，是一个道德观越来越淡薄、内在里越来越暴烈的进程。这就是孔子文化宅心仁厚以及注重道德的价值，它从根本上维护人类生存，而人类今天却逐步远离了它。

中国古代文化成为人类所有古文明中唯一一支一脉延续到今天的文化传承，很重要的原因，当然首先是由于东亚的封闭地貌造成的，民族扰攘很难进入。但孔子学说的底层，血缘结构的力道，不能不说是中华文明得以“滞而不夭”的一个重要原因。也就是社会发展看起来停滞了，但是华夏文明和中华民族的基本生存安全，却保持2000多年而不发生夭折或坠亡。

孔子文化看起来是一个低智状态，却是一个低智约束状态，它从根本上维护了种内平静，抵制了或者制约了种内竞争，从而导致中华民族的整个文明生存相对安宁。今天人类远离了这个东西，预示着人类文明的大厦将倾。

看看今天的人类，不管做什么事情，都要出师有名。就是我要打仗，我必须找一个借口。找什么借口？——道义借口，这叫道德制高点。人类做任何事，即使做一件邪恶的事情，他为什么一定要找见道德制高点呢？是因为只有站在道德制高点上，才最有感人的魅力，或者说最有感召力。道德为什么最能感人？道德为什么跟人类的骨子和灵魂相通？是因为道德维护人类最底层的生存规定。这也就是为什么对人类影响最大的人物，不是政治家，不是军事家，也不是经济家，而是三个道德规范的最高制定者。第一位是佛教释迦牟尼，他身为王子，居然要求他的僧伽或僧团组织，自甘步入寒门之家去化缘。他在干什么？寻求贫贱人群的高贵身份认同。由于它的道德立点极高，迄今影响东南亚和东亚社会十几亿人。其魅力之强、形象之美，任何人不能与之比较。

第二位是耶稣。说起来，耶稣简直就是个邪教创立者，他竟敢公然宣称自己是上帝之子。基督教脱胎于犹太教，犹太教只承认上帝耶和华，绝不承认基督降世，说上帝怎么会化成肉身？圣母玛利亚怎么会不孕而生？所以犹太教徒不认可耶稣，说玛利亚是妓女。这就是欧洲基督教文明长期具有反犹色彩的原因。大家要知道，二战期间希特勒屠灭600万犹太人，这绝不是突然发生的灾难，它是欧洲基督教文明超越千年反犹文化的积累和延续。你读一下莎士比亚，他的剧作里有大量污蔑嘲弄犹太人的笔墨。那么耶稣宣告自己是上帝的儿子，作为一个肉身凡人，无论他怎样自圆其说，这也未免太离奇了。可耶稣为什么今天被十数亿人所尊崇？是因为他以自己的血肉之躯，为人类的原罪救赎。他的圣德感化之力，征服了整个基督教世界。

最后再看孔子。我前面讲过，孔子学说的全部核心在于立德，他因此成为覆盖东亚数亿人的儒学文化宗师。我在讲什么？道德是生存之规定，它具有最高的表面魅力，同时具有最深彻的维护生存之效应。这就是古老传统文化的价值所在。大家听明白，比如我讲老子，我说他的保守论而不是进步论，是他最重要的文化价值所在；我讲孔子，讲他的重德理念是最底层的文化参照系。因为这些东西今天都消失了，甚至都变成了反论或侈谈。进步论取代保守论，法制取代道德。而人类丢失的究竟是什么？却是一个非常值得思考的重大问题。

我在西哲课上讲过一个话题，我说人类古代文化有三大类：第一是“重德”；第二是“信主”；第三是“爱智”。我说古希腊时代，它的文化倾向于爱智，而爱智文化是对人类智力潜能和智力储备的调动。那么什么是重德文化呢？说起来，人类缔造文明的用智形态只有两个向度：一乃扩大内向的合作范围或团结群量；二乃扩大外向的探索范围或求知深度。前者将“虚构的故事”伸展为“重德”或“信主”，后者将“虚拟的思境”伸展为精密逻辑的“爱智”，即呈现为“假设与证明”的哲科思维。两者必定同时展开，而各自的侧重却有所不同。

大家注意听懂我这段话。就是人类的智力活动，在两个方向上发展。人类的文明是建立在假设和虚构上的，它的一个方向，是力图建立人类内部的合作扩大范围；另一个便是外向地寻求知识和智力的深化。那么，这两者什么更重要呢？我讲西哲课的时候，大家觉得爱智文化太精彩了，可你不要误解，爱智文化只是人类能力的极端调动，而重德文化才是人类内向合作的安定保障。这两个向度是相反相克的：如果你的内向协同规约太过严苛，则个人的智能发挥必遭压抑；反之，如果你的内向结社关系失于协调，则个人的能力越提升，人类面临的整体危机就一定越严重。

那么，什么对于人类的生存更重要呢？——人类全体内部关系的协调！避免过度恶性的种内竞争，要比能力的提升重要得多！也就是重德文化，就其维护生存的效益而言，它比古希腊爱智文化——导致人类今天得以调动和释放巨大的科技能力——重要得多。能力的提升带来的是什么？如果种内竞争日益加剧，内部合作共生的社群关系不能协调，则能力越高，人类自我毁灭的前途就越险恶。

表面上看，中国“重德”文化是智力调动最浅的文化。反观“信主”文化，比如古埃及、古巴比伦都是信神的，它虽然没有促成哲科文化的发育，没有达成智慧潜能的深层调动，但它得虚构一个神，然后它得去求证这个神的存在，因此它的调动智慧的力度虽然没有古希腊哲学“爱智”文化来得透彻，但是却比中国的重德文化调动程度偏高。中国的重德文化是一个智力调动最低的状态，它几乎就是动物社会的直接延伸，是对动物血缘社会结构的文明化注解和合理性发挥，所以它调动智慧的幅度最浅，表达为一个最低智的文化。

可恰恰是这个最低智、最基层的文化状态，最有效地处理和伸张了人类内部合作的重德要素，把它揭示为“生存之规定”。而爱智文化不断地调动人智，其结果是什么？是人类内部竞争越来越激化。

我在前面讲过，公民和家人，他们各自赋有全然不同的人格。神祇天威之下的公民和血缘网络之中的家人，其本质区别是什么？公民讲平等，但同时公然调动竞争；家人讲尊卑，却无意之间平抑竞争。生物的种内竞争渐趋残酷，且无可规避，这本身就是非常可怕的，如果再配上智慧能力的大幅度提升会是什么结果？请大家想想，倘若两只公猴在争夺雌性生殖资源的时候，居然手里有枪，这两只猴子的命运将会如何？请大家再想想，倘若随后这些猴子的手里握有原子弹，整个猴群又会面临什么结果？可见单纯的能力提升，不但无助于种内竞争的平衡与化解，反而最终必置争斗者于死地，这就是人类面临的黯淡前景。所以当我讲西哲课的时候，我说爱智文化看起来绚烂多彩，其实未必值得赞美；而孔子的重德文化虽然显得沉闷平实，却可能更为深刻。

下面我专门解释一下参考系之说。我在课堂上不断讲，中国传统文化是人类最原始文明思绪的保留。我说越低级的东西，越具有参考系的作用。这句话什么意思？请大家注意“参考系”这个词，它是物理学上的一个术语。比如牛顿力学，它分惯性参考系和非惯性参考系。我只举例子，不谈复杂概念。比如你站在地面上，地球高速运动，你无感，这叫惯性参考系；如果你坐在一辆车上，同样以地面为参照，你能感到高速运动，这叫非惯性参考系。物理学研究的是物体在时空中的位移，而我的哲学研究什么？研究物质的演化运动。请注意物理运动和演化运动是两个概念，物理运动是物质的外部运动或时空运动，演化运动是物质的内部运动或内质运动。

那么，什么是哲学上或人文学上的参考系？简单地说，人文历史运动也可分为两种类似的参考系：一乃始终陷于自我感觉良好的进步论情境之中，对人类文明发展的恶化趋势毫无觉察，此若惯性参考系；二乃深究古今思想文化的内涵差别，借以判明人类当前生存形势之危殆，此若非惯性参考系。也就是越底层的文化，它所诉求和讨论的问题，越是跟人类基本生存之关系更紧密、更要害的问题。因此，它在文明发展路途中具有更重要的参照作用。

它的参照视角有两个：一个涉及发生学上的根源性和基础性；一个直指发展轴上的叠加化和暴烈化。中国传统文化是人类社会在发生学上的根源性和基础性问题的最底层探讨，将其参照人类历史在发展轴上的叠加化和暴烈化趋势，它就构成对人类文明进行终极检讨的最好比对材料。这就是我反复讲，中国传统文化是人类建构下一期文明之稳定延续和安全生存的重要基底层参考系这句话的含义。

如果站在这个角度上，大家回想，我刚才讲孔子重德文化，实际上讨论的是人类种内竞争的克服问题和协调问题，那么你就能够理解孔子曾经说过的一段话，你今天会觉得太荒唐的一句话："不患寡而患不均，不患贫而患不安。"他说，人类社会的稳定，不必担心物资匮乏，而要担心分配不均；他又说，人类社会的生存，不用担心清贫淡泊，却要担心生活方式越来越动荡不安。什么叫作不安？——越来越躁动、越来越焦虑、越来越失稳、越来越危机之谓也。它跟工商业文明追求财富、鼓励竞争，完全是相反的观念。

回到维护人类基本生存上看，孔子讨论的是最根本的问题，提出的是跟生存稳定性关联最紧密的学说。这就是为什么我们会发现，生物史上能力越强的物种灭绝速度越快，因为它们的种内竞争越来越激烈。这就是为什么中国的低智重德文化稳定存在两三千年，从来未曾中断，而古希腊竟然在公元前4世纪骤然消灭。这也就是为什么我们今天文明发展程度越高，我们今天远远脱离了农业文明，我们财富巨大，我们能力高强，可人类面临重重根本危机，以至于面临整体人类的生存危机。显然，以这个参照系的眼光去看，人类未来生存所面临的是这样一道难题：在突进发展与稳重守持之间如何抉择的难题。

我们下面对这节课做总结。大家听懂我讲孔子在讲什么。我前面讲孔子文化浅薄而直白，可我后面为什么给孔子文化以极高评价，是因为人类文化只不过是生存结构的产物，这是我上第一节课就反复强调的。这就是我说，黑格尔读不懂孔子，才会对孔子给出那样低的评价的原因。因为，西方的工商业生存结构和中国的纯农业生存结构完全不同。

而我又一再强调，我所讲的生存结构，绝不是生产力、生产关系这些概念。因为,用生产力与生产关系相匹配的这套理论，我们很明显地看出它是有问题的。比如中国，比如现在世界上大多数东方国家，它们目前的生产力水平比古希腊时代高上万倍、上十万倍，可它们并没有建立古希腊系统、罗马共和系统以及西方今天那样的宪政制度或上层建筑，足见这个学说出现了重大的悖谬。

我所说的“生存结构”，是指自然存在动势与自发衍存要素之总和，是指存在度与代偿度的适配系统。这个东西跟人类的社会文化发展是有一个表里关系的。至于我所说的“自然存在动势与自发衍存要素之总和”，其涵义究竟是什么？大家得去读《物演通论》。我在这里只是想告诉诸位，理解孔子文化，必须理解中国古代农业生存状态的总体规定要素及其历史合理性，这是你理解中国文化、理解人类文明、理解人世变迁之参照系的所有这些内涵的一个基础和范本。

而且大家还要记住，任何文化都是一个时间范畴，人类文明的演动是一个自然过程或自发进程，我第一节课就讲这个话。人类文明不是人类选择的结果。你没有选择，你想停止也停止不了。由于这个原因，人类的一切再伟大的文化最终都会失效，它一定只在一个时间范畴内有效，它最初一定是维护生存的，而后一定是戕害生存的。中国文化为什么在近代衰落？是因为它严重地阻碍了中华民族从农业文明向工商业文明转进，因此它最终被抛弃了，这是大家理解传统文化的第二项要义。

为什么在刚开始讲课的时候，我就讲新文化运动的那一批学者，打倒孔家店的那一批民国学者，如果我们站在进步论立场上，我们就要高度尊重他们，因为他们清理了中国的传统旧文化，使得中国社会转型得以比较顺畅地实现。我举个例子。印度古文明、埃及古文明、两河古文明，它们今天比中国衰落得多。说起来，印度被英国人长期统治，印度今天的官方语言之一都是英语，印度还是民主制度，但是它的社会发展却出现种种问题。为什么？埃及古文明是最早的古文明，它今天社会状况紊乱，发展头绪不清，为什么？对自己的传统文化没有彻底清理。中国人由于上个世纪初叶不断地反省和清理自己的传统文化，从而在某种程度上扫除了社会转型的思想文化障碍，由此促成中国现代革命运动和改革开放的突进，这都是大家要注意理解的。所以当我们讲传统文化价值极高的时候，请各位记住，它在人类社会演进发展上是一个时间范畴，而不是一个永恒价值。

同时，我们永远不能轻视它沉淀成为“人类文明与文化的基础参考系”之作用。近代以来，讨论中国传统文化不断地使用两个词汇:“糟粕”与“精华”。可没有哪位学者能够真正说清，中国传统文化哪些部分是精华，哪些东西是糟粕。实际上糟粕和精华只能这样看待：大凡你把古代文化拿来直接应用，它表达的都是糟粕；但凡你把它的底层思绪拿来作为人文参考系，它的点点滴滴都是精华。

我举例子。你拿“男女大防”今天来用，不是笑话吗？不是糟粕吗？你拿“以德治国”今天来用，反对“依法治国”，不是糟粕？不是笑话吗？可是你回过头来，以参照系的方式看它，它全都是精华。重德文化是人类生存的基底部，它得不到维护，标志着人类文明的全面危机在思想文化形态上显现。所以我再说一遍，在社会操作层面上，不加分辨地照搬古老文化直接应用，再好的文化都是糟粕；在思想参考系层面上，传统文化的点点滴滴都是大尺度终极评价的基底层参考系，于是就使它显得全都是精华。——这就是我们对传统文化的看法和评价。

我今天讲孔子，讲了孔子所处的总体时代背景；讲了中国先秦时代的第一次社会大转型；讲了儒学兼具人类原始文化的三大基本要素；讲了孔子文化得以发生的东亚生存结构之温床和土壤；讲了孔子生平简介及其实务型功业评价；讲了孔子学说的血缘内核与守旧力度；讲了孔子思想的历史合理性；最后，探讨了重德文化的基础性参考系意义。

如果你在这个系列上听懂了这节课，你就较好地理解了孔子和儒家学说究竟是什么样的精神底蕴，它的文化内涵是一个多么丰厚的系统。对于儒学、对于孔子文本，从此你有了基本的理解和阅读的导向。

课后答疑

好，我们下面留出时间，大家充分讨论，随便提问。

同学提问：孔儒文化如此强大，为什么没有保证中国社会不动荡？为什么中国社会一直动荡，也没有撼动儒家文化呢？

东岳先生：社会动荡是常态，因为“社会”是最弱化的一个自然结构（参阅《物演通论》卷三）。我课上所谓的社会动荡，是相较于历史发展而言，越高级的社会形态越脆弱、越动荡，越原始的社会形态其动荡度越低，所以根本没有毫不动摇的社会存在。中国社会也同样一直动荡且递进不止，至于为何数千年未能撼动儒家文化，只说明孔儒思想的原始稳定性及其维稳效应之强大。这个问题我明天讲法家课时还会重点讨论。

同学提问：东岳老师，您好！通过您讲西方哲学，我了解到您的《物演通论》的整套理论，很大一部分是建立在西方哲学的这个推理逻辑上面，然后进行的一个论证。但是我们这个课程正好是反过来了，在学西方和东方的同时，我们有五门课是去了解我们自己的国学，只有一节课是学西方哲学，这让我很好奇，为什么我们要花更多的时间来了解我们中国自己的文化？

东岳先生：大家把我的课千万不要当国学课来听，我不是国学大师，我也不是研究国学的专业学者。我说过，我只是研究哲学和人类思想史，把中国传统文化作为其中的一个分支。大家听这个课，一共12天讲座，把它作为文化人类学来听。之所以国学部分偏重，是因为大家跟它比较有亲近感，跟它的思脉比较容易沟通，因此用中国传统文化梳理人类文明，大家在感觉上和理解上更浅显、更通透。我在《物演通论》第三版的封底上说过一段话，在现行第四版的书上没印出来，我说我的哲学体系是运用中国天人合一之理念和西方逻辑思辨之方法构建的。我在前面也讲过，我说递弱代偿原理，也就是我的哲学体系，在我看来是非常简单的，所以在我最初写完之时，我认为这个理论在西方应该早就被发现了。可我后来长期查索，并没有发现同类文献，为什么？是因为西方人不具备东方人特有的保守论思绪。我的著作并不仅仅是西方哲学的产物，它的思想内核在更大程度上是东方文化基调的产物，只不过由于在表述方式上是一个西方学术的假设证明体系，是一个哲学思辨体系，因此你读起来，觉得它主要是西哲的行文状态。我在讲课的时候，之所以西哲讲少一点，只有两天，而国学课程相对多一点，是因为西方哲学的思路跟我们太不容易契合，因此我只做一个基本交代。如果你对它有兴趣，将来要在课后去建立自己的深研。我如果系统地开展西哲课，绝大多数人是要打瞌睡的，这个课是听不下去的。只要大家听这个课的时候对准这样一个目标，你不是在学国学，你也不是在学西方哲学，甚至我后面再讲的人体哲理、印度佛学，都不是这些课程的学习重点，而是你得把它看成文化人类学，看人类文明究竟是怎么回事，究竟是什么趋势和导向。你以这样的视野和思路看待这个系统讲座，你才能真正听明白每一节课其实在讲什么。

同学提问：东岳先生好！您说我们正处在第二次社会大转型之中，那您能谈一谈第二次大转型的未来可能的方向会是什么样子吗？

东岳先生：我说中国社会第二次大转型迄今还没有完成。因为鸦片战争距现在只有170多年，第一次社会大转型历经300到500年，所以第二次社会大转型并没有彻底完成。第二次社会大转型转什么？从农业文明向工商业文明转型，从君主专制制度向共和民主制度转型，从传统文化向未来文化转型，这个转型非常复杂、震荡剧烈。那么它的前景是什么？简单地看，中国今天正在高速工商业化、自由市场化。尽管国营经济仍然占主体，尽管市场化程度并不深彻，但通过百十年革命、三四十年改革就有如此之转进，也确实很不容易。政治上的民主制度显然没有建立起来，议会监督、选民权利这个系统还几呈空白，大抵只是模仿了西方近现代政体形态的一个外壳，内核完全不同，所以我说这个转型还没有完成。但是大家要注意，人类文明发展是加速度的，农业文明向工商业文明转型，人类历经数千年才完成，或者才有了这两次转型。由于中国守护农业文明非常顽固，直到西方坚船利炮把中国大门打开，中国近代才开始转型，非常痛苦地转型，连思想文化、国民性、国家人格都得转型，因此这个转型很痛苦，中国人折腾了170年。但是由于这个进度是加速度的，我们可以想象，或者可以预测，人类从工商业文明过渡到后工商业文明，也就是我在课堂上反复说的下一期文明，这个转型将会非常之快，因为我们今天已经看见工商业文明及其文化的戕害效应。我前面一再讲，任何文化都是时间范畴，早期维护生存，晚期戕害生存。西方工商业文明和工商业文化今天已经给人类带来深重的灾难，所以我很怀疑，工商业文明发展到今天，还会不会给中国人再留出几百年的时间来慢慢转型。很有可能的是，中国的工商业文明转型还没有完成，下一个后现代转型就会逼迫而来、汹涌成潮。所以我希望大家听懂我的课，我更关注的是人类未来第三次社会转型的思想建构。

同学提问：东岳老师您好！如您所说，道德是维系人类生存的基本规定，而人类的演化是人类社会发展的一个不可逆过程，所以如果要延缓人类的消亡，那么用人类生存的最大尺度来看，是不是应当是文明递演，道德代偿也递进？人类的第一个农业文明道德规范是基于家庭、氏族、部落、国家这些组织纽带下的人不吃人、人不乱伦，那么第二个工商业文明的道德规范，应该是被法律所替代。我在想人类需要建立的未来第三个科技文明，道德是不是应当是更大尺度的基于跨种族和跨地域的人不犯人和仁者爱人这个道德呢？

东岳先生：好，首先我讲"递弱演化"，它有两个含义：第一，进步过程就是危机加剧的灾难化过程；第二，进步过程无可阻遏。这两个含义都在其中。所以我们可以肯定，重德文化是代偿度较低的文化；科技文化是代偿度较高的文化，而代偿度只会越来越高。那么人类未来如果还想寻求全面的生存稳定，如果还想不被自己的文明所消灭，那么人类肯定得以古老文化作为原始参考系，重新建构人类的文化和文明结构，尽管这个进程绝难反动。也就是我讲，老子出现严重弊端，他认为有退路可走。而"递弱演化"讲明，没有退路可走，是单向度演化，所以人类不能走退路，不能从工商业文明向农业文明退行，这是不可能的。用农业文明取代工商业文明来保全人类，永远都只会是幻想。但是人类却可以根据工商业文明暴露的问题，克服自己文化的内在弊端，寻求下一期生存，既不阻断代偿增益，又不至于快速把自己推向灭亡，显然这是未来人类面临的最重大课题，它比今天人类所关心的科学、政治、经济重要得多。因此我在《人类的没落》中讲，一个后国家、后资本、后科学时代行将来临。

同学提问：东岳先生，我听您主要阐述地理环境、农业文明和道德伦理，更像一个道德伦理的指南针和度量衡。我觉得好像有个疑问，就是血缘和血脉之间，我觉得这个“脉”字在这样的一个解释系统里面被忽略了，我不知道是为什么？

东岳先生：听懂我的课，我讲整个孔子文化的核心，就是血脉文化，就是血缘文化的建构，就是拿血缘文化重新组织超血缘社会结构的纽带。我讲孔子文化的力度，最重要就表现在血脉文化这一点上，应该说已经强调得非常之重了。人类今天的文明形态，工商业文明的发展是对血缘社会文化结构的解构，这是非常明显的。今天有谁还会把自己的社会生活局限在血亲关系之中呢？有谁还会讲孝道文化呢？如果今天一个成年人，他养孩子居然是想让孩子帮他养老，我说他一定是昏头了，这你根本做不到了。不但做不到，我们今天看到的是什么？不但过去的族群文化解体、家族系统解体，连核心家庭都在逐步解体。离婚率越来越高，不生孩子的丁克族越来越多，独身主义盛行。人类社会的血缘稀释和血缘淡化进程非常明显。而血缘维系是一个动物群化结构，它实际上表达着最安全、最宁静的社会生存结构。但我希望大家不要受这个课程的影响，不要最后回家去讲孝道文化，不要指望儿女来给你养老。工商业文明，父母只管孩子，孩子只管孙子，绝不管父母。如果你还指望孩子管你，还想在血脉上寻求实际生存效益，你一定要遭遇麻烦。大家听我的课，重要的是听懂人类思想流变的发生原因。在孔子课上，我讲足了血缘宗法礼制文化的内蕴。听懂它，不是要复古操作它，而是要理解它的基底层参考系的含义。

同学提问：爱因斯坦曾经说过，在未来的知识领域，牛顿力学、相对论以及量子力学都会被修正，统计力学的定律是永恒的，也就是以现在说的统计物理学去补充这些资料。在写《物演通论》书的时候，您是怎么看的？

东岳先生：我对你说的统计物理学比较陌生，这个问题我回答不了。人类今天高度关注科学的发展，可我认为科学的发展已经走到尽头。人类未来面临的生存问题绝不会是科学发展不够的问题，而是科学发展过度的问题，因此我说后科学时代即将来临。你提的问题由于我对你所说的学科不熟悉，我无法发表意见，如果你在这方面有研究，那么我希望你有所著述，用你的文章来让我理解你的问题，我愿意在这个方面向你学习。

同学提问：在第二次文明大转型的背景下，我们人类这个整体应该如何寻求个人、社群、组织，尤其是家庭的内部的整顿和外部的适应？谢谢！

东岳先生：我在讲课的时候说过，务虚者务不了实，务实者务不了虚。我作为一个务虚者，大家在其个人社会行为上向我寻求答案，其实我是毫无办法的。在此我只想说明一点，人类历史上的杰出者，或者历史上的英豪，大多数都是掌握新思想的人。这个例子我举过很多，我的学说作为现代社会的一个新型思想体系，如果你熟悉它，也许会成为你在社会生活中的一个逻辑路标。至于它怎样引发你的思考，怎样成为你生活和行为中的一个指南，这得你根据自己的实际情况来加以消化，我实在是无话可说。我的学说，跟今天的主流文化完全悖反，今天的文化讲竞争、讲发展，全是进步论，人类社会今天的运行方向，跟我学说中所要批判的那个动势完全一致。那么生活在今天这个社会文化大潮中的人，该怎样理解和践行我的学说，我真是一片茫然。因此我在书中讲，我的书是写给后人的，今天的人读它可能反而会给自己带来一些麻烦，为此我向同学们表示歉意！

同学提问：我听完先生今天的课之后有一个感觉，科学时代将会把人类引向快速灭亡。但现在，又觉得是不是下一个时代有可能缓解这种灭亡，并且是通过中国的传统文化解决人类内部的关系问题。我们现在迅速分裂，但是不是可能从中国的传统文化中找到参考系，用以解决，至少是延缓那个衰亡和毁灭呢？这是不是一个方向呢？

东岳先生：你说得很对。我讲中国文化早已经衰落了，我同时又讲中国文化是人类未来思想和未来文明再造的一个重要参考系，就是这个含义。因此中国文化有其价值，但并不在浅近的操作层面上。对于这一点，我在本课结尾专门做了阐述，希望大家在学习过程中务必理解它的糟粕和精华这两个概念的落实面所在。

同学提问：东岳先生，你好！中国目前的家庭状况大部分都是独生子女，和你之前讲的那个西方血缘关系碎片化实际上是很相似的。比如说内地的孩子可能会到沿海去工作，其实父母和小孩之间也是分开的。那么在这样一个像是西方的碎片化的人文结构出现之后，再去继承和发展孔子学说的话，挖掘哪些东西才会更适合这种未来的演变呢？谢谢。

东岳先生：我真的无法回答，我只能说中国社会今天正在进行工商业文明转型，而孔子学说或者中国传统文化是典型的农业文明文化体系，你不能直接在应用层面上照搬它。很多同学问我一个问题：对自己的子女应该怎样教育？国学和西学应该偏重于哪个方面？从孩子的社会生存安全上讲和社会生存适应性上讲，我不得不建议大家，西学为主，中学为辅。因为你的孩子将在工商业文明结构中竞争生存，中国文化是农业文明体系，跟当下这个生存结构的适应度很差，所以学国学、学中国传统文化恐怕不宜作为孩子的主课。但如果孩子能懂得一些中国文化的精要所在，可能对后代未来的发展有利，使得他更有沉重感，更有深度，会起到补益作用，我只能说到这儿。

同学提问：我想问一下人类踏上科学发展这条不归路，还有没有自我拯救的可能？宗教信仰这方面有没有可能？不知道东岳老师推崇哪一个宗教信仰？

东岳先生：关于宗教信仰问题，我会放在佛教课上专门谈。我现在声明，我不信教，任何宗教对我来说都只是人类原始文化的研究素材，而不会构成我的信仰。宗教到底能不能救世，这个话题我们在佛教课上再谈。

同学提问：东岳先生，我问一个问题。作为东岳的学生来讲，我们都学习过递弱代偿的那个公式，它有没有可能会有一个类似于$E=mc^2$或者$F=ma$这样精确的简单公式，来描述我们整个人类以及生物演化的递弱发展趋势，从而把递弱代偿那条曲线画成一个相对标准和符合科学的坐标系。

东岳先生：我在讲课的时候一再讲过，我的学说是一个哲学体系，为什么是哲学而不是科学？是因为信息量不够，代不进去参数，所以是一个对不确定问题的前瞻性研究。而且我也讲过，这个参数将来随着信息量的增大一定会出现，当这个参数逐步出现的时候，我所给出的那个数学模型也一定会有更精确的校正。如果得到这些参数，如果数学模型能够精确落实，它不仅能够计算各生物物种以及人类的存在度和代偿度，以及它们各自在宇宙中的质量及其前景，它应该还能够计算一切物质包括各种无机物的存在度及其整个质量分布。但是我很难把它再称之为科学，因为我认为我的学说的出现，标志着科学时代行将结束了。我再说一遍，未来将是后科学文化占主导的时代，只是我现在说不清楚，将来的后科学文化会是一个怎样的形态。因此即使我的学说有一天代入参数，我相信它也一定不是科学文化的延续和补充。

同学提问：我想问的问题是，你预测的后国家、后资本、后科学的那个时代，会以一种什么样的方式来临？在这个过程里面，作为人类社会的主体，我们每个人能起到一些什么样的作用？

东岳先生：如果读懂我的《物演通论》，应该知道人类未来可操作的余地非常狭窄，也就是说如果递弱代偿法则是一个自然律，人类改动这个自然律的可能性极低，甚至没有这个可能性，这就是后人面临的巨大难题。但若一味地按照这个自然律推进自身的快速发展，它将给人类带来重大灾难，那么我们该怎么办呢？关于这个话题，我以不太自信的方式表述在《人类的没落》这本书中，有兴趣你可以找来读一读，这本书现在出版已经很困难了，只有过去的老版本，在福州无用空间还可以买到。我在这里只想强调一点：人类的一切文明形态、社会行为，包括思想趋势、文化效应，你也得同样把它视为是这个自然律的产物。也就是说，人类对近现代文明的检讨，也是一个自然演化的结果。从这个意义上讲，人类未来必将着手处理这个难题，只不过他会以怎样的方式、怎样的成效来处理这个问题，我们现在说不清楚，我们只能提供一个基础理论，供后人参考，供后人探索。

同学提问：我在读完您的《物演通论》第三卷后，有一个小的问题，但这是我最关心的问题。您在书中提到，社会结构在未来会越来越复杂，结构度越来越高，集约度越来越高，在“大同社会”一节提到，自主属性逐渐分化之后会分化到每个个体身上，个体与个体之间的转化效率或者可替代性变得越来越高，那么制度与个体之间的大同是否产生了矛盾呢？或者说我的理解有一些错误？谢谢先生。

东岳先生：这里的关键是你得理解“结构度”这个概念，我在书里讲，人类社会只不过是自然结构化进程的终末代偿形态。粒子结构、原子结构、分子结构、细胞结构、机体结构、社会结构，它一脉演化，层层叠加，呈现越来越复杂的趋势；同时随着分化率的进行性提高，结构系统也变得越来越脆弱、越来越动荡。这两者一点都不矛盾。把结构度这个概念搞清楚，把结构度和分化度的关系搞清楚，问题就可以化解。我现在说不清是在哪个章节，我曾专门讨论了结构度和分化度的关系，就是结构分化度的左倾化和右倾化的问题，把这些篇章拿出来读一读，或许有助于理解这个问题。

同学提问：我这里有一个问题。东岳先生讲这个课的时候一开始讲了，法制的出现是人类发展的一个退步，也不用羡慕西方法制方面发达的一些国家。但是我就有一个疑虑，我们经常去到一些发达国家，看到人与自然、人与动物和谐相处，他们违法成本相当高，青山绿水。而在我们东方文明的古国，空气、水、食品方面的问题越来越严重，心里有一种焦虑，提出依法治国，未来的路到底怎样走？以后人类的发展，到底是道德维护人类，还是法律维护人类？法制的出现到底是推动我们人类的进步，还是如您所说是一个退步？我心里有些困惑。谢谢东岳先生！

东岳先生：我觉得这个部分你理解错了。我一再讲，法制社会是进步的产物，不是退步的产物，所以人类走向法制社会是一个必然。我只是在讲法制社会是人类道德沦丧的同一过程，是孔子所描述的“民免而无耻”的时代，我这个说法一点都不错。你仔细想想，它是进步的产物，还是退步的产物？所以我在最后也讲，今天以德治国纯属幻想，你今天只能进入法制社会，甚至将来法制还会越来越细密，但你绝不会因此而获得生存优势。西方青山绿水是怎样得来的？它是把污染产业转移到新兴国家之后的结果。中国今天要想治理环境，污染企业就得压缩，往哪儿压缩？一定往更落后的国家和地区转移。所以，不做情境评价，不局限于小范围，做大尺度终极评价才是关键。请注意，我的讲课里面，绝没有反动的含义，我的学说恰恰是在讲，为什么你想反动都反动不成！请大家千万理解这一点。

同学提问：提一个关于《物演通论》的问题，您曾经也讲过，任何一个哲学家的理论，除了他的公设以外，还有一些暗含假设，比如欧几里得的几何学暗含着世界是平面状态。《物演通论》中除了衍存区间的有限设定，以及书中提到的存在一开始就不完美和无论如何都不至于一无所有的假设之外，是否还有某些重要的暗含假设？或者《物演通论》里面的逻辑极点是什么样的情况？

东岳先生：我给出了一个假设证明系统，我力求在逻辑上严谨一些，因此我说，从数理逻辑上讲，存在度最高只能“趋近于1”，存在度最低只能“趋近于0”。这个说法可能暗含着某种更深在的底层支配要素，可能比熵增定律、质能方程、进化理论等这些现有的科学观念更深入，这个问题我现在说不清楚。我只是讲，宇宙万物弱演而成，且都只在一个非时空的有限衍存区间内存在，而人类是其右侧失存临界线边际的一个物种。至于人类在这个临界线上怎样存在，怎样求存，这个话题在没有具体参数代入的情况下，我无法给出细节描述。这也许是后人可以研究清楚的。

同学提问：我的问题是这样，就是从人类文明学的角度，您如何看接下来我说的这样一个看似自相矛盾的问题？它矛盾的第一方面是说中国这种儒家文明，本质上是并不支持工商业文明的，就是所谓的这个农业文明的儒家文化，它其实是反工商业文明的，工商文明是另外一个极端。但另一方面，过去四十年，中国的工商业，或者至少它物质文明的进步，在人类历史上是几乎没有的成绩。您从人类文明学的角度，您怎么看这看似自相矛盾的两件事情？谢谢！

东岳先生：不矛盾啊！我觉得中国现在正在急速地进行工商业文明转型，因此它的物质缔造量、财富缔造量非常之大，它正是这个急速工商业文明转型的结果。我在课程的最后专门讲，中国在20世纪初叶，以“打倒孔家店”的方式对传统文化的加以清理，是中国近现代社会转型相对来说还算在传统古国中比较成功的原因。中国其实早把自己的传统文化抛弃了，只不过有一些根性的东西想抛弃都抛弃不净。请注意，今天中国的发展，不是依靠传统文化，而是面向西方学习，尽管不够彻底，但其劲头比西方还西方，比西方还激进，是以这样的方式在进行转型的。所谓四十年的快速发展，甚至超过西方的速度，这里面有一个误解需要澄清，就是你不是开创者，你是学习者，你是追随者。学习别人，和在最前端探路，难度是完全不同的，因此中国在模仿和学习西方的过程中快速突进。中国人千万不要为这件事情骄傲，因为你是拿别人现成的东西在运用。所以我在《人类的没落》里讲，中国今天的社会转型是在工商业文明从上升支走向下降支的时候，也就是工商业文明要给人类带来负面效应的时候，中国跟上去了。从长远的角度上，它未必是中国的福音。从眼下看，我们获得了某些收益，从长远讲，它会给我们带来什么损害，还有待未来重新评估。建议你读一下《人类的没落》。

好了，我们今天的孔子课到此结束。

六

法家专论与国学的社会落实

开题序语

我们今天讲法家。

由于在先秦诸子百家之中，后来对中国社会的生存与发展造成最大影响者，当属老子、孔子和韩非子，因此我们把法家设为一个专题讲座。法家的发生过程，早期只是一个政治操作，直到战国末期才被韩非子总结为一个理论体系。因此我们今天的法家课分两部分讨论，前半部分讲法家政治实操，后半部分讲韩非子法论体系。

法家的出现标志着儒家学说退为背景，正如儒家学说的出现标志着老子学说退为背景。这句话什么意思呢?

我们前面讲“老子”一课提到，老子的学说主张回归小国寡民，回退到人类原始氏族社会之中，回退到文明发生以前的生存状态。这到春秋时代显然已经成为断崖，世人皆知此路不通。因此老子学说尽管最接近于终极追问，却只能作为一个理念背景，铺排在中国社会诸子百家学说的底层。

孔子学说明言“吾从周”，他是对东亚文明社会及其封建政治体制高度确认的，他是积极参与到东周列国的社会改造运动之中的。尽管他也主张回退到西周早年周公旦制礼作乐的时代，但他毕竟承认了文明发展的既成事实。

我讲过，孔子学说是对西周早年周公旦制礼作乐的理论化整顿。我也讲了，所谓“礼”，是指“尊尊而亲亲”的社会法统；所谓“乐”，古籍原文谓之“乐者，通伦理者也”，也就是说“乐”绝不仅仅是简单的音乐，而是指大型社会祭祀活动及其乐章，表达的是意识形态的宣示。孔子对礼制文化加以系统的理论整理，学说的核心是“尊尊而亲亲”。这个看似人为的理性系统其实是动物血缘社会的直接继续和传承。什么意思？大家想想灵长目社会，猿猴们也得处理群落内部的血亲关系，使之安稳而和谐，它们怎么处理？首先就是“亲亲”，即亲近有亲缘关系者。在灵长目社会中，猴子互相之间梳理皮毛，帮捉虱子，所为何来？无非是联络亲族感情而已。再下来是“尊尊”，即尊重有尊位者。猴子社会、猿类社会，也照例服从和敬重有权力的血缘族长，这就是猴王。可见“尊尊而亲亲”是典型的动物血亲社会的自发格局或自然秩序。“礼制文化”被表达为“尊尊而亲亲”，明显是在继承这个动物社会固有的、温和的，后来被理性化地表达为“以德治国”的旧有结构。它的基本特点同样是柔情脉脉，且尊卑有序，旨在借助于这种群内压抑关系以抹平竞争。

但是随着农业文明的高度发展，到先秦、春秋时代，人口大规模发展，阶级层次分化，人际关系和资源关系逐步趋向紧张化，人类社会的竞争越来越激烈，甚至可以说是越来越恶化，于是法家由此开始崭露头角，强硬地竖起“依法治国”的大旗，于是主张“以德治国”的儒家学说因其太过柔和，也随之而退为底色背景。

由于法家学说从根本上展现了人性基层的一个极为黑暗的参考系，展现了人性深处的重大劣根性，因此我们很有必要对它加以研究，对它给以考察，对它予以了解，以便于我们就人类文明社会本身的内质状态以及发展前景有更深远的展望。

法家学说的核心在于“集权法理”,集权体系的轴心在于“王侯统治”，为此我先解释一下甲骨文中的“王”字。“王”这个字，孔子曾经给它做过一个注解，他说上面一横代表天，下面一横代表地，中间一横代表沟通天地的人，那一竖之笔划就代表沟通天地，这就是著名的“三才说”。可是在甲骨文中我们找不到这个符号形象，显然孔子解错了。我们在甲金文中见到“王”字的最早样态是这样的（

）。这个图形画的是什么？画的是一把斧头，斧头意味着什么？意味着可以斩杀内部自己人的权力，享有这种权力者叫“王”。可见当人类文明社会进入到三皇五帝以及尧舜禹王制时代，暴力管控已逐渐凸显为人类社会内部结构的一个重要工具。

大家还要注意“法西斯”（拉丁语fasces的音译）这个词的原本概念，它绝不是第二次世界大战中流行的那种说法，它最初是源自古罗马执法官的权杖之名称。古罗马时代出现了在一束棍棒中间加持一柄斧头的权杖，这个权杖的名字叫作“法西斯”。它标志着在东西方同时出现以暴力方式管控人类的意绪。“法西斯”的原意表达或象征的是领袖至上、国家至上、权力至上、暴力至上，它是这样一个文明结构的产物。因此王制、法西斯体制，表达的是人类从“以德治国”进入“以法治国”——严刑峻法管控社会的新阶段。

法家的起源与史迹

中国的法家最早发生在春秋中晚期，跟孔子大致同时代，孔子之所以强调“以德治国”，就是想对抗“以法治国”的苗头。《左传》上有一句话：“昔先王议事以制，不为刑辟”，是什么意思呢？要知道在人类文明化早期乃至之前，人类血缘社会族群中从来没有严刑峻法，社会管理模型是这样的：血缘族长，即母系社会时候的老母亲、老祖母，父系社会时候的老父亲、老祖父，就是这个族群的管理者。族人遇到任何问题，由族长把所有成年人召集在一起，大家共同协商讨论处理社会问题，这叫“先王议事以制”，这叫“不为刑辟”。没有任何暴力管控，没有任何严刑峻法。到春秋时代中期，这种局面显然难以为继。

此时私有制早已全面兴起，土地私有化更是普遍发生，史书有云“坏井田，开阡陌”。我在老子课上讲过“井田”，它实际上是原始氏族社会公田的残余保留，到周代，至少还保留九分之一的公田。那么到了春秋中末期，井田制大抵完全崩坏。所谓“开阡陌”，就是以垄沟为界把公田分割为私田。于是地主阶层问世，不同阶级紧张对峙的局面出现，同时各国政治格局也相应复杂化，“刑上大夫”的社会转型开始发生。《左传》记载，昭公六年郑人铸刑书。所谓“郑人铸刑书”，是指郑国宰相子产第一次以青铜器上铸造铭文的方式建立文字法，这叫“铸刑书”。子产的立法内容，他的《刑书》现在已经失传了。

那么我们看一下子产在郑国最早立法，社会上是一个什么反应？先秦时候有一个民间歌谣集子《舆人诵》，里面有这样一首诵词：“取我衣冠而褚之，取我田畴而伍之，孰杀子产，吾其与之。”这个歌谣是什么意思呢？它讲，子产以财产税的立法方式剥夺了我的家产，以土地税的立法方式剥夺了我的地产，如果谁能杀掉子产，我愿意舍弃一切帮助他、追随他。这表明，最初进入以法治国的严峻时代，突然破坏了上百万年以德治国的柔和生态，不免遭到底层民众的强烈反感。可是我们在《舆人诵》歌集的后面，又见到了另一首诵词，这个歌谣应该与前面的歌谣相距不出若干年之差，情形却为之一变。它这样说：“我有子弟，子产诲之；我有田畴，子产殖之；子产而死，谁其嗣之？”意思是，我有儿女，都希望交给子产来教诲，我有田地，该种什么庄稼都希望得到子产的指导，如果子产死了，谁来继承他的事业？我们会发现，这个时候在同一本《舆人诵》集子中，对子产立法的评价产生了明显拥戴的情绪。它表明法制社会的出现是一个必然，而且是社会紧张度发生以后的一个恰当有效的调节方式。

《左传》又记载，昭公二十九年晋人铸刑鼎。即于郑人铸刑书之后23年，晋国也开始立法。大家知道在一个青铜器上铸造文字，一般最多超不过三五百字，可见人类早年的法律条文是非常简单的，只是纲领化的规范。人类的法制法条是随着社会结构复杂化或社会道德沦丧化之进程而变得越来越繁多，终而至于约束到每一个人的每一项生活细节。晋人立法标志着法制操作在中原大地上开始普遍推行，也标志着文明社会的失稳失序状态全面展开。孔子因此哀叹:“晋其亡乎，失其度矣。”他说，晋国要灭亡了，因为它管理社会的方式失掉了分寸。可见孔子对法治社会取坚决抵制的态度，并且认为严刑峻法的暴力管控是对人类文明社会的戕害。

孔子的这个说法对吗？错一半，对一半。首先，晋国后来灭亡并不与晋国立法有直接因果关系，从这一点上讲，孔子所言失当。但自从人类进入法治社会，从此社会稳定度降低，社会紧张度增高，社会内在矛盾和内部竞争全面爆发，一切文明秩序从此进入剧烈的颠簸失衡状态。从这一点上讲，孔子的说法和哀叹又可谓其言不虚。

法家虽然在春秋末期兴起，但法家作为一个政治实操体系，真正深入落实在社会管理中，是到战国时代才规模化启动。大家知道所谓战国时代，是指架空了晋国国君的韩、赵、魏三家最终瓜分了晋国，然后成立韩、赵、魏三国，并在公元前403年被当时的周天子确认，以此划线，战国时代来临。那么魏国因此是战国时代的一个新生国家，它的第一任国君名叫魏斯，也就是著名的魏文侯，魏文侯起用了一个重要法家人物作为他的重臣，这就是李悝，史书上有时候也把他写成李克。

有关史书记载，李悝和魏斯可能都是子夏西河学派的弟子。

子夏是孔子的学生，孔子逝世以后，子夏建立西河学派，该学派最早表达出“礼制”与“法制”的融合并举，也就是在礼制文化中崭露法制思想的萌芽，它最终成熟壮大于荀子学说之中。那么李悝因此成为中国战国时代厉行法家操作和法家理论建设的第一人。由于李悝重农行法、奖励耕战，导致魏国在战国初期成为所有诸侯国中最雄强的一国。李悝在魏国最早变法，著作有《法经》，是第一部以典籍形式达成理论框架和详细条目的法论著述。这本《法经》后来散佚了，我们现在对《法经》的了解，只能通过《商君书》和《韩非子》的部分文章以及其他有关史料间接获知一二。

李悝最早在魏国变法，他施行了这样一些政策。首先叫“尽地力，善平籴”，什么意思呢？就是大力推动农业发展，采取重农主义政策，鼓励开垦荒地，鼓励精耕细作，这叫“尽地力”。所谓“善平籴”，中国古代有两个词，一个叫籴，写法是上入下米，一个叫粜，上面一个出底下一个米。什么叫籴粜？就是法家实行保护农业的政策，在丰年粮食价格下降时以平价购入谓之“籴”，在歉收年节粮食价格暴涨时以平价售出谓之“粜”。那么最早建立这种平抑农业生产波动之政策者，就是李悝，有效地保护了农业生产体系。

然后李悝建立赏罚分明的制度法律，废世卿世禄制而选贤任能。我前面讲过人类早年都是世袭制，只有贵族能够参与社会管理，能够做官。李悝最早在魏国废除世袭制，选拔贤良，按能力擢升人才，这使得魏国骤然强大。李悝当年采取了相当多的具体办法，我们在这里没有时间做详细介绍，我只举一个例子，大家看看他做到何等细节。他有这样一个奇怪的规定，凡是在诉讼场上被告原告的官司纠缠不清怎么办？双方举行射箭比赛，谁箭射赢了谁赢官司。他在干什么呢？鼓励民间训练兵战。由于这个原因，魏国在战国初期是整个中原各诸侯国之中实力最强大的国家，可谓七雄之首发者。李悝为相期间，重用了另一位重要人物，这就是吴起。一说起吴起，大家首先会想到他是一个兵家人物，其实吴起是一个重要的法家人物，我们下面简单介绍一下吴起。

吴起原本是卫国人，在卫国犯下杀人罪行而逃亡到鲁国。吴起这个人喜欢谈兵论战，因此被鲁君看重，想用他为将军。有大臣谏言反对，说吴起的妻子是鲁之宿敌的齐国人，难保他没有异心。吴起闻之，居然回家杀掉了他的妻子，从而获得鲁国将军的任命，这就是著名的“杀妻求将”的典故。吴起当年率领孱弱的鲁国军队打败过齐国的进攻，显示了强悍的统兵作战能力。因此在中国古书中，你只要见提到“孙吴之学”，“孙”就指“孙子”，“吴”就指“吴起”，“孙吴之学”就指兵家之学。

由于鲁国毕竟是儒学兴盛的礼仪之邦，吴起杀妻求将这件事情也实在过于缺德，他最终被鲁人排斥，不得已流亡到魏国，为李悝所延揽。吴起与李悝一起在魏国开创了最早的“魏武卒”选拔制度，建立了强大的军事机器。吴起这个人用兵极具谋略，而且爱兵如子，致使魏国军威大振，天下无敌。他举兵进攻秦国，秦国当年根本不是对手，吴起带领魏军攻破函谷关，接着攻陷潼关，一路进抵关中平原，最终逼迫秦国割让整个西河之地归魏国所有，这就是著名的西河郡。这片失地，直到商鞅变法9～10年以后，秦国转而强盛，商鞅领兵打败魏军，才重新收回。为此秦孝公把其中的商洛之地名义上分封给卫鞅，商鞅从此才叫商君。可见吴起军事能力之强。

吴起带兵身先士卒，爱兵如子。史书上有这样的记载，说吴起看到一个士兵受伤，伤口溃烂化脓，于是俯身为这个伤兵吮脓，其母听闻，嚎啕大哭。有人问其缘故，这位母亲说，儿子他爹当年从军打仗，受伤以后吴起就亲自用嘴为他吸脓，他从此不顾死活地为其卖命，最终战死沙场，今天他又为儿子如此疗伤，看来吾儿命不久矣。我们从这件事情可以看出吴起带兵用心之深。

吴起在魏国屡建奇功。李悝逝世以后，吴起自认为他最有资格继承相位，结果无着，下一任宰相是田文，吴起为此还忿而找过田文争论。田文之后仍没有轮到吴起，第三任魏国宰相就是著名的公叔痤。公叔痤登上相位，心里多少有点不安，于是接受他的一个门客的建议，面见魏王进言，说吴起原不是魏国人，非我族类，其心必异，君欲继续重用之，就应将公主赐嫁给他，以收其心，倘若吴起接受就证明此人可用，否则即须提防。此时的吴起正因杀妻求将而独身，是钻石级王老五，这个主意可谓恰到好处。公叔痤言毕出宫，回身就请吴起到他家做客，并嘱咐夫人，让她公然在宴席上羞辱自己。公叔痤的夫人就是魏王室的公主，结果给吴起留下了极坏的印象，认为公主骄悍,不可为妻。因此当魏王后来跟吴起谈要许配公主的时候，吴起断然拒绝。公叔痤就用这样卑鄙的手段把吴起赶出了魏国。

说到这里，我不得不提一桩史实。由于魏国是变法最早的国家，也是战国初期最强势的国家，因此它对当时中原各国士子具有巨大的吸引力。当时魏国集中了许多人才，包括后来的商鞅、张仪、范睢，这些人原本都在魏国厮混，但最终却从魏国流失。魏之衰败，与其嫉贤妒能、人才尽失恐怕不无关系。

吴起因此流亡到楚国，被楚悼王重用。他最初担任楚地之宛郡守，也就是一个郡的长官，一年后升任令尹，也就是楚国宰相。随后吴起开始在楚国变法，转身为法家政治人物，而不再仅仅是兵家人物。他“明法审令”，开始建立法制；“减爵禄”，对原有贵族的地位和财产加以抑制调整。因为如果要在一个国家行新法，贵族集团一定是抵触和抗拒的，因此吴起不得不先行削弱既得利益集团的势力。他怎么做呢？采取“三世还田”的策略。就是贵族占有的土地只能继承三代，三代以降收归国有，从而削弱贵族的发展。再有一项措施叫“卑大臣”，也就是贬斥流放世袭重臣，把他们远迁到楚国边荒之地，以免他们搅扰新政。大家一听就明白，吴起的变法一定引起楚国贵族势力的强烈反感。他接着“整吏治”、“塞私门”，就是着手整理国家官制，不允许沿用承袭制，不允许私自售官这样的情况发生；“罢无用”、“任贤能”，贯彻选贤任能的用人制度；“励精耕”、“养军训”，像李悝一样在楚国发展农耕，同时奖励兵战，用足财政盈余以建立更大规模的军事力量。

楚国处于长江中下游领域，在春秋时代也算得大国，因为它地域广阔，在所有诸侯国中可以说是面积最大的国家。但是在春秋时期以及战国初期，它很少真正成为持续强盛之国。原因我在第一节课中讲过，自然物候条件太好的地方起初不利于农业文明的发展。因此楚国虽然地域广袤，但是人口偏少，基本上还是部族制的状态，其经济基础和战时动员之力量都很薄弱。

吴起到楚国厉行变法，使得楚国快速强盛。《史记·孙子吴起列传》中记载，吴起变法仅一年有余，楚国就强盛到这样的程度，司马迁原文描述：“于是南平百越，北并陈蔡，却三晋，西伐秦。诸侯患楚之强。”就是说楚国往南灭掉了百越，也就是岭南地区，包括当地大量的蛮族部落，往北进发兼并了陈国和蔡国；打败了魏国联军，同时向西讨伐秦国，一时气势无两，威震四方，令当年的中原各国深怀畏惧之心。

但是吴起的运气很不好，他在楚国变法不足六年，楚悼王突然暴病而亡。楚悼王一死，楚国贵族集团立即反叛，带兵冲入楚宫，乱箭射杀吴起。史书上记载，说吴起死后都能够消灭他的政敌。此事是指叛军杀入楚宫，吴起无处可逃，于是俯身在楚悼王的尸体上，叛军乱箭射来，既射杀了吴起，也射中了楚悼王的尸体。按楚律规定，伤及王身者族。后来楚悼王之子、下一任楚君楚肃王，把七十二家领导反叛的贵族全部斩灭，这就是吴起死后都能够消灭政敌的故事。

吴起在楚国的变法至此正告中断。说起来，楚国地大物博，如果变法成功，那么楚国是最有资格最终统一中国的国家。要知道法家学说虽然发生在中原文明五国，但是它真正落实，仅限于相对落后的蛮族之国。因为它的法论太苛酷了，做法太残忍了，中原文明五国根本无法施行。这就好比马克思主义发生在欧洲核心地区的德国和英国，但是欧美各国却决然无法采纳，结果让它偏偏跑到了东方落后国家大行其道是一样的道理。当年如果吴起变法成功，楚国作为南蛮子，有望把这个变法运动进行得十分深彻。吴起变法要比商鞅变法早，因此楚国的强盛也要比秦国来得早。如果吴起运气好，变法能够持续，那么楚国很有可能取代秦国而成为最早统一中国的诸侯国。

吴起变法纵然失败，史书也有这样的记载，说“楚有三户，亡秦必楚”。意思是楚国哪怕只留下三户人家，最终灭掉秦朝的也是楚国，后来事实证明果然如此。大家知道秦始皇统一天下不久，反秦战争爆发，秦朝最终被灭，被谁灭了？被楚人灭了！项羽、刘邦都是楚人。所以严格意义上讲，大汉王朝其实是楚人建立的王朝。关于吴起我们就简单讲到这儿。

商鞅身世简介

我们下面重点讲商鞅变法。

商鞅原名叫卫鞅，也叫公孙鞅。从这两个名字上就应该可以看出，商鞅最初是卫国人，而且是卫国公族子弟。我顺便讲一下卫国，可以说，春秋战国时代文采最盛的两个国家，一个是宋国，另一个就是卫国。为什么我要特别讲一下这两个国家，是因为中国先秦诸子百家里重量级的思想家、学问家以及名动天下的士子豪杰，大多出自这两个国家。

我们先看宋国，我前面讲过，《周书》记载“唯殷先人，有典有册”，就是说只有殷商之人当年才是有文化的。武王灭商以后，曾在朝歌之地专门给殷人建立了一个封国，这就是殷国。

而且任命殷纣王的儿子武庚作为殷国首领。武王刚一逝世，武庚联合管叔、蔡叔、霍叔，也就是武王派驻在中原地区监督施政的三个弟弟共同发起叛乱，史称“三监之乱”。周公旦率军扫平叛乱，斩杀武庚，囚禁管蔡，然后把当年的殷商贵族遗民另迁一地，就是今天河南商丘之地，另立一国，这就是宋国。由于宋国是殷商贵族遗民的封国，因此宋国文风茂盛。先秦时代最重要的思想家老子，我前面课里讲过，他很可能是殷商移民，而不是楚国人；再如孔子，我也讲过，其祖上是宋国人；墨子，曾任宋国大夫，多数学者认为他是宋国人；庄子，无疑义的宋国人。大家看，最重要的学术思想型人才，大都出自宋国。

第二个特别值得一提的就是卫国。卫国是武王克商以后的首批封国之一。武王最初建立分封制，共有七十一国，分两部分，一部分叫封国，一部分叫服国。所谓“封国”，就是武王的血亲和重臣，多为姬、姜两姓的封国；所谓“服国”，就是夏商两代原有的大部族，保留下来且臣服于周王室者，比如陈国就是舜的后裔，比如杞国，杞人忧天的那个杞国，传说是夏的后裔，这都是服国。武王最初分封的时候，把殷商最重要的中枢之地，也就是今天安阳周边的那一片地方封给了他最亲爱的小弟弟康叔，康叔因此对卫国后来的影响极大，他一味坚守武王初创的封建制度，绝不允许发生任何变革，康叔后代在卫国执政，亦取全面保守态度。但毕竟此地是首屈一指的文化重镇，这是第一点；第二，我在前面讲过，孔子五十五岁被罢官，由于他的一个重要学生子路的两位内兄在卫国做高官，因此孔子周游列国，最先进入卫国，而且在卫国逗留时间最长，三进三出，长期办学，于是在卫国收留了一批重要的后续弟子，包括子夏在内，因此导致卫国重叠了第二茬文脉，也因此缔造了卫国独特的实用型人才。大家看卫国出现的人物：李悝，卫国人；吴起，卫国人；卫鞅，卫国人；吕不韦，卫国人；有学者认为鬼谷子有可能也是卫国人，而孙膑、庞涓、苏秦、张仪都是鬼谷子的学生。我们会发现卫国真正是人才辈出之地。但由于康叔及其后裔过度保守，导致卫国坚拒变革，这些杰出人才在卫国无法伸展，于是纷纷出走另寻舞台。这就是卫鞅从卫国来到魏国的原因。

卫鞅，又名公孙鞅，是卫国公族子弟，也就是卫国国君这一脉的高贵血胤，但他却把自己的身段放得极低，居然来到魏国宰相公叔痤门下做一个食客。大家知道战国时代，各国贵族有养食客的习惯，最著名的就是战国四公子——平原君、信陵君、孟尝君、春申君，他们豢养食客最多竟达三千之众。我们今天的大量成语，像鸡鸣狗盗、狡兔三窟等，都是来自于这些食客的故事。那么卫鞅把自己的身段放得极低，他竟然到公叔痤门下做一个食客，被委任为相府中的一个小官，官名叫中庶子。公叔痤每次上朝以前，要跟他门客中能力最强、学识最广的人商讨国政，以便于他能在朝堂上进言有据。他后来发现这些门客中最年轻的那个卫鞅，每次看法都与他人别然不同，而事后又能够证明，唯独他的见解深刻而实在，这使得公叔痤对卫鞅刮目相看。

不过，位高权重的公叔痤从来不把卫鞅推荐给魏王。直到公叔痤老迈将死之时，魏王来探望他，卫鞅的命运才见分晓。这个魏王就是著名的魏惠王，后来也叫梁惠王。我先简单说一下魏惠王，这个人在历史上太有名了，尽管他实在是一位昏君。他之所以后来又叫梁惠王，是因为流失卫鞅、秦国变法之后，魏军战败而丧失西河郡，威胁到魏国固有首都安邑，迫使魏国不得不迁都大梁，也就是今天的开封一带，从此魏惠王亦称梁惠王。那么魏惠王的名气为什么如此之大？全出于附庸风雅之举！魏惠王当年广泛结交和善待当时的文人诸子，你读一下孟子的书，大量的篇章都是孟子跟魏惠王见面时的对话，你读一下庄子的书，也有跟魏惠王的面谈。魏惠王甚至聘请著名一子惠施出任当国宰相，惠子是庄子的好友，《庄子》书中多见二人之辩。诸此事由，竟致魏惠王名垂青史，可见附庸风雅还是颇具远效的。就是这位魏惠王前去探视公叔痤，他问公叔痤，你百年之后谁可以继承你的相位？公叔痤回答，卫鞅！魏惠王大吃一惊，当时卫鞅名不出相府，世人根本不知道卫鞅是何方神圣，突然提出让此人继任国宰，岂非儿戏？！魏王认定公叔痤老糊涂了，故不予理会。公叔痤一看不行，肃然再谏，说如果我推荐给你的这个人，你不肯重用，请你务必杀了他，千万不敢让他出走外邦。公叔痤这个人很有意思，魏王一走，他回身就把卫鞅叫到床前，对卫鞅讲，我向魏王举荐你，看来魏王无意采纳，我已建议魏王杀你，请你赶紧逃跑。

公叔痤这个做法其实是很妥当的，他为公为国家，把该说的话说尽了，为私为朋友，把该说的话也说到了，余下的后事，则全看你们各自的造化。结果卫鞅纹丝不动，一如往常。公叔痤死后，其他门人就问卫鞅，说主公临终时让你逃跑，你为什么不走？卫鞅说了一段话足见其智慧，他说如果魏王根本就瞧不起我，不任用我，他也就一定不屑于杀我，因此我根本没有人身安危的问题。果然魏惠王把卫鞅是谁早就忘在脑后了，于是卫鞅优哉游哉来到秦国。

我们下面就来看一下秦国的局面。此时的秦国一派衰败之象，其新任国君是秦孝公，他的父亲秦献公可能是在诸侯战争中受伤而亡的。秦国当年遭到中原各国严重挤压，形势不容乐观。大家要知道秦国的颓废在史书上是有明确记载的，我前面讲过，春秋时代，秦穆公曾经几乎做过一次春秋小霸，但秦穆公之后，《史记》明文记载，竟有连续十四位后继君王堕落而昏愦，司马迁原话“君臣乖乱”。所以到战国初期，秦国已经岌岌可危。

秦孝公21岁继位，面对着严峻的大国竞争压力。史书上记载了这样一件事情，说孝公元年，六国召开盟会，中原五国加上楚国一并出席，居然不邀请秦国。史书没有记载这次盟会讨论的是什么问题，但秦国上下一片恐慌，认为该会之所议就是商讨各国怎样瓜分秦国，可见当时秦国国势之危。秦孝公在此重压之下，发出著名的“招贤令”，意图广纳天下俊杰。《史记·秦本纪》录其片段："宾客群臣有能出奇计强秦者，吾且尊官，与之分土。"意思是说，凡是能出奇计使我秦国变强大的人，我将委以高官，并愿封土与之共享。

卫鞅就是在此招贤令的感召之下来到秦国。当年赴秦的各地士子人数很多，卫鞅只是名不见经传的其中一员，他怎么能够得到秦孝公的青睐呢？史书记载商鞅走了一个孝公嬖臣的后门。所谓"嬖臣"，要么是指宦官，要么多指为君王取乐的弄臣。商鞅竟然走这样卑下的门路，一定要见到孝公。《史记》记载他与孝公面晤三次，第一次不欢而散，孝公听得直打瞌睡，第二次孝公勉强听得下去，商鞅又一再求见，第三次两人相谈甚欢。此后二人密切配合，商鞅变法由此开始。

商鞅变法述略（一）

商鞅能够在秦国变法，当然主要功劳应归于秦孝公。商鞅只是一介客卿，他在秦国没有一点儿政治势力，而任何变法一定触动秦国原有贵族集团的利益，一定造成贵族集团的反扑，全凭秦孝公一肩扛住，这才能让商鞅在下面安然持续变法，显然孝公承担着极大的政治风险和压力。

而且大家要知道，政治合作是非常困难的，因为利益太大了。普通老百姓的亲戚或朋友关系很好处，可你一旦做企业、办公司，参与其间的亲朋关系最终绝大多数会崩坏。为什么？利益太重，利害关系太敏感，因而人际关系特别容易破裂。试看政治合作，利益关系更加重大，故此历来难以持久。然而卫鞅与孝公竟然亲密无间，合作数十年而不辍。商鞅这个人运气很好，孝公尽管承担巨大压力，44岁就病逝，但毕竟陪伴商鞅变法持续20年以上。孝公一死，商鞅立即被贵族扑杀，下一任国君秦惠文王虽然车裂了商鞅，但是商鞅变法积重难返。秦惠文王深知商鞅变法的成效与价值，延续其政，不使损毁，历经后面六世君王之推行，到秦王嬴政最终统一天下，从此号称始皇帝。所以我们可以讲，秦王嬴政一统六合，建立大秦帝国，此项开创性基业其实奠基于商鞅变法。

商鞅行事有两个特点：第一，一心变法，不考虑个人安危；第二，不照顾人事。大家知道一般的政治家，首先要长袖善舞、八面玲珑，也就是要能够把人事摆平，可是商鞅例外，无所顾忌。我举个例子。商鞅变法早期，立即触犯贵族，由于秦孝公强压变法，贵族不敢明里反抗，于是撺掇秦孝公唯一的儿子太子嬴驷、也就是后来的秦惠文王违法作祟。商鞅立即予以追究，太子年幼不受刑罚，他便转而追究太子傅和太子师的失教之责。太子傅公子虔，太子师公孙贾，二者都是颇为强势的人物。公子虔据说是秦孝公的同父异母哥哥，还是秦国的贵族领袖兼军事首脑。太子犯法，商鞅追查不懈，惩戒师长，公子虔不服，有相应的反抗举动，商鞅进而追加罚则，居然施以劓刑。鼻字右边加一个立刀，就是割掉鼻子的酷刑。大家想想，孝公绝不可能长命百岁，孝公一死必是太子继位。而太子师、太子傅，又是太子最亲近的幕僚，商鞅公然动刑并羞辱太子之侧，岂不是硬生生自绝后路吗？这就是商鞅的行事风格——锐意变法而罔顾其他！

不过我这样讲，大家可千万不敢认为商鞅是一个鲁莽之徒。民国时期的著名学者梁启超，曾经说中国历史上仅有六人堪称政治家，换句话说其他人都只能叫政客，而这六位政治家之一就有商鞅。要知道秦始皇建立帝制以后，中国光是皇帝就不止三百多位，加上历代名臣至少有数千之多，如果把先秦时代人才茂盛、群星灿烂的那些个诸侯国君以及从政诸子都算进去，国史上有分量的政治人物，应当不低于上万之数。而梁启超竟然认为在中国历史上只有六个人能承担得起政治家的称号，其中就有商鞅，可见商鞅绝非等闲之辈。

我举一个例子。商鞅变法初期，他在秦国当时的首都栎阳南门立了一个木椽子，也就是立了一根大木头。我先讲一下栎阳，秦国原来的国都在“雍”这个地方，也就是今天陕西关中西部的宝鸡、凤翔一带。由于秦国腹背受敌，前面讲中原各国包括魏军不断从东面进击它，另一方面西戎蛮族时常从西面袭扰它，所以到秦献公即孝公之父在位时，他不得不把自己的战时首都迁到关中中部偏东的地方，大约离今天的临潼骊山不远，建立一个很小的城池栎阳作为临时首都。至于商鞅变法成功以后另建秦国大都咸阳，那是后话。那么在栎阳小城南门，商鞅命人竖一木椽，然后公告民众，任何人把这根木头由此扛到北门，立赏十金。先秦时代的金不是黄金而是青铜，但一金的财富量相当于一户农家一年的总收成，十金相当于农户十年总收成，是难得一见的发财机会。可是所有民众围观窃议，却不为所动，因为这件事太离奇了，同时也说明秦国政府的公信力大成问题。商鞅当即提高赏额至五十金，这时站出来一个青年，他说我把这根木椽子扛到北门，就算政府骗了我也没有什么要紧的损失，于是在众人尾随哄笑之下掮至北门，商鞅立马兑现赏金，此人瞬间暴富，这就是著名的“徙木立信”的典故。商鞅在干什么？他在告诉秦人，我商鞅变法说一不二，言出必行，请各位从此遵行法度为宜。我们从这件很小的事情上就可以看出商鞅的智慧。

商鞅最初来到秦国，眼见一片荒蛮景象。司马迁在《史记·商君列传》中有过一个记载，是商鞅在《商君书》里的一段自叙，司马迁采信，把它录于《史记》之中，原话这样说：“始秦戎翟之教，父子无别同室而居，今我更制其教而为其男女之别，大筑冀阙，营如鲁、卫矣。”什么意思呢？他说我商鞅最初来到秦国，秦国是个什么状态呢？“戎翟之教”，也就是西戎西蛮子的未开化风气；“父子无别同室而居”，就是都还没有建立对偶婚制，在某种程度上还是群婚制；“今我更制其教而为其男女之别”，是说我来才把中原文明五国的开化之风带入秦国，使之建立男女有别的对偶婚配家庭制度；“大筑冀阙”，也就是才开始建房子、建宫殿，这说明秦人过去主体上都是住在地窝子或者窑洞里面；“营如鲁、卫矣”，建房子、建宫殿的营造形式就像中原最先进的鲁国和卫国一样。我们从这段话里可以看出商鞅初来之时秦国的落后程度。

商鞅在秦国变法十分深彻，要知道早在秦始皇统一中国前一百多年，商鞅变法就已经给出了整个秦制的基本模型：史料记载“十二年初取小邑为三十一县”，即建立郡县制；“平斗桶权衡丈尺”，即统一度量衡；“令为田，开阡陌”、“十四年，初为赋”，即改井田为私田，并设税赋制度；“燔诗书，明法令”，即焚书禁言，成文立法，从此以新法治国，凡此种种都是商鞅早已采取的国策。大家一听就应该明白，秦始皇统一天下之后所施行的诸多政令，过去被认为是秦始皇的丰功伟绩，其实只不过是把商鞅变法的旧例推广到整个天下而已。

我们下面重点谈一下商鞅变法的细则，把它分列十二项做简略交代：第一，强迫人民学习最低程度的礼仪。这个礼仪可不是仅指儒家文化一项，而是让民众摆脱蛮野之风，建立当时而言偏于先进的文明生活方式和社会组织构型。

第二，强迫每一个国民都要有正当职业，任何人不得游手好闲。干什么？采取重农措施，也就是把秦国的荒地全部开发。要知道在古代，贵族子弟、富商子弟都是不务农的，整日耽于结交行乐、声色犬马。贵族子弟只需在军队中世袭一个军衔官位，然后略加漂染以继承爵位，就像现在的英国王子要到军队中去服役走过场一样。商鞅规定任何人，包括贵族子弟、富商子弟，但凡发现有游手好闲者一概递解边疆开荒。我们由此可以看出商鞅变法与吴起类同，只要想改变国政，就一定得着手处理豪门贵族的怠惰之风，并重新调整社会各阶层的利益结构，这些举动当然是对贵族系统的严重冒犯 。

第三，规定一家有两个成年男子的应强迫分居，什么意思呢？中国古代实行大家族制，一个爷爷乃至曾祖的后代，子孙众多，旁支纷繁，却从不分家，大家聚在一起吃大锅饭，这就是孔子所讲的“修身齐家治国平天下”，其中的“齐家”之难。一个大家族几十上百人，众口难调，你要想让一个家族内宁静无纠纷，着实不易。大家知道汉朝开国功臣陈平，史书上记载他有很强的齐家能力，据说他少年之时，族里过年杀猪分肉，族长操持，难平众意，让陈平打理，肥瘦杂碎，各得其所，结果人人满意，这叫齐家之能 。然而，大家族体制有一个问题，由于在家族内部实行的是共产主义，各尽所能，按需分配，出力再多也是枉然，所以族人大多没有劳动积极性；另外，变法时节，财源拮据，扩大税收是当务之急，税制以家庭为单位税基，家族不裂，税基就很稀薄。由于这两个原因，新法要求任何男子一旦成年结婚必须分家。商鞅借此获取一举两得之效。

第四，奖励农耕。我在前面一再讲过，所谓变法，最简单的总结就是四个字：奖励耕战。两分言之，即奖励农耕、奖励兵战 。商鞅奖励农耕的方式很有趣，首先坏井田、开阡陌，土地私分，按秦国农户人头平分土地，实行土地私人制。理论上可以自由买卖，但实际上无人敢卖，卖了地你只能喝西北风，为什么？因为农耕以外的行当，包括专业性的采药、狩猎、伐木、从商等，基本上全被禁绝。这就大大调动了人们一心务农的生产积极性。新法规定，秦人勿商，就是不允许秦国国民经商，只准务农。我在第一节课上讲过，商业活动的收益远高于农业，所以中国自古采取重农抑商的国策，那么商鞅最明确、最严厉地落实了这一点——压抑工商业，非农耕者统属不务正业，借此维护秦国的经济命脉和国力基础。

但是，商业活动的社会功能在于跨局域资源调配，秦国如果禁绝商业就会出现严重的资源失衡。我举例子，比如秦国是农耕社会，古代做铠甲是需要牛皮或者兽皮的，秦国没有这个资源，至少这个资源不充分。再者，那个时代的兵器材质主要还是青铜，所谓青铜就是铜与锡的合金。锡要占8%到10%，因为纯铜太软，无法做成工具或武器使用。可秦国根本没有锡矿，甚至铜矿都寥寥无几，那么像这样短缺的物资，如果断然禁绝经商，该从哪里获取呢？因此商鞅网开一面，大力招揽外商，各国各地的外籍商人如果来到秦国行商，还给予许多优惠政策。由此形成秦民务农、外人经商的别致格局，为秦国建立了扎实而合理的国家经济基础。顺便多说一句，这倒很有点像邓小平改革开放初期的情形，不过，放到现代社会来看，它已不能算作高超之举，只表明中国农业社会的管理窘态一直持续到数十年前。

再有一条，便是倒置累进税。什么意思呢？商鞅规定，凡是农家耕田、织布，产出最高者免税，产出越低税率越高。大家知道我们今天实行的个人所得税、企业所得税，其税率级差是这样制定的，就是你的产出或收入越高，相对税率也越高，绝对税值也越高。商鞅反着来，你产出越高，税率越低，你产出越低，税率越高，直到把你逼死为止。他在干什么？强迫国民勤勉务农。据史书记载，商鞅最初实行这个政策的时候，确有不少秦民因低产重税而陷于破产，不得不逃入荒山沦为野人，可见商鞅变法之锐利严苛，竟然连促进农耕的奖励政策都如此残酷。

商鞅变法述略（二）

我们接着前面的课程。下面讲变法第五项，商鞅采取优厚条件招请外国移民。在《商君书》中有一篇著名文章，叫“徕民篇”，徕，双立人加一个来到的来，就是引进移民政策。那么，他为什么要招请外籍移民？但凡移民迁到秦国，一律赐给土地百亩，九年免税，以如此优厚的条件，招请各国移民来到秦国干什么？就像前述的赵襄子解放奴隶，增加兵源和劳动力资源。商鞅的这个徕民政策，被后世秦国执行到规模惊人的程度。至秦王嬴政时期，秦国当时国民只有四五百万人，而它的军队竟然达到近乎百万之众。大家想想，国民平均每四五个人里就会有一个当兵，它哪来这么多兵源？所有青壮年人都被征兵，农业生产谁来做？全靠移民，所有农业生产者几乎都是移民。秦国青壮年人全部被征兵，非此不能统一天下。可见徕民政策对秦国后来的经济发展和军事斗争起到何等重要的作用。

这里当然会发生一个问题，秦国哪来那么多的土地分赐？这就又得提到春秋时代的那位秦穆公。秦穆公当年启用虞国人百里奚，五羖大夫——百里奚。所谓“五羖大夫”，就是秦穆公用五张黑色公羊皮换回来的一个奴隶，他竟然用这个百里奚做国相。秦穆公当年重用了一批外来人才，包括百里奚、蹇叔、由余等等。说到这里我们得提一下，秦国用人胸怀宽阔。自秦穆公做表率，秦国经常用外国人做宰相，到秦孝公用商鞅，秦惠文王用魏国人张仪，再往后范睢、吕不韦，一直到李斯，全都是外国人。大家想想，倘若国务院总理总是由外国人担任，你会是什么滋味？这表达着秦国不拘一格的用人气度，跟魏国不断流失人才的狭隘气量恰恰相反。

当年百里奚、由余等人为秦穆公调整国策。在此之前，秦国的基本国策是向西防御、向东进取，也就是兵出函谷关，与群雄逐鹿中原。但秦国当时国力薄弱，于是他们制定新的战略，改为向东防御、向西进取。在秦穆公时代，秦国逐步蚕食西北方向的广大蛮族区域，使得秦国国土面积大增。而西部地区人口稀少，这就为后来商鞅变法中的徕民政策留出了垦殖土地资源的余地。

第六，建立社会基层组织。首先落实户籍制度。早在西周初年，中国就有了类似于户籍制度的东西，叫料民政策，但实际上没有真正能落实到位。中国历史上最早落实户籍制度者就是商鞅变法。所谓“户籍制度”，就是每一个国民都在政府那里存有档案登记，政府管理到每一个人头。这个政策在上世纪后半叶被联合国人权组织认定属于违反人权，目前世界上只有中国、北朝鲜和非洲的贝宁等极少数国家还保留着户籍制度。这个东西是自商鞅变法开端的。

不仅如此，商鞅还把人们分编成组，每五户或十户编为一组，建立究司连坐制度。中国后来把它叫保甲制度，就是这十家一组，其中一人犯法，其他九家必须检举，否则同坐，一并论罪，由此建立了世界上最早的特务告密制度。这都是商鞅建立国家统治体系的方式。

第七，建立地方政府，实行郡县制。我在前面讲过，人类早年是氏族部落制，商代是部落邦联制，到周代进入分封制，至春秋时代封建制度虽已松懈，但大体未改。所谓“郡县制”指什么？打掉部落制、分封制，所有地方由中央朝廷委派命官直接管理，这叫中央集权制度，政治学上的君主专制制度由此确立。有一位华裔历史学家名叫唐德刚，他曾经专门对郡县制做过一个解释。为什么叫郡县制？大家看“縣”（县）这个字的繁体字是这样写的（板书），它的字源是“懸”（悬）。“悬”是什么意思？就是在西周早年建立分封制的时候，预留一部分土地疆域，把它悬置起来，暂时不予分封，以为将来的王侯勋臣做出后备，这叫“悬”或“县”。这一部分预留的国土由中央周天子直接管理，这个东西后来演化出郡县制。

郡县制是封建制度的天然剋星。至公元前4世纪，通过商鞅变法秦国首先消灭了分封制，这是一项影响深远的政改举措。我在孔子课上讲过，封建制度是近代资本主义社会制度得以发生的摇篮。由于中国过早地消灭了封建制度，所以在中国历史上从来没有出现过真正意义上的资产阶级革命。近代中国社会转型的艰难、滞碍和屈辱与此不无关系，故而很难说这是一桩值得赞美的幸事。

第八，统一度量衡，强迫全国使用同一标准的尺寸、升斗和斤两。最早施行统一度量衡的就是商鞅。这样做有两个好处：

第一，买卖更公平；第二，税收更划一。商鞅不仅非常严格地规定了统一度量衡的具体标准，他还要求各级地方官每年必须到中央有关衙署进行量器与衡器的校验。把一项变法政策落实到这样的细致程度，真可谓前无古人。

第九，人际间争执必须诉诸法庭裁判，不准私人决斗。这话什么意思呢？莫说古代，即便在中古时代，甚至西方近代，政府也只管国家大事。民间纠纷，当事人自行协调解决，协调不成就只好决斗。西方直到17、18世纪，还保留贵族决斗的遗风。俄罗斯著名诗人普希金，就是32岁死于决斗。而两千多年前的商鞅变法之时，他就已经明确规定，民事纠纷一律诉诸法庭，不准私斗处理。他在干什么？避免国民内讧内耗。要知道当年私斗成风，甚至动辄扩大为群体械斗。一个部落、一个村庄，常常因为地界不清，或为夏天争夺灌溉水源，群起而争斗，造成很大的损伤。秦国当年居然设有法庭，所有大小事端必须经过法庭裁判，不得私相争持。大家知道汉以后，中国再没有法庭了，也没有法官了。说“汉承秦制”，这话并不全对。要知道商鞅变法以后，秦国乃至后来的秦朝，是有独立法官的。汉以后，司法官就是行政官，县令、州知府直接出庭判案，法官一职消失得无影无踪。但是当年的秦国，是有独立法官的，而且法官受中央垂直领导，不受地方长官节制。法官颇具权威，他一方面裁决民事和刑案，另一方面，甚至地方官出炉的任何政令，都要先交给法官审查，看它是否符合秦律，也就是还有监督行政官是否合法行政的作用。可见秦国当年的法治形态何其先进。

商鞅行法，事无巨细都执行得非常彻底。《史记》上曾经记录，变法早期，有一次在渭河边上建一个大刑场，一次斩决七百多人。司马迁形容其血腥程度，原话用词“渭水尽赤”，就是把黄河最大的支流渭河河水都染红了。有学者研究，说这次的刑场屠戮，很可能就是因为村民械斗而起。商鞅不问青红皂白，派军队把所有参加械斗的人一律拘捕，全部斩决，残忍之状，震动朝野，一时几乎摇撼秦国国政和变法推行。我们由此可以看出商鞅的决绝和残酷。

第十，对敌作战是第一等功勋，受第一等赏赐。第十一，必须作战有功，才能升迁晋爵。我们把这两段合并在一起来讲。它是什么？奖励兵战。古代早期，士族为战，以求垄断武力。后来军伍扩张，贵族武士便只出任将校尉官，兵卒都是普通老百姓的子弟。他们打仗再勇敢，再有战绩，自身伤残再严重，也永远升不了军官，顶多获得一点儿小小的钱财赏赐。因为所有官爵、所有军阶，全部是世袭制。商鞅竟然改变爵位制度，也就是他把原有的五级爵位废除，变成虚化的名誉，然后另立了二十级爵位，论军功行赏。

我们先说一下传统的爵制。中国古代爵位分为五级：公侯伯子男，即公爵、侯爵、伯爵、子爵、男爵。为什么把社会地位叫作爵位？是因为远古阶级分化之初，权贵们根据自己身处宗法体统中的位置，在出席贵族宴会的时候使用不同的酒器，以此标定各人社会地位的高下，所以就把“地位”称作“爵位”。古代酒具分五种，爵位相应也分五级。第一级最高爵位用的是爵，第二级用的是觯，第三级用的是觚，第四级用的是角，第五级用的是杯。

试看爵位在古代有多么重要！它不仅标定着你的社会地位，不仅规定着你可以做哪一级官员，在部队中领哪一级军衔，它甚至决定着你可以享受怎样的生活待遇。比如你家院落有多大、房子有多么华丽、门楼盖得有多高、驾什么样的马车，甚至穿什么样的服饰，都是被爵位限定的。所以中国古代商人富而不贵，再有钱、没有这个爵位，你是不能享受这一级生活标准的。爵位如此之重要，商鞅居然把它虚化为名誉称号，废其实爵内涵，另立二十级爵秩论功行赏。主体上以军功行赏，以军功论爵。

大家想想，古代士兵血战沙场，或致命、或伤残，但你就是再勇敢、再努力也是枉然，从来做不了军官，而今天居然可以升到最高爵位。即使你的能力做不了宰相，至少可以享受相位爵级的待遇，想想这是一种怎样的转化？于是秦国军队骤然转化为虎狼之师。士兵打仗十分勇猛，拼命争夺敌人首级。据《战国策》记载，商鞅改变军功爵制以后，秦国跟六国联军对阵，还没开仗，六国士兵腿肚子都抽筋。秦国士兵每获一个首级，增加一级爵位，以至于所有士兵一上战场就拼命抢夺敌人首级，不顾死活，奋勇追杀。

我建议大家有空再到临潼兵马俑去看一下，那是秦国一个军阵的兵俑，其中只有中低级军官，百夫长相当于一个连长，千夫长相当于一个团长。从军官到士兵，全穿轻甲，不带头盔，头上只挂一条毛巾。要知道战国中期以后，各国均给自己的军队提供重甲。所谓重甲，分三层，里面一层网甲，外面一层兽皮甲或牛皮甲，然后胸背部再用青铜片和铁片加护，头戴重盔，手持大盾，仅防御系统就有四十到六十斤以上，它会严重影响士兵的进攻能力。秦国也给自己的军队提供重甲，但士兵不要，宁可穿轻甲、卸头盔，以减轻防御负荷，提高进攻机动性，拼命地追逐首级，以至于史书载有秦国士兵为争夺首级偶或发生内斗的事件。想想那个庞然军旅人人腰上缠着血淋淋的首级奋勇冲击，一路过去，血痕扬长，是一副怎样恐怖的画面！

这样下去显然不行，腰间挂满首级肯定不利于继续进攻，于是商鞅恢复古制。甲骨文中有一个字符，先画一枚很具象的耳朵，旁边画一只手。这是哪个字呢？取（

）。“取”这个字是什么意思？古代氏族部落制的后期，部族之间发生战争，当时打仗怎么论功行赏呢？割回敌人左耳朵，数耳朵论功行赏。商鞅重拾旧例，要求以割取敌人左耳朵的方式行赏封爵。

隋唐时期，日本派出使团向中国学习，把这一招也学了回去。到日本战国时代，出现一个著名的幕府将军丰臣秀吉，他最终统一日本，随后举兵进攻朝鲜。日本军队在朝鲜大肆杀伐，割取朝鲜士兵和民众的耳朵，带回日本论功行赏，居然把朝鲜人的耳朵堆积成一座小山,然后专门为之盖一座坟墓,取名“耳冢”,迄今在日本还保留完好。这就是为什么今天的南韩人、朝鲜人,提起日本人来恨得咬牙切齿,比中国人更显苦大仇深。而这份功劳,首先要归给商鞅。

商鞅通过奖励农耕、奖励兵战,使得秦国经济基础富厚、军事机器强大。秦国在变法短短十年左右突然强盛,成为中原文明各国的劲敌。《商君书》中有这样一段话:“民之见战也,如饿狼之见肉,……父遗其子,兄遗其弟,妻遗其夫,皆曰:不得,无反。”意思是说,秦国士兵打仗,就像饿狼看见了肉一样猛扑上去,父亲把自己的孩子贡献出来,兄长把自己的弟弟贡献出来,妻子把自己的丈夫贡献出来,让他们入伍参战,并对他们讲,如果未能斩获首级,得不到爵位,不准回家。可见商鞅变法深彻到何等程度,凶残到何等程度。

第十二,制定法律文本。商鞅参照李悝《法经》建立“六律”,这就是著名的盗律、贼律、囚律、捕律、杂律、具律,这些在《商君书》以及出土秦简上有所记载,我们不再细说。课讲到这里,大家应该看得出来,商鞅变法乃是一个对当时的秦国社会进行全面改造的完整大系统。

商鞅变法评议

下面我们对商鞅变法略做几点评议。

首先我们讨论一下,商鞅变法是否是苛政,以及应该如何评价。商鞅变法非常残酷,史料记载:“弃灰于公道者,黥。”就是你把垃圾倒在公共道路上,就会在你脸上刻字。《史记》记载:“不告奸者,腰斩。”就是十人编为一组,建立特务告密制度,一人犯法,其他九家必须举报,不举报者连坐,法条非常明确，“腰斩”！有人认为这个记录不合理，说那个直接犯法的人，其刑罚程度可能还达不到腰斩，其他九家仅仅是因为没有检举，就予腰斩，法理上说不过去。我们现在无从判定其真伪，但也不能排除不举告者被腰斩的案例曾有发生。《史记》又载：“失期法皆斩。”古代的税收分两类：一类收粮食、布匹或钱币作为赋税；另一类叫徭役，就是所有男人都要定期无偿参与国家工程建设，以各种公派劳役为法定义务。比如每年约25天，规定你们这一群人到什么地方服役劳作，必须按期报到，倘有迟误，一律斩首，这叫“失期法皆斩”。大家知道，就是因为这一条，最终导致秦朝崩溃，想想陈胜、吴广为何起义？当年陈、吴二人带领一批人众去远地服徭役，结果遭遇连日大雨，道路淹没，无法按期赶到。失期必斩，与其如此就戮，不如揭竿造反，反正都是死路一条，秦朝由此开始破溃。

《史记》还记载了这样八个字：“赭衣塞路，有鼻者丑。”“赭衣”就是囚犯穿的衣服，囚犯人数之多，其队列绵延竟将道路堵塞。“有鼻者丑”，什么意思？被割掉鼻子的人太多了，大家看惯割掉鼻子的人样，所以谁长鼻子谁才是另类。这话当然说得有点儿过分，但由此可以看出，商鞅变法之苛酷达到何等程度。《史记》是十分公允的，它一方面记录商鞅变法的苛政，说“商君，其天资刻薄人也”，但另一方面，它也说“行之十年，秦民大悦，道不拾遗，山无盗贼，家给人足。”意思是，变法十年以后秦民都欣然拥护，路人拾金不昧，山野土匪匿迹，家家丰衣足食。可见司马迁记史公允，各方面都只做事实陈述。

但是，在中国传统文化和传统文人之中，关于商鞅变法大多给予极坏的评价。我举一个例子。苏轼曾经专门写过一篇文章，题为《论商鞅》，其中有这样一段文字：“二子之名在天下，如蛆蝇粪秽也，言之则污口舌，书之则污简牍。”这里指的是商鞅和桑弘羊。桑弘羊是汉武帝的一位重臣，“盐铁官营”的政策，也就是中国最早开办垄断型国营企业这个做法，是桑弘羊奏议的产物，这在中国古代文化界历来被视为与民争利的劣政。所以苏东坡讲，商鞅和桑弘羊二人的名字就像蛆虫、苍蝇、粪便和垃圾一样污浊，我一提及他，就把我口舌都搞脏了，我一书写他，就把简牍也污染了。简，竹制书写材料；牍，木制书写材料。可见中国传统文人，对这种施行苛政的暴虐人物一般均给以极坏的评价。

不过孔子曾经对这类问题有过另一番议论，当然不可能针对商秧，而是针对古法，这大约与孔子“信而好古”的情怀有关。子贡有一次问孔子，说远古时代法律惩罚都显得过于严苛，比如在周代早期，就有“弃灰于公道者断其手”的先例，你敢把垃圾倒在公道上，就剁你一只手。孔子怎么讲呢？他说“知治之道也”，就是深通治理天下之方法的一个表现。他接着说：“夫弃灰于街必掩人，掩人人必怒，怒则斗，斗必三族相残也。此残三族之道也，虽刑之可也。”他说你把垃圾倾倒街头，必致恶臭熏然，让别人很不舒服，于是人们就会发生怒斗，最终造成人身伤害。由于它带出的后果很严重，所以用严刑峻法来控制它也是可以的。孔子又说：“且夫重罚者人之所恶也，而无弃灰人之所易也，使人行之所易而无离所恶，此治之道也。”他说，重刑之下，人皆避之，而不乱扔垃圾是件很容易做的事情，这样一来，两方面都不会造成伤害，因此也算得是管理天下的有效手段。这是孔子的评价。（以上引文出自《韩非子》，真确与否，尽可持疑。）

实际上，古代社会刑罚普遍偏重。它不像今天的法律，根据对社会的伤害程度，细分量刑之轻重。古时的刑制简单粗暴，条例宽泛。不仅中国如此，西方照样。比如古罗马的十二铜表法，其中竟然在第八表《私犯》中有一条：“以文字诽谤他人，或公然歌唱侮辱他人的歌词的，处死刑。”就是一首歌没唱好，你都活不成。可见这种做法，在古代是通例。

但是大家要注意，古罗马的十二铜表法和中国的商鞅之法有重大区别。我在上次孔子课中讲过，十二铜表法是由贵族五人和平民五人共同立法。而且它在第九表《公法》里有一条规定："不得为任何个人的利益，制定特别的法律。"也就是没有任何人可以享有特权，法律面前人人平等，民众立法，统一执行。中国的法家、商鞅式的法治，是君王和少数重臣立法，只管别人，不管自己。所以，他们在法治之外别具特权，君王高于法治，王在法上，跟我前面讲英国自由大宪章运动以后"王在法下"的概念完全相反。由于中国法家的这一严重缺陷，由于商鞅变法中留有这样一个致命漏洞，最终导致秦国灭亡。

我们有例为证。秦国的法治，并不通行于特权阶层。比如秦王嬴政有一次偶然看见宰相李斯的出行队列仪仗辉煌，心中不悦，暗自嘟囔了几句。结果随后一段时间，发现李斯的仪仗立即变得简约化了，这使得秦王嬴政意识到他的私下批评之言，被人传到李斯耳朵里了。嬴政竟然不问青红皂白，把当时所有伺奉在旁的宫人全部斩绝。按秦律的规定，杀死任何一个人、施刑于任何一个人，都应该依法而行，可对嬴政无效。

再比如秦二世胡亥，他竟然跟赵高合谋篡夺王位。赵高是胡亥幼时的伴臣和老师，赵高为了维持他的权利，在秦始皇病亡后，跟胡亥勾结起来，封闭始皇死讯，并密发假诏，令长公子扶苏自尽，甚至后来还杀掉了皇室同族的二十多个兄弟姐妹。而胡亥是个半傻子脑残的主，执掌秦朝第二世君位，终于导致秦国崩溃。

我们从这里可以看出，法家的法政，说它过于严峻吧，在古代社会尚且情有可原。但商鞅的秦法，步步落实到位，与古法虽苛却难能落实的情形大相径庭，因而伤害面极大，可谓恶法暴政。而且他的律法是维护特权的，是为少数人胡作非为留有余地的，故此构成巨大的缺陷与祸殃。

我们再看第二项。前些年，在中国湖北云梦县睡虎地，出土了一系列重要的秦法文档，这就是著名的睡虎地遗址和睡虎地秦简。在这个遗址中，竟然出土了1100余片秦代竹简。大家知道，在考古学上，一个墓葬有再多的东西，可能都没有出几片竹简或者几件带铭文的青铜器来得重要，因为有文字记载，才能够考定这个遗址的具体情况，才能给出更多更确定的逸事信息。这个遗址是秦王嬴政时期或者是始皇时期秦国一个名叫“喜”的法官的墓葬，可见当时法官的地位还是比较高的，他居然死后可以把秦国法律文典带入陪葬，而他只是个地方法官。这个遗址被开掘以后，震动中国考古界，因为中国人、中国学界第一次知道商鞅变法以后，秦国居然存在如此完善的法条系统。过去只能在《商君书》上看到片言只语，至于法律究竟是怎样设置的、细密到何等程度，从来没有文献凭据。睡虎地秦简的出土，才使学界意识到秦朝当年的法系之完整，它不仅有国政大法以及刑法，而且竟然有独立的民法系统。

须知罗马帝国直到公元6世纪，才建立西方第一部民法法典，史称《罗马法典》。而睡虎地秦简表明，早在公元前3世纪前后，秦国通过商鞅变法就已经产生了整个民法系统。比如有《田律》，就是农业法；《工律》即工匠法；《仓律》即库管法；《徭律》即徭役法；《关市律》即交易法；《效律》即度量衡法；这些都属于民法范畴。大家再看，睡虎地秦简甚至有《户律》，有点类似于我们今天的婚姻法；《金布律》，有点类似于我们今天的财产继承法；《置吏律》《除吏律》，就是官员选拔法和官员罢免法……这些律法它都具备。它甚至还有一部《封诊式》，内容近似于现代的诉讼程序法。我们见到这些东西，才惊叹于当年商鞅变法为秦国建立法治社会的系统之大观。

改革的悖论与困境

我们最后探讨变法悖论问题。

在人类文明史上，改造或变革社会政治结构和社会制度构型，历来是一件非常困难的事情。因为，自阶级分化以后，变革任何一种社会制度，都不免会触动或者损害原有社会统治阶级的既得利益。而他们是当时社会上最有组织也最有力量的人群，你怎么可能改变社会制度？故此纵观人类历史，但凡要深彻地改变一个社会制度，基本上只能靠革命。

政治学上有两个词汇值得回味：一个叫改良，一个叫革命。我们现在说“改革”“变革”以及古人说的“变法”之类，在政治学上都归于“改良”之下。所谓“改良”，就是不通过暴力战争的方式改变国家制度。所谓“革命”，就是以暴力方式推翻原有统治阶级，建立社会制度的新构型。请注意，不见得所有的暴力运动都能称之为革命。比如，中国每两三百年改朝换代，农民起义推翻皇权，这不叫革命，这叫暴乱。为什么？他建立的新政权，还是原来社会形态的翻版，没有任何体制创新，没有社会经济政治制度的变革，这不叫革命，这叫暴动，这叫改朝换代。

人类历史上可以称为“革命”的事件是非常之少的。比如，“武王克商”叫革命，中国最早使用这个词，就出自形容该事件的《尚书》篇章之中，因为武王把商代的氏族部落邦联制改变成封建制。再比如1911年武昌起义，最终把君主专制制度转化为共和制度，所以也叫辛亥革命，而其前若干年发生的戊戌变法，这两者是完全不同的。还有英法资产阶级大革命，它把封建制、君主制改变成近代特有的资本主义社会制度，这叫革命。

一般而言，人们只有通过暴力革命，才能真正改变社会构型，这个道理很容易理解。这就是为什么在人类历史上、在中国历史上，改革、改良、变法历来都是失败的，这叫变法困境，或者叫改革困境，也可以说是“改革悖论”。为什么？因为改良、改革或变法，你所借助的力量，恰恰是你所要改革的对象。大家想想是不是这样？你凭借什么力量来进行社会改革？你是依靠现有的社会统治阶级、现有的各级官僚体系、现有的上层贵族系统，你通过他们来革他们自己的命，让他们把自己的既得利益让渡出来，以求重新组建资源分配的新格局、新制度，这怎么可能？这叫改革悖论。

况且，大凡是改革者，他总是一腔热血地针对社会问题最严重、最集中的焦点之处下手进行改革。而这个部分，恰恰是原有既得利益集团绝不允许触碰的敏感点位。所以，两相对撞，一定引起激烈反弹。既然改革受损的对象恰恰是社会上最有实力的人群，改革怎么可能推行开来？怎么可能获得成功？这就是“改革悖论”的症结所在。因此人类历史上，但凡是改革、变法或改良运动，大体全都以失败而告终。

我举例子。比如唐代中期，唐朝陷入一片纷扰。自安史之乱平息以后，唐朝其实并没有解决问题，藩镇离散更为加剧，从安史之乱的少数藩镇造反，变成四十八藩镇分裂国家。至唐顺宗永贞年间，发生“二王八司马”变法，这八司马里就有唐代著名学者刘禹锡和柳宗元。他们只是做轻微的吏治改革，结果变法失败。“二王”被斩杀，“八司马”全部被流放。

北宋年间，由于面临金、辽、西夏、蒙古等整个北部游牧文明的巨大压力，因此社会内部极为脆弱，不断有改革的需求和呼声冒出来。在宋仁宗年代，发生“庆历新政”，也就是庆历改革，为首的人物就是著名学者范仲淹。范仲淹的所谓新政也只是做一些轻微的经济改革和吏治整顿，结果以失败告终，范仲淹被流放，他那最著名的文章《岳阳楼记》，就是被流放以后的闲逸之作。到宋神宗年代，北宋进行第二次改革，这就是著名的“熙宁改革”，即王安石变法。王安石同样只是进行了一点儿并不伤筋动骨的经济与吏治改革，结果仍以失败告终，他本人两次被贬谪。

直到1899年，戊戌变法照例一败涂地。戊戌变法为什么发生？是因为日本1853年才打开国门，其后进行明治维新，而中国1840年列强侵入，随即开展洋务运动，按理说，中国在先，日本在后，何以到头来反被超越，继而又在甲午年间遭其痛揍，最终不得不变法图强呢？这就需要了解一下中日双方面对西潮冲击的不同反应方式。

所谓“洋务运动”，就是指学习西方应用层面的坚船利炮之技术，至于文化深层、社会观念、政治体制等则绝不允许动摇。用张之洞的说法，叫作“中学为体，西学为用”，这是洋务运动的实质。而日本呢？1868年才开始进行明治维新，但提出的口号是“脱亚入欧”，全面学习西方，改造日本社会，抛弃唐学，接受兰学。

日本在隋唐时代，曾派遣隋使、遣唐使学习中国文化，把中国文化称为“唐学”，中国传统文化在日本普及上千年。明治维新以后，日本立即意识到西方文化比中国传统文化优越，之所以把西方文化称作“兰学”，是因为荷兰人最早来到东印度群岛并影响日本。所谓兰学，就是西学。日本立即全面抛弃唐学，从根本上学习西方，派留学生、派考察使团扎进西方各国深入学习，连议会制度、虚君制度都全部带入日本政改。1868年到1894年，短短26年，日本居然把它仰望千年的文化导师——东亚第一大国打败，这就是著名的甲午海战。日本当时有许多学者跪在大街上哭嚎，遥望着中国哭嚎，为他的老师如此脆弱潦倒、如此不堪一击而撕心裂肺地哭嚎。可以想见此役当时对中国文人的刺激何其之强烈、何其之深痛！所以，以甲午战争为界线，晚清洋务运动正式宣告终结，中国开始进行社会改革，发起宪政改制运动，这就是1899年戊戌变法。都到了这种危机形势之下，康、梁维新变法，其新政到底不过百日左右，最终还是归于失败，六君子被慈禧太后斩杀于北京菜市口，这才导致中国不得不进行革命，孙中山领导的辛亥革命由此引发。

学界今天还在讨论，当年戊戌变法之落败，造就了何其深远的国运之灾。因为辛亥革命是不成功的，中国最终根本没有建立起宪政，反而演成一片乱局，持续数十年而不止。如果当年戊戌变法能像日本明治维新一样顺利进行，中华民族何其之幸。我在讲什么？改革悖论之难解。

现在我们回望商鞅变法。大家注意，商鞅变法的深彻程度，绝不亚于任何一场革命。它不仅进行经济领域的改革，而且进行政治领域的改革，它甚至改变了国体，此前是封建制度，此后是君主专制制度。它不是一般的政经改革，它是根本性的国体变革。这种东西通常只有通过革命才能实现，而商鞅变法基本采取不流血、非暴力的方式，完成了这场革命式的变法改良。这在历史上非常罕见，这就是为什么梁启超说商鞅是中国自古以来仅有的六大政治家之一的原因。

下面，我们重新回顾一下商鞅变法的过程。商鞅是卫国贵族，他最初为什么把自己的身段放得极低，竟然到魏国宰相府去当一介门客？是因为他深知只有在魏国相府里才能见到李悝《法经》文献。于是他放弃虚荣，去给公叔痤做门客，在此期间，深研李悝《法经》，为日后变法实践做理论思想准备。

商鞅到秦国见孝公，通过一个名叫景监的嬖臣走门路。他为什么又把身段放到如此之低，以至于不惜有辱名节？是因为他必须考察君王。一般认为，只有君王考察臣子，何有臣子考察君王之说。可是商鞅心里明白，如果要进行全面变法，他就必须考查自己的政治伙伴是否有担当力。所以他走后门、走低端门路，一定要见到孝公本人。他跟孝公三次谈话，《史记》记载，第一次，谈帝道；第二次，谈王道；第三次，谈霸道。这个讲法不好，说不清楚是什么，我换一个更清晰的讲法。

中国政治学上，有两个很重要的专用词：一个叫王道，一个叫霸道。所谓“王道”，即“内圣外王”之道。就是内里修德，外则以德治国叫王道 。商鞅最初跟孝公见面，先谈王道，这是人类远古时代以德治国的典范。战国中期早已进入大争时代，残酷的种内竞争、国际竞争愈演愈烈，到了这样一个时代，他居然给孝公讲王道，岂不是笑话？所以，孝公听得昏昏欲睡，出来就批评景监，说你怎能给我引荐一个如此迂腐的空谈儒生！商鞅在干什么？考察君王。

商鞅第二次见孝公，给孝公讲霸道，富国强兵争霸之道。大家知道在春秋时代，霸道就已兴起，这不是什么新学说，也不是什么新举措，但毕竟谈到了痛点上，因此孝公总算听得下去。商鞅直到第三次见孝公才谈变法，为什么？因为他深知变法是一个非常苛酷的激进过程，而且会动摇国本，伤及贵族，绝非一般政治家能够承担。他前两次考察的结果，发现孝公对那些相对柔和的改革举措不感兴趣，所以这才进入主题。两个人相谈甚欢，三日三夜不绝。

据《史记》记载，他们的这三次相见是在孝公元年，可商鞅变法是孝公三年才正式启动，中间史录空白，缺了两年。这两年，商鞅在干什么？孝公在干什么？我们可以想象，他们在做全面的法理准备、人事准备、政治准备，所有实际操作前的预备工作一应俱全，绝不打无把握之仗，建立起一个很稳妥的出发基地，然后才开始推行变法。

商鞅变法头九年，只做经济改革。如果过早地进行政治改革，整个贵族系统根本不能接受。而面对经济改革，贵族们虽然有点不安，但他们在其中也有所受益。因为农民劳动积极性增高，仍然给贵族交租、交税，贵族的收益反见增加，因此贵族根本无法团结起来抵制变法。

九年以后，贵族力量涣散，变法势力壮大，商鞅开始政治变革，废除旧爵制、建立郡县制等才渐次展开，整个过程极有章法，把政治操作达成有节奏、有韵律的艺术水准。如此平稳推行，商鞅变法最终居然改变国体，实现了革命方能完成的社会变革运动，这是人类历史上难得一见的改良成效。我们由此可以看出商鞅其人的雄才大略。

中国当代的邓小平改革也算颇为成功，我们这四十年发展迅猛、国力提升，都是得益于此。但与商鞅变法相比，二者还是有很大差距的。首先，邓小平的改革出于极其特殊的历史气运而摆脱了改革悖论的窘境，什么意思？这场改革是在十年文革动乱之后发生的，由于毛泽东和四人帮行为破格且动作太多，伤及整个官僚阶层。文化大革命的纲领性口号是“整党内走资本主义道路的当权派”，致使各级干部几乎全部被打倒，所有官员受尽侮辱，由于这件事做得太过，等于把其后改革可能面临的权贵对立面全部消灭了，把所有的官僚全部推到了期待改革的状态。是不是这样？所以邓小平改革是一局历史造成的幸运——侥幸摆脱改革悖论！故而改革的功劳至少有一半应归于四人帮。

再者，邓小平的改革用他本人的话说，叫“摸着石头过河”，事先没有顶层设计，而且只做经济改革。摸石头过河会面临一个麻烦，走到深水区，石头摸不见了，改革随之陷于停顿。大家想想，如果邓小平改革之前有充分的准备，包括系统性顶层设计，哪怕仅是模仿商鞅变法，在经济改革九年以后开始进行政治改革，比如最起码的一项——建立公务员财产公示制度，时间大约刚好是1989年之前，何至于后来闹到学运蜂起、贪官横行的地步。直到今天，当局仍然不敢进行官员财产公示，为什么？糜烂范围太宽，打击面太大，承受不起以法责众的后果。我讲这些是想在对照之下，让大家进一步体会商鞅变法的深彻程度。

我不是要一味地赞赏商鞅变法，我是想告诉大家变法本身的社会意义和操作难点所在。对于各位听众，它的启示作用在于，你只要是做组织领导，不管你是做行政工作，还是做企业管理，你都面临这个改革悖论。因为任何组织，它随着时间的推移一定倾向腐朽。这里所谓的腐朽，不单是指贪污受贿之类，而是说任何组织一定会涣散化、怠惰化，甚至走向完全失序，这叫“去组织”规律。

对于任何一个组织者、领导者来说，你都有一个随形势之发展对自己组织不断刷新的需要、不断改革的需要。可你一定面临改革悖论。你要么是既得利益集团的总代表，所以你大抵会拒绝改革，或者表面上做浅层改革，实质上根本不动；你要么就面临改革悖论，即你所要改革的对象，恰恰就是你所要借重的力量。你逃不掉这两者之一。可是如果你不能对自己的组织系统进行刷新变革，组织本身却一定趋于涣散败坏，这是一切社会实务者、社会组织者、社会领导者都面临的巨大难题。如果有必要，你可以参考商鞅变法。

法家学说的理论框架

我们今天上午讲了法家的政治实践部分，我们下午讲韩非子的法家理论集成。在讲韩非子的理论学说以前，我先简略谈一下申不害，大家对这个人可能比较陌生。

之所以提及申不害，是因为韩非子的法论系统由三个部分构成，即“法、术、势”三部分。所谓“法”，就是将法条公明于众，让老百姓都知道立法内容是什么，以便民众遵行；所谓“术”，就是君王阴藏于心中的权术，以应对和驾驭群臣，这个东西的创始人就是申不害；所谓“势”，就是王权高高在上，形成对下面的一种压迫之势力，只有这个权势能够建立起来，法、术才可望得以推行。“势”的理论渊源，出自战国初期齐国的稷下学宫，由著名学者慎到首次提出。我们在这里就不再多谈。

申不害跟商鞅几乎完全同时代，他在韩国做宰相，也实行变法。但是我前面讲过，中原文明五国变法程度难以深彻。那么，申不害在韩国做太平宰相，所行之变法，其实主要只限于吏治改革，采用的方法，就是权术。

申不害辅佐韩昭侯。韩昭侯这个人，本身就是个小肚鸡肠的政治人物。史书上记载，韩侯经常卖弄小聪明。比如有一次祭庙活动，他嫌司礼大臣端上来的祭猪太小，觉得不够庄重，要求予以更换。该大臣下去以后，来不及调整，可能只是把这个猪体拉扯一番，变了个形状，又照例送上来。结果韩昭侯明察细节，他仅是根据这只猪的耳相，就判断出下属作假，并严厉责备之。为此申不害批评韩昭侯："耳目心智之不足恃。"意思是说，你要深藏不露，不可把自己的聪明展现出来，这样会使朝中众臣愈发警惕、愈加伪装。

韩昭侯就是这样一位狡诈而又猥琐的君王，他跟热衷于权术的申不害真是天生的一对。申不害专研此道，发明了一大套权术理论。我们在这里不予深讲，我只再说一个典故。有一次，魏国进犯赵国，包围了赵国首都邯郸，赵派使者来到韩国，寻求宰相申不害援助。申不害原来就跟赵国有勾结，接受过人家的贿赂，因此本心是想援助赵国。但是他摸不清韩昭侯的心思，于是暗里去找臣属赵卓与韩晁，对他们讲："子皆国之辩士，夫为人臣者，言不必用，尽忠而已矣。"意思是说，你们都是国士，给君王提出一些建议，即使不被采纳，也算尽忠了。然后，让这两个人说服韩侯支援赵国，他在旁边察言观色，发现韩昭侯很反感这件事情，等这两个大臣离开，他立即调转口风，反而给韩侯进言不必救赵的种种理由。

这就是申不害的人格体现，他在韩国变法的操行及其结局，由此可见一斑。我讲这些，只为让大家了解一下申不害其人，他是中国法家"术论"的创始人。你如果在古书上见到"申韩之学"一词，"申"就指申不害，"韩"就指韩非子，申韩之学代指法家之学。

我们下面讨论韩非子。韩非子是法家理论之集大成者。韩非子生于公元前280年，死于公元前233年。这个时候，距离秦王嬴政统一天下只差12年，也就是说，中国的法家理论，在战国末期才最终成型。

韩非子和李斯一起师从于战国中期大儒荀况，也就是荀子。

我在前面提到过“荀儒”,他一方面尊崇礼制,主张仁、义、礼、智、信，但另一方面也提倡以法治国，主张严刑峻法。在这里，大家要注意，我们过去很容易产生一个误解，以为由于儒家推崇礼制，孔子反对以法治国，就认为中国的法家与儒家无涉。但实际上，法家的思想渊源跟儒家关系密切。这一点连司马迁都搞错了，所以司马迁在他的《史记》中，把申不害、韩非子和老子、庄子的传记排列在一起，叫“老庄申韩列传”。连司马迁都认为，法家是道家后学，但实际上，法家是儒家后学的变态或变种。法家最重要的人物，比如李悝、魏文侯，师承于子夏西河学派；比如韩非子、李斯这些法家重量级人物，都是大儒荀况的弟子。那么，韩非子和李斯离开老师荀子之后，李斯奔赴秦国从事政治实务，最终做到秦王嬴政的廷尉乃至丞相。韩非子回国纯粹务虚，闭门造车做学问。

其实韩非子最初也想劝说韩王实行变法，但韩王听不进去，韩非子只好静心于书斋,以文论法。韩非子这个人可谓文采飞扬，他的法论文章偶然传到秦国，秦王嬴政读到，击节赞赏。《史记》记载，秦王叹曰：“嗟乎，寡人得见此人与之游，死不恨矣。”说如果能让我与这个人游谈，我死而无憾，于是派兵进攻韩国。

这个时候，秦国已经非常强大，韩国根本不是对手，所以韩王不得不按秦国的要求交出韩非子，把他相机委任为韩国驻秦国使节,韩非子就这样来到秦国。按理说,韩非子是法论名士，与秦王政见合拍，且受到非凡礼遇，我们可以想象他们相逢会是一个多么欢快的场面。可是情形完全相反，韩非子跟秦王嬴政见面以后，言谈龃龉，引起秦王强烈的反感。因为韩非子会晤秦王，他全然无心与之讨论法学，却不断提出要求，恳请秦王不要进攻韩国。这件事惹恼了秦王,因为秦国的前任宰相范雎，他曾经给秦国立下军政大计，叫“远交近攻”。就是对远处的国家建立外交关系，首先击打临近国家，等把近处的国家蚕食掉，远处的国家又变成近国，这样才可以逐步鲸吞天下。韩国紧邻秦国，正是秦国早期袭取的目标。那么，韩非子作为韩国使节，要求秦王不要进犯韩国，这简直无异于破坏秦国的军政大略。

我们从这一点上可以看出，韩非子的学说虽然十分苛毒，但韩非子本人却是一个良善无用的书生。要知道那个时代的文人,通常是不为自己国家负责的,因为当时盛行的社会观念是“治国平天下”，无论何所“治国”，只要有“平天下”的机会，即使是平掉自己的祖国也在所不惜。所以像卫鞅、吴起这些人物，都不曾为自己的祖国服务，反而效力于他国以求实现平生抱负。

韩非子却与之相反，他一味履行自己作为韩国驻秦国使节的职责。我前面一再讲“务实者务不了虚，务虚者务不了实”，韩非子这个人，作为务虚者，作为理论家，他在政治实操上显然能力很差。各位都熟知一个典故，说牛顿虽然极为聪慧，建立了经典力学学说，开创了整个工业时代，可是传说他家里养了大小两只猫，他居然要在门上凿刻大小两个洞，他怎么都想不明白，在门上刻开一个洞，大小两只猫怎么能钻出去。这当然有可能是瞎编的笑谈，但它也表明务虚者的思路大多不着边际，以及“务虚者务不了实”的那种独特行状。

韩非子因此惹恼了秦王，李斯趁机在旁边下蛆，秦王一怒之下把韩非子投入狱中。韩非子入狱不久，李斯指使牢头悄悄在韩非子的囚食中下毒，韩非子就这样死于非命。秦王后来意识到他这个事情做得不妥，想把韩非子再从狱中调出，却已经来不及了。

说到这里，我们有必要提一下，在先秦诸子百家之中，命运最悲惨的就是法家人物。大家看，吴起被射成刺猬、商鞅被车裂、韩非子被他的同窗好友李斯毒杀、李斯本人和他的小儿子一起被赵高腰斩。那么，为什么先秦时代诸子百家中命运最惨烈的都是这些法家人物？是因为法家学说极为残酷和决绝，所以其政敌也必须用相应的手段来对付他们；再者，法家人物秉持阴暗的法术学说，心理上也容易发生变态，举止反常，行为乖戾，因而难免招致不测。

韩非子死后，有人把韩非子的法学文章，总共10余万字，录成55篇文论，分为20卷结集存世。《韩非子》这本书可谓文采飞扬，它表达着中国先秦诸子百家的最高学术水平。韩非子的法论文章里充斥着大量的寓言典故，你如果不仔细探索，很难搞清楚韩非子法系的中心思想脉络。

我们今天讲韩非子，主要依据郭沫若《十批判书》中对法家的评述。我顺便就郭沫若简单说两句，郭沫若这个人年轻的时候可谓才气横溢，民国时期，他在史学、文学、戏剧、甲骨文等方面都有很多重要的研究，达到相当的高度。但建国以后，他骤然沦落为御用文人，言谈畏怯，极尽阿谀逢迎之能事，文革初期，竟然首倡烧自家书，一时掀起举国焚书之狂潮，斯文扫地，令人作呕。

我们下面进入韩非子的文本讲述。韩非子在《定法篇》中自诩："申子未尽于术，商君未尽于法也。"他的意思是，申不害把"权术"这个东西还没有玩到极致，商鞅把"法"这个东西也还没有做到深处。你要想寻获法术之精义，就只得来找我韩非子才行。

韩非子的基本思想特征有四项。第一，曲老，也就是歪曲老子。大家知道，老子的道论，认为"道"是万物演化的根据，韩非子把老子的道改说成"法"，认为法术就是天道。他讲："道无双，故曰一，是故明君贵独道之容。"他这里讲的"道"，已经不是老子的"道"，而是"法术之道"。而且他明确地批评老子，因为老子讲退守、讲恍惚，主张淡泊处世，顺乎自然，是谓"恬淡"；认为用一般的直感方式，不能获知天地之道，是谓"恍惚"。韩非子却说："恬淡，无用之教也；恍惚，无法之言也。……人生必事君养亲，事君养亲不可以恬淡，治人必以言论忠信法术，言论忠信法术不可以恍惚。恍惚之言，恬淡之学，天下之惑术也。"即一切服从君权、服从法术，是天下唯一的"道理"和要务，以此重整老子道论的基本内涵和外部形态。

韩非子学说的第二个特点叫作非儒，就是全面反对儒家学说。说起来，韩非子本人是大儒荀子的弟子，他是儒家出身、儒家后学。可是他却主张“恃术而不恃信”，就是你要依靠权术，而不能依靠仁义礼智信；主张“上法而不上贤”，就是你要崇尚法术，而不能崇尚贤良。他以虎豹喻人君，以畜乌比御臣。他有一篇文章很有名，叫《八奸篇》，其中有这样一段话：“一曰同床，二曰在旁，三曰父兄。”就是他在这篇文章里，列出了八种威胁君王的奸情。第一叫同床，也就是跟君王睡在同一张床上的王后和王子，他说这是对君王的第一大威胁；二曰在旁，所谓在旁，就是君王的重臣，古代君王的重臣，大抵都是君王的血亲；三曰父兄，就是第三对君王构成危害的，就是君王的父亲和兄弟。

韩非子这样讲是有充分根据的。大家回忆一下我昨天孔子课中，讲春秋时代255年间，发生了四十三起弑君事件，其中百分之七八十以上都是这三类人干的，韩非子可谓眼光毒辣。

韩非子的第三个特点叫篡墨，就是篡改墨家学说本意，以为他的法术之论服务。墨家是代表下层手工业者的利益发言，但是墨家却同时主张“明君独裁”，这个话题我们下一节课讲诸子百家辑要的时候，再详细展开。那么，韩非子就借助墨家的这些观点，然后提出更进一步的纵深讨论。他在《定法篇》中明言：“以一国目视，以一国耳听”，就是一个国家只需长一个脑袋，一切由君王独断，其他所有臣民惟有盲目服从的义务。所以中国后来有“墨法之学”的称谓，“墨”就指墨家，“法”就指法家，所谓“墨法之学”，就是“法家之学”的别号。

韩非子学说的第四个特点就是批荀。如前所述，荀子就是韩非子的老师，可由于我前面讲过，荀子一方面主张仁义礼智信，一方面主张严刑峻法，因此韩非子批评他的老师思想混乱，指斥他的学说是“愚诬之学，杂反之行”。我们从这里可以看出，韩非子的法论精神彻底到何等程度。

韩非法论的基本取向

我们下面略微看一些《韩非子》的原文，梳理一下韩非子法论的主线。

韩非子在《外左上篇》中讲："夫慕仁义而弱乱者，三晋也；不慕而治强者，秦也。然而未帝者？治未毕也。"他这段话的意思是说，凡是坚持仁义礼智信的中原文明各国，全都处于弱乱状态；不相信、不羡慕孔子礼教的秦国，它就很强大。那么秦国为什么还没有统一天下、没有称帝呢？他的答案是"治未毕也"，就是秦国的法术还没有执行到尽头。

大家注意，这个时候，商鞅变法之制已经延续了六代君王，韩非子仍然批评秦国的法术执行还不够彻底。韩非子在《奸劫弑臣篇》中说："圣人之治国也，固有使人不得不爱我之道，而不恃人之以爱为我也。"他说，最英明的君王治理国家，绝不能让人民爱戴他，而一定要让人民不敢不爱戴他。这里面的区别就是，他认为爱民之仁政不可取，只有暴力、残忍和恐惧才是政治权力和社会管理的唯一资源，这是韩非子法论的重要基础。

韩非子在《八说篇》中说："有道之主，不求清洁之吏，而务必知之术也。"他的意思是说，治理国家最重要的方法，不是使用廉洁的官员，而是要使用懂法术的官员。由于韩非子排斥清洁之吏，所以在中国历史上，贿赂之行、贪污之风就成为中国的政治传统。所以大家不要认为中国现在才有贪官，民国时候才有贪官，其实两千多年的中国政治史就是两千多年的中国贪官史。难怪中国自古就有"一任清知府，十万雪花银"的说法。我讲一个故事。南北朝时期，西魏创始人宇文泰打下江山，他就约见了当时的著名文人苏绰。他问苏绰："国何以立？"苏绰给他两个字："具官。"他又问"如何具官？"——后面这些部分史书上没有详细记载，有可能是野史的杜撰，但这个杜撰很能够说明中国贪官政治的特点——苏绰回答："用贪官，杀贪官。"宇文泰大为不解，说为什么要用贪官？苏绰告诉他，用贪官你能得到三项好处:第一，他是贪官，跟着你能收获巨大利益，因此他一定最忠诚于你；第二，他是贪官，你手里就有他的把柄，所以你最容易管控他，他稍不规矩，你恐吓一下他就变乖了；第三，你还应该动辄杀几个贪官，这样一来，就可博得万民欢呼君上英明。中国自古以来的治贪之举不就是玩弄这一套戏法吗？而这些东西，都是韩非子法术思想的遗产。

韩非子在《备内篇》中讲一段话，他说："为人主而大信其子，则奸臣得乘于子以成其私。"他这段话的意思是说，作为人君者，你绝不能太相信自己的儿子，因为如果你过于信赖自己的儿子，那么在太子周边就会聚集某种力量，从而最终对你构成威胁。他又讲："为人主而大信其妻，则奸臣得乘于妻以成其私。"他说作为君王的人，你也不能太爱自己的老婆，你如果宠爱王后，那么在王后周围就会形成一种势力，最终同样会对你构成威胁。他甚至还给出严密的推论，证明对君王构成最大威胁的就是与你同床的王后。大家看看他怎么证明，他说："丈夫年五十而好色未解也，妇人年三十而美色衰矣，以衰美之妇人事好色之丈夫，则身见疏贱，而子疑不为后。"这段话什么意思呢？他说一个男人到五十岁还来劲着呢，但一个女人到三十岁就已经没有颜色了。我们今天看一个女人三十岁尚属美貌犹存，可是你要知道，古人的平均寿命只有三十九岁左右，女孩十四五岁结婚生子，三十岁已经徐娘半老了。他说，因此当王后人老珠黄之余，君王就会转而贪恋其他女色，最终不免将正宫王后打入冷宫，以至于王后跟君王的儿子都不能继承王位。

他接着讲："唯母为后而子为主，则令无不行，禁无不止，男女之乐不减于先君。"他说，只有让王后变成母后，也就是变成太后，然后让王后跟君王的儿子即太子登上君位，这样王后才能确保自身权势依旧。虽然这个时候王后已经没有了丈夫，但是她的男女之乐都不稍逊于前。她怎么解决自己的性饥渴问题呢？找男妓、找面首，就像武则天那样。他最后总结："此鸩毒扼昧之所以用也。"他说，君王你得小心，这就是王后特别想杀害你的原因。他连具体方法都详细罗列出来：第一，鸩毒，就是悄悄在君王的餐食里下药，神不知鬼不觉地毒死你；第二，扼昧，趁君王睡着了，拿枕头捂死你。各位看看，韩非子为了保全君上，考虑到何等无微不至的程度！

韩非子在《显学篇》中讲："严家无悍虏，而慈母有败子，吾以此知威势之可以禁暴，而德厚之不足以止乱也。"他说，如果一个家庭里有严厉的父亲，那么这家孩子就会比较出息，不至于出什么问题；而如果一个家庭只有慈母，这里就会出败家子。他说，我以此知道，强权威势是管理的资源，而德厚慈爱不足以治乱。

韩非子的这个说法乍一听似乎很有道理，但实际上他是有意把概念混淆。现代心理学研究发现，如果一个孩子小的时候，他的父亲过于横暴，那么这种孩子的心理就会变态，长大以后，他的人性伸展程度很低，甚至犯罪率都会偏高；一个孩子在慈爱氛围下生活，他将来人性比较饱满，人生相对来说会比较舒展。当然如果母亲过于娇宠孩子，确实会把孩子惯坏，但那是极少数，不可作常态论。韩非子宁可把概念搅乱，因为概念的外延是不同的，比如你爸爸戴蓝帽子，你不能反过来说戴蓝帽子的都是你爸爸。他用这种混淆概念的方式来证明暴力和残忍是管理的唯一资源。

所以他后面在《六反篇》里就又说一段话："母之爱子也倍父，父令之行于子者十母。吏之于民无爱，令之行于民也万父。父母积爱而令穷，吏用威严而民听从，严爱之策亦可决矣。"他说，母亲爱孩子，用情之深比父爱高得多，但是孩子听父亲的话，却胜过母亲十倍不止。他说官吏对于人民毫无一丝爱心，但是人民听令于官府，其顺从程度却远高于父母。父母积爱但管不住孩子，官吏无爱却能以威权治民。可见慈爱和严厉这两者哪个更有效是一目了然的。他再度强调残暴与严苛才是统治权力之本。

他在《主道篇》中讲："道在不可见，用在不可知。虚静无事，以暗见疵；见而不见，闻而不闻，知而不知。"这段话讲什么？讲权术！他跟前面申不害的那个意思完全一样。"道在不可见，用在不可知"，就是说你执政一定不能在明处操作，要有阴暗之术。你一定要深藏不露，躲在暗处，观察明处大臣的一举一动，却不让臣属发现你的所作所为，这叫"虚静无事，以暗见疵"。他然后又讲，就算你发现了臣子的问题，你也不要公开指责，你得另找一个机会收拾他，不要让他察觉你已经获知了他的奸情，此谓"见而不见，闻而不闻，知而不知"。韩非子的书里，充满了这样的阴术之论。我只举这一个例子，以示范韩非子对"法、术、势"三者中之"术"的精妙之谈。

韩非子在《主道篇》中说："有功则君有其贤，有过则臣任其罪。"我们知道，君王管理政务的方式，一般是由前线任职的官员向君王提出具体建议，君王根据情况决定采纳或不采纳。韩非子告诫君王，如果官员的治策有效，功劳归于君王，如果采纳其意见却治理无效，罪过全在大臣，他说这就是君王和臣属的关系。

韩非子在《八经篇》中讲了一段话，很有趣。他说："官袭节而进，以至大任，智也。"意思是说，一个官员，如果他从基层做起，逐级擢拔而升为高官，那么君王你得小心提防，因为这种人特别有智慧。他然后讲，对于这种既有能力又有野心的人物，君王必须用三种方法加以节制，哪三种方法？一曰"质"，二曰"镇"，三曰"固"。什么是"质"？原文为"亲戚妻子，质也"，就是你要把他的老婆孩子扣在京城，作为人质，一旦这个官员叛逆，你就杀他全家，这叫质。什么是"镇"？"爵禄厚而必，镇也"，就是你要给他高官厚禄，让他发财，包括允许他受贿，满足他的贪欲，这叫镇。什么是"固"？"参伍责怒，固也"，什么意思呢？就是你要动不动挑他的刺儿，鸡蛋里面挑骨头，而且动不动就威胁他，比如说要把他吊死之类。他说你采用这三种方法，才能节制那些有雄心、有能力，一路从基层晋升到高层的官员。

他然后讲："贤者止于质，贪饕化于镇，奸邪穷于固。"即对于贤良的大臣，你只要把他老婆孩子扣为人质，他就不会犯事了;对于贪婪、爱财的官员，你只要让他发财，问题也就解决了;对于干练狡猾之辈，你就要动不动挑他的毛病，时不时威胁他。接着他说："忍不制则下上，小不除则大。"什么意思呢?他说你如果不忍心处置他，他就会以下犯上；你如果不及时把他掐死在萌芽状态，他就会尾大不掉。

他最后还提供制裁方法："诛而名实当，则径之；生害事，死伤名，则行饮食；……此谓除阴奸也。"意思是，如果你能找见一个恰当的罪名或借口，你就立即杀了他；如果这个大臣让你很不安，可是你又实在找不见他的过错，那怎么办?"行饮食"，即悄悄在这个大臣的饭食里下毒，毒死他。他说这就是消灭对你构成潜在威胁者的好办法。请大家听听，韩非子这位仁兄有多么可爱!

韩非子在《制分篇》中讲："察君之分，独分也。是以其民重法而畏禁，愿毋抵罪而不敢胥赏。"什么意思？他说君王的权力是不能分割的。大家知道，近现代政治民主制度是讲分权制衡的，这跟中国法家的观点完全相反。他又讲，你必须施以严刑峻法，法律要严苛到这样的程度，民众只求不受到法律制裁就已经心满意足了，根本没人敢向你请赏。

韩非子还说过一句名言，表达着他心目中人民与君王的关系。原话这样讲:"君上之于民也,有难则用其死,安平则尽其力。"意思是说，君王跟人民的关系理应如此：天下大乱、边境不宁，你就让人民为你战死疆场，去充当炮灰；天下大治、歌舞升平，你就让人民为你生产财富，把他们的骨髓都榨干。他说这就是君王和人民的关系。

韩非子在《外右上篇》中讲："势不足以化，则除之。……赏之誉之不劝，罚之毁之不畏，四者加焉不变，则除之。"他说如果一个大臣形成了某种势力，你又无法予以消解，那就立即把他除掉;他又说，面对臣子，你赏赐他、夸奖他，他不为所动;你责罚他、诋毁他，他也无所畏惧；这四种方式加之其身，他都巍然不摇，怎么办？赶紧灭了他。

韩非子在《八说篇》中讲："立法而有难，权其难而事成则立之。事成而有害，权其害而功多则为之。无难之法，无害之功，天下无有也。"他说立法是一件很难的事情，反对的力量一定很大，你衡量之下两害相权取其轻，则还是应该坚定立法。他进一步解释说，你做任何一件事情，都不可能只有好处没有坏处，刑罚之事难免残暴，副作用确实很大，但是比较一下，收益更高，你就要敢于下手;想不逢困难而轻松立法，不致伤害而推行法术，天下没有这等好事。他给君王耳提面命，连权衡考量的思路都事先直接交代清楚。

韩非子在《制分篇》中又讲："至治之国，善以止奸为务。然则去微奸之道奈何？其务令之相规（窥）其情者也。"什么意思呢？他说你治理一个国家，社会上、臣属中发生微小而普遍的不法情事，你怎么会知道呢？他说你只有一种办法，就是建立究司连坐制度。让底下的人互相窥探、互相检举，完善特务告密体系，这样你才能够铲平从朝廷到民间的种种违法苗头。

他在《人主篇》中讲："虎豹之所以能胜人执百兽者，以其爪牙也。当使虎豹失其爪牙，则人必制之矣。"他说虎豹之所以成百兽之王，连人都不是它的对手，是因为它有尖牙利爪，倘若拔其尖牙、削其利爪，那么虎豹不免威风顿失，为人所制。他然后接着讲："今势重者，人主之爪牙也，君人而失其爪牙，虎豹之类也。"他说对于君王，谁是你的利爪尖牙呢？那就是你的重臣，如果你不擅长起用心黑手辣的人充当权臣，你就相当于虎豹失去了爪牙。请注意韩非子这段话的意思，他主张君王使用酷吏。

大家知道，中国历代君王都好用酷吏，比如武则天朝代的来俊臣之流，“请君入瓮”的典故就出自于这位著名的酷吏。其实不仅是武则天，中国历代君王都用酷吏，因为酷吏就是他的爪牙。直到毛泽东，谁是毛泽东的酷吏？康生。从延安整风的时候开始至文革末期，康生看毛泽东的眼色行事，毛看谁不顺眼，他立即罗织罪名，加以构陷。临末康生成为毛泽东身边难得善终的罕有高官。

韩非子在《外右上篇》中讲：“明主之牧臣也，说在畜乌。……驯乌者断其下翎，则必恃人而食，焉得不驯乎？夫明主畜臣亦然，令臣不得不利君之禄，不得无服上之名，……焉得不服？”他说，明主驾驭大臣，就像猎人训练猎鹰一样。猎人怎么训练猎鹰？他在野外打掉老鹰，活捉一只雏鹰回来，随即拔光其翅膀上的翎毛，让它飞不起来，全靠人工饲养而成长，直到它完全依赖于人。在此期间，它羽翼逐渐丰满，然后再放飞它去捕捉猎物，比如野兔之类。猎人放出猎鹰以前，先拿一条细绳子将猎鹰脖子扎起来，使得它不能吞咽，捉住野兔只好奉献到主人面前，由主人松开脖子上的绳结来饲喂它。韩非子说君王驾驭大臣，就要像猎人畜养猎鹰一样。——如此谆谆教导君王怎样管制大臣，韩非可谓用心良苦！

在《二柄篇》中有如斯说：“为人臣者陈而言，君以其言授之事，专以其事责其功。功当其事，事当其言，则赏；功不当其事，事不当其言，则罚。故群臣，其言大而功小者则罚，非罚小功也，罚功不当名也。群臣，其言小而功大者亦罚，非不悦于大功也，以为不当名也，害甚于有大功，故罚。”这段话什么意思呢？通常君王治理国事，先得由参与具体工作的大臣奏议，为君王提供几条办法或策略，君王根据大臣的提议，再给大臣以相应的授权，此后臣下才根据君王的授权去实施管理。韩非子说如果一个大臣说得好做得不好，你该怎么办？这个我们都明白，你应该惩罚他。韩非子又问，如果这个大臣做得比说得还好，你该怎么办？我们一般人会认为，那你当然应该嘉奖这个大臣。错了！韩非子认为你照样应该惩罚他。他说如果你不罚他，那么以后所有的大臣给你说事，他能做到十分，他只讲到五分，然后他只消做到六分、七分，你还得奖励他，你这不是明摆着等别人来骗你？所以韩非子接着讲："明主之畜臣，臣不得越官而有功，不得陈言而不当。越官则死，不当则罪。"他说，臣子进言，说到哪儿就必须做到哪儿，而且绝不能超越君王的授权行事，否则立即收拾他。他在这样的细节上，都为君王做出精心算计。

说到这里，我们不得不提起十五、十六世纪欧洲文艺复兴后期，意大利出现的一位政治学家——马基雅维利。大家知道，在文艺复兴前后，意大利不是统一国家，它分裂为若干小公国，比如威尼斯公国、米兰公国、佛罗伦萨公国等等。当时佛罗伦萨活跃着一个政治人物名叫马基雅维利，他曾经在佛罗伦萨共和国担任官职，以后美第奇家族复辟，他被辞退、囚禁，释放后隐居乡野，在此期间他写下一本名著，叫《君主论》，一个薄薄的小册子。

在这本书里，马基雅维利讲了一个惊人的观点，他说人性总是向恶的，而不会向善，因此君王管制天下，绝不能遵从民间道德。君王要像狮子一样凶猛，要像狐狸一样狡猾，所以今天巴黎行政学院的校徽还是一头狮子和一头狐狸。他然后讲，君王行事不必拘于道德，什么坏事都要敢干，阴谋、暗杀、谎言、权诈，威胁利诱、背信弃义，见人说人话、见鬼说鬼话，总之无所不用其极，只要目标正确，尽可以不择手段。这就是马基雅维利的《君主论》之基调，在欧洲历史上，他第一次把政治学从神学与伦理学中解脱出来，据说该书因此而成为西方现代政治学得以确立的第一张本。大家听一听，可见"现代政治学"这个词，本身就赋有恶毒阴损之含义。各位有空读一下《君主论》，这本书有翻译，它跟《韩非子》相比，简直是小巫见大巫，韩非子比他讨论得精细得多、深刻得多、出彩得多，尽管韩非子比他早了一千七百年以上，足见中国法家政治之黑暗。

法家思想总纲：尊上弱民

韩非子在《五蠹篇》中讲："境内之民皆言治，藏管商之法者家有之而国愈贫：言耕者众，执耒者寡也。境内皆言兵，藏孙吴之书者家有之而兵愈弱：言战者多，被甲者少也。故明主用其力不听其言，赏其功必禁无用。"什么意思呢？他说所有的书都在该烧之列，除少许农书、医书以外，甚至他法家的书、兵家的书，都只留给君王和重臣阅读，大凡民间之藏书应一律焚毁禁绝。为什么呢？他说如果境内之民皆言法治，藏管商之书、议管商之法（管指管仲，商指商鞅，"管商之法"就是法学文论），那么侈谈农事的人就会变多，真正扛着锄头干农活的人就会减少；他说对兵书也同样，因为老百姓如果读兵书就会出这样的局面，空谈战事的人会增多，但为你扛枪打仗的人就会减少。他最后补充说，英明的君王只让人民卖命卖力，不许他们饶舌多言，为此必须赏实利而禁虚想。这是典型的愚民政策。

大家注意，法家最早在秦地落实愚民政策。很多学者讲，中国的愚民政策，其实从老子那儿就开始了。别搞错！老子虽然讲弃智绝学，但他不是愚民政策，他寄望上至族长圣人，下至普通民众，大家都不要开化智慧，都不要涉入文明，才是人类的福音。所以老子是"愚人"主张，而不是"愚民"政策。（"民"字特指"下等人"。甲金文中画一只眼睛，下缀直出符号（

），早先意指目光下垂、不敢抬眼看人的奴隶。）

韩非子在《说疑篇》中又讲："禁奸之法，太上禁其心，其次禁其言，其次禁其事。"什么意思？大家知道现代法律，人们思想自由、言论自由，法律只追究一个人的违法行为，事后根据他对社会造成的实际损害予以量刑。韩非子却相反，他说"禁奸之法，太上禁其心"，最好的法律，你要让他心里都不敢乱想；

"其次禁其言"，差一等的法律，是让他不敢随意说话；"其次禁其事"，最差的那一等法律，才是让他不敢干坏事。由于韩非子的这个主张，所以中国自古就没有言论自由，不但没有言论自由，还有一种东西叫作"文字狱"。大家都很熟悉，文字狱最典型的发生在清代，但其实中国自古都有文字狱，只不过清代做得更彻底一些。清时流传一个故事，说某文人有一次在户外读书，微风吹过把他书页刮乱了，于是他随口念一句打油诗："清风不识字，何故乱翻书。"结果被某人告上去，说他这首打油诗里暗含着清朝满人没有文化的讽喻，为此丢了脑袋，这叫文字狱。

其实中国从来就没有过言论自由，直到上世纪后半叶更是变本加厉。文革的时候，人人噤若寒蝉，如果你留有文章纸稿，甚至私密日记，你都最好趁早烧掉为宜，万一被人发现里面有片言只语的不妥，便会有身家性命之危。所以那时候是没人敢写日记的，倘若你还想写日记，也只能按一种文风动笔，那就是雷锋日记。

中国古代还有一个罪名，发生在汉武帝时代，听起来很奇怪，谓之"腹诽之罪"。什么意思？你在肚子里诽谤我了，因此我要杀你！这叫"太上禁其心"。大家听听，这就是韩非子的法术，这就是中国法家理论之集大成。

韩非子的思想体系主张"法为专制"。他的整个法论总纲只有五个字，原话为"上尊而不侵"，就是"君上的尊严和尊位不受侵犯"，这就是其立法的首要纲领。大家知道人类的现代法律是由人民选出议员，在国会立法机构中制定法律，专门用以限制政府、政党和军队的权力，这个东西叫作"宪法"。所以中国传统法学跟现代法制完全不是一回事。曾听有学者说，中国的法家是人类现代法制的先河，这完全是扯淡。实际上二者是根本不同的两个法系，即农业文明之法系，与希腊罗马系统最终产生的工商业文明法系，其间没有继承关系。它们是各自分别展开的两路法系，无论从基本精神或者条款枝节哪方面看，都是完全相反的。

韩非子主张“法扼人性”。其立法目的在于扼制人的天性，而全不顾及一丝人权。他在《六反篇》中讲：“父母之于子也，犹用计算之心以相待也。”又在《五蠹篇》中讲：“民者固服于势，寡能怀于义。”他说父母管教孩子尚且要用算计之心，何况君王官吏管制人民;他说人民只服从于权势，绝不会服从于仁义。他严厉限制人身自由，将民众的社会生活完全纳入暴烈政府的规范渠道之中。

韩非子主张“法代文化”。标榜“以法为教，以吏为师”，他说教育如果还要进行,就必须主教法律。那么谁可以做老师呢?懂法术的官员才能够做老师。他在《显学篇》中讲：“民智之不可用，犹婴儿之心也。……故举士而求贤智，为政而期适民，皆乱之端。”意思是说民智不开，教育不展，人无贤能，上智下愚，国政方可安然。

韩非子主张“法术兼用”。他在《备内篇》中说:“为人臣者，窥觇其君心也无须臾之休。”即你的臣属整天都在居心叵测地瞄着你，因此君王随时都要保持警惕。他在《定法篇》中直率言之：“无术以知奸，则以其富强也资人臣而已矣。”说为人君者若无心术,必致其权力资源拱手让人。他在《难三篇》中讲:“术者，藏之于胸中，以偶众端而潜御群臣者也。”什么意思？“权术”这个东西，一定要阴藏于心而不能暴露出来。他说，君王你想想，你只不过是单枪匹马一个人，你怎么去对付成百上千个大臣,力量根本就不对等。你只有一个办法,用阴术、用权谋,你得不断地离间分化他们,使他们相互之间矛盾重重,争执不休,这样你才能在中间平衡自己的权力结构。

韩非子主张“法度严厉”。他在《有度篇》中说：“刑过不避大臣，赏善不遗匹夫。”他又讲“不辟亲贵，法行所爱。”很多学者见到这样的话，便说韩非子主张法律面前人人平等，是不是这样呢？显然不是。因为韩非子认为对君王造成最大危害的，就是他的“亲贵”和“所爱”，所以这里绝不表示韩非子的法论主张法律平权，这个话题我前面说过，不再重复。

韩非子的“法治理想”，他用如下一段话作全面表述：“圣人者审于是非之实，察于治乱之情也。故其治国也，正明法，陈严刑，将以救群生之乱，去天下之祸，使强不凌弱，众不暴寡，耆老得遂，幼孤得长，边境不侵，君臣相亲，父子相保，而无死亡系虏之患。”（见《奸劫弑臣篇》）这段话什么意思呢？他说，一个圣明的君王，他作为最高立法者与司法者，一定要明察大是大非，深解治乱之情。以此为依据，他必须设立严刑峻法，并使之公明于众。只有这样，你才能救群生之乱，去天下之祸，使强者不欺侮弱者，多数人不欺侮少数人，老人能够得到赡养，孩子能够得到抚养，边境不受侵犯，君臣父子相亲相保，而不至于变成他人刀下的冤魂、俘虏或奴隶。也就是说，韩非子认为他的这一套法系是对整个社会负责的，这个说法对吗？对！什么意思？在农业文明社会结构中，只有这个简单粗暴的法制系统才成本最低廉、操作最便捷、管制最有效，须知它就是这个生存结构的必然产物。

我前面说过，中国的法家绝不是善茬。他们在法论中、在国家治理和政治操行上表现得十分恶毒，实在令人难于赞赏。比如，商鞅曾经就提出来过一个“弱民理论”，他的《商君书》原话这样讲：“政作民之所恶，民弱；政作民之所乐，民强。”这段话什么意思？他说如果你制定的政策、政令都是人民所喜欢的，那就糟了，人民会因此而强大；如果你制定的政策、政令人民都很厌恶，这就好了，因为人民会变得很微弱。也就是政治总是跟人民作对的。他紧接着在下面说了很有名的八个字叫“民弱国强，民强国弱”。他说，只有人民羸弱的时候国家才会强大，如果人民很强势，那么国家就管不住人民了，国家就衰弱了，这就是他著名的“弱民说”。

政治是什么？中国的法家政治，就是专门欺负老百姓，专门摧残民众的生机与尊严。只有人民处在柔弱萎缩状态，国家权力才能巩固，君王权威才能彰显，这叫“弱民之说”，亦称“民弱国强”。关于推行弱民治略，商鞅提供了三种方法：第一，愚民政策。商鞅直接讲：“愚农不知，不好学问，则务疾农。”他说让农夫们蒙昧无知、没有任何求知问学的文化兴趣，这样他们才会勤勉耕作。所以，他主张烧书禁书，取缔人民的迁徙自由，规定秦人不得与外国人交往。总而言之，切断你的一切信息来源，使人民闭塞愚钝，这是弱民的第一方法。第二叫辱民，就是要不断地羞辱人民，让人民觉得他猪狗不如，只有如此，人民才会尊官。他原话这样讲：“民有私荣，则贱列卑官。”他说如果你让人民觉得自己很荣耀、很自尊，那么人们就会轻视官员，违抗政府，你只有让人民觉得自己很卑微、很下贱，那么官员才会具有威势。他的第三政策叫贫民，原文为“富则轻赏”，意思是说，如果人民都很富有，他就看不上官员的赏赐了，官方对人民就没有挟制力了，故此秦国变法后一直推行超高税率。他接着讲：“辱则贵爵，弱则尊官，贫则重赏。”他说你让人民毫无一丝尊严，那么人民就会看重爵位；你让人民孱弱无力，那么官员就会显得强悍而尊贵；你让人民变得贫穷如洗，他们才会稀罕官方的赏赐。这就是商鞅变法的内治要诀，这就是中国法家对待人民的基本态度。

所以我们一定要明白，中国的法家及其法学，它与现代法系全不相容，它是国家至上，或曰“国家主义”，人民只是国家政权的工具。国家本来应该是为人民服务的一个机构，但是在中国的法治文化和政治学里却恰恰相反，人民只不过是国家牧养和驱使的牲畜。所以郭沫若讲：“在韩非子治下的社会里，只有猎犬（告密者）、豺狼（爪牙）和牛马（被压迫者），哪里有人的气息和尊严！”鲁迅在他的文章里说，中国只有“两个时代”，一个是“暂时做稳了奴隶的时代”，一个是“想做奴隶而不得的时代”，前者指被剥削受压迫的治世，后者指连安享剥削压迫的资格都丧失了，于是只好造反，如此反复治乱循环而不已。所以中国传统社会、中国的法家学说，它所尊奉的是典型的国家至上和国家主义学说，是暴力维系的统治方式，一切为国家政权服务，人民是极为轻贱的，只不过充当国家政治的鱼肉和玩偶。而要维持国家政治权力及其法治系统，最好的资源就是强权与残暴，这就是中国法家的基本理论框架。

东西方政治智慧的比较与探究

我们前面讲了韩非子法学理论的主线，下面讨论一些与此有关的其他问题。

自从法家理论确立，中国逐步进入君主专制时代的成熟阶段。由于中国政治法论体系极具压抑性，从此使中国文化的发育进入黑暗而窒息的时代。秦以后、君主专制制度建立以后，中国国学文化及其思想发展从此再没有任何重大建树，这都是韩非子“法代文化”的必然后果。

中国中古社会常说什么“文治武功”，其实在各朝代，但凡官方治学，都是对学术的肆意歪曲和阉割。比如永乐大帝朱棣，在皇权组织下编成《永乐大典》。有人说它是明代官方治学的典范，但实际上《永乐大典》是什么？官方强行搜集民间所有书本，不准私藏失缴，然后把所有书籍拿过来由政府组织的文宣机构审查，凡是不符合主流意识形态的一律烧毁，最终只把能够取悦和辅助专制体系的东西汇集成册，这就是《永乐大典》。清代的《四库全书》，有人说它是清朝文治的光辉，但实际上《四库全书》是什么？把民间书籍搜集上来，凡是不符合满清统治的东西，包括中国传统“夏夷之辨”的内容全部删除或灭迹，然后把官方认可的东西，甚至是伪托、篡改的东西另加编辑，这叫《四库全书》。

因此，但凡中国官方治学，基本上可以说是对真正文化学术的有组织破坏。中国学人、中国传统文化，将全部关注焦点都聚集在人伦社会问题上，以至于自然学完全偏废，那么照理说，中国人的政治学、法学、伦理学，似乎本应达到极度高超的状态才对。可事实恰恰相反，所有智者把自己的全部精力都集中在人伦社会政治问题上研讨，他们缔造的却是前面所讲的那样一套简单粗暴的法论政治体系。因此有人说，中国人政治智慧极差，这个话是有一定道理的。

大家看，从古希腊文化一直到西方文明，他们把自己最主要的智力都使用在仰望星空、探究自然之领域上，由此产生哲科思维，并建立起整个自然科学系统。他们只把自己边边角角的一丁点儿智慧，使用在人文学、社会学、法学以及法制建设上，却居然创立了非常复杂、非常系统的民主宪政体系，这真是令人惊叹。

大家要知道西方民主法制体系，它是一个精致复杂的分权制衡体系，它绝不是少数服从多数、只拿选票说话那么简单。文革时期，中国何尝不是少数服从多数？当时叫做“团结95%的人，对5%的地、富、反、坏、右实行专政”，但这不是“民主”，这是典型的“多数人暴政”。所谓民主是这样一个完整的体制结构，首先它在横向上进行分权，谓之“三权分立”，也就是立法权、行政权和司法权各自独立、互相牵制。立法者地位最高——国会，他们有制定法律的权力，一切国家机构、一切社团组织，包括任何个人，都必须在它所设立的法律规约下行事，但是国会及其议员没有行政权，没有司法权；政府有行政权，通过多党合法竞争取得执政地位，但它没有立法权，没有司法权；司法机构、判案机构，它有行使法律的权力，但它没有立法权，没有行政权。由此形成一个权力相互制约的体系，这是横向制衡。

到此还不够，它再建立“纵向分权”制。它的各级官员体系不是由上级委派下级，而是各地有自己的地方立法机构，由当地选民选出地方议会和地方行政长官，借此又形成一个低一级的三权分立结构，这就是所谓的联邦制。它的地方分权体系层层独立，下级官员、州郡领导并不受上级委任，而是向自己本地区的人民负责，向地方议会负责。它甚至做到一个街区都可通畅地表达其民意，如果这个街区的民众形成某种共同的协议，比如在一个十字路口的街角上不能有建筑，否则汽车走到这个地方拐弯的时候视线被阻挡，于是该社区民众、一个小街道地区的民众做出一个决定，到法院备案后都有效，这是在垂直线上进一步分权。

到此还不结束，它另有一层外置权力叫“舆论民办”。在西方国家，包括在美国，法律明文规定政府不得操办舆论机构，比如报纸、电台、电视台、杂志社、出版社等等。除非是对外宣传机构，政府经国会授权后才可以建立，对内的这些舆论机构，政府一律不得插手，只能交由民间办理，任何个人、任何社团均有权涉足上列行业，从而形成舆论独立于政府权力之外以监督政府行使权力的格局。所以，舆论界也被称为第四权力系统。这种情形与中国刚好相反，在国内所有舆论机构只准官办，不准民办。

到此还不结束，它再画一条线，叫作“天赋人权”。就是在这条线以下，人民的基本权利、个人权利不受任何公权力的侵犯。比如个人名誉权、肖像权、财产权、言论及结社自由权等，任何他人包括一切公权均不得侵害。

到此还不结束，它还规定一条叫“违宪审查”。就是政府、政党、军队这些有组织、有力量的群体，它们在运行过程中，如果其行权超出立法机构所立宪法的范围，最高法院有权对总统行为、行政部门的具体举措加以“违宪审查”，并独立做出是否符合宪法的裁决。

这样一个层层制约的权力系统，构成民主宪政的复杂法制社会。大家注意西语的“法律”用的是哪个单词？Law。这个单词同时就是自然科学上所说的“规律”，两重意境并为一语，什么意思？即“理性主义”与“人文主义”同构，“自然规律”与“人文规则”同源。他们认为法律这个东西是一个纯理性的产物，就像你发现自然律一样，是一个纯理性、纯逻辑的推演。它不是根据某些人的特殊需要，而是根据整体社会利益的最大化，用理性排布一个平权法系。这就好比交通法规，红绿灯的设立不为任何私利服务，它的设计方式，甚至读秒数的安排，都是根据交通流量来调整的，所有人必须严格遵行。它是一个非常系统、非常周密的理性结构、纯理性结构，康德把这个东西称为“纯粹理性的道德命令”，即一切道德和法律都应该在这个系统上展开。这跟中国法家理论只为当局的政治控制服务是全然不同的概念。

而且大家还要注意，西方的民主法治绝不是骤然形成的，它是经过两千多年的磨砺和雕琢，才逐步形成完善体系。要知道古希腊的学者，比如柏拉图、亚里士多德，曾经对各种不同的政治体制做过专门的分辨性研究，例如君主制与僭主制、贵族制与寡头制、共和制与民主制……他们不断地进行分析比较，详察每一种政治形态各自具备的优点和缺点。

在古希腊，雅典城邦实行民主政治，它曾经其实是很幼稚的，甚至是很荒唐的。比如古希腊著名哲人、柏拉图的老师苏格拉底，他居然是被雅典公民投票赐死的。为什么西方历史学上反复探讨伯罗奔尼撒战争？所谓伯罗奔尼撒战争，缘起于古希腊的诸多城邦分为两大集团，一个是以雅典民主制为首的集团，一个是以伯罗奔尼撒半岛上斯巴达专制政权为首的阵营，它们之间发生过两次战争，史称伯罗奔尼撒战争。这两次战争，民主雅典全都战败，那么西方人探讨伯罗奔尼撒战争，探讨什么？探讨民主制的缺陷。战争期间，雅典公民对于任何将军，只要他作战能力强、战功高，呈现威望超众之势，他们居然在战争正在进行的时候就用陶片投票法，把这些将军解职并且流放。为什么？害怕他们权力太大、声望太高，有一天可能成为独裁者，结果导致在伯罗奔尼撒战争中雅典联盟不断失败。可见西方民主政治经历两千多年的跌宕与追究，从粗糙到精致的琢磨绝非一日之功，它是一个历经数千年才造就出来的东西。

我们谈法律、谈政治制度，这些东西表面上看非常重要，但实际上是“文化先于制度”。这话什么意思呢？我前面讲，民主法治是由一个完整的理论和理念系统构成的，它要有一个渗透性的社会文化铺垫作为前提。比如中国1911年辛亥革命，孙中山的理想是建立民主宪政制度。迄今一百多年过去了，中国近现代历任领导者，从袁世凯到蒋介石再到毛泽东，从来没有真正建立过民主社会。为什么？当年袁世凯时代、军阀时代，它是有议会的，它是实行政党政治且有在野党的。可是有什么用？议会要么被随便解散，要么就只有猪仔议员，政党领袖可以被刺杀，政党活动可以被强权限制，袁世凯最终称帝。蒋介石提出“一个主义、一个政党、一个领袖”，全面走向民主宪政制度的反面。它说明什么？说明即使你有这个制度建设，假如你没有与之相应的文化基础，制度也一定变形，制度也一定荒废。

所以民主制度的实现，绝不是仅仅建立一个制度框架就能够完成的，这也就是为什么西方民主宪政制度在欧美国家以外从来难以通行，至少得不到原样执行，总是不免变味变质。就连提出脱亚入欧、曾经全面学习西方的日本，到昭和年代也完全返回旧貌，天皇从“虚君”变成“实君”，军国主义再度发生。直到二战以后麦克阿瑟统治日本，然后他又按照美国法制订立了一套宪法，强加在日本头上，结果日本迄今仍然是自民党一党独大。它算是做得最好或模仿最好的域外民主制，尚且不能完全与西方民主制对齐，其他所有非欧美国家的民主制基本上都无法达致成熟状态。为什么？——文化先于制度！这一点请大家务必理解。

我顺便再说一个小话题，有人说美国没有文化，这话不能不说有一定道理。美国建国只有二百多年，你到美国去旅游，难以看到像欧洲那样巍峨的教堂、精美的雕塑以及文艺复兴以后的各类绘画艺术展览，这些东西在美国确实不多见。但你说美国没有文化，是你对美国社会实际上是继承和发扬欧洲近代先进思想的产物这一点毫无了解的表现。要知道美国社会实际上是最纯净地执行或者落实了欧洲近代一批思想家最先进思想的实验场，包括洛克在《政府论》中提出的“主权在民”，孟德斯鸠在《论法的精神》中提出的“三权分立”，卢梭在《社会契约论》中提出的“天赋人权”，约翰·穆勒提出的“代议制民主立法结构”，亚当·斯密提出“看不见的手”，倡导“自由市场经济论”……它是这一批近代欧洲思想家之整个思想体系在北美新大陆最纯净的落实。这话什么意思？就是这些欧洲思想家的新思想，当年在欧洲大陆还受到旧传统的牵制，即使后来得以执行，也都不免在某种程度上有所迁就，只有在美国这个全新的实验场地上才真正做到全面贯彻，这就是美国《独立宣言》和美国《宪法》的基本精神。由于它是这些新思想最纯净的落实和践行，这才缔造了美国近百年超级大国的先进格局。

我在讲什么？我在告诉大家，姑且不论民主制度好坏与否，至少它绝不是一蹴而就的，它是数千年社会文化雕琢的产物，而且它要有相应的生存结构之土壤来培植，这个体系才会出现、才能成长。

那么说中国人政治智慧极差，从表面上看成立，从深处说不成立。为什么？因为中国传统农业文明本身就不会产生个人权利、民主制衡这样一些最基本的思想，这类文化根本就没有生发的土壤。所以在世界上无一例外，只要是古代大河文明、农业文明之地域国家，从来都没有产生过民主法治的思想体系和文化体系。它说明什么？再度说明任何文化只是某种局域性生存结构的适配性产物，而绝不可能无由发生。在中国纯粹农业文明的体制结构之下，你连有关“民主”“民权”的基本问题都无由提出。它只讲社会公权和国家强权，从来不会讲个人权利。

而民主制度是建立在个人权利的基础之上的，公权力只不过是个人权利的有限授权。这种文化在农业文明中绝难产生，所以世界任何农业文明之地，你都见不到民主法治体系，包括公元前1776年古巴比伦的《汉谟拉比法典》，一直到中国公元前3世纪的《韩非子》，这套系统完全是一样的，它根本不可能产生西方工商业文明从环地中海萌芽状态到近代趋于成熟状态的那种思想体系。

因此，评价中国人缺乏政治智慧，其实是对文化生发条件缺乏理解的表现。在某种特定的社会境遇之中，这类疑问或问题都不会产生，怎么会产生结论追究和后续答案呢？在农业文明下没有个人自由，不倡导个人自由，因为集体协作才是农耕生存的最简单方式和最有效方法。因此在其自古文化中，就没有个人权利，就没有平等观念，就没有自由诉求，而是讲“爱有差等”“礼有尊卑”，它用这样一个系统——尽管简单却十分有效、尽管粗暴却成本极低——形成有力的社会管制系统。因此，一种文化，包括政治法理文化，它一定是某种生存结构的匹配性状态和匹配性产物，它绝不可能无缘无故地发生，这叫“文化先于制度”。

法家思想听起来像是儒家思想的对立面，其实它们的出发点以及最根部的基础是一回事，那就是血缘社会思想体系。孔子的学说是“以仁释礼”，韩非子的学说是“以法释礼”，二者同出于“礼”且又归之于“礼”。我前面讲过，“礼”是什么？“尊尊而亲亲”，也就是社会血缘结构或血缘基础是孔子“仁爱之说”和韩非子“法论之说”共同的基础。表面上看儒法二者对立，实质上前后连贯而统一，骨子里相通。由于都是“血缘家长制”，这才会出现儒家的家长像慈母、讲仁爱，主张名教体制；法家的家长像严父、讲惩戒，主张法律体制；二者最终同归于“人治”系统和“专权”结构。由于他们之间气息互通、相辅相成，因此导致两汉以后儒法合流，历史上谓之“外儒内法”、“阳儒阴法”，就是外面挂的是儒家，内里执行的是法家，这两样东西融合得非常之好，终于构成中国社会得以稳存的多元对冲性支点。

你仔细看中国文化先秦诸子百家，它的整个传统体系，其实都建立在这同一个基础上。老子站在最前面，他主张退回到纯粹的原始氏族血亲社会中去；孔子承认封建文明体系，但是却用血缘礼制关系重新编织文明社会结构；尔后随着社会紧张度增加，韩非子主张以法释礼，用严刑峻法的约束方式，巩固和强化这个血缘家长式社会结构的金字塔；而墨家站在超越现实的高点，代表工商业文明发声，对儒家血缘社会体系发起解构性挑战，但终究未能穿透历史的迷障。

关于中国先秦诸子百家的不同论点，你只有深探农业文明奠基于血缘族群这个基础，才能厘清诸此思想得以发生的原因，你也才能领悟为什么在农业文明社会结构中不可能出现个人权利的伸张。而如果没有个人权利的伸张和保障，就不可能有民主制度和契约社会发生的条件，这就是东西方政治文化的分歧与异趣之所在。

韩非学术影响评议

我们下面再讨论一个问题。民主制度看起来很美好，韩非子的法家听起来十分残忍，但是你不能因此就说民主制度下的人性就是良善的，韩非子法论体系下的人性就是残酷的。其实人性是一回事，只不过是不同文化使得它的流淌方式不同而已。要知道西方近代民主化以后却作恶多端，他们对内讲人权、讲公平，对外抢掠、杀戮，无恶不作。中国社会的行为方式恰恰相反，他们对内很残暴、管制极严，对外却偏于仁厚。

你看郑和下西洋，他开出庞大的舰队，从来不去征服其他国家，反而建立朝贡制度。就是你只要承认我是中央天朝、万国之国，你给我进贡一分，我给你回馈十分，这叫朝贡制度。它对外很仁善，但它对内极为严苛，原因是什么？我前面讲过，中国独特的封闭地貌，是当时东亚唯一的农业生产之地，周边全是荒漠、高山或海洋，因此它对外无从获得农业时代的财富，也没有办法像环地中海地区那样换回粮食，它对外没有可抢掠的地方。而一切财富争夺、一切利益纠葛，全部是对内发生的。由于域内竞争极为激烈，因此它对内管控的方式也就极为苛酷。它对外仁善，是因为它对外无从获得利益。西方国家相反，它对外要抢掠，对内就必须讲人权、讲公平，形成内向凝聚力。但是它的整体文化，包括民主制度、工商业文明的基本状态，仍然是极为恶劣的。

比如哥伦布发现新大陆，白种人居然灭绝了当地印第安人百分之九十以上。尽管绝大多数是带过去的病毒、细菌造成的，但是白种人曾经以军队、火枪的方式消灭印第安人，也是不争的事实。再比如东印度公司，荷兰最早资产阶级革命并建立荷属东印度公司，在今天的印度尼西亚；英国人建立东印度公司，在今天的印度，他们的公司居然有政府入股，以政府出让部分公权力作为股份，于是这些公司可以建立军队，有一定的外交权。不管是荷属东印度公司还是英属东印度公司，对当地人都同样采取极为残暴的统治方式。

在英国治下的印度，有一年发生灾情，印度盛产粮食的一片区域，所有产出被东印度公司强行征收，竟然造成该地区饿死数百万人，这只是东印度公司缔造的无数罪恶之一。再比如贩卖黑奴，要知道当年整个非洲总人口大约只有九千万到一亿两千万，掳奴贸易居然把两三千万人口贩卖成奴隶，漂洋过海，病饿交加，百分之三四十被抛尸大洋，其余到达目的地后，像牲口一样被掰开牙口看年龄，然后论价买卖，奴隶没有任何人权。

如此残忍的蓄奴制度，直到19世纪中叶才在美国逐步消失。像这样残暴的事情，中国人对外是做不出来的。直到第二次世界大战，希特勒竟然用工业流水线的方式，消灭犹太人达六百万左右，这样的事情中国从来不做。二战时期中国反而接纳了大量的犹太人，一直到现在以色列感念中国，都跟这件事情有关。

我在讲什么？我在讲人性都是一样的，人类是同一种货色。只不过人性恶的展现状态，会随着文化塑形的不同，最终以不同方式、不同方向表达和流淌，仅此而已。中国的内部政治结构极为残酷，它照例有极恶劣的一面。我给大家举两个例子。明成祖朱棣，他篡夺了自己侄儿的王位，便要求忠诚于建文帝的所有臣属改变立场，当时的名士方孝孺不从，他于是威胁要灭其九族。灭九族是个什么局面？只说灭三族，就包括你本家以外，父族、母族与妻族三大家系之全体成员一律杀绝，这才叫灭三族。想想灭九族的株连人数该有多少！方孝孺表示即使灭我十族，亦无可妥协，于是朱棣下令真灭十族。第十族是什么？你的学生和朋友都在灭门之列。换句话说，我如果犯事，在座诸位将全部被斩。如此行刑，一次杀人成千上万，血腥程度令人发指。

另一个例子。仍然是这位永乐大帝，他曾经有一个爱妃是高丽人，朝鲜半岛过来的贡品，姓权，史称权妃。朱棣对她宠爱有加，即便是带兵打仗、行军北疆都带着权妃。权妃身体本就羸弱，遭遇风寒，不久病故，朱棣伤心不已，念念不忘。事过若干年，他的宫女和妃子由于内斗而传出流言，说权妃是被某些宫女毒害致死的，朱棣竟然不加分辨，把当年权妃在世时的所有嫔妃和宫女近千人左右，全部凌迟处死。而朱棣本人，每天搬个椅子坐在那里观刑，看着自己的女人被一刀一刀切割，发出惨烈的嚎叫声。他居然能够观刑数十天而不倦，他居然看得下去！简直是丧尽天良！而他居然还是国家最高领导人！所以我说人性是同一种货色，东西方文明、东西方政治结构、东西方社会法制体系，它并不表达谁善谁恶，它只是不同的文化塑造了不同的人性展现平台而已，这一点我反复强调。

韩非子的学术以“损道德、集权力”为其宗旨，跟马基雅维利认为一切道德只是君主施行权力的羁绊与束缚，看法完全一致。他在《扬权篇》中讲：“上下一日百战。”这句话我们听起来很耳熟，它的意思是君王的下属，天天窥刺着君王，想着怎样颠覆你。它跟文革前毛泽东说过的一句话略有些相似：“阶级斗争要年年讲、月月讲、天天讲”。韩非子的学说与中国社会的内争结构非常匹配，所以它的内控方式也就非常残酷。郭沫若给它做了七条总结：第一，权势不可假人，就是权力一定要集中在君王自己手里，千万不敢分权；第二，深藏不露，要会玩阴谋，不可在明面上显摆；第三，把人当成坏种；第四，毁坏一切伦理价值；第五，厉行愚民政策；第六，法须严峻，赏须审慎；第七，遇必要时不择手段；归根结底就是一个“诡”字。

说起来中国社会被称为礼仪之邦。当年孔子的礼制文化，确实造就了礼仪之邦。古代有一种“乡射礼”，就是乡村每年定时举行射箭比赛，它都有繁文缛节各项规定。比赛以前怎样向尊长敬酒，双方怎样互相致敬，然后开始射箭比赛，比赛完毕双方又怎样互致敬意，最后再向尊长致敬等等，非常复杂。要知道直至今天，日本人九十度鞠躬等诸多礼节，韩国人唯唯诺诺的周到举止，其实都是中国古代礼制系统在东亚的流布。

可是自从法家学说兴起，由于上流社会执行的是不顾廉耻、不择手段的行为方式，结果导致中国社会道德败坏。自古以来中国传统文化中，就流行着一系列阴损毒辣、擅弄权术、残害他人以获取私利的种种法术。直到民国时代居然出现一本专著，名叫《厚黑学》，也就是脸厚心黑，居然还能形成一门学问，这在全世界绝无仅有。而且据统计，此书从民国一直到今天，长期处于十大畅销书之列，可见中国民间败德文化流行到何等程度，这都是中国法论与法治系统的阴暗产物。

我讲到这里，可能会让各位产生一种错觉，以为中国社会稳定存续数千年，法家反而要居功了，其实不然。要知道法家的学说，是在中国上流社会、政府体系、王权系统内流行，这叫“伴君如伴虎”。中国下层社会还有一个说法，叫“天高皇帝远”，也就是中国整个社会基层，实际上是在儒家学说的笼罩之下，这才是中国社会的文化主流。

大家知道中国古代，政府机构只分三级：中央朝廷、州郡级、县级。县下没有政府机构，乡、村两级没有政府机构。它跟现在不一样，现在还有乡政府，村里还有乡政府管理控制的村干部体系，古代都没有。而百分之九十九以上的民众生活在乡、村两级，那么他们靠什么来管理？我建议同学们有空可以到河南内乡去看一下，那个地方有一个明清时代完好保留下来的县衙。你去参观那个县衙里面的陈列，朝廷命官居然只有区区几个人，其他十数人都是临时工，捕快、狱卒、杂役甚至师爷都是临时工。这跟今天你到一个县里，看见最高大、最气派的那栋楼一定是县政府，里面塞满几百上千人全是县府官员或公务人员，其情形完全不同。那么一个县几万、几十万人口，凭几个命官如何管理？它是靠乡、村两级的乡绅、士绅来管理的。

中国农村过去都是有祠堂的。所谓祠堂有这么几个功能：第一、祭祖；第二、教育和议事；第三、作为执行家法的地方。谁来执行家法？谁来教育议事？乡绅！这些乡绅是何许人？是用儒家思想武装起来的知识分子，或曰贤达之士。他们以儒家学说、儒家精神、儒家理论来管理社会基层，为人恭谨，处事仁厚。所以中国古代发生的一般民间纠纷，全都在乡社范围内自行解决，除非发生不寻常的恶性事件，譬如杀人越货之类，才会递解县级衙门处理。因此中国民间社会，总体上是在儒家重德学说氛围下滋养和生存的，这才是中国社会稳定的基石所在。

著名社会学家兼经济学家哈耶克讨论过一个问题，他说西方学者曾经研究欧洲的两个村落，发现这两个村落各有特点。

一个村落非常理性，孩子掉入池塘，母亲想要跳水救孩子，但她不会游泳，村民和邻居就会阻挡母亲，说你这样做不但救不了孩子，反而自己会被淹死，你还不如保住性命，将来可以生更多的孩子；另一个村落民风淳朴而不理性，如果孩子落水，母亲必定奋然跳下去施救，结果常致母子双亡。这两个村落的村风文化完全不同。欧洲学者追踪调研，结果发现数十年以后，那个极为理性、孩子溺水母亲不救的村落反而星散了，那个温情弥漫却不够理性的村落人丁兴旺，长存不衰。我们可以借此给出一个评价：糊涂的温情都比冷酷的理性更有利！这就是儒法两家的区别所在。法家学说极为理性，编织而成的法论体系也颇为周密，达到中国先秦学术的最高水平，但是它缔造的是中国社会持久而僵硬的超稳定、超震荡结构。

此前有一位的学者名叫金观涛，他曾经提出中国社会是一个超稳定、超震荡结构。就是中国社会极度稳定，数千年不发生社会形态和制度变革，被马克思称为“社会化石”，两千多年的君主专制体制得到完好维系，皇权系统丝毫不变，这叫超稳定状态；但是它每隔两三百年就发生一次剧烈动荡，农民暴乱、生灵涂炭、政局崩溃、改朝换代，这叫超震荡结构。所以你看中国大地上，历代古文物早已不见踪影。你今天到希腊、罗马、西班牙、法兰西，那里的古代建筑多有保存。这当然跟中国的古建筑是土木结构有关，与欧洲是石建筑不同，但也跟中国社会的超震荡结构不无干系。每二三百年社会大乱，把一切财富和文化毁于一旦，然后又建立一个原样模型照旧运转，这叫超稳定、超震荡结构。它其实导源于农业文明社会本身的内在素质，以及由此素质必然引出的文化氛围和政治构型。当然它的超稳定状态跟儒家学说关系至大。

我在孔子课上讲过，孔子用最原始最底层的血缘纽带，重新整顿超血缘文明社会的社会失序状态，从而构成极为稳定的社会结构序列，这就是超稳定社会的文化渊源。它的超震荡特性来自于哪里？来自法家。当然这个超稳定结构本身，它的文化基础本身、生存结构本身就不可能永远超稳定，但是法家体系带来的过度压制、过度残暴，以及由此带来的过度社会损害，也是这个社会不断发生剧烈震荡的重要原因之一。在想做奴隶而不得的时代，民众只能通过造反才有一条生路，中国社会因此超稳定、超震荡。

法家理论体系及其政治建构，我们把它叫“家天下”，皇权归于一个血缘家族，天下就是他们的猎物。为了维持一家之利，不惜借助暴政以统治天下，用极残酷的法系、用崇尚暴力和残忍的方式管控社会，从而构成中国民众的一种奇怪心态，不是爱国心态，反而自古以来常常抱持一种憎国心态——憎恨国家，因为国家不是我的国家，是他人的国家，国家对我在很大程度上只是一种戕害。因此中国不断做亡国奴，因此中国自古汉奸丛生。抗日战争期间，毛泽东在给黄帝陵的祭词里都不由感叹“汉奸何多”！当时中国仅是追随日寇的伪军竟达二百万人以上，这都跟传承久远的这样一个政治体制和法治体制有关。

我们下面对这节课做总结。

法家学说充斥着对暴力和残忍的崇拜，表达出人性底层的劣根性。这话什么意思？大家想想生物种内以什么方式竞争？比谁拳头大，比谁肌肉强。狮子王、猴王怎么成王？靠打斗，无非是使用和比拼暴力而已。因此在生物界上亿万年的进化过程中，中高等动物的社会地位都是凭借暴力获取的，由此奠定了人性阴暗的一个参照系。人性的基底层里赋有一种对暴力的崇尚，无论是种间竞争抑或种内竞争，所有动物使用的最基本手段就是暴力与残忍。而到人类，他的竞争能力大增，他可以把暴力使用到极致，他可以用理性编织出一套完备的残暴法网来控制整个族群，从而塑成人类文明社会极为黑暗的底层结构。

所以歌德说过一句名言：“一个人若要运用他的理性，其目的惟在成为一个比野兽更具兽性的人。”这就是人类在种内竞争上使用理性的结果，也就是说，人类使用理性只会使生物种内竞争在人类社会中表现得更为激烈、更为残暴，而这却是人性、兽性、生物性的底层规定。由于这个原因，心理学家发现一个很奇怪的现象，他们做统计发现，在人类社会中最厉害、最有竞争力的那种人格，其性情状态通常呈现抑郁躁狂型。就是一个男人脾气狂躁，倾向暴力，动辄抑郁而随即又突然极度兴奋，这种人很出息，为什么？因为他的抑郁状态是他对不利场合的敏锐感知和恰当避让，他的躁狂兴奋状态是他在有利场合对自身生物机能的有效调动和充分发挥，所以这种性格的人就表现的极具社会竞争力，尽管你与之近距离接触会很不舒服。因此对于女性来说，你的丈夫脾气不好，恐怕你得宽谅他、劝导他，不可一味撒怨气，因为这表达着他人性中或兽性中参与种内竞争的能力更强劲。

我在讲什么？——底层参考系。它标志着人性、人的动物性、人的社会性、乃至人类社会制度下面有一个被规定的恶性层面，它是最基底的部分，也是最难克服的部分。法家学说其实就是把这个部分调动出来，换以理性形态，并使之成为文明社会控制的潜质调动和强暴张力而已。

但是文明发展到今天，人类的社会状态在两个方向上同时急遽发展：一方面是种内竞争越来越激烈，个人与个人之间、公司与公司之间、集团与集团之间、国家与国家之间，这都是人类同一个物种出于不同利益，结为不同社团，在不同层次上展开种内斗争。这个斗争序列越来越残酷、规模越来越大，今天世界国际格局跟中国春秋战国时代的那个中原国际格局如出一辙。一切法理协调只在国家内部存在，国际寻衅、国际争端其实没有章法可循，所谓国际法其实只是个虚架子。大家一旦在国家层面上进行竞争，没有任何制约手段，就像进入丛林中竞争一样。而今天的人类物种，在国家层面上的竞争已经达到极度恶化的程度。另一方面是人类今天的能力提升，无论是科技能力、施暴能力、毁灭能力全都大幅度增高。两相碰撞，势将演成人类的灭顶之危局。如果在这个时候，人类还坚持玩弄智巧，寻求各种竞争之利，国内阶级斗争、国际冷热战争，用各种方式强化竞争能力，并以此为自豪，以此为文明彰显、国力壮大的表征，那么人类将会处在没有前途的濒死状态之中。

任何其他物种，由于被自己的先天体智禀赋所限定，种内竞争一定是有限度的。即使到灵长目猴子之间争斗，它也绝难杀死另一个猴子。因为双方的能力、体力状态基本上没有太大差别，能打败对方已经非常不容易了，想致死对方难乎其难，因此它的种内竞争是有天然限度的。可人类没有这个限度，随着自身科技能力的不断提升，人世间的种内竞争可以达到毁灭这个物种的程度。所以人类面临自我毁灭的前途，这在三十八亿年生物史上从来没有出现过，而人类今天已经逼近这样一个重大危局。因此当今人类面临的重大课题，是如何消解“分立的国家集团竞争”这个大课题，建立“无竞争、祛强权、非暴力”的全新普世价值观，这个东西关乎人类之生死存亡。

请记住，人性的底层有暴烈和残忍的铺垫，这是一个非常可怕的人性质素，它将在无节制中构成人类未来的毁灭性前景。因此人类今天需要调动大智慧，重新缔造人类命运共同体，换成中国先秦时代的概念，可谓之“全球化的天下观”。我前面讲过中国早在先秦时代，就有“天下观”而不是“国家观”，人类今天亟需这样一个全球化时代的“天下观”。只有在高于国家层面上关怀整个人类物种的生存前途，才称得上“人类命运共同体”。如何在以兽性为基础的人性层面上建立一个消除国家边界以及消除集团竞争的人类未来统一社会，显然是人类即将面临的第一大难关。中国法家学说作为人类未来文明建构的负面参考系，庶几给人类提出一个需要紧急解决的重大课题。

好，我们今天的讲座到此结束。

课后答疑

我们下面留出时间，大家充分讨论。

同学提问：东岳老师好！现在中美贸易战一直在打，美国有出招，中国有应招，我们如何从东西方文化的差异上去看待中美贸易战？谢谢！

东岳先生：这么具体的问题我确实谈不好，你恐怕得找商务部长去讨论。但是你会发现，人类在国家层面上的竞争烈度越来越高、竞争项目越来越多、竞争意志越来越强。而在任何国家体制内，阶级分化、集团分化、公司分化全都构成竞争关系。我们不讨论具体问题，我们只看这个竞争过程，显然不是一个消解过程，而是一个激化过程，而且面面俱到，无微不至。所以我前面讲过“文化先于制度”，人类要想处理这个问题，按照人性的自然流淌，它一定不会使这个问题轻易消解，而会使这个问题越来越严重。因为这是三十八亿年生物进化的一个趋势性规定，人类要想克服自身的自然属性，难度何其之大。所以这个问题在文化重建上意义非凡，成为人类未来生存的大课题。

同学提问：先生您好！昨天课上谈到中国还处在从农业文明向工商业文明的转换过程中，这个转换还没有完成。今天课上提到文化先于制度，而文化的遮蔽性，让我们有理由相信，这个转化的过程还将持续很久。那您怎么看待中国有可能进入的第三次转型？是不是有可能在第二次转型没有结束的时候就直接进入下一次转型？谢谢！

东岳先生：这个问题提得很好。由于自然进化、生物进化乃至人类文明进化一直是一个加速度过程，因此中国面临的第二次社会大转型，很可能在它还没有完成的时候，第三次社会转型、文明转型就已经迫在眉睫。只不过第三次社会转型一定不在国家范畴内进行，也就是它一定不仅仅是中国的课题，而是全人类的课题。因为在国家集团内不可能解决人类种内竞争的根本问题，国家反而是人类种内竞争的最高表现形式。亦即人类种内竞争的最大集团体、最高暴烈度、最强冲撞力，就是发生在国家分立或对立的这样一系社会构型之中。因此只要国家存在，人类种内竞争就不可能弱化，而只会强化。这就是我为什么讲人类下一期文明将是一个后国家、后科学、后资本时代的道理所在。因此中国如果想引领人类未来的文明，它得在一个全新的思想文化理念上，在一个超越国家利益的文化理念上，寻求引领人类未来生存发展的出路。

同学提问：先生您好！我觉得在今天的科学时代下去畅想后科学时代，对当下的人应该是非常困难的。就像宗教时代、农业时代想象科学时代是怎样的一种场景，会有非常大的一个障碍。就想请教一下您，您设想中的后科学时代的场景、思维方式、价值体系等，它可能是怎样的？在那个时代，科学和科技又将起到怎样的作用？其文化位置如何摆放？谢谢！

东岳先生：你前面说得很对，就是人类在某种主流文化覆盖的状态下，如果要出现异类文化、出现新思想，难度非常之大，因为它跟你当前的生存结构或生存形势完全不匹配。比如我今天说后科学时代这个话题就会显得很别扭，今天是科学时代，你如果反科学而行，你如果忽视科学技术，你如果让自己的孩子脱离科学教育，你和你的孩子势必面临巨大的生存危机。但是新思想恰恰就是这样发生的，历来是在原有主流文化还正盛行的时候产生异类思想苗头。这就是为什么李白诗里会有这样一句话：“古来圣贤皆寂寞”。即新思想的发生最初一定是非常微弱的声音，但它却代表未来。科学文化今天已经给整个人类带来重大戕害，我前面讲，任何一个文化，如果不是对其载体产生维护效应，那就标志着这个文化行将衰落了。所以我们从逻辑上、理论上可以预见，科学时代行将结束。但是我们却无法描述后科学时代的具体样态，这个是很难做到的，我们只能在理论上探索后科学时代行将发生的基本情状和基本方向。如果你对这个问题有兴趣，请找《人类的没落》这本书读一读。

同学提问：东岳老师您好！韩非子师从儒家，但却独立发展出法家，是人性的丑陋使然，还是基于儒家血缘理论延展的必然？还有一个问题，就是您得出结论说，务虚的人不能务实，务实的人不能务虚，您是归纳出来的还是演绎出来的？为什么会有这么一个结论？谢谢！

东岳先生：首先我前面讲过，我说韩非子是一个良善的书生。韩非子的学说十分苛酷、十分恶毒，但他本人却不乏良善。它说明什么？法家理论、法家思想、中国社会政治构型，绝不跟某一个人的德行善恶有关，它是中国这个生存结构的产物。这一点我反复强调。因此它跟个人的素养没有关系，即使没有韩非子，出来一个李非子，他也一定缔造这样一种文化，他不可能缔造其他的法论系统，所以人类的文化是某种生存结构和生存形势的产物。中国人跟西方人的智力差别微乎其微，不是因为中国人智力不够，故而缔造不了民主社会结构，而是因为他的生存土壤、生存环境根本就让他提不出这个问题。

我再回答你第二个问题。我说“务虚者务不了实，务实者务不了虚”，既不需要归纳也不需要演绎，它在历史上是明显的事实。各位只想一件事情，“知难”还是“行难”？中国古代讲“知行合一，知难行易”，有人讲“知易行难”。任何一个新思想、新文化，它怎么会发生？从生物学上讲，每一个人的智力基本上是没有差别的，差别是微乎其微的。测量智商这个做法其实是很有问题的，所有的人同等聪明。那么缔造新文化、新思想的人，他凭什么缔造？牛顿、爱因斯坦，我们认为他是天才，其实他和我们所有人的聪明程度一样。那为什么他们会缔造这样复杂的思想系统？这跟他们个人的聪明程度虽然有关，但绝不是最重要的，而是因为他们把自己毕生之精力和智力聚焦在一个点上使用。我们一般人的用智方式是“求存用智”，为了在社会中生存，我们的智力是分散开使用的，我们要处理四面八方的问题，我们寻求人格平衡。可一个人要在学术上、理论上、思想上有创新，有创见，请大家想想他怎么可能？所有人智力一样，凭什么你做出来？只有一个可能，你把自己毕生之精力和智力集中来处理这一件事情。即使如此，千百万学者中也只有一两个人真正有所建树，这叫“务虚者务不了实”。不是说他的能力务不了实，而是他一旦分散自己的精力和智力去务实，他绝不可能做出他人无法纵深的那个理论思想成果。而“务实者务不了虚”，他既然精力已经分散，他就不可能再把逸散的精力集中回来。因为一个在成年期已经成型的生存系统，它的复杂结构已经把你约束住了。人在做学术、做学问上，甚至在做任何事情上，都是需要童子功的。所谓童子功，就是你自幼就要开始这方面的训练，你才能够最终有所突出，成“杰出”之辈，这就是务虚者务不了实、务实者务不了虚的原因。要知道人类处理的信息量太大了，人类要想生存，面临的问题也实在太多了，这就是为什么我们今天这个时代，不断地讲一个词叫“专业化”，也就是任何人把自己的精力分散开来处理生存问题、处理文化问题，你一定生存平衡、人格平衡，但你绝不可能在任何一个领域真正纵深；你如果要在任何领域纵深发展，你就必须牺牲在其他领域投入的精力和智力，一定是这样的，这叫专业化时代。所以我们从这个角度剖析，便可以断定，务虚者一定是务不了实的，务实者也一定是务不了虚的。在任何个人能力上，两者不可能兼顾，除非你是超人。

同学提问：刚才讲到政治智慧，提到相对于西方的民主自由的政治智慧，东方的政治智慧相对比较低端。现在我们也经常听到一种网络上的说法：中国的政治智慧具有西方没有的明显优越性。包括说中国的很多统治者、管理者都是从基层选拔上来的精英，所以他们做出的决定肯定会有更高的眼光，这是西方的选举制度所做不到的；中国这种非民主制度，相对来讲比西方的会有更高的效率，这两点都保证了东方政治智慧的优越性。我不知道老师您怎么看这个问题？是不是说它在中国现在民智没有完全开化的时代，更适合中国的生存结构？

东岳先生：你所说的这个声音我非常熟悉，它就是今天主流文化界和主流政治界的官方说法。你听一听，从基层上来的精英统治社会，这是什么话？典型的人治理论。他说它最有效率，人类自古以来上千年的专制统治，效率怎样表达？全靠君王是否开明。效率确实很高，做好事效率高，但是做错事、做坏事效率也高，没有制约结构，因此效率高，可以在任何领域表达，最终结果相互抵消，甚至祸害更著，这就是人治专制制度与民主制度的差别。我们今天在主流上听到这种声音一点不奇怪，但是我们确实要深思这个问题，要考虑这个问题的渊源，想想人类数千年的政治史总结了哪些问题，讨论了哪些问题。西方近代社会人文学界讨论了数百年，从伯拉图、亚里士多德时代算起讨论了数千年，这个问题在结论上应该非常清楚。更重要的是，效率有那么重要吗？一个国家、一个民族、一个集团，你最终追求的是什么？是生存，且是有尊严的生存。我前面讲，效率提高、能力提高，恰恰是人类灾难的渊薮，所以人类今天不断追求高效率的做法，恐怕在未来的文明结构中，一定是一个负面概念。所以这个问题在我看来是非常清晰的，在社会中出现不同的声音也是非常正常的。

同学提问：东岳先生您好！时下政界和学界都在大呼“复兴儒学”这个口号，这让我想起了余英时先生的“死亡之吻”的说法。就是政府越是推动儒学、肯定儒学，儒学可能就会死得越快，我很好奇先生您对此怎么看？另外还有一些学者大力倡导将儒学作为国民宗教，认为儒家学说从宗教的角度可以更好地描述其文化意义，您又是怎么看待的？

东岳先生：我想我的观点是非常明确的。什么叫儒学？儒家学说是中国传统文化的脊梁，而中国传统文化是什么？是全世界最精致、最典型的农业文明体系之文化集成，这就叫儒学。它其实早在中国古代，就已经叫作“儒教”，所以中国自古有“三教合一”之说，即儒教、道教、佛教。我在前面讲人类远古文化一定要具备“求治”的要素、“启蒙”的要素、“教规”的要素，因此儒学早就是儒教了。但是我在课堂上也不断地讲，人类没有退路，这个世界是单向度演化的，尽管文明进程是一个恶化进程，但你却没有退路可走。我讲孔子学说的历史合理性，说它当年有文化维护效应，但我在后面有关糟粕和精华的讨论中，我又说你退不回去，你只要拿它使用，你立即落下荒唐可笑的局面。所以儒学只是人类建构未来文明的基底参考系，这才是它的精华所在，拿它直接作为今天的主流文化，相当于要让人类退回到农业文明。因为文化一定跟生存结构是匹配的，又怎么可能形成一个有效的文化维护效应？所以那些说法是根本不成立的。我们学习儒家学说是为了了解人类文化进程或人类思想史的一个阶梯，是寻找未来人类文化参考系的一个方法、一个思路。说儒教能够拯救中国、拯救世界，这相当于说退回到农业文明是人类未来的前途和福音，是一样的荒唐。

同学提问：东岳老师您好！当今的世界格局有点像中国的战国时期纷乱不止，战争一直没有停歇。在民族主义和国家主义愈演愈烈的情况下，特别认可你在《人类的没落》里面提到的民族主义向人类主义过渡，国家主义向世界主义过渡。但以前的中国，最终是秦国统一了诸国，那整个世界有可能在未来变得统一吗？如果有可能的话，会是中国吗？如果一直得不到统一，会不会因为外星人入侵地球，然后必须要团结起来去对抗外星人？谢谢！

东岳先生：关于外星人问题，我放在第十二天最后一节课中略微讨论一下。我们现在先说你的第一个话题，人类全球化会不会像秦国征服消灭其他六国的方式进行，可能吗？大家要知道，今天人类的能力包括国家的能力已经达到毁灭性高度，如果今天以战国时代强权暴力的方式统一世界，正如我在《人类的没落》一书中讲，这条路早已经是断崖了！试问，有谁敢用武力征服中国？有谁敢用武力征服俄罗斯？有谁敢用武力去统一美国？他不跟你玩原子弹才是怪事了。所以人类今天早已经没有用军事暴力方式统一全球的任何可能性了。而且如果是暴力统一，那也就一定是暴力统治，就像秦国横扫六国之后，建立的是什么？是秦朝的暴政制度。今天的全人类还能接受一个暴力管控的政权系统吗？一个暴力管控的联合国，全人类能接受它吗？这也是毫无可能的。因此人类未来的命运共同体、后国家时代，将一定是在全新的思想文化基础上，以人类共同协商的方式取得进展。只不过它有一个前提条件，那就是全人类得有这个文化自觉，因为文化先于制度。

同学提问：东岳老师好！大明王朝的张居正作为帝王师，帝王给他提供了一个很好的施展儒家学说的平台，为什么他在施展过程当中，他的学生发现他言行不一的时候，对儒家学说采取了一些极端的行为，这是不是说明儒家学说错失了一次很好的机会？还是说儒家学说本身就像手电筒一样，只照别人不照自己？谢谢老师！

东岳先生：我在讲孔子课的时候讲过，儒家学说在它的文化发展过程中，倾向于虚伪化。孔子本人的诚意、正心、修身，可能不假，但儒家学说必然倾向于败坏化。是因为人类文明的过程就是人性不断败坏化的过程，或者说就是人性劣根性不断伸展的过程，所以儒家学说本身最终一定遭遇这样的结局。那么中国社会到宋代，工商业文明萌芽已经出现，这个时候儒家学说、国家主流意识形态处于溃散状态，比张居正那个事情要重大得多，如果这个时候中国儒家学说崩盘，而有新思想出现并形成文化思潮，那么中国今天的国运、近代羞辱的国运一定是不复存在的。可是宋代以后出现的是什么？是二程，是朱熹，是王阳明，是这一批再造和强化了儒家学说的人。这说明什么？说明中国农业文明生存结构稳定，儒家学说文化土壤仍然丰厚，因此儒家学说回潮甚至固化，变成“理学”是一个必然。尽管此后中国社会一路衰败，最终滑向鸦片战争，但是也说明中国农业文明的土壤在两千多年里是格外肥沃的。建立新文化十分困难，尽管儒家文化变质，尽管儒家文化也逐步苛酷化。我们下一节课讲诸子百家辑要，讲儒学流变，会深入讨论这个问题。

同学提问：老师您好！今天和一个跟我一起听课的00后小朋友争了半天，因为我说服不了他。他说为什么法律是因为道德沦丧而产生的？道德是不会沦丧的。但是在我心里，我觉得道德因为人心败坏，是会沦丧的。解释不了这个问题，希望老师能给予解释。

东岳先生：我课上讲过，我说人类早年是“以德治国”，我说中国古代讲“人心不古，世风日下”，我说你在表面上只能做“情境评价”，就是表面上看人类的道德水准在提高，行为在儒雅化，但从骨子里看人类文化越来越暴烈，这些问题我都讲过，你得做“终极评价”。人类社会法制出现，这个法制本身就是有损道德的。因为不是用道德维系社会纽带，“法不禁者皆可为”，这是法治社会的基本规定。所以它已经不是用道德框架约束人类行为的时代，在这个时代，“以德治国”已经无法落实。社会复杂化、社会紧张度提高，道德纽带根本不足以维系。所以即使道德不溃败，道德的飘失、道德的动摇、道德的远距离稀释也是必然的。所以我觉得你不必说服他，因为任何新思想要想在一个主流文化环境中获得较多人的认同，这恐怕是一种幻想。需要时代继续发展，某些学说本身才能够逐步发扬。因此我在我的学术生涯中遵行三个原则：第一、不争论；第二、不说服；第三、不苟同。我建议你也不必跟任何人争论，如果你接受一种思想，你就去求证它，看它是否为真，或者说是否达致正确、符合事实。如果你看到不接受这个思想的人，你也视之为当然，因为大多数人不接受它才表明它是新思想。如果大多数人当下都接受它了，表明你的新思想跟旧思想没有什么区别。

同学提问：东岳老师您好！我想请问一下您如何评价台湾对西方的学习。我们知道中国的传统文化和印度的佛教有一次非常完美的融合，您如何评价这次融合？谢谢。

东岳先生：关于印度佛教文化与中国传统文化的融合，我将在其后的佛教课上专题评议。关于台湾问题，说起来有点复杂，因为展现在一个具体问题上，要多因素讨论，用单一的因素无法概括。那么台湾它有两个特点：一方面传统文化它留守得比较好，另一方面西方文化它又接受得比较充分，这跟上世纪初叶新文化运动有关。1916年新文化运动，以陈独秀、鲁迅为旗手提出“打倒孔家店”，当年国共两党对新文化运动，对清理中国传统文化，看法是不一致的。共产党是新文化运动和倒孔运动的积极支持者，国民党持保留态度、中性态度，蒋介石讲礼义廉耻，推崇曾文正公，对中国传统文化抱持某种程度的尊重。但同时你要注意，国民党的党纲却是全西方化的，它叫宪政党纲，也就是当年它的政治目标是要建立孙中山的宪政共和制度。只不过由于孙中山备受挫折，把这个过程分了三步走，叫军政时期、训政时期和宪政时期。也就是先用军事化、军国化的方式管理国家，然后训练国民熟悉宪政，最后才进入宪政体制。由于它的党纲目标是建立宪政，所以它最终走向台湾民主制度，在某种程度上也是顺理成章的。中共的党纲是什么？无产阶级专政。它的目标就是非民主的，所以这是完全不同的。表面上看国民党既遵从中国传统文化，又对西方宪政文化有所兼容，其实中国传统文化对当代的影响已经微乎其微，它只是一个表面色彩，而且早已被持续百年的旧文化清理过程冲击得七零八落，根本不构成现实的思想阻力或文化约束力，这才是导致国民党似乎表现出文化矛盾的原因。而且，台湾能走向宪政，还有更多复杂的因素，包括台湾的政治盟友是美国，外部压力也在起作用，等等。对此我们不再多谈。

同学提问：先生您好！我想问一下，您一直提到中国的文化稳定还有社会结构稳定，是因为整个东亚地理环境上的单一封闭结构。请问在全球化的今天，我们的整个全球，虽然看似在不停地交流，还有全球贸易和互联网等，但一些学者已经在讨论“历史的终结”还有“艺术的终结”的话题，是不是代表我们现在看似交流十分活跃，但也是单一封闭的、正在僵化的结构？因为文化交流也已无法引起当初那种精进。谢谢先生！

东岳先生：今天在地理地貌上形成交流屏障已经不可能了，今天的信息流通屏障是国家政权造成的，这个屏障跟地理地貌封闭相较，它的力度完全不可同日而语。因此任何一国政府想要长时间地封闭外部信息、外部交流和外部文化冲击是不可能的，它只是一个短暂的现象。中国社会融入国际社会大家庭只是或迟或早的事情，中国今天在经济上正在充分融入世界，中国社会在文化上实际上也早已经全盘西化，只不过政治意识、政治现实还稍有差距。我们今天从小学、中学到大学的全部课程，甚至我们今天脚上穿的、头上戴的不都是西方的东西吗？所以今天的交流屏障，包括人为设立的交流屏障一定是非常微弱的，它不可能形成像古代或者中世纪那样有效的阻隔力，因此人类文化的趋同性将会越来越高。但是西方文化以及世界各地的民族文化，今天自发流淌的总体走向，不是人类的前途。人类必须在现代世界的主流文化中寻求新思想，这才能拓展人类未来的生存。我这个话的含义是，即使中国的文化处境不遭屏蔽，西方文化也不代表未来，尽管中国文化早已衰落，我不承认中国文化能够拯救世界，但我也不承认西方文化代表未来。人类需要全新的文化再造。至于当今的全球交流是不是不够充分，是不是形成了某种星际封闭，是不是阻碍了地球人的发展，我的看法倒恰恰相反，不是发展太慢了，不是发展得不够精进，而是发展速度太快了，快到临近悬崖而来不及刹车的程度了，这才是眼下最值得忧虑的事情。

同学提问：刚才讲到日本的明治维新，提到一个说法，日本学习中国长达一千年之久，但是它在明治维新之后很短的时间内，三十多年内就完成脱亚入欧，然后成为世界列强之一。它既然学习了中国那么久，为什么它可以有这么快速的转变？日本是一个岛国，它国土面积小、人口少，是不是与此特殊的生存结构有关系呢？还是说跟其他的因素有关系？第二个问题就是日本这个国家，尤其是在古代的时候，“刀”文化是特别有名的，是不是跟日本国的生存环境更加恶劣，所以更崇尚暴力有关系呢？谢谢您！

东岳先生：关于日本文化的探讨确实是一个比较复杂的问题，西方学者也曾经专门研究，写出《菊与刀》等著作。那么我简单回答日本为什么抛弃中国传统文化非常容易。日本当年在隋唐时代接受唐学，唐学对它而言本来就是一个外来移植文化，而不是它的本土文化，不与它在根本上血肉相连。再加上岛国文化通常是很别致的，大家看一下英国，英国就其文化而言和整个欧洲是一回事，完全重合在一起，欧洲近代思想体系的塑成，英国学者有重大贡献，我前面提到洛克、牛顿、休谟、亚当·斯密、约翰·穆勒等，这些都是英国人，但是英国跟欧洲大陆文化仍然是有差别的。欧洲大陆在中世纪形成强有力的君主专制制度，而英国一直基本上是封建制度，持续到资产阶级革命之前。你再回望日本，日本历史大体上同样没有建立真正稳固的中央集权，始终是一个封建割据状态，所以日本跟英国在社会结构和历史进程上确实有某种类似之处。从这个角度讲，一方面唐学不是日本的固有文化，一方面日本的封建社会构型又略微近似于英国，我们当然可以设想，日本接受后封建时代的社会学说、社会理念，也就是进行资本主义社会转型便会来得比较容易、比较顺畅，这也恐怕是日本明治维新推行过程显得比较简捷的原因。而中国这次社会转型就极为困难，俨如欧洲大陆各国的资产阶级革命相对迟滞和难产一样。至于日本社会中，还有诸多细节上的文化特点，这我确实说不清楚，还需要专业学者予以专题探讨才行。

CPSIA information can be obtained
at www.ICGtesting.com
Printed in the USA
BVHW020514160522
637102BV00005B/231

9 781955 779210